RONSARD ET SON TEMPS

a.

OUVRAGES DU MÊME AUTEUR

CHEZ ÉDOUARD CHAMPION

GUILLAUME DE FLAVY (épuisé).
> *Prix Bordin à l'Académie des Inscriptions.*

LE MANUSCRIT AUTOGRAPHE DES POÉSIES DE CHARLES D'ORLÉANS.

CHARLES D'ORLÉANS JOUEUR D'ÉCHECS.

LA LIBRAIRIE DE CHARLES D'ORLÉANS, 1 vol. et 1 album.

LA VIE DE CHARLES D'ORLÉANS (épuisé).
> *Second prix Gobert à l'Académie française.*

FRANÇOIS VILLON, SA VIE, SON TEMPS, 2 vol. (épuisé).
> *Prix Gobert à l'Académie française.*

NOTES SUR JEANNE D'ARC.

HISTOIRE POÉTIQUE DU XVe SIÈCLE, 2 vol.

PIERRE DE RONSARD ET AMADIS JAMYN, LEURS AUTOGRAPHES.

TEXTES

LES PLUS ANCIENS MONUMENTS DE LA TYPOGRAPHIE PARISIENNE.

CRONIQUE MARTINIANE.

PIÈCES JOYEUSES DU XVe SIÈCLE.

LE PRISONNIER DESCONFORTÉ.

PROCÈS DE CONDAMNATION DE JEANNE D'ARC, 2 vol.

LES VIES ANCIENNES D'ANTOINE WATTEAU.

CHARLES D'ORLÉANS. POÉSIES, 2 vol.

AUX ÉDITIONS DES QUATRE CHEMINS

LA PLUS ANCIENNE ÉDITION DE FRANÇOIS VILLON. NOTICE ACCOMPAGNANT LE FAC. SIM. DE PIERRE LEVET (1489).

LA DANSE MACABRE DE GUY MARCHAND (1486).

CHEZ LAURENS

VILLES D'ART DU MAROC, 2 vol.

CHEZ GRASSET

FRANÇOISE AU CALVAIRE. 27e édition.

PIERRE CHAMPION

RONSARD ET SON TEMPS

AVEC 24 PHOTOTYPIES HORS TEXTE

PARIS

LIBRAIRIE ANCIENNE HONORÉ CHAMPION

ÉDOUARD CHAMPION

LIBRAIRE DE LA SOCIÉTÉ DE L'HISTOIRE DE FRANCE
ET DE LA REVUE DU XVIᵉ SIÈCLE

5, QUAI MALAQUAIS (VIᵉ)

1925

A PIERRE DE NOLHAC

HOMMAGE DE RECONNAISSANCE ET D'ADMIRATION

PRÉFACE

Veritas filia Temporis
(Inscription du château de la Possonière.)

Ce livre n'est pas né d'une circonstance, l'heureux centenaire de Ronsard. Et cependant il est sorti des conférences que j'ai dû faire à cette occasion, en Écosse, à la place de Pierre de Nolhac. Depuis longtemps, je cherchais non pas à m'évader de ce quinzième siècle auquel j'ai donné tant de recherches passionnées, mais à respirer largement un air plus vivifiant que celui des petites cours locales, de l'église ou du cimetière, où tant de fois j'avais erré avec mes poètes. Tous ceux qui aiment et qui admirent notre art du moyen âge ont d'ailleurs été hantés par ce problème troublant : comment et pourquoi a-t-il fini ? Les lecteurs des dernières pages de notre *Histoire poétique du quinzième siècle* ont pu remarquer que nous y évoquions les figures nouvelles du Paganisme, en saluant la naissance de la Vénus française. C'est autour de cette figure que nous avions le désir de diriger nos recherches nouvelles. Mais les beaux vers de Ronsard, l'amitié si chaude de Pierre de Nolhac nous ont arrêté à cette biographie qui nous promettait toutes les satisfactions que nous nous proposions de rencontrer ailleurs. Ronsard a fait ce miracle, et nous avons subi l'enchantement qu'exerce sur tous ses lecteurs celui que l'épigramme grecque des *Odes* de

1550 nomme « le charmeur des hommes et des femmes ».
Pendant des jours et des nuits, il a agi sur moi comme
un philtre. Pour ce poète inspiré, je me suis fait écolier.
Pour le mieux comprendre, j'ai voulu pénétrer son époque
tourmentée, feuilletant les beaux crayons de ce temps,
dépouillant archives et documents. Et l'homme m'est
apparu, dans sa curieuse et ombrageuse personnalité, dans
son esprit révolutionnaire, avec sa science qui renoue vraiment la tradition avec les anciens, son art souverain récon-
ciliant Pallas et Dionysos. Ce problème de la fin de l'art
du moyen âge, il semblait que nous en tenions les termes
concrets dans le passage d'une génération à une autre,
celle de Jean Bouchet, le rhétoriqueur, protégé par
Louis de Ronsard, père de notre poète, à celle de son fils
incompris. Se peut-il ? Jean Bouchet et Peletier, Ronsard
et Du Bellay ont vécu au même moment. Quel mystère
s'est donc élaboré autour d'un petit collège de la Montagne Sainte-Geneviève, sous la férule de Jean Dorat ?
Quelle part éminente prit Ronsard dans cette révolution
du goût, qu'une centralisation plus étroite, une France
plus unie autour de son roi, devaient favoriser au plus
haut point ? Autant de questions qui nous agitaient, et
que les circonstances au milieu desquelles Ronsard produisit ses beaux vers paraissaient élucider.

Fidèle à notre méthode, qui consiste à rattacher l'indi-
vidu à son temps par mille liens, on trouvera peut-être
que nous avons fait la part trop grande à l'époque où vécut
Ronsard, que la figure est moindre que le cadre. Mais il
y avait là, à notre sentiment, une nécessité. Si Ronsard
exprime vraiment une révolution dans les idées et le goût,
au temps de Henri II, il demeure, comme les artistes de
l'âge précédent, un serviteur. Son œuvre est presque toute

de circonstance. Pour l'apprécier, il fallait donner une vue
d'ensemble sur ce seizième siècle que nous allons parcourir
avec lui, époque d'art unique, mais remplie du choc des
idées et des controverses, de nos discordes, des émotions de
la guerre, et de la plus cruelle de toutes, de la guerre civile.
Enfin l'art de Ronsard est conforme à la tradition, s'il en a
bouleversé tous les termes. Tel un rhétoriqueur de l'âge
qui précède, il est entrepreneur d'épitaphes, d'épitha-
lames, de ballets, de mascarades ; il fait de la propagande
politique ; il est libre et il est courtisan. Comme son père
a servi par les armes, Ronsard a servi par la parole, puisqu'il est infirme. Tandis que nous, depuis le Romantisme,
tirons de nous-mêmes, assez laborieusement, la matière de
l'émotion poétique, comme un artisan d'autrefois, Ronsard
a presque tout tiré des choses vues. Ce tableau historique
que nous avons tracé est comme une pierre de touche
constante. Il nous permet de vérifier combien l'artiste
sensible, absolu seulement dans la forme nouvelle
empruntée aux Grecs et aux Latins, dans le choix des
mots nouveaux et des rythmes, a été riche, et relative-
ment peu fanatique. Il domine vraiment son art, les
choses et les gens de son temps. On demeure étonné que
les historiens n'aient pas fait un usage plus étendu de
ses portraits, de la véritable chronique qu'il a écrite de son
époque.

Même richesse, même tumulte dans ses idées, mais en
même temps une souveraine ordonnance. Car si Ronsard
a plagié les anciens, il est nourri de la substance tradition-
nelle de Marot et de ce qu'on a appelé l'esprit gaulois. Il
a aimé les paroles des Grecs et des Latins ; mais peu à peu,
ce sont leurs propres idées qu'il adopte. Celles d'un Platon, d'un Virgile, d'un Lucrèce, le hantent désormais.

Il est tout Français celui qui a tant pillé les Grecs et les Latins. Il n'a d'ambition que pour notre langue, « notre mère », suivant son mot, comme il n'a d'amour que pour son pays. Et nous le montrerons, sur ses dernières années, protestant contre les excès d'une érudition où il avait donné passionnément cependant. Lui qui avait su le grec comme un Grec, le latin comme un Latin, il n'entendait parler que le français. Rien de plus faux à cet égard que ce qu'a dit Boileau, le plus mal informé de nos critiques.

Le génie de Ronsard, c'est tout l'art classique, dans le sens noble de ce mot, toute la fleur des humanités. Son invention est imitation. Son imitation est invention. Avec quelle souplesse il passe du collège à la nature, de ses livres à la vie rustique, de la vie de cour à la vie des champs! La leçon que nous donne Ronsard, c'est la mesure dans la passion, l'ordonnance dans la liberté. Il a créé vraiment sa technique poétique et sa langue. Il a légué aux poètes à venir les rythmes dont ils useront jusqu'au Romantisme. Mais pas de contrainte pour ce doctrinaire. Il changera au moins quatre fois de manière, et presque de style. Chez cet homme, qui s'est volontairement couvert de chaînes, il y a comme un perpétuel besoin de les déplacer, sinon de les rejeter. Ronsard disait que la poésie devait être « chose naïve et naturelle ». Il demeurait en adoration devant la libre Nature :

> Car toujours la Nature est meilleure que l'art.

L'exprimer avec une aisance pleine de noblesse et de simplicité est le vrai travail d'un style que tous ses contemporains ont admiré.

Et quand on a fait le tour de son œuvre, qui n'a vraiment contre elle que l'abondance, une éloquence lyrique qui accable, on arrive à se demander si la plus haute qualité de l'artiste n'était pas l'intelligence, si elle n'est pas toujours l'intelligence ?

Un homme de la valeur de Ronsard est naturellement un chef. Il l'a été sur sa vingtième année, au sortir du collège Coqueret. Un chef aimé, bienveillant d'ailleurs, très orgueilleux seulement, un animateur devant qui tous s'inclinaient. Ronsard est un personnage de premier plan, qui eût tout autant brillé comme soldat ou comme diplomate. Il sait si bien entraîner et convaincre ! Il se juge lui-même, provoque des manifestes, écrit des traités sur son art ; c'est un philosophe reconnu qui a le goût des idées ; mais je crois bien qu'il eût préféré encore l'action. Son plus grand ennemi, ce fut lui-même, son abondante production, son éloquence qui a toutes les tares de l'éloquence, avec ses redites, ses lieux communs, et aussi ce laisser aller qui apparente parfois sa poésie au langage de la conversation. Ronsard se corrigera certes. Mais surtout il refait. Rien n'est pareil à lui dans le seizième siècle, ce bel âge du grand art, aussi bien en France qu'en Italie. Seul Hugo, au dix-neuvième siècle, est un homme de cette trempe.

Quelle histoire, celle des variations de la critique, à propos de Ronsard ! Sans doute, le poète s'est exagéré l'importance de ses « envieux » à l'automne de sa vie, alors que le nouveau style des italianisants fut si goûté autour de Henri III. Car il est mort d'assez bonne heure, ayant conservé vraiment le sceptre de la poésie. Mais quelle chute, de Malherbe, qui biffa tous ses vers, à Sainte-Beuve, à qui nous devons la timide réhabilitation de 1829 ! Et j'ai encore entendu à la Sorbonne mes maîtres l'expliquer avec maussaderie.

Faut-il rappeler la page étrange et folle de Michelet pour dire ce que Ronsard n'était pas ? « Au faux Achille [Henri II], un faux Homère ; au faux César, un faux Virgile. Pour chanter dignement la prochaine conquête du monde, il fallait un grand poète, un immense génie. On en forgea un tout exprès. L'universel faiseur, le jeune cardinal de Lorraine, y eut, je crois, bonne part. Dans une de ses tours du château de Meudon, ce protecteur des lettres logeait un maniaque, enragé de travail, de frénétique orgueil, le capitaine Ronsard, ex-page de la maison de Guise. Cet homme, cloué là, et se rongeant les ongles, le nez sur ses livres latins, arrachant des griffes et des dents les lambeaux de l'antiquité, rimait le jour, la nuit, sans lâcher prise. Jeune encore, mais devenu sourd, d'autant plus solitaire, il poursuivait la Muse de son brutal amour. Gentilhomme et soldat, il n'était pas fait pour attendre, ménager son caprice ; de haute lutte, il la violait. Il frappait comme un sourd sur la pauvre langue française… La France, par cet homme, est restée condamnée au style soutenu… » Mais toute l'*Histoire de France au seizième siècle* de Michelet (1856) est de cette force. Alors Michelet ne lisait plus rien, ou si vite, ou trop tard, en corrigeant ses épreuves, mené par des crises d'amour ou de haine. Mais chez les critiques, nos contemporains, plus rassis, et de moindre génie, on pourrait noter des variations tout aussi surprenantes, concernant le sens de son œuvre et le caractère de l'homme.

Si Sainte-Beuve, suivant le mot très juste de Théodore de Banville, a appris à lire Ronsard, Gandar, le critique de la génération des Parnassiens, a montré surtout en lui le poète doctrinaire, l'imitateur de Pindare et d'Homère, un

humaniste de génie, alors que la science et l'érudition
n'ont fait que nourrir sa poésie qui est profondément
nationale. Sur ses dernières années, nous verrons même
Ronsard rejeter l'érudition qu'il n'appréciait plus chez les
jeunes hommes de la génération de J.-Auguste de Thou
ou de Pimpont. Il ne voulait pas que l'on écrivît en latin,
surtout en langue cicéronienne. Il appréciait par contre le
latin d'église et le « bon gros latin », le considérant comme
une langue vivante, utile pour se faire comprendre à
l'étranger. Le grec était devenu pour lui une pure spéculation, encore qu'il goûtât la simplicité homérique. Pour
les critiques catholiques et protestants qui ont étudié ses
idées, Ronsard demeure généralement un pur fanatique
catholique et royaliste. Rien n'est plus faux : nous montrerons que Ronsard a beaucoup varié, qu'il a bien plutôt
mis son talent sinon au service de la tolérance, du moins
au service de la reine qui chercha à apaiser les partis, et
toujours à celui de la patrie.

L'homme était extrêmement mobile, nerveux, sensible,
fantasque et mélancolique, comme il s'est dépeint tant de
fois. Parce qu'il s'est brouillé, un instant seulement, avec
Pierre de Paschal, qu'au cours des polémiques religieuses
il a dû rompre avec des « ingrats », un disciple comme
Grévin, ou son vieil ami Florent Chrestien, l'helléniste,
qui l'ont accablé des plus sales injures, Ronsard passe pour
le plus mauvais des confrères ; et, parce qu'au cours d'une
vie sinon bien longue, du moins pleine d'œuvres, il a
modifié certaines dédicaces au détriment de ceux qu'il
estimait avoir passé à l'ennemi en cet âge de batailles (en
fait, il a surtout renouvelé des envois de pièces adressées
à des défunts), on lui accorde un fort mauvais caractère.

Ronsard était orgueilleux ; il ne souffrait pas l'ingrati-

tude ; il avait conscience de son génie et de son labeur. Il
savait qu'il était un bel artisan. Mais il a été tendrement
aimé de ses contemporains. Il s'est penché avec une grande
curiosité, beaucoup de bienveillance, sur leurs produc-
tions. Toute sa vie, il est demeuré en contact avec les
jeunes. Lui-même a renouvelé près d'eux son propre style.
Il doit beaucoup à Philippe Desportes, par exemple,
bien que l'italianisme musqué du poète de Henri III,
le platonisme qui régnait à l'Académie ne lui fussent à
aucun point sympathiques. Quand une étude complète
des témoignages des contemporains sur Ronsard aura
été menée, on verra la vérité de ce que nous avançons.
Les poètes provinciaux en particulier lui sont demeurés
fidèles. Ils appréciaient surtout son premier style, celui
dans lequel il avait chanté sa Cassandre, l'étoile de toute
sa vie. Mais ils aimaient dans Ronsard le vieux Français,
fidèle à la tradition de notre pays ; et c'était même là une
manière d'opposition aux mœurs nouvelles, et, pour tout
dire, aux mauvaises mœurs des Italiens qui entourèrent
Henri III. Jusqu'à sa mort, Ronsard a été considéré comme
la gloire littéraire la plus haute, la plus indiscutable, non
seulement de la France, mais de toute l'Europe. Les nouvelles concernant sa santé, sa production, étaient de même
nature que les nouvelles diplomatiques qu'échangeaient
les ambassadeurs. Comme il arrive, Ronsard n'en a pas eu
une conscience très nette. Il s'est exagéré la portée du
succès de Desportes, le snobisme qui suit toujours la nouveauté et l'outrance, les « grotesques », comme il disait
d'un Salluste du Bartas ou d'un Édouard du Monin. Mais
tous les écrivains de sa génération lui sont en fait
demeurés fidèles, ont été ses disciples. Avant d'être considéré par nous comme le père de la poésie moderne, Ron-

sard a été reconnu comme le père de tous les poètes ses
contemporains. Ce mot est déjà dans Brantôme. Quand Ronsard mourut, des théories de poètes collaborèrent, comme
nous le montrerons, à son tombeau littéraire. Il y eut là,
on peut le dire, autant de presse qu'au service funèbre que
Galland organisa à Boncourt.

Un livre comme celui-ci doit beaucoup à ceux de nos
devanciers. Je n'en nommerai que quelques-uns : Pierre
de Nolhac, qui a débuté dans l'histoire littéraire, en 1882,
par une notice sur Hélène de Surgères qu'il a pu réimprimer sans changement en 1914 (*Le dernier amour de Ronsard*) et dont le *Ronsard et l'Humanisme* (1921) est un
trésor d'informations dont on ne se lasse pas d'admirer la
précision, l'élégance, la richesse. Une étude comme celle
que Pierre de Nolhac a consacrée à Melissus (*Un poète
rhénan ami de la Pléiade*, 1923), nous ouvre, par les vers
latins, une source nouvelle de renseignements qui n'est pas
près d'être tarie. Les *Poésies choisies* (Garnier, 1923), sur
un plan si propre à nous faire apparaître tous les aspects de
la pensée et du talent de Ronsard, forment vraiment l'hommage d'un poète au poète. A mon camarade Henri Longnon, on doit un livre charmant et documenté sur les ancêtres de Ronsard, sa jeunesse, ses premières amours (*Pierre
de Ronsard, essai de biographie*, 1912). Enfin M. Paul Laumonier, le maître des Ronsardisants, en 1908, a publié une
thèse fameuse sur *Ronsard poète lyrique*, dont la deuxième
édition a été donnée en 1923. Il faut avoir pratiqué Ronsard
pour apprécier le magnifique présent que M. Paul Laumonier a fait à notre génération. Il a tout lu, tout connu,
tout cité avec précision. Si son ouvrage est d'une lecture
assez laborieuse, qui peut se vanter de l'avoir pris en
défaut, dans les 806 pages consacrées à la partie lyrique des

œuvres de notre poète? Mais cette thèse n'est pas seulement
riche d'informations. M. Paul Laumonier a eu le grand
mérite de lire toutes les éditions de Ronsard, de marquer
dans son précieux *Tableau chronologique des Œuvres de
Ronsard* (2ᵉ édition, 1911), le vade-mecum du lecteur
attentif, l'âge des pièces de notre poète. Sa doctrine présente
des aperçus entièrement nouveaux sur Ronsard, rattaché à
la fois à sa terre, à la tradition poétique de notre nation.
L'étude récente de M. Paul Laumonier (*Ronsard et sa province*, 1924) n'est pas qu'une anthologie régionale. L'introduction à ce choix est un chef-d'œuvre de précision,
riche d'une patience qu'on ne saurait trop admirer. Enfin
les éléments de la biographie de Ronsard que nous avons
pu tracer sont, en partie, dans les notes si étendues de l'édition critique que M. Paul Laumonier a donnée du Discours de la vie de Pierre de Ronsard par Claude Binet (*La
vie de P. de Ronsard de Claude Binet* (1586)... thèse pour
le doctorat ès lettres. Paris, 1909).

On doit à M. Gustave Cohen, professeur à la Faculté des
lettres de Strasbourg, un petit livre informé et sensible
(*Ronsard, sa vie, et son œuvre*), dont la bibliographie en
particulier est très utile. Enfin, parmi les confrères qui ont
bien voulu seconder mes recherches, j'ai le devoir de
nommer avec reconnaissance M. Paul Bondois, bibliothécaire au département des manuscrits, qui connaît si bien
l'histoire diplomatique et littéraire du seizième siècle,
Mlle Suzanne Solente, qui a revisé avec tant de soin et de
science la table du fonds Dupuy, M. Jacques Lavaud,
bibliothécaire au département des imprimés, esprit fin et
précis, qui prépare une thèse attendue sur Philippe Desportes et connaît mieux que personne les salons littéraires
de l'époque de Charles IX et Henri III.

Je dois maintenant m'expliquer sur mes références. J'ai
toujours renvoyé à l'édition de M. Paul Laumonier
(*Œuvres complètes de P. de Ronsard, nouvelle édition
revisée, augmentée et annotée*. Paris, Lemerre, 1914-1919,
8 vol.). Pour les *Odes*, mes citations sont faites d'après les
trois volumes actuellement parus dans la Société des textes
français modernes (2ᵉ édition, 1924). Mais un ouvrage se
proposant d'expliquer les vers de Ronsard en les situant
dans leur temps ne pouvait se satisfaire des textes de l'édition de 1584, reproduite si justement par M. Paul Laumonier. On n'en saurait douter, c'est bien là l'édition de ses
œuvres comme Ronsard l'a rêvée, le texte qu'il a corrigé
pour la postérité, son testament. Mais rien ne comptait plus
alors à ses yeux que la vérité poétique, c'est-à-dire la beauté.
Ni l'histoire, ni la vraisemblance ne sont respectées. Si
l'édition de 1584, en dépit de ce que pensaient les contemporains de Ronsard, nous fournit des leçons très amélio-
rées de ses vers, une édition soigneusement relue, le poète
a été trop sévère envers son œuvre (le t. VI de M. Paul
Laumonier est formé des pièces supprimées). Le point de
vue historique, qui s'imposait à nous, nous a fait recueillir
toutes les versions des éditions originales, dont nous avons
collationné les textes à la Réserve de la Bibliothèque Nationale, à la Bibliothèque de l'Arsenal, à celle de l'Institut,
et chez M. Abel Lefranc. Ce travail, qui a été considérable,
forme la base de notre étude.

Enfin, pour connaître et expliquer Ronsard, il convient
de ne pas s'en tenir à Ronsard lui-même. Il n'est pas
un poète de ce temps où nous n'ayons quelque chose à
glaner à son sujet. La liste des écrivains donnée par M. H.
Vaganay dans son intéressante édition publiée chez Garnier, les notes de M. E. Picot, déposées au cabinet des

manuscrits, sont fort précieuses. Car nous ne saurions nous en tenir aujourd'hui à la *Pléiade Françoise* de M. Marty-Laveaux. Enfin nous avons tiré grand profit des *Tumuli*, de tout l'ensemble aussi des vers latins qui contiennent certainement l'information la plus nouvelle et la plus riche sur notre poète. Les recherches bibliographiques de M. Frédéric Lachèvre (*Bibliographie des Recueils collectifs de poésies du seizième siècle*, Paris, 1922) nous ont été d'un précieux secours. Récemment l'Exposition organisée en l'honneur du quatrième centenaire de Ronsard à la Bibliothèque Nationale par M. Roland Marcel et ses collaborateurs, auxquels s'est joint M. Alfred Pereire, qui prépare une bibliographie définitive de Ronsard, mettait bien en valeur tout le parti que l'on peut tirer des poètes provinciaux, du cortège des musiciens qui accompagnent Ronsard.

Ce fut là une manifestation vraiment saisissante, une résurrection. Des petits marbres antiques aux merveilleuses tapisseries, des murs tendus de beaux dessins aux vitrines contenant manuscrits, imprimés, reliures mosaïquées, on allait émerveillé. On avait l'impression d'être transporté tout à coup dans le seizième siècle français, à la cour des Valois et des Médicis, où les hommes sont si beaux, si caractérisés du moins, et les femmes si peu plaisantes. Comme il m'apparaissait sage, alors, de rêver d'un livre que je n'écrirais pas sur *Ronsard et son temps!*

Mais il était trop tard. Le livre était écrit.

23 janvier 1925.

Cl. Pierre Dufoy

RONSARD ET SON TEMPS

CHAPITRE PREMIER

PIERRE DE RONSARD PAGE[1]

Pierre de Ronsard est né dans la nuit du samedi au dimanche, le 11 septembre 1524[2], au manoir de la Possonnière, la maison forte de ses ancêtres, que son père, Louis de Ronsard, avait fait reconstruire dans le style nouveau. Il ne tire pas son origine, comme il l'a cru, d'un marquis de Ronsard, seigneur danubien,

Riche d'or et de gens, de villes et de terres[3],

dont un descendant serait venu servir Philippe de Valois contre les Anglais. Mais il est sorti d'une vieille famille de gens, nés au terroir vendômois, qui, de père en fils, en qualité de sergents fieffés, gardaient la forêt de Gastine, exploitaient leurs terres et leurs prés de la vallée du Loir et qui, par leur adresse et leur courage, s'élevèrent jusqu'au service personnel et politique du roi. Ses aïeux, ce sont ces gens des bois, gardes forestiers, issus des ronciers dont ils

1. J'ai surtout utilisé le livre charmant de M. Henri Longnon, *Pierre de Ronsard, essai de biographie, les ancêtres, la jeunesse*, Paris, 1912 (*Bibl. litt. de la Renaissance*, XI) et l'étude de Jean Martellière, *Pierre de Ronsard, gentilhomme vendômois*, Paris, 1924. — Des renseignements précieux et précis sont donnés dans l'admirable introduction de M. Paul Laumonier, *Ronsard et sa province, anthologie régionale*. Paris, 1924.

2. *La vie de Pierre de Ronsard de Cl. Binet* (1586), éd. Paul Laumonier, p. 3-4 et notes, p. 66-67.

3. IV, 96. — Cette légende est peut-être fondée sur le souvenir d'un Ronsard vendômois qui prit part à la 4e croisade, et dont un descendant serait revenu au quatorzième siècle, dans son pays d'origine. (Cf. N. Jorga, *Sur l'origine de Ronsard*, (*Revue de la Muse française* de février 1924).

prirent leur nom, et qui lui léguèrent l'amour de la forêt[1].
Son père est Louis de Ronsard, un homme d'esprit nouveau,
aventureux, pratique, bien en chair et en os. Il sert pendant
quarante ans, « ou davantage », à l'armée, en Italie, où les
beaux coups d'épée alternent avec les festins, les tournois
et les bals. Il mange des chats et des rats, assiégé dans
Novare ; à dix-neuf ans, il est inscrit sur le rôle des cent
gentilshommes de l'hôtel à raison de 400 l. par an. Le
royal « pensionnaire » a l'héroïsme de sa jeunesse, car
c'est lui qui contribue à faire Ludovic Sforza prisonnier. Le
roi le crée chevalier ; il est le compagnon de Bayard, entre
dans Gênes, reçoit, après Agnadel, le collier de l'ordre de
Saint-Michel. Il épouse, en 1515, Jeanne Chaudrier, d'une
bonne famille de la vicomté de Thouars, alliée, mais d'une
manière lointaine, aux La Trémoille, dont l'un des ancêtres
avait repris sur les Anglais la Rochelle, le port où tant
d'Écossais débarquèrent en France. Ronsard le savait bien qui
a écrit de lui[2] :

> Où l'un fut si vaillant qu'encores aujourd'huy
> Une rue, à son los, porte le nom de luy.

Or, séduit par les prestiges de l'art nouveau découverts en
Italie, enrichi aussi par les libéralités de Louis XII, Louis de
Ronsard a fait reconstruire la forteresse de ses pères dans le
style classique. C'est un fait qu'il protégea le rhétoriqueur
poitevin, Jean Bouchet, et qu'il le conseilla parfois[3].

1. Je n'entends pas dire que les Ronsard n'étaient que des petits forestiers ; des
alliances anciennes prouvent le contraire : Jeanne Vendosmois et Catherine de Larçay
appartenaient à de grandes familles possédant en terres l'équivalent de cantons
actuels. — 2. IV, 96.

3. Les écrits de Jean Bouchet sont précieux pour connaître le milieu moral et
intellectuel où Ronsard passa son enfance. Jean Bouchet, sage et modéré, rend compte
parfaitement de ce milieu. Il continue Meschinot, cette première Renaissance qui
a son origine chez les Rhétoriqueurs. Mais Jean Bouchet invoque déjà les sages
de la Grèce, tout en moralisant sur les péchés capitaux ; Solon et Thalès, à côté des
Sibylles, sont ses autorités. Il résume le devoir de fidélité du serviteur loyal envers les
rois de France dont il rime la chronique. L'esprit de Jean Bouchet n'est pas fermé ; il
se préoccupe de l'instruction des femmes.

Ce chevalier italianisé, volontaire et vaniteux, n'ignorait donc ni les lettres, ni la poésie. La bataille de Pavie fait tomber le roi François Ier aux mains de ses ennemis. Les enfants du roi, otages, sont amenés prisonniers de l'Empereur au fond de la Vieille-Castille. Leur maître d'hôtel, qui est Louis de Ronsard, les accompagne. Alors les Muses visitent, dans sa prison, le chevalier lettré dont Jean Bouchet a parlé si souvent. Car la poésie est, en ce temps-là, la consolation des amoureux et des prisonniers, un passe-temps mondain. Louis de Ronsard rime le « blason et devis des armes », un recueil de devises, d'autres petites poésies, latines ou françaises, que son fils, Pierre, récitera plus tard à ses compagnons d'études. En 1529, le maître d'hôtel retrouve les enfants du roi libérés ; il reprend auprès d'eux son office, signant leurs menues dépenses[1].

C'est vraiment une belle aventure que celle de Pierre de Ronsard, né d'un homme nouveau dans une maison neuve, tout tendu vers l'avenir, vers l'ambition aussi, vers le service, qui fréquente les enfants de France, qui est de leur maison ; tout autant que de dame Rhétorique, il peut apprendre de la bouche de sa mère l'histoire de France, et de celle de son père, les « vaillantises d'armes » et le service du loyal serviteur. Tous deux, nous les voyons sur les pierres tombales conservées dans l'église de Couture[2] : le père portant la cotte des chevaliers avec ses armes parlantes (les rossarts), le morion à plumes et les gantelets ; la mère, dans l'attitude de la prière, une femme élégante, vêtue d'une robe à longue manche découpée et à cordelière[3].

Le premier livre que lut le petit Pierre de Ronsard, c'est la

1. Bibl. Nat., fr. n. acq. 1472, pièce 1393.
2. L'église vient d'être classée comme monument historique. Le père de Ronsard avait fait élever la chapelle seigneuriale au nord du chœur et le clocher. Les armes des Ronsard sont gravées sur plusieurs contreforts, sur les corniches et sur les murs, sur le clocheton.
3. Ces statues ont été publiées par M. Paul Laumonier, *la Vie de Pierre de Ronsard*, par C. Binet, 1586, édition critique, 1910 ; *Ronsard et sa province*, p. 75.

maison paternelle, achevée en 1515, historiée d'inscriptions et décorée de blasons, où les devises païennes répondaient aux maximes chrétiennes, cette maison dédiée *Voluptati et Gratiis*, ainsi qu'il est écrit sur le linteau de la porte donnant accès à la vis de la tourelle. Car tout parle ici, affirme la gloire, la vanité, la grande soif de servir qui est le devoir du gentilhomme, l'amour du roi, le respect de Dieu, la crainte de la mort, et aussi le besoin de réaliser sa vie, suivant son mérite personnel; chez les hommes de la génération de Louis de Ronsard, ce long pèlerinage de la vie des hommes du moyen âge, qui avait pour but le voyage vers la cité de Dieu, est bien limité. De là peut-être le sens de la maxime épicurienne, ou tout au moins la conclusion de l'homme d'aventure qui se repose : *Avant partir*. Sur le fronton de la lucarne, en haut de la tourelle, on lit : *Domini oculus longe speculatur*. Sur les croisées du manoir : *Domine conserva me* (voilà la prière. Ps. XV.); *Respice finem* (telle est la parole du chrétien); *avant partir*. Sur l'autre façade : VERITAS FILIA TEMPORIS. Car c'est bien ce mélange du paganisme et du christianisme qui caractérise ce temps. Sur le bandeau de l'extraordinaire et naïve cheminée de la grande salle[1], où la famille se rassemblait devant l'âtre, dont le motif central est sculpté de *ronces* qui *ardent,* on voit des médaillons où sont gravés les écussons des protecteurs et des alliés de la famille, les armes de France, de Bretagne, d'Orléans, de Savoie, d'Angoulême, d'Alençon, de Bourbon, de Vendôme, de Luxembourg, des Craon, des Larçay, des Verrières, des Illiers des Radrets, le blason des Ronsard, d'azur à trois *ross* (poissons) d'argent, avec la devise en grandes lettres capitales : NON FALVNT FUTURA MERENTEM (l'avenir est au

---

1. Cette cheminée fut achevée après le mois de février 1514, c'est-à-dire en 1515, suivant M. Hallopeau. On peut se demander si la salamandre qui courbe l'échine sous le poids d'une pesante armure n'est pas la guivre déformée de Milan, une allusion à l'aventure de Sforza ?

mérite[1]). Dans le cabinet de Louis, on lit la devise qui est celle de l'art classique : NYQUIT NYMIS (*Ne quid nimis*). Et sur les piédroits de la cheminée, on admire les violes et les luths, l'armure romaine, de petits amours qui sont tout aussi bien des génies grotesques, des bêtes héraldiques, des étoiles et des soleils.

Mais tout le manoir de la Possonnière est un livre ouvert. Car les communs aussi, ces caves qui s'enfoncent dans le tuffeau de la côte vineuse et supportaient jadis une aile détruite, avec ses galeries (c'est peut-être là que naquit Ronsard), sont historiés. Il y a la *buanderie belle*, où l'on lave les fins draps blancs; un petit local, dédié *Vulcano et diligentiæ*, qui peut bien être la forge pour les chevaux; la fourrière, indiquée par des bottes de paille; le cellier pour les *vina barbara*, les vins grossiers dits d'office, ou les vins étrangers au pays (un petit grotesque figure un homme en train de rendre). Mais sur la porte de la précieuse cave de cette région vineuse, on lit au-dessous d'un pichet : *cui des videto* (avise à qui tu le donnes); et sur une autre cave, qui doit être la cuisine, l'ironique devise : *sustine et abstine*. Et le garde-manger aussi est étiqueté à la romaine : *Custodia dapum*. Enfin, dans cette demeure, il y avait un oratoire, avec la pieuse inscription : *Tibi soli gloria*[2]. Telle est la maison que déchiffrera Ronsard, avant de parcourir cet autre livre qu'est la vie et d'étudier à l'école de l'Écurie[3].

---

1. Madame L. Hallopeau a reproduit la plupart des détails de la cheminée dans l'ouvrage de M. P. Laumonier, *Ronsard et sa province.*

2. Bien des questions se sont posées au sujet de ces inscriptions chrétiennes et païennes. L'auteur de l'épitaphe de Louis de Ronsard, Jean Bouchet, en rend parfaitement compte, dans ses : Apophtegmes des sept sages de la Grèce. (La devise *Ne quid nimis* est traduite de Solon, fol. 130 : *Les généalogies, effigies et épitaphes.* Poitiers, 1545, Bibl. Nat., Rés., L³⁷. 3.).

3. Une étude archéologique de la maison natale de Ronsard a été faite par M. A. Hallopeau, *Sur la date de la construction et sur quelques particularités architecturales du manoir de la Possonnière (Annales Fléchoises,* 1904, II); *la Chapelle de Sainte-Croix, ibid.,* 1905 ; *les Souvenirs des Ronsart au manoir de la Possonnière et dans les églises paroissiales de leurs seigneuries,* La Flèche, 1905 ; *Le Bas-Vendômois, de Montoire à La*

Mais un autre livre est grand ouvert sous ses yeux, celui de la nature, de la forêt que ses aïeux surveillèrent. L'enfant regarde la rivière limpide qui coule entre les saules, la vallée du Loir, la terre qui l'a reçu la première entre ses bras.

Quelle surprise de la découvrir des hauteurs de Lavardin ou de Troô! Comme elle est différente de la large vallée de la Loire, claire et ordonnée, où le fleuve, immense et violent, a tracé sa route royale parmi les sablons et les îles! Car le Loir n'est qu'un ruban d'eau, une rivière qui s'étire et coude, coulant à pleins bords entre deux tertres de tuffeau. Mais cette étroite vallée, accidentée, coupée, sinueuse, offre un plaisant désordre, celui des anciennes tapisseries qu'on appelait des verdures : un désordre plein de sève, de vitalité, animé de beaux bouquets d'arbres, de verts bocages, asiles d'oiseaux chanteurs. Les sains pâturages, les « riches campaignes » de Ronsard, sont les dons de l'humble rivière qui serpente entre deux lignes de saules et de peupliers opulents.

Sur la côte qui regarde le midi, un simple ourlet de terre végétale, est fixée la vigne dont les ceps précieux descendent jusqu'aux « antres », qui sont des caves, jadis les chauds abris des hommes, des troglodytes que les autochtones demeurent toujours. Au sud du Loir, au-dessus de la rive gauche, est accroché le petit manoir de gentilhomme vendômois qu'est la Possonnière. De ces caves, aux vins clairs et gais, est sorti Ronsard[1].

Chartre-sur-le-Loir, La Chartre, 1906. Cf. surtout *Le Manoir de la Possonnière* (*Bulletin de la Société Dunoise*, octobre 1924). M. L. A. Hallopeau a bien voulu me faire part de ses observations. Je l'en remercie profondément. Voir la reproduction d'une façade de la Possonnière en 1850, avant la restauration, donnée par M. Paul Laumonier, *Ronsard et sa province*, p. 81.

1. Le nom même de Possonnière dérive de posson, ou poçon, corrompu en poinçon, mesure des liquides, ou futaille destinée au vin nouveau. Les Possonnières étaient des endroits où se mesuraient les liquides. Cette tradition a été recueillie sur place par Amadis Jamyn (*OEuvres*, 1575, fol. 231.)

Un clocher pointe au milieu de l'étroite et confuse vallée, parmi les champs couverts d'une herbe drue et saine, parmi les prés égayés de tant de fleurs : c'est Couture, la paroisse. Et, sur la côte exposée au nord, s'étend la forêt[1], du moins ce qu'il en reste, car depuis des siècles son exploitation fut la raison d'être des anciens habitants, des moines des antiques prieurés romans qui ont mis en rapport cette marche des Carnutes et des Cénomans, des puissants seigneurs qui ont dressé leurs châteaux sur les hauteurs, des vieux Gaulois enfin, des payens, des paysans dont un Ronsard, aventureux et verbal, porte toujours l'audace et la loquacité :

> Ciel, air, et vents, plains et mons découvers[2],
> Tertres vineux et forests verdoyantes,
> Rivages torts et sources ondoyantes,
> Taillis rasez et vous bocages vers...

Telle est la vallée que Pierre de Ronsard aima, là où se dresse la maison neuve de son père, et tant d'humbles maisons fleuries de roses, de petites roses admirables au parfum léger, de chèvrefeuilles à l'odeur de l'amour, d'œillets mignards et de giroflées. Mais un petit enfant, né en cet âge enthousiasmé par les figures nouvelles ramenées des guerres d'Italie, a vu, à la hauteur de ses yeux émerveillés, sur les piédroits de la cheminée de la grande salle (je pense à la petite figure de l'amour, ou du génie, qui est tout aussi bien un petit faune), les divinités qui hantent la fontaine Bellerie toute proche, ces nymphes qui fuient le « satyreau » au creux de la source :

> Je n'avois pas douze ans qu'au profond des vallées[3],
> Dans les hautes forests des hommes recullées,
> Dans les antres secrets de frayeur tout-couvers,
> Sans avoir soin de rien je composois des vers :

---

1. La forêt de Gastine était au sud du Loir, immédiatement au-dessus de la Possonnière, sur le coteau et sur le plateau faisant suite au coteau, vers les marches de la Touraine.

2. I, 32. — 3. V, 176.

> Echo me respondoit, et les simples Dryades,
> Faunes, Satyres, Pans, Napées, Oreades...
> Et le gentil troupeau des fantastiques Fées
> Autour de moy dansoient à cottes degrafées!

Tel est le petit bonhomme, rêveur déjà et solitaire, le petit cadet, dernier né de six enfants[1], choyé sans doute, puisque sa santé a donné tant de craintes, qui écoute les contes de son père sur les alliances italiennes de sa famille, la légende danubienne, l'histoire des Chaudrier, des La Trémoille et des Rouault. Jusqu'à neuf ans, il demeure en la maison de la Possonnière, instruit aux « premiers traits des lettres » par un précepteur que son père y tient exprès. Mais alors on l'envoie à Paris, dans la vieille maison du Collège de Navarre, qui était, depuis un siècle, la grande maison du beau latin et le sanctuaire de la fidélité au roi. Pierre y montre la vivacité de son esprit, encore qu'il soit rebuté par la rudesse de ses maîtres. Pendant un semestre, sous le régent de Vailly, il étudie Virgile, qu'il saura par cœur, et dont il aura toujours un exemplaire sous la main. Là il connut Charles de Guise, le futur cardinal de Lorraine, qui portait déjà un visage sévère, « grave et cathonien », le conseiller d'État qui, sous Charles IX, réunit à lui seul douze sièges épiscopaux ; et, par la suite, Ronsard devait implorer de lui des bénéfices. Mais pourquoi ne pas le croire, quand le poète nous dit qu'il sortit du collège « sans rien profiter[2] » ?

Et quand l'enfant rêveur revient à la Possonnière, près de sa mère, qu'il reprend ses promenades solitaires, embellies des rêveries de son Virgile, quand il regarde les nymphes dansantes sur les prés et les vallons, au clair de lune, pourquoi ne pas penser que ce petit cadet est un sujet d'inquiétude pour ses parents?

---

1. Le tableau généalogique de la famille Ronsard à la Bibliothèque Nationale dit sept enfants (Bibl. Nat., P. Orig., 2540, dossier 56832, fol. 34). Je suis la version du poète. — 2. IV, 97. Suivant Critton (*Laudatio funebris*, p. 4), ses parents le retirèrent du collège parce qu'il leur semblait plus fait pour la cour que pour l'école.

Et vous riches campaignes[1]
Ou presque enfant je vi
Les neuf Muses compaignes
M'enseigner à l'envi.

Ce n'est pas à l'enseignement des Muses qu'un homme s'avance dans la carrière, surtout quand il a l'occasion de faire des parties avec les petits princes, quand, au Pré-aux-Clercs, la jeunesse se dégourdit sous les yeux du roi qui la distingue, tandis qu'elle joue sous de belles livrées ou chevauche hardiment. Le courtisan qu'est Louis de Ronsard peut bien tenir dans une estime relative même les poètes qu'il protège. Pierre a été souvent tancé par son père[2] :

Voyant que j'aimois trop les deux filles d'Homere,
Et les enfans de ceux qui doctement ont sceu
Enfanter en papier ce qu'ils avoient conceu :
Et me disoit ainsi : « Pauvre sot, tu t'amuses
A courtizer en vain Apollon et les Muses :
Que te sçauroit donner ce beau chantre Apollon,
Qu'une lyre, un archet, une corde, un fredon... »

Louis le savait bien, puisqu'il faisait vivre des rhétoriqueurs. La poésie est un métier qui mène à la famine. Homère ne posséda jamais un liard. Hante-moi le palais, étudie Bartole, exerce-toi à prononcer des harangues au parquet, ou bien embrasse cette profession « argenteuse » des disciples d'Hippocrate ; ou bien encore prends les armes au poing et va suivre la guerre[3] :.

Et d'une belle playe en l'estomac ouvert
Meurs dessus un rempart de poudre tout couvert :
Par si noble moyen souvent on devient riche,
Car envers les soldats un bon prince n'est chiche...

Tels pouvaient être les discours de Louis à Pierre. Et c'est pourquoi, l'an 1536, l'enfant rêveur reçut de son père l'ordre de le rejoindre à l'armée, en Avignon. Il avait douze ans[4] :

1. Texte de 1550. — 2. V, 174. — 3. V, 176. — 4. IV, 97 (juillet).

> Je vins en Avignon, où la puissante armée
> Du roy François estoit fierement animée
> Contre Charles d'Autriche, et là je fus donné
> Page au duc d'Orleans...

Alors le roi François Ier venait de revendiquer l'héritage de Milan et l'empereur, dans sa colère, avait envahi la Provence. Or, le grand maître, sire Anne de Montmorency, notre généralissime, est un homme rude et prudent qui ne veut pas hasarder le combat en plaine, avant d'avoir toutes ses troupes en main pour les lancer contre les vieux soldats de l'Empire. Il a pris le parti, en attendant, d'organiser un camp retranché sous Avignon, d'y loger ses gens qu'il ferait sortir de la ville, montrant ainsi à l'ennemi victorieux bonne contenance et hardiesse. Entre le Rhône et la Durance on assied le camp, entouré de fossés et de tranchées[1]. Ce camp est bientôt une ville, avec ses rues, que son chef domine d'une petite levée de terre, là où est son prétoire, son poste de commandement. Le matin, on dit la messe; le chef établit son rapport, visite les chevaux, converse avec les hommes, tient conseil. L'artillerie a pris position pour battre le front et les flanquements. Chacun a sa place en cas d'alerte. C'est dans cette ville militaire, sortie, en quinze jours, des cailloux et de la terre, qu'arrive Pierre de Ronsard; il admire les lansquenets de Suisse, ceux de Furstenberg, les « mansionnaires » que commande son père, un vétéran des guerres d'Italie. C'est un beau spectacle pour un petit page de douze ans, qui commence son service.

Le roi se tient à Valence, entre août et septembre. Il a groupé des renforts et, comme le patron et chef du navire, commandant de poupe en proue, il descend vers Avignon. Son fils aîné, François, voyage, lui aussi par eau, s'arrête à Tournon avec son maître d'hôtel, Louis de Ronsard, et son écuyer, Sebastiano de Montecuculli[2] :

1. Ces détails sont tirés des *Mémoires* de Martin du Bellay, éd. V. L. Bourilly, III, 155-159. — 2. V, 249.

Ordonnant pour son pere un camp, où tous les nerfs
De la Gaule tiroient ; les champs estoient couverts
D'hommes et de chevaux : bref, où la France armée
Toute dedans un ost se voyoit enfermée.

François est un vaillant jeune homme, imberbe, avec des yeux hardis, un grand nez aventureux, une bouche charmante, des cheveux courts sous sa petite toque, qu'un magnifique dessin de ce temps nous fait connaître [1]. Il est le vivant portrait de son père, qui l'aime sur tous ses enfants, pour sa vigueur et la rapidité de son esprit. Tel est le maître de notre page ; mais il vient de s'échauffer au jeu de paume et il a bu imprudemment un verre d'eau glacée. Il doit se mettre au lit, et il meurt, emporté en quelques jours, le 10 août, sur sa dix-neuvième année, tandis que le roi François pleure comme un enfant sur ce fils que l'on croit victime du poison de l'italien [2] :

Il eut pour son sepulchre un millier d'estandars,
De bouclairs, de cheveux, de larmes de soldars :
Le Rosne le pleura, et la Saone endormie ;
Mesme de l'Espagnol l'arrogance ennemie
Pleura ce jeune prince : et le pere outrageux
Contre sa propre teste arracha ses cheveux ;
Il arracha sa barbe, et de telle despouille
Couvrit son cher enfant. Ah ! fatale quenouille,
Parque, tu monstres bien que ta cruelle main
Ne se donne souci du pauvre genre humain !

Ces scènes de poignant désespoir, la vision de cette mort dans la jeunesse frappèrent vivement l'enfant, puisque, bien des années plus tard, dans le *Tombeau de Marguerite de France*, Ronsard les évoquera avec une telle force. Il disait comment [3] :

Trois jours devant sa fin, je vins à son service :
Mon malheur me permeit qu'au lict mort je le veisse,
Non comme un homme mort, mais comme un endormy,

1. Et. Moreau-Nélaton, *les Clouet et leurs émules*, 1924, fig. 48, 165.
2. V, 249. — 3. V, 249.

> Ou comme un beau bouton qui se panche à demy,
> Languissant en Avril...

Il assista à cette boucherie qu'est la fin des rois et des princes [1] :

> Je vy son corps ouvrir, osant mes yeux repaistre
> Des poumons et du cœur et du sang de mon maistre.
> Tel sembloit Adonis sur la place estendu,
> Après que tout son sang du corps fut respandu.

Alors Pierre de Ronsard, ce bel enfant, rempli de sensibilité et d'ardeur, passe au service du troisième fils du roi, Charles duc d'Orléans. Mais il n'a pas dû suivre les troupes de Charles-Quint, en retraite devant la famine et la peste. La place de ce petit serviteur, page ou valet d'écurie, était à la cour qui remontait à Lyon, au mois d'octobre, pour gagner les châteaux de la Loire.

C'est à la Chapelle, sur le haut de la montagne de Tarare, qu'au dîner, François Ier rencontra Jacques V, roi d'Écosse.

Celui-là est bien un Stuart, qui brûle toutes les étapes de la vie. Un petit homme, agile et puissant, vif, aimable, avec un regard rapide où il fixe les choses qu'il n'oubliera jamais plus. Il parle avec volubilité et sait même assez bien le français puisqu'il peut l'écrire. Mais il s'en défend d'abord. C'est un jeune homme de vingt-quatre ans, qui a déjà beaucoup agi, s'est échappé des mains de Douglas, a retrouvé son autorité, qui fait tout par lui-même, voit tout de ses yeux, parcourt son royaume avec cet esprit d'aventure qui le pousse au déguisement, comme entre les bras de tant de femmes dont il est amoureux.

Un vrai Écossais, ce Jacques V, élevé par David Lindsay, alias *Lyon King of armes*, le héraut d'armes et le poète d'un sentiment nouveau, l'homme de cour qui a lu les livres et

1. V, 249.

voyagé[1]. David Lindsay a porté sur son dos, « comme un colporteur son paquet », son roi ; il lui a appris les traditions et les vieilles chansons d'Écosse qu'il répétera. Depuis qu'il a dix-huit ans, la pensée d'un mariage avec une fille de France occupe la pensée de Jacques. Il ne sait guère laquelle ; mais, dès ce temps, il a fait sortir l'acte de 1428 qui avait promis le dauphin Louis à Marguerite d'Écosse. En France, les choses ont été arrangées autrement. On a préparé un contrat, disposé d'une princesse. Ma foi, le roi d'Écosse voudrait bien voir de ses yeux ce qu'il en est. Le moment est bien choisi, quand un ami et allié est attaqué par un orgueilleux empereur, et qu'ils vont livrer bataille.

C'est pourquoi, dans l'été de 1536, devant les côtes de France, on vit apparaître la flotte d'Écosse[2] ; et les Français reconnurent avec joie l'étendard déployé du lion rouge, qui était celui du roi. A peine débarqué au « nouveau port », avec son armée, le roi d'Écosse prend la poste pour Paris, d'où il partit, avec ses compagnons, pour aller voir Charles, duc de Vendôme (c'est à sa fille Marie qu'on l'a fiancé). Jacques V se donne pour un serviteur, désirant tout d'abord n'être pas reconnu du duc, de sa femme et de la noble dame « qui aurait dû être son épouse » ; il désire observer sa beauté et sa conduite. En dépit de cette ruse, la dame soupçonnait que le roi d'Écosse devait être parmi la compagnie. C'est pourquoi elle sortit de son coffre son portrait qu'elle avait reçu d'Écosse. Après avoir vu le portrait, Marie n'eut pas de peine à le reconnaître au milieu de ses compagnons. Genti-

---

1. Un portrait intéressant de Jacques V est au musée des portraits à Édimbourg, n° 840 ; une autre peinture est à Hardwick Castle.

2. Pour le séjour de Jacques V en France, j'ai utilisé Lindsay of Pitscotties, *Histories and Cronicles*, éd. J. G. Mackay, 1898-1907, 3 vol. (*The Scottish text Society*) et les poésies de Sir David Lindsay (*Poetical works*, ed. by David Laing, Edimburgh, 1879, 3 vol.). Sur les mariages, cf. Edmond Bapst, *les Mariages de Jacques V*, Paris, 1889 ; Francisque-Michel, *les Ecossais en France* ; A. Teulet, *Inventaire des documents relatifs à l'histoire d'Écosse ; Papiers d'État*, t. I ; *Compota Thesaurariorum regum Scotorum*, éd. J. Balfour, t. VI.

ment, elle alla vers lui, lui prit la main et dit : « Sire, vous
vous tenez à l'écart ; cependant, s'il plaît à votre grâce, vous
pouvez vous montrer à mon père et à moi, et passer le temps
avec nous. » Le roi d'Écosse fut un peu étonné d'avoir été
découvert si vite sous son déguisement. Alors il prit le comte
de Vendôme entre ses bras, puis lui fit la révérence, ainsi
qu'il convient. Il y eut grande chère et banquets, charmant
commerce entre la grâce du roi et les belles, au milieu de la
musique et autres passe-temps dans la campagne, au son du
luth, des trompettes, des orgues et de divers instruments
mélodieux ; et des courses de grands chevaux, qu'aimait tant
le roi d'Écosse, se déroulèrent. Un logis magnifique, décoré
de tapisseries, avec des chambres parfumées, lui était
réservé. Ainsi huit jours se passèrent dans une suite de
réjouissances. Cependant le roi d'Écosse ne parlait toujours
pas de mariage[1] : il disait que puisqu'il se trouvait au royaume
de France, c'était au roi de France qu'il devait demander
conseil. En cette affaire, Mademoiselle de Vendôme ne paraît
pas avoir produit grande impression sur l'esprit du roi
d'Écosse, pétulant comme un poulain. Elle était laide et
bossue, affirme le chroniqueur. Allons avec lui vers une
autre belle[2] :

> Ja trois mois se passoient, lors que la renommée
> (Qui de François avoit toute Europe semée,
> Sa vertu, sa justice, et son divin sçavoir)
> Poussa le roy d'Escosse en France pour le voir,
> Comme jadis Saba, qui des terres lointaines
> Visita Salomon sur les rives Jourdaines.
> Ce roy d'Escosse estoit en la fleur de ses ans,
> Ses cheveux non tondus comme fin or luisans,
> Cordonnez et crespez flotans dessus sa face
> Et sur son col de laict luy donnoient bonne grâce.
> Son port estoit royal, son regard vigoureux,
> De vertus et d'honneur et de guerre amoureux ;

---

1. Il ne faut pas suivre à la lettre les affirmations du chroniqueur écossais. Le
projet de mariage entre Jacques V et Marie de Bourbon existe aux Arch. Nat., J. 679,
n° 49. — 2. V, 250.

La douceur et la force illustroient son visage,
Si que Venus et Mars en avoient fait partage.

C'est ainsi que le page Pierre de Ronsard vit Jacques V, tandis qu'il allait vers le roi de France qui venait de rentrer de
la chasse. Tous se réjouissent qu'il ait pris la mer avec autant
de diligence. Aussitôt que le dauphin aperçoit le roi d'Écosse,
il court vers lui, le prend dans ses bras, lui déclare que le roi
son père allait fort se réjouir de sa venue, car il demeurait
encore tout affligé de la perte de son cher fils, empoisonné,
croyait-on, par l'Italien. Le dauphin le conduit vers le roi
François qui faisait alors la sieste dans un logis. Il frappe
rudement à la porte, ce qui fit que le roi demanda qui
était là pour le déranger. Le dauphin répond : « Sire, c'est
le roi d'Écosse, venu pour voir votre grâce et vous consoler. »
Alors le roi de France se lève de son lit, ouvre lui-même sa
porte, prend le roi d'Écosse dans ses bras, remerciant Dieu
qui, s'il venait de lui prendre un fils, lui envoyait ce noble
prince qu'il tiendrait pour le propre enfant sorti de son
corps. Et François commande au dauphin de veiller sur le roi
d'Écosse, de le servir et révérer comme son frère aîné, de
prendre soin des serviteurs fatigués qui l'accompagnaient.
Puis il fait sonner les trompettes, monter tous les hommes à
cheval, donner un cheval frais au roi d'Écosse. On chevauche vers la prochaine étape pour y passer la nuit. Sur
son chemin, le roi d'Écosse n'oublie pas de donner une révérence convenable à la reine, à la suite de ses dames, et spé-
cialement à Madeleine, la fille du roi, qui voyageait dans un
chariot parce qu'elle était souffrante et ne pouvait monter à
cheval. Cependant, en dépit de sa maladie, malicieusement,
la chétive et ambitieuse enfant, pendant le temps qu'elle vit le
roi d'Écosse et parla avec lui, en devint si amoureuse, et
l'aima si bien, qu'elle voulut l'avoir, lui, et nul autre homme
vivant, pour mari. Ainsi l'affirme le vieux chroniqueur écossais, Lindsay de Pittscotie. Son histoire en vaut une autre ;

et c'est assez la coutume des belles et honnêtes dames du temps de Brantôme de choisir amant ou mari. Brantôme savait bien, l'ayant appris de Ronsard, qu'à tout prix Madeleine de France avait voulu devenir reine d'Écosse.

Il semble que cet amour, subitement allumé, ait été contrarié par les conseils de gens de France et d'Écosse qui savaient, au témoignage des physiciens, qu'aucun héritier ne pouvait naître d'elle à cause de sa longue maladie, qu'elle n'était même pas capable de sortir du royaume pour aller dans un autre pays. Car si Madeleine faisait cela, elle n'aurait pas de longs jours. Cependant l'ardent amour que cette noble dame portait au roi d'Écosse fit que son père, le roi de France, consentit à ce mariage. Et le roi d'Écosse y consentit pour l'amour qu'il portait au roi de France et parce qu'à tous égards la chose était honorable. Ainsi le contrat fut dressé et renoué le vieux lien, comme perpétuel, qui unissait la France et l'Écosse. A Blois, le « nid de nos rois », on forma le bouquet des chardons et des lys[1]. Mais la noce doit se faire à Paris où le roi d'Écosse a invité beaucoup de ses lords, spirituels et temporels, à venir dans leur meilleur appareil pour l'honneur de l'Écosse.

Quant au roi Jacques, il parcourt, croit-il, incognito (c'est sa manie), la capitale, achetant tout sur son passage : plumes blanches pour décorer son bonnet et la tête de son cheval, un gros diamant, sans doute pour sa toque, cinquante-cinq lances, les unes pour le combat, les autres pour la guerre. Un prêtre écossais, qui tenait l'emploi d'espion pour le parti des Douglas, le montre courant follement les rues de Paris, achetant toutes sortes de bagatelles, s'imaginant n'être pas connu, alors que les charretiers le montraient au doigt, disant : « Voici le roi d'Écosse ! ».

Comtes, lords, évêques et vingt grands barons d'Écosse, étaient venus à Paris pour assister au mariage de leur souve-

---

1. Le contrat fut passé à Blois, le 26 novembre 1536. (Arch. Nat., J. 679, n° 52.)

rain; on y retrouva la noblesse française. C'est un fait que le 31 décembre 1536 eut lieu la belle entrée du roi d'Écosse à Paris, avec le cérémonial demandé par le roi François Ier lui-même à Messieurs de la ville[1].

Les gens du Parlement, tout de rouge vêtus, couleur qu'ils ne prenaient qu'en l'honneur du roi de France, allaient chercher à Saint-Antoine le roi d'Écosse que le premier président harangue. Jacques embrasse le premier, et tous les présidents, sans leur parler, alléguant qu'il savait peu le langage français. On rentre triomphalement dans Paris. Le lendemain, Ier janvier 1537, le mariage est célébré à Notre-Dame, sur la dixième heure du jour, en présence du roi de France, de sa noblesse et de son conseil, par le cardinal Jean du Bellay, dont le roi d'Écosse est l'hôte au palais épiscopal[2]. Ce fut la plus belle réunion de noblesse qu'on aurait su voir, une fête magnifique, qui se répéta à travers toute la France, où il y eut courses de chevaux, luttes, combats d'escrime, joutes, décharges d'artillerie, feux d'artifice, en sorte que nul n'ignora le beau triomphe, comme magique, du roi d'Écosse.

Le soir, au Palais, eut lieu, dans la grande salle, le festin des noces. Sir David Lindsay a conté toute la fête, énuméré les cadeaux, les présents de chevaux, armures émaillées, pièces de drap d'or, de velours, de satin, tapisseries et joyaux, dont François Ier combla sa fille, sans oublier le chien Basque. Et, voulant venger sa nation du reproche de pauvreté proverbiale, le roi d'Écosse aurait fait apporter, traitant la cour, des plats couverts qui contenaient, disait-il, des produits d'Écosse; c'étaient des pièces d'or. Mais il est certain qu'il fit du moins donner de bonnes étrennes aux trompettes du roi de France, autant à ses hautbois, à ses siffleurs de

---

1. *Cronique du roy François Ier*, éd. G. Guiffrey, p. 202; *Registres du Bureau de la ville*, II, 307, 310, 313.
2. Des barrières de bois furent posées dans Notre-Dame en prévision de l'affluence. (Arch. Nat., JJ 39, fol. 880.)

fifres, à ses cornets, aux hautbois de la reine de Navarre et
au tambour de Madeleine.

Alors Clément Marot entonne son *Chant nuptial du Roy
d'Escosse et de Madame Magdalaine, premiere fille de France*,
qui est naïf comme une complainte populaire qu'on chante-
rait dans les rues[1] :

> Celluy matin que d'habit nuptial
> Le roy d'Ecosse ornoit sa beauté blonde,
> Pour espouser du sceptre lilial
> La fille aisnée, où tant de grace abonde,
> Vous eussiez veu des peuples un grand monde
> Qui de sa chambre au sortir l'attendoient,
> Et ça et là, mille autres à la ronde
> Qui à la file avec eulx se rendoient...

Richement vêtu de pied en cap, le corps du roi d'Écosse
luisait comme une pierre précieuse :

> Moins toutesfoys que son cueur de vertu.

Marot le montre, parfumé au musc et à l'ambre, portant
son glaive. Ainsi il quittait sa chambre pour aller à la rencontre de sa Madeleine. Comme elle est belle !

> Vien, Prince, vien : la fille au Roy de France
> Veult estre tienne, et ton amour poursuyt ;
> Pour toy s'est mise en royalle ordonnance ;
> Au temple va ; grand' noblesse la suyt.
> Maint dyamant sur la teste reluyt
> De la brunette, et ainsi attournée,
> Son tainct pour vray semble une clere nuyt,
> Quant elle est bien d'estoilles couronnée.

Marot, la regardant, ne partageait plus le préjugé des poètes
en faveur des femmes blondes :

> Brunette elle est, mais pourtant elle est belle,
> Et te peult suyvre en tous lieux où iras
> En chaste amour...

1. Ed. P. Jannet, II, 96-101.

Ainsi la fille du plus grand roi du monde avait uni sa
destinée à celle du roi d'Écosse ;

> Immortel neud d'amitié indicible
> Entre le sceptre escossoys fleurissant
> Et le françoys...

Or le poète l'avertissait de ses nouveaux devoirs, au nombre
desquels il met le fait de suivre son mari et de quitter ses
frères et sœurs. Il lui annonçait les honneurs qui lui étaient
préparés en Écosse :

> Trompes, clerons y meinent doulces noyses :
> Mesme la bas les nymphes escossoyses
> Avec grand joye attendent ton venir,
> Et vont disans qu'elles seront françoyses
> Pour le grand bien qui leur doit advenir.

Et Marot lui annonçait encore un passage agréable en mer,
décrivant tous les monstres marins, Protée, Triton, qui ne
manqueraient pas de sortir galamment de l'eau pour saluer
sa Majesté. Tes larmes sècheront vite sur tes doux yeux, au
moment des adieux ! Comme il convient, dans un épitha-
lame, Marot priait Dieu que Madeleine devînt bientôt grosse :

> Enfans auras, enfans (pour abreger)
> Qui porteront et sceptres et couronnes.

Voilà une pièce qui doit bien plaire à notre page, Pierre de
Ronsard, et qui peut bien le faire rêver. Car Marot demeura
l'une de ses admirations, la « seulle lumiere en ses ans de la
vulgaire poësie[1] ». D'autant plus que ce beau page, *princeps
juventutis*, vient d'être donné en cadeau à Madeleine par
Charles d'Orléans.

C'est un beau cadeau, pour passer en Écosse, que le
présent d'un page que fait Charles à sa sœur, « pour aller
avec elle et voir son monde ».

Tous ces événements, comme les souvenirs d'enfance,

1. VII, 4.

demeurèrent gravés dans l'esprit de Ronsard. Bien plus
tard il dira, surpassant de tout son lyrisme la chanson de
Marot[1] :

> Desja ces deux grands rois, l'un en robe françoise,
> Et l'autre revestu d'une mante escossoise,
> Tous deux la messe ouye, et repeuz du sainct pain,
> Les yeux levez au ciel, et la main dans la main,
> S'estoient confederez : les fleurs tomboient menuës,
> La publique allegresse erroit parmy les ruës :
> Les nefs, les gallions, les carracons pendoient
> A l'ancre dans le havre, et flotant attendoient
> Ce prince et son espouse, à fin de les conduire.

Car le roi de France, voyant que le roi d'Écosse et son
épouse désiraient s'en aller dans leur pays, avait fait préparer
des vaisseaux et des galères chargés de victuailles et d'artillerie, montés par des capitaines et des compagnies d'hommes
de guerre ayant mission de convoyer son gendre et sa fille
Madeleine, de les protéger. Quand les vaisseaux furent bien
affrétés, le roi François les offrit au roi d'Ecosse pour en user
à son plaisir. L'un d'eux s'appelait la *Salamandre*, un autre le
Morisat; or, le roi en avait aussi deux à lui, la *Marie Wil-
lougby* et l'autre le *Great Lyon*, les principaux vaisseaux où
montèrent le roi et la reine. Et le roi François offrit encore
vingt de ses grands chevaux harnachés, vingt harnachements
dorés et émaillés tirés de son arsenal; faisant appeler sa fille
Madeleine, il l'envoya dans sa garde-robe, avec ses dames et
demoiselles, pour prendre des pièces de drap d'or et de satin,
à son bon plaisir, et d'autres pièces de tapisserie. Il lui donna
encore des anneaux, des tableaux d'or et des joyaux de
prix, en sorte que la jeune reine emporta en Écosse infiniment de choses.

Après quoi le roi d'Écosse prit congé du roi de France, de
la reine, de la cour et de toute la noblesse. Ainsi fit sa jeune
reine, Madeleine; et ils vinrent au Havre, le nouveau port

1. V, 250.

de Dieppe, où ils restèrent un jour ou deux, attendant un vent favorable.

Alors ils s'embarquèrent et mirent à la voile (mai 1537). Sur le navire qui portait la reine, il y avait Jean de Langeac, évêque de Limoges, « gentilhomme de grande expérience et bon sçavoir », le petit page, Pierre de Ronsard, des musiciens français, trompettes, tambours et fifres. Le vice-amiral et ses galères protègèrent le passage, qui fut très calme, car le cinquième jour on aborda à Leith, au milieu des vaisseaux formant escorte au nombre de quarante.

Il faut le dire, les Français ne tenaient pas cette terre d'Ecosse en grande estime. Elle passait pour un pays proverbialement pauvre, froid ; on la nommait Écosse la sauvage. On ne connaissait d'elle que les bons compagnons, les aventuriers aux chefs intrépides qui étaient venus autrefois combattre les Anglais chez nous et y mourir. On répétait traditionnellement les récits des ambassadeurs, bien insensibles à la poésie des solitudes, des bruyères, des lacs, des bouleaux et des pins ; ils souffraient dans ce froid pays, que le vent hérisse, dévasté par la guerre, où le vin et le pain manquaient, où les cités étaient sans murailles, où un peuple pauvre, mangeur de viande et de poisson, habitant des huttes couvertes de branches, regardait les étrangers comme des phénomènes[1]. Mais la race de ceux qui chevauchaient des petits chevaux, à demi sauvages, non ferrés, était demeurée aventureuse et fidèle. Les Écossais étaient restés les bons alliés du royaume de France, dont un Alain Chartier avait magnifié l'amitié et la gloire.

Aussi, quand la reine mit pied sur la terre d'Écosse, elle l'embrassa et remercia Dieu qui avait accordé à ses compa-

---

1. Voir Æneas Sylvius Piccolomini, *Commentarii*, et Alain Chartier (cf. Pierre Champion, *Histoire poétique du quinzième siècle*, t. I). — Le livre de Francisque-Michel, *les Écossais en France*, demeure toujours très précieux.

gnons un tranquille passage. La grâce de la princesse
plaît à la noblesse ; le sourire de ses seize ans ravit le
populaire. On gagne le palais du roi à Linlithgow. Jacques
est enchanté de l'impression première de l'Écosse sur son
épouse ; son couronnement est fixé au 7 juin. Mais au milieu
de tant de bonheur, la phtisie de la petite princesse de France
est excitée par la fatigue et la fièvre, par ce mauvais vent
d'est qui souffle à Edimbourg. Elle doit s'aliter ; et bientôt la
voilà gravement malade, tandis que l'attendent les portiques
triomphaux et les préparatifs de son entrée solennelle qui
devait avoir lieu dans une huitaine. L'évêque de Limoges
réclame d'urgence au chancelier de France messire Francisque, médecin de la reine ; elle-même écrit à son père pour
lui demander « M° Francisco ». Elle se lamente, trouve
alors le « pays barbare », et « la gent brutale » que les Français lui avaient bien annoncés. Mais elle allait répétant :
« Hélas ! j'ay voulu estre reyne ; couvrant sa tristesse et le feu
de son ambition d'une cendre de patience, le mieux qu'elle
pouvoit ». Ce sont les mots de Brantôme, que Ronsard lui a
rapportés[1].

Comme le poète l'a fait tant de fois en parlant de la fragile
beauté, soumise à la mort, le mémorialiste comparait Madeleine aux beaux boutons de roses emportés par le vent.
Ainsi passa cette Madeleine de France, « laquelle n'eust
grand loisir de jouyr heureusement de la chose du monde
qu'elle avoit plus affectée, qu'estoit d'estre reyne, tant elle
avoit le cœur grand et haut ».

> A peine elle sautoit en terre du navire[2]
> Pour toucher son Escosse et saluer le bord,
> Quand en lieu d'un royaume elle y trouva la Mort.

---

1. « M. de Ronssard m'a conté cecy, lequel alla aveq'elle en Escosse, sortant hors
de page d'aveq' M. d'Orléans, qui luy donna pour aller aveq'elle et veoir son monde. »
(Brantôme, éd. L. Lalanne, VIII, 127-128.) — Un manuscrit en partie autographe de
poésies de Brantôme nous rapporte une épitaphe latine de Madeleine (Bibl. Nat.,
ms. fr. n. acq. 11688). — 2. V, 250.

Ny larmes du mary, ny beauté, ny jeunesse,
Ny vœu, ny oraison ne flechist la rudesse
De la Mort qu'on dict fille à bon droict de la Nuict,
Que cette belle royne avant que porter fruict,
Ne mourust en sa fleur : le poumon qui est hoste
De l'air qu'on va souflant, luy tenoit à la coste.
Elle mourut sans peine ès bras de son mary,
Et parmy ses baisers; luy tristement marry,
Ayant l'ame du dueil et de regret frappée,
Voulut cent fois percer son corps de son espée.
La raison le retint, et tout ce fait je vey,
Qui jeune l'avois page en sa terre suivy,
Trop plus que mon merite, honoré d'un tel prince,
Sa bonté m'arrestant deux ans en sa province.

Madeleine était morte, le 7 juillet 1537, à Holyrood. Voici toute la suite de la reine, qui demeurait dans le Canongate, vêtue de noir : c'était la première fois que l'on prenait le noir en Ecosse.

Mais un an après, le roi d'Écosse envoyait ses ambassadeurs en France pour lui chercher une autre épouse, cette Marie de Lorraine aux yeux bleus, la fille de Claude de Guise[1]. L'amiral la ramène. Elle est reçue triomphalement à Fife. Le roi d'armes David Lindsay, qui vient de pleurer le trépas de la reine Madeleine, qui a maudit la mort, traîtresse et voleuse, et décrit la fête interrompue, le concert d'instruments qui se change en *requiem*, exulte et se réjouit au spectacle des épousailles, qui eurent lieu en l'église cathédrale de Saint-Andrews, le 11 juin. A l'une des portes de l'abbaye, un nuage descend du ciel, d'où sort une belle dame, ressemblant à un ange, qui tient dans sa main les clefs d'Écosse en signe que tous les cœurs d'Écosse étaient ouverts pour recevoir la reine. Sir David Lindsay, le lion roi d'armes, lui fait son compliment, l'exhortant à craindre Dieu, à obéir à son mari, à garder son corps bien pur. Elle parcourt Saint-Andrews, admire la jolie petite ville, visite les collèges et les églises,

1. Arch. Nat., J. 680, n° 78.

disant gracieusement qu'en France elle n'avait rien vu de
pareil, en un si petit espace. Elle rapportait qu'on lui avait
dit, en France, que l'Écosse n'était qu'une contrée sauvage,
privée de toutes commodités plaisantes. Maintenant, elle
voyait bien le contraire. Cette aimable Française ajoutait
qu'elle n'avait jamais vu de plus beaux types d'hommes et
de femmes que ce jour-là. Le roi Jacques était ravi ; il lui
répondait : « Madame, vous verrez encore mieux, là où vous
irez ! » Réjouissances nationales se succédaient : tirs à l'arc,
courses de chevaux, chasses et autres jeux de prince. A Édimbourg, où la reine reçut des présents, vins, épices, où des
jeux de théâtre sont représentés, ce fut un vrai triomphe. Et
bientôt, autour de Marie de Guise, il y aura une petite cour
de Français, des joueurs de luth, d'habiles ouvriers, une petite
France où l'on cultive le blé, où l'on mange du pain blanc.

Il reste à se demander ce que devint notre page, entre
mai 1537 et l'automne de 1538, où il saisit l'occasion de revoir
sa famille et sa patrie. Il est raisonnable de penser qu'un
enfant de quatorze ans regarda, écouta, fit son petit service
curial. Le souvenir de ces fêtes, des deuils de la maison
demeura vivant dans sa mémoire. Pierre de Ronsard vient
surtout d'être jeté dans une grande aventure ; il a passé la mer,
qu'il décrira tant de fois avec un tel bonheur ; il a connu
ce froid printemps d'Écosse sur la terre grise et sans couleur,
où la neige persiste si longtemps, les jours si beaux et si
longs du bref été, l'insupportable hiver avec ses brumes, les
tempêtes de vent, la mer déchaînée. Il a suivi les chasses,
erré dans les villes, à Édimbourg, dans Holyrood, l'étrange
château aux petites pièces boisées, tout en coins et recoins,
dans le faubourg, à Saint-Andrews, la charmante petite cité,
devant la mer retentissante. Et Ronsard a pu connaître, en
Écosse, des personnages dignes de l'intéresser, comme le roi
d'armes Lindsay qui, lui aussi, savait invoquer Clio et
Minerve, parler de dame Vénus. Le roi d'Écosse traita géné-

reusement son page qui le quitta, non seulement ayant fait provision de souvenirs, mais encore avec une bourse bien garnie. Dans les comptes du lord trésorier d'Écosse, sur la liste des dons faits aux pages à la veille de leur départ, à la fin de juillet, on trouve mentionné un « nommé Wando-moy » qui reçut 20 couronnes[1].

Et s'il fallait accepter les termes de l'oraison funèbre de Ronsard que prononça le cardinal du Perron (il a pu utiliser les souvenirs de l'ami Galland), Pierre aurait appris « les mœurs et la langue de la province (d'Écosse). Or, ce fut là, premierement, qu'il commença à prendre quelque goust à la poësie ; car un gentilhomme Escossois, nommé le seigneur Paul, qui estoit fort bon poëte latin, et qu'il aimoit extreme-ment, prenoit la peine de luy lire tous les jours quelque chose de Virgile ou d'Horace, ou de quelque autre autheur, et de le luy interpreter en François ou en Escossois : et luy, d'autre costé, qui avoit desjà veu quelques rymes de Marot et de nos anciens poëtes François, s'efforçoit de le mettre en vers, le mieux qu'il luy estoit possible[2] »...

Certes, il y avait en ce temps-là, en Angleterre comme en Écosse, des lecteurs passionnés de Virgile dont Caxton a édité une traduction célèbre. Tel l'humaniste Skelton, qui reçut le laurier à Oxford, comme jadis Pétrarque à Rome. L'Écos-sais Gavin Douglas était un adorateur de Virgile et de Pétrarque ; c'est lui qui donna, en 1513, en vers écossais, une traduction du « fameux poète » Virgile, qu'il avait sur son lutrin, près de son feu. Nous n'arrivons toujours pas à identifier le seigneur Paul, le maître de Ronsard, dont a parlé Du Perron. S'il s'agit du Piémontais, Claudio Duchi, frère de Filippina Duchi, maîtresse du dauphin Henri, ce sei-gneur a bien été page de l'écurie du duc d'Orléans, comme

---

1. Ce document a été signalé par M. P. Laumonier, *Ronsard et l'Ecosse*, dans la *Revue de littérature comparée*, 1924.

2. Je cite le texte, beaucoup plus précis, de l'*Oraison funèbre*, Paris, 1586, chez Fr. Morel, fol. 27 (Bibl. Nat., Ln[27], 17839), très différent du texte remanié qui est dans les *Œuvres*, 1622, fol. 654, qu'a reproduit P. Blanchemain, VIII, 186-187.

Ronsard, et son compagnon en Écosse, participant à ses exercices et à ses jeux[1]; mais il demeure un peu surprenant qu'il ait su l'écossais au point de traduire Virgile et Horace dans cette langue. Et s'il s'agit d'un seigneur écossais Pole, il faut avouer que nous ne le connaissons pas autrement.

Ce qui est tout à fait vraisemblable, c'est que le petit Pierre de Ronsard, qui, à douze ans, errait dans la forêt de son pays, un Virgile à la main, pouvait bien, en Écosse, sur sa quatorzième année, relire et traduire son cher auteur; et, la solitude aidant, sa chère solitude propice à l'inspiration, continuer en Écosse à « prendre goust à la poësie », comme l'a rapporté Du Perron. Ce que nous avons dit de Lindsay montre assez qu'il put trouver, en son exil, un terrain profitable à son développement poétique.

Ce qui paraît aussi assuré, c'est qu'ayant revu sa famille en France, le jeune Pierre de Ronsard ne tarda pas à repasser en Écosse pour la seconde fois[2]. Comme notre jeune page n'a pu être, en ce temps-là, un chef d'ambassade, il y a lieu de croire qu'il repartit avec Claude d'Humières, seigneur de Lassigny, qui, à la fin de décembre 1538, reçut de François Ier une mission pour gagner, en passant par la Flandre, l'Écosse où il devait porter, de la part du roi, des lettres « concernant certaines affaires importantes ». Car tout ce que nous a rapporté Ronsard de ce voyage coïncide d'une manière exacte avec l'itinéraire de la mission du seigneur de Lassigny. Ronsard était alors au service du duc d'Orléans, ce jeune prince, fort et gaillard, de haute entreprise; et il continuait à tenir son office à l'écurie.

Ce voyage fut fécond en enseignements et en aventures.

---

1. Cette identification, très acceptable, a été donnée par Pierre de Nolhac, *Ronsard et l'Humanisme*, p. 9-10.

2. Pour les séjours de Ronsard en Écosse, j'ai adopté la chronologie proposée par M. Henri Longnon. M. Paul Laumonier vient de s'y rallier (*Ronsard et l'Écosse*, dans la *Revue de Littérature comparée*, 1924). Cf. *Foreign and domestic letters and papers, Scottish, Series*, t. I; *Accounts of the Lord High Treasurer of Scotland*, t. VI et VII; *Actes de François Ier*, t. VIII.

Car Pierre de Ronsard traversa la Flandre dans sa splendeur, passa au temps des fêtes dans Valenciennes, la ville de Jean le Maire aux traditions classiques. Cette fois la traversée fut pleine d'incidents ; le vaisseau qui le portait échoua, heureusement au port, après une affreuse tempête. Traversée qui, plus tard, aux yeux des disciples de Ronsard, prit un caractère de légende ; car il leur semblait que la nef échappa « pour sauver principalement notre futur Arion d'un tel naufrage[1] ».

Mais entendons parler sur ce sujet Ronsard [2] :

> A mon retour ce duc pour page me reprint :
> Longtemps à l'escurie en repos ne me tint
> Qu'il ne me renvoyast en Flandres et Zelande,
> Et depuis en Escosse, où la tempeste grande
> Aveques Lassigni, cuida faire toucher
> Poussée aux bords Anglois la nef contre un rocher.
> Plus de trois jours entiers dura ceste tempeste,
> D'eau, de gresle et d'esclairs nous menassant la teste :
> A la fin arrivez sans nul danger au port,
> La nef en cent morceaux se rompt contre le bord,
> Nous laissant sur la rade, et point n'y eut de perte
> Sinon elle qui fut des flots salez couverte,
> Et le bagage espars que le vent secoüoit,
> Et qui servoit flottant aux ondes de jouet...

Après un séjour de plusieurs mois en Écosse, à Linlithgow, auprès du roi et de la reine, l'ambassadeur et le jeune page devaient rentrer en France par l'Angleterre où, pendant six mois, Pierre de Ronsard visita les principales villes du royaume.

En 1540, notre page reprit sa place à l'Écurie du duc d'Orléans. Elle s'élevait dans l'enclos des Tournelles [3], assez vaste bâtiment avec des lices, sur le périmètre dessiné par la grande rue Saint-Antoine, le Val des Ecoliers et la muraille de la ville. Au temps de François Ier, l'Écurie abrite un petit

1. Cl. Binet, éd. P. Laumonier, p. 6. — 2. IV, 97.
3. Sur l'emplacement actuel de la place des Vosges.

monde bigarré et militaire qu'il faut connaître, puisque
Pierre de Ronsard y passa plusieurs années de son enfance[1].
On y distinguait la grande et la petite Écurie qui était celle
des pages. Il y a là les grands chevaux du roi, les courtaux et
les hobbins, les mules de litière, tout un armorial de bêtes.
Parmi les grands chevaux : le Fauve, Glorieux, Chandio, le
Moreau, le grand Maistre, le Bay Royal, Métail, Courteault,
la Guette, le Grison, Noble, Guise, le Bay de Lorraine, Bonne
Chère, Vendosme, le Cardinal de Lorraine, le Cardinal de
Bourbon. Parmi les courtaux et hobbins : le hobbin de
Villemomble, la Turque, la Mule Grise, la haquenée d'Irlande,
Lautrec, Marcoussis. Parmi les mules : la mule de Lautrec,
Chasteaubriant, Guise, la haquenée Noire, d'Humières,
l'Arbalestrier. On y entretient les selles, les étrivières, les
éperons, les têtières, les housses de velours noir que le roi
affectionnait, les armures.

On s'occupe des voyages, des tournois, des entrées. L'Écurie
est le rendez-vous des orfèvres, des peintres, des selliers, des
éperonniers, des haubergeonniers, des plumassiers. Là vivent
les écuyers d'écurie qui ont la charge de « dompter » les
chevaux, comme Antoine Hanibal, messire Alphonse de
Saint-Seurin, « duc de Somme », Francisque de Feltre,
Mathieu de Grandval, Pâris de Mantoue, Italien, Philippe
Dordoigne, Espagnol; il y a même un Grec, dit Perro de
Milan, brodeur du roi. On y rencontre les hérauts d'armes
et les poursuivants : Guyenne, Champagne, Valois, Bretagne,
Angoulême, Dauphiné et Picardie. On y entend la musique
des saqueboutes[2], des joueurs d'instruments, de hautbois et
de violon, presque tous des Italiens.

Voilà un petit monde qui n'est pas sans intérêt pour ceux
des pages qui veulent s'instruire. Cette académie en vaut une
autre. Si elle demeure très simple et guerrière, au temps de

---

1. Les détails que je donne sont empruntés au compte de l'Écurie des années 1531
et 1532 (Arch. Nat., KK. 95).
2. Trombones.

François Ier, les comptes des premières années du règne de Henri II, qui s'y intéressa infiniment, nous montrent que l'Écurie s'est beaucoup développée, dans le sens du luxe et aussi dans l'art de l'équitation[1]. Alors les harnois ne sont plus de fer et de cuir : les éperons sont dorés, les chariots « branlants ». François Clouet y peint des coffres[2]. On y voit des selles rembourrées à la Mantouane, à la Turque, des harnois à la Napolitaine ; partout des plumes, des houppes d'argent, des panaches ; et la belle armurerie royale est logée rue Saint-Antoine, chez Marguerite du Puy, veuve du feu président Berruyer. Les pages demeurent sous la charge de « Monsieur le Grand ». Nicole Barlande est le proviseur de leurs dépenses ; ils ont des palefreniers, un aumônier[3]. C'est M. François de Kernevenoy (François de Carnavalet), gentilhomme breton, écuyer d'écurie du roi, qui a toujours la charge des pages et aussi celle des grands chevaux.

N'imaginons pas que Pierre de Ronsard surveillait et soignait les chevaux. L'Écurie était une école de cadets, un haras de chevaux et de petits guerriers que le roi Henri II aimera à faire visiter[4]. Mais sous la discipline du seigneur de Carnavalet, qui y formait la jeunesse et dressait les chevaux du roi, celui-là à qui plus tard Ronsard adressera une ode pindarique, Pierre fait de l'équitation, de la voltige[5] (quand Ronsard sera vieux, il aura toujours un chevalet de bois dans son prieuré ; il s'exercera à sauter par la volte, quand il fait mauvais temps, et qu'il ne peut se promener dans la campagne). L'Écurie était d'ailleurs considérée comme « l'escole de tous bons et vertueux exercices ». Or, Pierre de

---

1. J'ai utilisé le compte de 1552 (Arch. Nat., KK. 110). — Le compte de 1560 (Arch. Nat., KK. 128) mentionne 74 pages.

2. Arch. Nat., KK. 110, fol. 30vo.

3. Le compte de la dépense du deuil d'Henri II mentionne, en 1559, « Philippe Du Moncel, precepteur des pages de l'escuierie ». (Arch. Nat., KK. 125.)

4. Brantôme, éd. L. Lalanne, III, 274-275.

5. Du Perron, Oraison funèbre (Œuvres, 1622, p. 654) et Cl. Binet, éd. P. Laumonier, p. 6.

Ronsard se montrait le « mieux appris » à danser, à lutter,
à sauter, à escrimer, à manier un cheval et à faire la voltige. Il regardait, émerveillé, le cheval Hobère, celui que
montera Henri II, qui faisait la révérence devant son
maître, comme pour saluer son roi, et virait si vite que ceux
qui le chevauchaient étaient comme étourdis[1].

C'est un fait que le jeune Pierre de Ronsard laissa à ceux
qui l'ont connu, en ce temps-là, le souvenir d'un grand et
robuste garçon, aux membres forts et proportionnés, martial
d'aspect, avec un visage noble et vraiment français, de
beaux yeux graves, un grand front serein, couvert de cheveux châtains[2].

Mais déjà le poil de sa barbe commence à pousser et à
blondir. C'est alors que Pierre de Ronsard « fut mis hors de
page », sur sa seizième année.

1. IV, 188. — 2. Cl. Binet, éd. P. Laumonier, p. 9.

CHAPITRE II

L'ÉCOLIER DU PAGANISME [1]

Pierre de Ronsard vient de rentrer d'une mission en Allemagne où il accompagna Lazare de Baïf, au mois d'août 1540. Il a séjourné à Haguenau, la peste régnant dans Spire où devait se tenir l'assemblée durant laquelle Lazare de Baïf travaillait pour François Ier à gagner les princes protestants au parti du roi contre celui de l'empereur. Il a entendu les controverses théologiques ; il a assisté aux négociations. Mais surtout, autour de Lazare de Baïf, l'humaniste [2], qui le considérait comme son enfant, il a écouté les hellénistes et les latinistes d'Allemagne, conversé en latin avec eux. Il a fait son petit Ulysse, le « fin soudart de Grece », mettant à profit les peuples qu'il a connus (Lazare de Baïf a été jusqu'en Roumanie [3]). Mais aussi Pierre s'est bien fatigué au cours de ses missions, dans ce dernier voyage surtout, où les excès de table et de boisson étaient inévitables. Il fut tourmenté par les « vins souffrez et mictionnés d'Allemagne », racontera-t-il plus tard à Claude Binet. C'est un fait que Pierre

---

1. L'ensemble de la question vient d'être entièrement renouvelé par Pierre de Nolhac, *Ronsard et l'Humanisme*, Paris, 1921 (*Bibliothèque de l'École des hautes études*, fasc. 227) qui, pour la première fois, a fait la lumière sur Jean Dorat, le maître de Ronsard, et a découvert la source latine du « voyage d'Hercueil ». Cf. également *la Jeunesse de Ronsard*, par Pierre de Nolhac, Paris, 1923. — Les poésies de Dorat ont été publiées par Ch. Marty-Laveaux, *Œuvres poétiques*, 1875 (*La Pléiade Françoise*, vol. V). Cf. J. Aurati, *Poematia*, 1586.

2. Voir ce qu'en dit Scévole de Sainte-Marthe, le vieil ami de Ronsard, dans les *Elogia* (1606) ; L. Pinvert, *Lazare de Baïf*, 1900 ; Augé-Chiquet, *la Vie, les idées et les œuvres d'Antoine de Baïf*, 1909.

3. *Catalogue des actes de François Ier*, IV, 155 (12 novembre 1540). — Ce n'est pas la Roumanie actuelle.

de Ronsard prit là une grave maladie, vaguement qualifiée
de « fièvre tierce », qui l'assomma, et qu'il revint d'Allemagne « l'ouïe bouchée ». Comprenons qu'il souffrit, sans
doute, des conséquences d'une otite purulente, survenue à
la suite d'un empoisonnement général, infirmité que les
prédicants baptiseront de vérole. Telles sont, en ce temps-là,
les gentillesses des polémistes. La vie active de Ronsard, son
intelligence toujours robuste, jusqu'à sa fin, ne donnent
guère lieu de les croire.

Son mal, du moins, dura plusieurs années ; et quand Pierre
de Ronsard reparut à la cour, pour reprendre son service,
il était à demi sourd. Voilà qui peut bien contrarier les projets d'avenir que son père a formés pour lui. Puisqu'il
entend si mal, notre cadet va devenir un homme d'études ;
car Louis de Ronsard, toujours pratique, veut l'orienter vers
la carrière ecclésiastique. Il y voit pour lui une source de
bénéfices ; qui sait, peut-être un jour, pour son enfant, un
siège épiscopal[1] :

> Puis que Dieu ne m'a fait pour supporter les armes,
> Et mourir tout sanglant au milieu des alarmes
> En imitant les faits de mes premiers ayeux,
> Si ne veux-je pourtant demeurer ocieux :
> Ains comme je pourray, je veux laisser memoire
> Que j'allay sur Parnasse acquerir de la gloire,
> Afin que mon renom des siecles non veincu,
> Rechante à mes neveux qu'autrefois j'ay vescu
> Caressé d'Apollon et des Muses aimées,
> Que j'ay plus que ma vie en mon âge estimées...

A l'Écurie, Pierre de Ronsard avait déjà fait la connaissance
de Paul Duc, avec lequel il s'entretenait de poésie, celle de
François de Carnavalet, le fils de son maître d'équitation, qui
le suivra plus tard chez Dorat[2].

Mais Ronsard entend mettre à profit son infirmité pour
reprendre des études qu'il n'avait faites que par à-coup. Avec

---

1. V, 174. — Sur l'idée antique de la gloire cf. P. de Nolhac, introduction aux
Œuvres complètes, éd. H. Vaganay, p. XIX. — 2. J. Aurati, *Poematia*, 1586, p. 55.

Cl. Pierre Dufay

le seigneur Paul, Pierre s'adonnait aux vers latins : pour lui,
en ce temps-là, la poésie est chose latine, comme pour tous
les premiers humanistes de la Renaissance[1] :

> Je fu premierement curieux du latin :
> Mais voyant par effect que mon cruel destin
> Ne m'avoit dextrement pour le latin fait naistre,
> Je me fey tout François[2]...

Ainsi Pierre de Ronsard séjourna d'abord à la Possonnière,
assez mélancolique, ayant le sentiment de sa fin prochaine[3] :

> Puis que la mort ne doit tarder,
> Que pronte vers nous ne parvienne,
> Trop humain suis pour me garder
> Qu'epouvanté ne m'en souvienne,
> Et qu'en memoire ne me vienne
> Le cours des heures incerténes...

On le voit, Ronsard exprime déjà l'idée païenne de la
fuite du temps, celle qui dominera toute sa vie, sur laquelle
il écrira tant de variations par la suite :

> Vivez, si m'en croyez, n'attendez à demain,
> Cueillez dès aujourd'hui les roses de la vie.

Mais surtout Pierre, adolescent, retrouve sa terre natale,
qu'il aimera d'un amour si ardent. Là est le petit coin de
terroir qui lui rit. C'est sa « varenne » du Vendômois, la
terre fortunée des Muses, qu'il a si bien, et exactement,
décrite[4] :

> Deux longs tertres t'emmurent,
> Dont les flancs durs et fors
> Des fiers vents qui murmurent
> S'opposent aus effors.
>
> Sur l'un Gâtine sainte,
> Mere des demi dieus,
> Sa teste de verd painte
> Envoie jusque aux cieus.

1. Pierre de Nolhac, *Ronsard et l'Humanisme*, l'a montré excellemment.
2. V, 177. — 3. VI, 145 (Texte de 1550). *A Gaspar d'Auvergne.*
4. II, 205. (Texte des *Odes* de 1550, éd. P. Laumonier, I, 222.)

RONSARD.

> Et sur l'autre prend vie
> Maint beau sep, dont le vin
> Porte bien peu d'envie
> Au vignoble Angevin.
>
> Le Loir, tard à la fuite,
> En soi s'ebanoiant,
> D'eau lentement conduite
> Tes champs va tournoiant,
>
> Rendant bon et fertile
> Le païs traversé,
> Par l'humeur qui distile
> Du gras limon versé.

A quelques pas de la Possonnière sourd la fontaine Bellerie[1], où le paysan sait bien qu'à minuit, au clair de lune, les dames fées, celles-là que Ronsard appelle des Nymphes, ouvrent le bal. L'eau de cette « fontaine vive », cristalline, qui va se perdre dans les prés, Pierre l'a « rebue » bien souvent. Il écoute le bruit « enroué » de la « source jazarde » dont le conduit est sous le rocher[2] :

> Couché tout plat dessus la rive
> Oisif à la fraicheur du vent.

Le troupeau aussi, et les gardiens du troupeau viennent s'y désaltérer, sommeiller à l'ombre épaisse et drue des saules toujours verts pendant la canicule. C'est le brûlant été où l'on moissonne la terre en feu. L'air résonne sous les coups rythmés du blé battu. Mais la fièvre et la maladie ont ôté à Pierre de Ronsard ce goût de la vie qu'au fond l'adolescence possède si peu[3] :

> Comme je desire, fonteine,
> De ne plus songer boire en toi,
> L'esté, lorsque la fievre ameine
> La mort dépite contre moi.

---

1. M. L. A. Hallopeau m'écrit : « J'ai bien connu, en 1902, l'antre de Bellerie, tel qu'en parle Ronsard ; mais aujourd'hui l'antre n'existe plus, le rocher s'étant effondré peu de temps après ma visite. »
2. II, 199. — 3. II, 35. Texte de 1550.

Pierre de Ronsard erre sur les bords du Loir, depuis sa
« source d'argent » jusqu'au confluent de la rapide Braye,
descend vers l'*isle verte*, un lieu de prédilection pour lui,
où il retrouve l'ombre des grands arbres.

Près d'un ancien moulin, la petite île, vraiment verte,
formée par les tresses du Loir et de la Braye bouillonnante,
est un séjour d'ombre, de fraîcheur, de silence et de paix.
Il faut s'y rendre, comme le poète dans sa barque, écarter
les roseaux et flotter sur les frais nénuphars. La belle ombre
« épars », qui tombe des grands peupliers, s'accorde si bien
avec la mélancolie de l'adolescent maladif, qu'il y a élu son
« sepulcre[1] » :

> Je veil, j'enten, j'ordonne,
> Qu'un sepulcre on me donne,
> Non pres des Rois levé,
>   Ne d'or gravé,
>
> Mais en cette isle verte,
> Où la course entrouverte
> Du Loir, autour coulant
>   Est acrollant.
>
> Là où Braie s'amie
> D'une eau non endormie,
> Murmure à l'environ
>   De son giron.
>
> Je deffen qu'on ne rompe
> Le marbre pour la pompe
> De vouloir mon tumbeau
>   Bâtir plus beau,
>
> Mais bien je veil qu'un arbre
> M'ombrage en lieu d'un marbre :
> Arbre qui soit couvert
>   Tousjours de vert.
>
> De moi puisse la terre,
> Engendrer un l'hierre,
> M'embrassant en maint tour
>   Tout alentour.
>
> Et la vigne tortisse
> Mon sepulcre embellisse,

1. II, 315. — Je cite le texte des *Odes* de 1550, éd. P. Laumonier, II, 98. Voir la note
intéressante de Gustave Cohen, *Ronsard, sa vie et son œuvre*, p. 35.

Faisant de toutes parts
Un ombre épars...
La douce manne tumbe
A jamais sur sa tumbe,
Et l'humeur que produit
En Mai, la nuit !

Mais si des rêveries, solitaires et passionnées, peuvent être passées à un malade fiévreux de moins de vingt ans, Louis de Ronsard n'entend pas qu'elles remplissent la vie de son fils, même privé de l'ouïe. Pierre vient de composer quelques odes à la manière d'Horace, de « contrefaire en françois la naïve douceur » de son modèle qu'il veut venger de Marot qui, en 1542, a publié la traduction des psaumes de David, et qu'il a le tort de mettre bien au-dessus d'Horace.

Or, Louis de Ronsard va conduire son fils au Mans, en 1543, pour assister aux obsèques solennelles de Langeay du Bellay, le capitaine diplomate, leur parent. Et le lendemain, 6 mars, au château de Touvoie, résidence épiscopale, l'évêque René du Bellay a conféré la tonsure à Pierre de Ronsard[1].

La tonsure n'en fait pas un religieux. Mais ce cadet de famille est apte, désormais, à recevoir des bénéfices ; il s'est obligé au célibat, sinon à renoncer aux plaisirs de l'amour et de la vie. Aventure qui l'étonnera toujours, que lui, page, puis écolier, naturellement « gaillard », ait pris le bonnet d'église à dix-neuf ans[2].

Pierre de Ronsard a rencontré au Mans Jacques Peletier, secrétaire de l'évêque depuis 1540.

Jacques Peletier est un homme nouveau[3], plus âgé que le tonsuré, docte sinon encore « fameux », latiniste, linguiste, géomètre, médecin, un esprit universel ; c'est un précur-

---

1. VIII, 27. Cf. Abbé Froger, *Ronsard ecclésiastique*, Mamers, 1882, p. 7 ; *Obsèques de G. du Bellay* (Revue de la Province du Maine, IX, 1901).

2. V, 227.

3. Les vers de Jacques Peletier ont été réédités par Léon Séché et M. Paul Laumonier (*Revue de la Renaissance*, 1904). M. H. Chamard a consacré sa thèse latine à l'*Art poétique* (1904); cf. Cl. Jugé, *Jacques Peletier du Mans*, Caen, 1907.

L'Ile Verte

seur que ce fils du syndic du Mans. Comme Ronsard, il était
élève de Navarre. Il traduisait les anciens, ses maîtres,
Homère latinisé et Virgile, avec une liberté toute française,
en homme qui sait bien les travaux des champs et qui aime
sa terre. Pierre de Ronsard exprima le désir de lui être présenté ; il lui montra quelques odes de sa façon, lui déclarant
qu'il se proposait d'écrire à l'imitation d'Horace. Or, Peletier
avait également entrepris une traduction en vers de l'*Art
poétique* ; et il avait formé le projet de traduire les *Géor-
giques*, et même l'*Odyssée*, bien qu'il ne connût pas le grec.
Peletier était un enthousiaste ; il savait le miracle de la
poésie qui avait autrefois « agrégé » les hommes sauvages et
brutaux. Ce secrétaire d'un évêque croyait aux incantations
d'Amphion et d'Orphée qui, au son de leur lyre, attiraient à
eux les arbres et les pierres. Il proclamait que la poésie avait
été cause de l'édification des villes, l'origine des constitutions.
Il répétait, à la suite de Platon, que les poètes étaient les
interprètes des dieux, quand ils sont en leur sainte fureur.
C'est pourquoi, jadis, les princes avaient honoré les poètes
et les avaient rendus proches de leur personne. Il citait, entre
beaucoup, Virgile qui eut la familière amitié d'Auguste et
devint si riche qu'il institua l'empereur pour son héritier ; et
cet Ennius, enseveli au tombeau de Scipion. Peletier et
Ronsard ne méprisaient d'ailleurs pas Marot. Mais tous deux
s'accordaient pour laisser les vieilles poésies françaises
aux jeux floraux de Toulouse et au Puy de Rouen. Peletier
était comme un espion des nouveautés. Il connaissait les
Lyonnais, ce Despériers qui avait traduit la première satire
d'Horace et paraphrasé les roses d'Ausone. Là-bas, au confluent du Rhône impétueux et de la Saône égale, un mystère
s'élaborait, dans la ville aux belles filles, plaisir des yeux,
près de la halle aux fines soies, dans les officines où le plomb
imprimait tant de volumes. Jean Lemaire venait d'y célébrer
Vénus et son temple, sur la colline de Fourvières [1] :

1. Ed. Stecher, t. III, p. 102-123.

> Tous vieux flageots, guiternes primeraines,
> Psalterions et anciens decacordes,
> Sont assourdis par harpes souveraines,
> Par le doux son des nouveaux monocordes ;
> Ont mis sous banc les gens du roi Clovis
> Leurs vieisles, leurs vieux plectres et cordes.

Ronsard savait tout cela, puisqu'il avait pris le mot *ode* à Jean Lemaire et que, parlant plus tard à sa lyre, il s'appropria son éloge des hommes nouveaux. Or, Peletier déclarait qu'il fallait écrire dans sa langue maternelle, la mettre en valeur, comme les « vieux » avaient fait pour la leur. Le temps était venu où les Muses allaient descendre sur la terre de France. Il déballait sa « mercerie » d'ornements nouveaux de la poésie. Elle devait se proposer les louanges des dieux et demi-dieux, celle des princes ; les amours, les banquets, les « jeux, festes et semblables passe-temps » ; Pétrarque, Boccace, Bembo, Sannazar et l'Arétin étaient à imiter ; et l'Arioste aussi, si près de nos gestes nationales.

Tel est Peletier, qui fut le bon auditeur des premiers vers de Ronsard et qui donna au tonsuré de la veille la première louange. Il peut bien rêver, notre jeune sourd, depuis qu'il sait que le poète est la plus « spectable personne du théâtre, et que ce théâtre est l'univers ». Oui, toujours mieux faire, prendre à parti Homère et Virgile, comme des concurrents, faire aussi bien et mieux qu'eux, quel programme ! Mais quel travail aussi ! Un travail que ne soupçonnait pas Peletier, qui n'était qu'un voyant et un latiniste, un petit rimeur au demeurant.

Inutile de dire si l'on se sépara bons amis ; quelles confidences de jeunes gens on se fera plus tard [1] !

> L'âge non meur, mais verdelet encore,
> Est l'âge seul qui me devore
> Le cœur d'impatience atteint...

Mais si Pierre de Ronsard s'était laissé tonsurer dans la

---

1. VI, 71 (*Œuvres Poëtiques de I. Peletier*, 1547).

chapelle de Touvoie, parallèlement il écrivit alors le vœu à
Phébus, où il se consacrait vraiment au dieu du paganisme,
à la Beauté, lui offrant ses boucles de cheveux, « la fleur de
ses ans », qui venaient cependant de tomber sous les ciseaux
de l'évêque[1]. Et quand naquit le premier enfant du dauphin
Henri, c'est Calliope, « sa douce folie », que Ronsard invo-
quera[2].

Tout cela demeure assez innocent; ces images nouvelles
des dieux et des Muses sont déjà des figures françaises,
comme nous le voyons par le recueil des dessins de
tapisseries faits pour Robertet[3]. N'empêche que quand Louis
de Ronsard mourut en juin 1544, le beau chevalier et le
pratique gentilhomme lui apparaîtra en songe, lui prenant
la main, grêle et sans os, pour lui rappeler les commande-
ments de Dieu et le service de son prince, pour lui recommander de vivre comme ses parents avaient vécu[4]. Mais
c'est aussi un fait que ce garçon de vingt ans accourut
immédiatement à Paris, dans la maison de Lazare de Baïf,
et que pendant cinq ans, sous Dorat, avec une ivresse non
dissimulée, avec un excès qui aurait étouffé une nature
moins drue que la sienne, il but à la coupe d'or de
l'hellénisme et du paganisme.

La maison de Baïf était située au Faubourg Saint-Marcel,
rue des Fossés-Saint-Victor, le long de la contrescarpe[5]. Elle
avait une façade de pierre ornée de distiques grecs, un vrai
grimoire intriguant le passant. Lazare de Baïf, l'ambassadeur
de François Ier, l'ami de Bembo, le correspondant d'Erasme,

1. VI, 110-111.
2. Titre primitif : *Sur la naissance de François de Valois dauphin de France, à la
Muse Caliope. Ode sans rime* (II, 275 et var., VII, 267). Cette ode en vers blancs
date environ du 19 janvier 1544 (n. st.).
3. J'ai longuement décrit cet important recueil dans mon *Histoire poétique du
quinzième siècle*, t. II.
4. V, 163-165 (1554).
5. Une insinuation du Châtelet montre qu'il avait à Paris une maison rue de la
Sorbonne le 24 janvier 1546 (Arch. Nat., Y 91, fol. 296).

le grand collectionneur de livres et de manuscrits, qui a séjourné en Italie et à Venise, l'érudit qui possède à fond le latin et le grec qu'il écrit, a recueilli chez lui le jeune Pierre de Ronsard, son secrétaire pendant l'ambassade d'Allemagne. Antoine, son fils, bien qu'âgé de douze à treize ans, est déjà un helléniste distingué[1]. Il a pour précepteur un homme extraordinaire, le savant limousin Jean Dorat. On pense si l'adolescent Pierre de Ronsard préfère cette maison à l'Écurie du roi, logée alors au Palais des Tournelles, où l'on dresse les chevaux et les petits enfants de troupe. C'est un monde nouveau qu'il découvre, car il ne sait alors absolument rien de l'humanisme[2] :

> Convoiteux de sçavoir, disciple je vins estre,
> De d'Aurat à Paris, qui cinq ans fut mon maistre
> En grec et en latin...

Ce Limousin, Dorat, était un homme d'un savoir merveilleux, et d'une rare verdeur. Petit, pâle, d'une maigreur cadavérique, sous un front obstiné, sillonné de rides, il conserve tout le savoir des Grecs et des Latins. A Athènes, comme à Rome, il eût été chez lui. Fort comme un paysan, il est enthousiaste et possède une éloquence naturelle. Il traduit, d'un seul jet, les textes qu'il a sous les yeux, les plus ardus ; et surtout, il les anime et les allégorise. Il est le maître dont l'œuvre est essentiellement dans ses disciples qu'il fanatise[3] ; car il demeure très près d'eux, cordial et joyeux compère, qui sait boire et ne fait pas fi de l'amour. Il chante avec ses jeunes amis, durant les repas ou dans la campagne, des hymnes bachiques. Il improvise des vers latins qu'ils répèteront. Homère et Pindare sont ses dieux ; mais ils ne sont pas pour lui des textes. Dorat les fait revivre ; il déclame

1. J'ai utilisé L. Pinvert, *Lazare de Baïf* (1900) ; Ed. Frémy, *l'Académie des derniers Valois* (1887) et M. Augé-Chiquet, *la Vie, les idées et l'œuvre de Jean-Antoine de Baïf*, 1909. — 2. IV, 98.
3. Voir la belle pièce latine *Ad Ianum Auratum* de Joachim du Bellay (*Pœmatum libri quatuor*, Paris, 1558, fol. 52 v°).

Cl. Moreau-Nélaton

François de Kernevenoy, dit Carnavalet
(Musée Condé)

leurs vers, les expliquant mot à mot, du grec en latin, les
corrigeant d'instinct, rétablissant les bonnes leçons.

Quel entraîneur que cet ancien, qui semble ressuscité
sur la terre de France, et dont nous ne savons guère que son
nom vulgaire (Dinemandy, Dîne-matin)! Dans la force de
son âge (il a trente-six ans), ce paysan accouche les esprits,
et va susciter des poètes ; et, comme eux, il vivra sans souci
du lendemain.

Pierre de Ronsard, aux côtés de François de Carnavalet,
son compagnon à l'Écurie du roi, du charmant Henri de
Mesmes, âgé de quinze ans et auteur de deux mille vers grecs,
sous Lazare de Baïf, le directeur des études, donne tout son
effort à la « conférence ». Il surmonte les « fascheux com-
mencements de la langue grecque » ; il discourt de poésie,
progresse de toutes les forces de son âme ambitieuse de bien-
dire, de savoir et d'amour. Les leçons sont interrompues par
la guerre contre l'empereur ; Dorat est blessé au bras : car
Apollon s'est vengé de celui qui a déserté son service ! Enfin
Ronsard peut sortir hors de Paris, dans la campagne que
les gendarmes avaient ravagée ; il reprend la conversation
avec Peletier qui lui dit[1] :

> Allons voir es champs vers,
> Les arbres tous couvers,
> Et la fleur en la vigne...
> Là nous jugerons bien,
> Des fruitz de ceste année,
> Et pourrons voir combien
> Montera la vinée...
> Une bouteille pleine
> De ce bon vin bourg'ois
> Nous ostera de peine
> En ces lieux villag'ois.

Petits vers d'étudiant, qui ne sentent pas le pédant. Et

---

1. *Œuvres poëtiques*, Paris, 1547, fol. 72 : *Au seigneur Pierre de Ronsart, l'invi-
tant aux champs.*

c'est à Peletier que Ronsard décrivait, de façon si leste, celle
qu'il prendrait alors volontiers pour amie[1] :

> Quand je seroy si heureux de choisir
> Maistresse selon mon desir
> Saiz tu quelle je la prendroye...
> Noir je veux l'œil, et brun le teint,
> Bien que l'œil verd le François tant adore.
> J'aime la bouche imitante la rose
> Au lent soleil de May desclose :
> Un petit tetin nouvelet
> Qui se fait desja rondelet
> Et s'eslever dessus l'albastre s'ose...

Et Peletier répliquait :

> En contemplant ceste jeune femelle,
> Sa grace, sa ronde mamelle,
> Elle me semble estre marrie
> Si bien tost on ne la marie
> A un amy, aussi gentil comme elle...

Mais Lazare de Baïf mourait à l'automne de 1547, et
Ronsard devait se rendre à Poitiers ; il rencontrait, au
retour, dans une hôtellerie, un de ses parents, Joachim du
Bellay, qui, lui aussi, riait des vieux « rimasseurs » et des
vendeurs d'épices du cru. Joachim lui promit de le rejoindre
bientôt chez ce Dorat, qui, au mois de décembre, venait
d'être nommé principal du collège de Coqueret à Paris. Et
Ronsard saluait Paris, conservatoire des sciences et des
arts, la « bande solennelle » de ses compagnons du Parnasse,
sa librairie grecque, latine, espagnole et italienne[2] :

> C'est toi Paris que Dieu conserve, et gard :
> C'est toi qui as de science, avec art
> Endoctriné mon jeune age ignorant,
> Et qui chez toi par cinq ans demeurant
> L'as alaicté du laict qui de toi part...

1. VI, 171.—Je suis le texte donné dans les *OEuvres poétiques* de Jacques Peletier
en 1547.

2. VI, 156 : *à son retour de Gascongne, voiant de loin Paris.* — Ce voyage de
Ronsard n'a pu être daté. Cf. Pierre de Nolhac, *Poésies choisies de Ronsard,* note 234.

Le collège de Coqueret était une maison obscure sur le Mont-Saint-Hilaire[1]. Il avait été fondé sur la basse-cour du vaste Hôtel de Bourgogne, devenu le collège de Reims, par Mᵉ Nicole Coqueret, natif de Montreuil-sur-Mer, qui y tenait pour les étudiants de son pays de petites écoles dont, par subtilité, il s'était rendu propriétaire. Le collège était bordé par la rue Chartière, la rue du Mont-Saint-Hilaire, la rue du Chaudron. Ce quartier des Sept-Voies et du Clos-Bruneau formait le réduit des collèges, à deux pas du grand Décret et de son cimetière, des collèges de Reims, des Cholets, de Montaigu, de Marmoutier, des Écoliers. C'est là que les étudiants du temps de Villon avaient transporté la pierre du Pet-au-Diable et supporté les assauts des sergents de la Prévôté de Paris. Le collège de Coqueret avait été vendu à Robert Du Gast, curé de Saint-Hilaire, décrétiste dur aux régents qu'il faisait jeter en prison pour lui avoir mangé un pain d'un sou : l'*avarissima harpya* de Coqueret, atrabilaire et procédurier qui exige des pots-de-vin illicites. Mais ce très vigilant docteur en décret et curé demeure un homme avisé. Il n'est pas l'ennemi d'un enseignement qui peut faire recette. Un certain Denys Lefèvre avait déjà expliqué, chez lui, des auteurs grecs et latins avec un tel succès que les ambassadeurs vénitiens étaient venus l'entendre. Robert Du Gast ouvre sa maison à ce Dorat, Limousin, précepteur d'enfants nobles, qui peut attirer dans son petit collège les auditeurs extérieurs, à cette sirène capable de retenir[2] :

> Un grand peuple d'escoliers
> Que tu tires par l'oreille.

Mais il y a aussi à Coqueret des internes, vivant autour du

1. J'ai utilisé Du Breul, *le Théâtre des antiquités de Paris*, Paris, 1612 ; J. Quicherat, *Histoire du collège Sainte-Barbe*. — Les papiers du collège ont disparu et nous n'en possédons même pas une image. La vieille porte du collège a été détruite au cours du dix-neuvième siècle. Voir le croquis donné par M. van Bever dans l'introduction au *Livret de folastries*, 1907, p. 13.

2. II, 160 ; cf. VI, 89-90.

maître, d'une vie de famille, formant une sorte d'académie,
suivant le mot du temps. C'est toute la Brigade, déjà avide de
s'emparer des dépouilles des Grecs et des Latins. A Coqueret,
pendant plusieurs années, sans repos d'esprit, Pierre de
Ronsard étudia, écouta, traduisit, composa. Il était alors
une façon de vieux « cagneux », rompu à la fatigue par ses
missions diplomatiques, habitué aussi à veiller très tard,
comme il arrivait aux jeunes gens dressés au service curial.
Jusqu'à deux heures après minuit, Pierre demeurait penché
sur ses livres grecs et latins; et, quand il se couchait, il
réveillait Antoine de Baïf qui se levait alors, prenait la chandelle, ne laissant pas refroidir la place. Bien souvent

> La tarde aurore
> Le vit au matin encore
> Parmy le lict travailler,
> Et depuis le soir veiller.

Henri de Mesmes évoque toute cette discipline des collèges
dans ses curieux *Mémoires*[1] : « Nous estions debout à quatre
heures, et, ayant prié Dieu, allions à cinq heures aux estudes,
nos gros livres soubs le bras, nos escritoires et nos chande-
liers à la main. Nous oyions toutes les lectures jusques à dix
heures sonnées, sans intermission ; puys venions disner, après
avoir, en haste, conferé demie heure ce qu'avions escrit des
lectures. Après disner nous lisions, par forme de jeu, Sopho-
clès ou Aristophanès ou Euripidès et quelquefois de Demos-
thenès, Cicero, Virgilius, Horatius. A une heure, aux estudes ;
à cinq, au logis, à répéter et voir dans les livres les lieux
allégués jusqu'après six. Lors nous soupions, puys lisions en
grec ou en latin. Les festes, à la grande messe et vespres ;
au reste du jour, un peu de musique et de promenoir. Quelquefois nous alions disner chez nos amis paternels, qui
nous invitoient plus souvent qu'on ne nous y vouloit
mener. »

1. *Mémoires inédits*, éd. Ed. Frémy, p. 139-140.

Et Baïf, en des vers mesurés à l'antique, confirme l'héroïsme de sa studieuse jeunesse :

> Quant c'est que mangeant sous Dorat d'un meme pain,
> En meme chambre nous veillions toi tout le soir
> Et moi devancant l'aube dès le grand matin.

J. Velliard le dira encore de Ronsard : « De quelle passion il s'était enflammé pour les lettres grecques ! Et quand le Délien Dorat, pour la première fois, présenta à la France Eschyle, Pindare, Musée, Hésiode, inconnus et étrangers jusqu'alors, comme il buvait ses paroles ; avec quelle avidité il savoura les poètes, comme brûlé d'une soif inextinguible[1] ! » Un jour, de plein vol, Dorat lut à Ronsard le *Prométhée* d'Eschyle. Mais c'est un reproche qu'il s'attira, cette fois, de son disciple : « Et quoi, mon maître, m'avez-vous caché si longtemps ces richesses[2] ! »

La méthode de Dorat consistait à enseigner la langue latine par la langue grecque ; et sans doute faisait-il des rapprochements, d'étymologie et de style, entre les deux langues. Car il nous apparaît, chose rare, philologue et grammairien ; il n'était pas syllogiste. Il s'entendait à corriger les textes. Mais surtout Dorat faisait des lectures enthousiastes dans les deux langues, qu'il savait parfaitement. Quel beau titre, celui de *lector,* que les anciens maîtres portaient parfois si bien, et que nos maîtres ont si rarement mérité ! Ainsi Dorat révéla à ses disciples, c'est-à-dire à Baïf, à Joachim du Bellay, à Jodelle, à Remy Belleau, l'antiquité grecque tout entière. Il leur a lu *Phèdre, le Banquet, Ion.* Et tous ceux qui ont passé par Coqueret ont été habités par les Idées platoniciennes, ont affirmé que l'art est ce don céleste qui réunit les hommes à Dieu par les anneaux d'une chaîne mystérieuse. Pour la première fois en France, Dorat a donné une traduction mot à mot d'Homère, de Théocrite

---

1. *Laudatio funebris*, Paris, 1584.
2. Cl. Binet, éd. P. Laumonier, p. 12-13.

que ses auditeurs essayaient de reproduire en latin ou en français. On l'a vu : il s'attaquait aux auteurs les plus difficiles, à Aristophane, à Eschyle, à Pindare, dont il n'existait qu'un texte mal établi. Alors, la Brigade pindarisa. Et notre Ronsard donna, sur les tréteaux de Coqueret, une traduction du *Plutus* d'Aristophane[1]. Dorat se jouait d'ailleurs de la difficulté, expliquant, en latin, les œuvres des derniers alexandrins, et même les auteurs d'anagrammes, tels l'obscur Lycophron. Nous possédons encore l'exemplaire sur lequel Dorat a mis en grec le nom de son disciple Πέτρος ὁ Ῥώνσαρδος, les vers à sa louange, que ce dernier signa *Ronsart*, suivant la graphie paternelle[2] ; un vrai livre de classe[3], où il a recueilli soigneusement tant de gloses latines, tant d'explications de son maître. Mais c'est Dorat, qui a écrit, comme un Grec, beaucoup de gloses savantes, dans la langue qu'il savait si bien, qui a signé les vers grecs[4] à la louange de Lycophron sur lequel il avait fait son cours : « Ah ! quel homme jadis a tenu ces discours sibyllins, quel homme étonnant, et combien il était rempli de divine sagesse ! A coup sûr, la parole de Platon sur la divine folie des serviteurs des Muses ! En effet, Alexandra (Cassandre) vivante, dans son délire, n'aurait point parlé autrement que ne fait à présent Lycophron, dans son bon sens. » Car Dorat déterre tout ; et, pour l'amour du grec, ses disciples le suivent partout. Son éloquence les suspend à ses lèvres, les asservit. Ainsi Ronsard est devenu un très brillant élève, bien que formé tardivement. Dorat en est fier, qui a déjà composé pour lui, sans doute à la suite de la

---

1. Cl. Binet, éd. P. Laumonier, p. 13.

2. H. de Backer, *Un livre avec la signature de Ronsard*. Bruxelles, 1923. — L'édition est de 1546. A partir de 1550, Ronsard orthographia son nom avec un *d* final. — J'ai donné des fac-similés de ce document admirable : Pierre Champion, *Pierre de Ronsard et Amadis Jamyn, leurs autographes*, 1924, pl. IX.

3. Voir la brève exposition de Jean Martin, dans les *Œuvres complètes... Odes*, éd. P. Laumonier, II, p. 204.

4. Ces vers grecs, signés *Aurati*, ne figurent ni dans l'édition de Dorat, Paris, 1586, ni dans celle de Marty-Laveaux.

lecture de Lycophron, les vers où se lit l'anagramme de
Pierre de Ronsard :

Πέτρος ὁ Ρώνσαρδός μοι ἐναίσιμον οὖνομα κεῖται,
Σῶς γὰρ ὁ Τέρπανδρος, τερψιβροτός τε χέλυς[1].

En trois jours, il est capable de lire l'*Iliade* d'un bout à
l'autre[2]; à l'aide de manuscrits inédits, il a pu composer un
recueil de vers de plusieurs poètes grecs dont nous ne connaissons guère que les noms, manuscrit qu'il laissera à son
ami Galland[3]. Ronsard est devenu un érudit.

Mais sa science ne l'étouffe pas. Comme Dorat, Ronsard ne
composera ni en grec ni en latin. Il ne fera pas un brillant
professeur. Il n'écrira pas, comme Dorat, des vers savants,
des centons emphatiques et obscurs, dans les deux langues,
en manière de préface, pour s'attirer des bénéfices, dispen-
sant la gloire, trafiquant de la vanité. C'est un homme d'une
autre trempe, d'un autre monde aussi que son maître. Il a
des idées à lui sur l'imitation. Sans doute Ronsard pindarisa,
et parfois sans mesure : mais son tempérament, sa verdeur
le sauveront d'un paganisme de pacotille, d'un humanisme
artificiel.

A Coqueret, comme dans les autres collèges, il y avait des
fêtes durant lesquelles on sortait dans cette banlieue de Paris
que Villon connaissait bien. Depuis longtemps, à l'époque
des vendanges, les étudiants allaient à Gentilly, à Arcueil, à
Vanves, à Saint-Cloud; et les propriétaires de vignes devaient
les faire bien surveiller en cette saison. Aux beaux jours de
l'été, la bande des poètes et des étudiants de Coqueret gagnait
les maisons amies des conseillers du roi, courait, dans la campagne, après les animaux, se perdait dans les bois, cheminait

---

1. ΣΩ~Σ Ὁ ΤΕ῾ΡΠΑΝΔΡΟΣ, imprimé dans les *Odes* de 1550 (VII, 220). —
Pierre de Ronsard, ce nom je le proclame illustre — ressuscitant Terpandre et sa
charmante lyre.

2. VI, 255.

3. Pierre de Nolhac, *Ronsard et l'Humanisme*, p. 133.

par les taillis, admirant, comme des citadins « las de la
ville », les arbres de différentes espèces et leurs fruits. On
cueillait sur les collines diverses herbes; dans le fond des
vallées, on contemplait les rivières claires. Des fontaines
étaient consacrées en grande cérémonie. Là, les étudiants
poètes louaient les nymphes dansantes, composant à leur
louange sonnets, odes, épigrammes, en grec, en latin et en
français. Dorat, leur maître, était de ces parties. Il chantait
la fontaine de Villenes, la « limphe de Medan » qui convertit
ses larmes en pierre, le dieu Pan qui brûlait pour elle.
Mais Dorat chantait vraiment, à la fin des repas, ces nouvelles
chansons bachiques qui remplaçaient les antiques chansons
à boire que les étudiants entonnaient à la taverne. Monté
sur un tertre, sur les bords de la Seine, d'une voix qu'il a
fort belle, Jean Dorat déclame, au milieu de ses disciples, les
vers d'un tragique. Il s'accompagne sur son luth (l'ode
lyrique de ce temps est encore si près de la chanson, c'est
une chanson plus savante, souvent sur le rythme d'une complainte; et quand les poètes parlent de leur lyre, ils désignent
un luth). Le groupe de ses élèves applaudit le chanteur.
Ainsi Dorat, dans des vers latins, a chanté la fontaine d'Arcueil où ses disciples ont vu un endroit commode pour faire
rafraîchir les bouteilles pendant les jours brûlants de l'été.
Avec une aisance tout horacienne, Jean Dorat dira la source
fraîche comme le marbre, la légende des deux arcs de
l'aqueduc construits, dit-on, par Julien l'Apostat, l'origine du
nom d'Arcueil rattaché à celui de l'Hercule gaulois dont il
esquisse les travaux en Ibérie, les Hespérides et les colonnes
d'Hercule. Il chante la noble source, gloire des fontaines,
où bruissent les saintes voix des naïades de la Seine et celles
de l'aimable chœur des nymphes; la double éminence, couronnée par les maisons de campagne des bourgeois de Paris,
qui lui apparaît comme la double cime du mont Parnasse,
consacrée aux Muses, à Apollon et à Bacchus; le bouquet
de saules propice aux jeux des faunes; la maison de

Pierre Séguier, chère à Apollon. Et Jean Dorat ne manquait pas de louer la source qui tempérait le vin des coupes qu'allaient vider les pieux poètes en chantant ses louanges, le long de ses méandres : c'est là, si l'on veut, un gentil exercice de professeur de langue latine, mais qu'il ne faut tout de même pas prendre trop au sérieux ; car il travestit à l'antique tout ce qu'il touche, et lasse, comme fatiguent tant de vers latins de Dorat, aussi brillants qu'inutiles.

Mais entendons Ronsard reprendre ce thème du maître et conter, à son tour, le *folastrissime voyage d'Hercueil pres Paris, dédié à la joyeuse trouppe de ses compaignons, fait l'an 1549*[1]. Ronsard l'a publié pour la première fois en 1552 ; et toujours il l'a maintenu parmi ses poèmes. Toutefois, il en supprimera le titre primitif, *les Bacchanales*, cependant bien significatif ; et, sur la fin de sa vie, il l'a classé parmi ses *Gayetez*.

Précieux petit poème, qui nous fait revivre les plaisirs et la physionomie des compagnons de Coqueret, mais qui nous montre aussi un Ronsard gaulois, beaucoup plus près qu'on ne l'imagine de Marot à qui ses amis théoriciens l'opposaient déjà, avec sa sensualité propre de païen qui le distingue entre tous. Et n'est-ce pas la verdeur du tempérament de Ronsard qui le sauva de l'ivresse pindarique, de l'érudition grecque par où Dorat faillit bien le perdre ?

Ce fut une bonne partie de campagne d'écoliers, bien différente des farces narrées dans le recueil des *Repues franches* ou dans la *Légende de Me Pierre Faifeu*, bien que le décor y fasse penser parfois[2] :

> Iö, j'entens la brigade,
> J'oy l'aubade
> De nos compaings enjouez,
> Qui pour nous eveiller sonnent,
> Et entonnent
> Leurs chalumeaux enrouez.

---

1. La date de la composition disparaît à partir de 1553 (VII, 501).
2. V, 213. (Je cite le texte de 1552, du 5ᵉ livre des *Odes*.)

> J'entr'oy desja la guiterre,
>   J'oy la terre,
> Retrepigner durement,
> De soubz la libre cadance,
>   De leur danse
> Qui se suit folastrement.

> Sus Abel, ouvre la porte,
>   Et qu'on porte
> Devant ce trouppeau divin,
> Maint flaccon, mainte gargouille,
>   Mainte andouille,
> Esperon à picquer vin.

Abel, c'est le portier du collège ; mais les compagnons, joueurs, buveurs, porteurs de jambons et de saucisses, sont Dorat, Du Bellay, Baïf, qui vont composer des vers parmi les prés couronnés de saules. Mais lui, Ronsard, d'un pays où l'on sait boire, accrochera deux bouteilles à sa ceinture :

> Et ce hanap à double anse,
>   Dont la pance
> Fait bruncher mes compaignons.

Voici René d'Urvoy, écuyer, gentilhomme breton-angevin qui, lui, entoure de lierre

> Un flaccon gros de vin blanc,
> Lequel porté sur l'espaulle,
>   D'une gaulle
> Luy pendille jusqu'au flanc !

Nicolas Denisot, désigné plaisamment par son anagramme, le comte d'Alsinois[1], chevauche, parmi la troupe, un grand âne ; il est le prêcheur des lois de la fête, tel un autre Silène au chef branlant :

> Je le voy comme il le flatte,
>   Et luy gratte
> Les oreilles et le col.

---

1. Peintre et poète du Mans, auteur de *Noëls* (1545). A son retour d'Angleterre, où il fut durant trois ans précepteur des sœurs Seymour (1546-1549), il se lia avec les poètes de la Brigade.

Vigneau, qui le suit à la trace, ramasse les fleurs et les flacons. Et Jean de la Harteloyre, le Tourangeau, l'étudiant en médecine dieppois Pierre de Mireurs, et Claude de Ligneri, fils d'un parlementaire, et Guillaume Capel, de même origine, docteur en médecine, font les fous en chantant sur le luth.

On est sorti en armes, car la campagne n'est pas sûre dans ces parages où errent encore des soldats vagabonds. Or, Ronsard s'écrie sur le mode antique :

> Iö, Iö, troppe chere,
>   Quelle chere
> Ce jour ameine pour nous :
> Parton donq or que l'Aurore
>   Est encore
> Dans les braz de son espoux...
>
> Laisson au logis ces femmes :
>   Par les flammes
> La Cyprienne eviton :
> Ensemble la Paphienne
>   Et la chienne
> Nous envoyroyent chez Pluton.

Ah ! oui, amis, gardons-nous de glisser dans la tombe ! Mais voici s'épanouir toutes les roses de l'Orient [1] :

> Voyci l'Aube safranée,
>   Qui ja née
> Couvre d'œilletz et de fleurs
> Le ciel, qui le jour desserre,
>   Et la terre
> De rosées et de pleurs.
>
> Debout donq, Aube sacrée,
>   Et recrée
> De ton beau front ce trouppeau,
> Qui pour toy pend à la gaule
>   De ce saule
> D'un coq ayme-jour la peau...
>
> Evoé Pere, il me semble
>   Que tout tremble

---

1. Cf. la « Description de l'Aurore pour s'aller jouer à ses compagnons estans à Chili, 1553 » de Vauquelin de la Fresnaye (*Foresteries*, Poitiers, 1555).

> D'un branlement nompareil,
> Et que je voy d'un œil trouble
>   Le ciel double
> Doubler un autre soleil !

Bien des poètes, avant Ronsard, avaient célébré les féeries de l'aube et du printemps ; beaucoup avaient dit, Charles d'Orléans entre autres, le charmant attrait de ces parties de campagne, de chasse, la joie réaliste de bien boire et de bien manger, la beauté d'une terre dé Sologne, de Bourgogne, du gentil Bourbonnais ; ils la déclaraient belle parce qu'elle était plantureuse. Jean Dorat, sur le mode antique, avec sa grâce de pédant et son érudition à tout propos, vient d'esquisser la même scène. Mais il faut le reconnaître, il y a chez Ronsard l'accent d'un lyrisme nouveau, sincère et emprunté tout à la fois. Car avec Ronsard et ceux de sa joyeuse troupe, il semble que, dans la banlieue parisienne d'Arcueil, en leur jeune temps, errent également Horace et ses compagnons, les poètes grecs de l'Anthologie. C'est un dithyrambe en l'honneur du Bacchus païen que va chanter l'ivresse de notre Vendômois ; c'est le mystère de Silène qu'il va célébrer en trépignant :

> Je voy Silene qui entre
>   Dans un antre,
> J'oy les boys esmerveillez,
> Je le voy sur l'herbe fraische
>   Comme il presche
> Les Satyres oreillez.
>
> Evoé, Denys, tempere,
>   Thebain pere,
> Tempere un peu mon erreur,
> Tempere un peu ma pensée
>   Insensée
> Du plaisir de ta fureur.

L'ivresse de la vigne le saisit, lui monte au cerveau, fait voler devant ses yeux cent bêtes nouvelles. Et ses compagnons courent, à perdre haleine, après les papillons qu'ils piquent au tronc des saules.

Alors il semble au poète que les ruisselets roulent, à plein
bord, des flots de vin doux :

> Il fault que leur vin appaize
> Ceste braise
> Qui cuit nos gousiers ardans...
>
> Que chascun de nous y entre
> Jusqu'au ventre,
> Jusqu'au dos, jusques au front.
> Que chascun sonde et resonde
> La doulce onde
> Qui bat le plus creux du fond.

Mais voici Urvoy qui, tout habillé, entre dans le ruisseau
où il barbote comme la grenouille ; et tous le suivent.

Oui, la vie est belle. Et Ronsard regarde le paysage
d'Arcueil, la vallée « entre deux tertres bossus », les ruines
romaines (c'est le seul moment où il se souviendra du *Carmen*
de Dorat),

> Et le double arc qui emmure
> Le murmure
> De deux ruyseletz moussus.
>
> C'est toy, Hercueil, qui encores
> Portes ores
> D'Hercule l'antique nom,
> Qui consacra la memoyre
> De ta gloyre,
> Aux labeurs de son renom.
>
> Je saluë tes Dryades,
> Tes Nayades,
> Et leurs beaux antres cogneuz,
> Et de tes Satyres peres,
> Les repaires,
> Et tes Faunes front-cornus.

Alors chacun porte à la main une branche feuillue, chante
à tue-tête dans la campagne. Le feu est allumé, la table bientôt dressée devant un appétit « aboyant ». Voici le moment,
en souvenir de l'épigramme de Martial au sommeil, de boire
autant de coupes que le nom de votre maîtresse a de lettres.
En l'honneur de Cassandre, Ronsard en boira neuf. Rien

d'étonnant si l'ivresse étreint toutes choses! La petite grenouille coasse, elle aussi, tant l'odeur de la bouteille l'a
surprise. Et il chante également, l'enthousiaste Limousin,
l'helléniste Dorat, célébrant la fontaine et tous les dieux des
champs :

> Iö, iö quel doulx style
> Se distile
> Parmy ses nombres divers,
> Nul miel tant ne me recrée
> Que m'agrée
> Le doulx nectar de ses vers.

Alors l'esprit de Ronsard errait, sous la terre, avec l'âme
du Thébain Pindare, avec l'âme d'Horace. Puisse l'astre du
soir retenir son troupeau d'étoiles et prolonger une telle
journée! Mais déjà la nuit descend des collines. Il faut bien
que la gentille troupe des bons compagnons rentre à la ville,
au collège, « demy-soulez de plaisir ». Des vers d'Horace
chantent encore dans la tête du poète aviné, sur un rythme
guilleret de chanson :

> Jamais l'homme tant qu'il meure,
> Ne demeure
> Fortuné parfaictement :
> Tousjours avec la lyesse,
> La tristesse,
> Se mesle segrettement.

Arcueil devait revoir Pierre de Ronsard, au carnaval de
1553, escortant à travers le village le bouc offert à Jodelle
par ses amis, venus fêter ses succès, quelques jours après les
représentations d'*Eugène* et de *Cléopâtre* [1] :

> Iach ïach Evoé,
> Evoé ïach ïach...
> Evan, Pere, ou je me trompe,
> Ou je voy la pompe
> D'un bouc aux cornes dorées,
> De lierre decorées...

---

1. VI, 182 (Texte du *Livret des Folastries* de 1553, éd. Fernand Fleuret).

Et Ronsard faisait parler Jodelle à Bacchus[1] :

> Vien donq, Pere, et me regarde,
> D'un bon œil, et pren en garde
> Moy, ton poëte Jödelle,
> Et pour la gloire eternelle
> De ma brave tragœdie
> Reçoy ce vœu, qu'humble je te dedie.

C'était là une bouffonnerie assez païenne qui mobilisa la Brigade. Mais plus tard les huguenots accuseront Ronsard d'avoir fait à Bacchus le sacrifice d'un grand bouc. Et le poète dut raconter la scène, l'expliquer dans sa « Response à quelque ministre ». Il dira le succès de théâtre remporté par Jodelle, le don par la Brigade du bouc comme prix de tragédie, le banquet qui suivit[2] :

> Ja la nape estoit mise, et la table garnie
> Se bordoit d'une saincte et docte compaignie,
> Quand deux ou troys ensemble en riant ont poussé
> Le pere du tropeau, à long poil herissé :
> Il venoit à grands pas, ayant la barbe peinte ;
> D'un chapellet de fleurs la teste il avoit ceinte,
> Le bouquet sur l'oreille, et bien fier se sentoit
> De quoy telle jeunesse ainsi le presentoit :
> Puis il fust rejetté pour chose mesprisée
> Apres qu'il eust servi d'une longue risée,
> Et non sacrifié, comme tu dis, menteur,
> De telle faulse bourde impudent inventeur !

Mais si tout cela demeure assez innocent, Ronsard supprima par la suite une partie de la pièce, et Binet crut devoir déclarer qu'il n'en était pas l'auteur.

L'année suivante, en 1554, quand l'édition d'Anacréon par Henri Estienne fut terminée[3], Ronsard offrit un festin à ses amis, philosophes, poètes, gens de la ville et de la cour ; et il se mit à tourner en vers les *Méfaits d'Amour enfant*.

---

1. VI, 193. — 2. V. 410-411 (Paris, G. Buon, 1563. Bibl. Nat., Y⁰ 4935, fol. 12). Les deux derniers vers ne sont pas dans la leçon primitive.
3. Voir une note importante de P. de Nolhac, *Ronsard et l'Humanisme*, p. 110.

Jamais Pierre de Ronsard n'a été plus grec, ni plus païen aussi[1] :

> Nous ne tenons en nostre main
> Le temps futur ni le lendemain,
> La vie n'a point d'asseurance :
> Et pendant que nous desirons
> La faveur des rois, nous mourons
> Au meillieu de nostre esperance.

Car l'homme, après son trépas, ne mange et ne boit. Qu'on lui apprête un lit de roses pour s'y coucher, entre pots et jonchées ! Que Dorat et Jodelle accourent, demandera Ronsard[2] :

> Je veux leur donner un festin,
> Et cent fois leur pendre la coupe.
> Verse donq, et reverse encor
> Dedans ceste grand'coupe d'or,
> Je vois boire à Henry Estienne,
> Qui des enfers nous a rendu
> Du vieil Anacreon perdu,
> La douce lyre Teïenne.
>
> A toi jentil Anacreon
> Doit son plesir le biberon,
> Et Bacus te doit ses bouteilles ;
> Amour son compagnon te doit
> Venus et Silene qui boit
> L'esté, dessous l'ombre des treilles !...

Car Pierre de Ronsard fut bien le premier interprète des roses, de l'amour enfant, de la colombe enivrée du vieillard de Téos. Nul n'a paraphrasé Anacréon avec autant de liberté et de bonheur. Avant même la publication d'Henri Estienne, Ronsard a dit le plaisir qu'il y avait à se couronner de roses, à boire dans un gobelet d'argent. La plus ancienne de ses pièces se lit en effet au *Livret de folastries* (avril 1553).

Feuilletons, mais d'une main légère, ce recueil anonyme[3], que Ronsard ne désavoua jamais complètement ; il en dispersera les pièces dans ses *Gayetez* : ce livre de folies, comme il

---

1. II, 433. (Texte des *Meslanges* de 1555 : *Odelette à Corydon*. Mais il y a là surtout des souvenirs d'Horace.) — 2. II, 434.

3. Réimprimé par M. Van Bever en 1907 et par MM. Fleuret et Perceau en 1920.

Jean Dorat
(Musée de l'Hermitage)

le nomme, d'inepties, dira l'un de ses premiers amis, Pierre
des Mireurs ; ce livre libre, qui ravit cependant Antoine
de Baïf, Olivier de Magny, Marc-Antoine de Muret et Tahu-
reau. Débauche d'esprit d'un chantre de Vénus, il nous laisse
entendre la protestation, si intéressante, du sentiment gaulois que représenta toujours Ronsard, prolongeant Villon et
Marot. Mieux que dans ses *Odes*, nous y retrouvons beaucoup de ses pensées secrètes, entre sa vingt-troisième et sa
vingt-neuvième année. Et d'une manière très naturelle, ce
recueil s'apparente au *Jardin de Plaisance*, aux gaillardises
de Marot, à nos vieux débats et blasons. Ces « sornettes »
(voici déjà un mot de Villon qui, lui aussi, s'est donné dans
son épitaphe pour un « bon folastre »), Pierre les dédia à Janot,
parisien, c'est-à-dire à son plus ancien compagnon d'étude, et
certainement de plaisir, Jean-Antoine de Baïf. C'est celui
qu'il a aimé le plus, et qui l'aima le mieux, en ces jours[1].

Ainsi Pierre balance de la « grasselette à la maigrelette » ;
lui, un fils de soldat, pendant que François de Guise
reprend Metz, il parodie Tyrtée et déclare vivre plus heureux
que les rois[2] :

> Quand ma main tenoit saisie
> Celle, qui tient dans ses yeux
> Je ne sçay quoy, qui vaut mieux
> Que les perles indiennes...
> Allez, bienheureux gendarmes,
> Allez, et vestez les armes,
> Secourez la fleur-de-lis...
> Et r'apportez à voz meres
> Double honneur et double bien :
> Sans vous je garderay bien
> Vos sœurs : allez gendarmes !

Et quand la peste ravageait Paris, il fuyait la ville conta-
minée, comme il le dit dans l'*Épitre à Ambroise de la Porte*,
parisien[3] :

---

1. Voir l'intéressant témoignage de Guy de Brués, *les Dialogues*, Paris, 1557.
2. VI, 163 (Je suis le texte de 1553 reproduit par Fernand Fleuret, p. 30-34).
3. II, 39. — Cette pièce parut au *Bocage* de 1554, figura dans les *Gayetez* en 1584.

> Je suis venu pres de Marne l'ileuse,
> Non guere loin de la part, où ses eaus
> D'un bras fourchu pressent les murs de Meaus :
> Meaus, dont Bacus songneus a pris la garde,
> Et d'un bon œil ses colines regarde
> Riches de vin qui n'est point surmonté
> Du bon vin d'Ai en friande bonté.

Dans cet automne « pesteux », Ronsard erre joyeusement parmi les prairies, regardant les collines couvertes de pampres, les pommiers chargés de fruits. Il joue à la paume sur les prés, regarde passer les bateaux, caché dans les joncs des petites îles. Il chasse le lièvre, pêche à la ligne, cherche des écrevisses :

> Or' je me baigne, ou couché sur les bors
> Sans y penser à l'envers je m'endors.

Il assiste à la vendange, chante les vers que Tityre chantait, rêvant aux trois Déesses :

> Vela, la Porte, en quel plaisir je suis
> Or' que ta ville espouvanté je fuis...

Pierre de Ronsard dessine le portrait de la Catin, d'après Ovide, Properce, Horace et Jean Second : beau dessin que Mathurin Régnier reprendra dans sa Macette. Mais sa rusée bigote est vivante, aussi vivante que la paysanne Robinne qui aime tant son Jaquet, dans la *Gayeté* où Pierre de Ronsard peut bien parodier le *Banquet du Boys*. Quand, par le froid hiver, Pierre reste seul, sinon oisif, à la maison parmi ses livres, c'est suivant l'oracle d'Homère, pour demander à son page de lui verser à boire auprès du feu [1] :

> En ceste grande coupe d'or...
> Cà, page, donne ce Catulle,
> Donne ce Tibulle, et Marulle,
> Donne ma lyre, et mon archet,
> Depen-la tost de ce crochet;

1. II, 38 (*Folastries*, 1553, éd. F. Fleuret, p. 53).

Viste doncq, afin que je chante,
Et que je charme et que j'enchante
Ce soing, que l'amour trop cruel
Fait mon hoste perpetuel !

Et Pierre de Ronsard décrira les visions cornues de l'ivrogne
Thenot[1]. Mais laissons-le en adoration devant les instruments
du plaisir et de la génération[2].

Il y avait là, certes, de quoi scandaliser les réformés et
certains de ses amis. Des prédicants dénonceront plus tard
Ronsard comme un pur voluptueux et un athée, oubliant
que l'homme était né dans la maison dédiée *Voluptati et
Gratiis.*

1. VI, 178. — 2. VI, 196, 197.

CHAPITRE III

LES AMOURS : CASSANDRE ET MARIE

Le 30 septembre 1552, chez la veuve Maurice de la Porte,
au Clos-Bruneau, Pierre de Ronsard, Vendômois, vient de
publier *les Amours*[1]. C'est un assez mince volume, de petit
format, qu'annoncent des vers grecs de Dorat, en tête duquel
Ronsard avait fait graver son portrait lauré à vingt-sept ans et
celui de Cassandre sur sa vingtième année. Et trois de ses amis
y chantent sa louange, Joachim du Bellay, Jean-Antoine de
Baïf et le comte d'Alsinois, c'est-à-dire Nicolas Denisot pour
qui Ronsard est déjà le « divin poète[2] ». Compagnons de
sa jeunesse, avec le maître de grec, ils forment cortège à sa
jeunesse. Et les bons musiciens l'accompagnent : P. Certon,
C. Goudimel, Marc-Antoine de Muret et Janequin. Car, pour
l'amour du lecteur, Pierre de Ronsard a fait mettre à la fin
de ce « présent livre » la musique; « sur laquelle tu pourras
chanter une bonne partie du contenu en icelluy[3] ».

C'est dans ce cortège de chant et d'amitié qu'il se présente à nous, qu'il célèbre sa maîtresse dans une suite de

1. Un exemplaire est conservé à la Bibliothèque d'Orléans, D. 1505; un autre au
British Museum et le troisième chez M. Abel Lefranc qui a bien voulu me laisser
collationner son bel exemplaire. La Bibliothèque Nationale ne possède que l'édition
de 1553 (Réserve, p. Y^e 125).

2. Sur ce personnage, cf. E. Moreau-Nélaton, *les Clouet et leurs émules*, I, p. 157.

3. Sur Ronsard et les musiciens, cf. les recherches intéressantes de MM. Ch. Comte
et P. Laumonier, *Ronsard et les musiciens du seizième siècle*, 1900; l'album musical
de M. Henry Expert, à la suite de l'édition de *la Fleur des poésies*, par Henri
Longnon; Julien Tiersot, *Ronsard et la musique de son temps*, Paris, Soc. Interna-
tionale de musique, 4e année. — Voir aussi le numéro spécial de la *Revue musicale*,
1er mai 1924 : Ronsard et la musique.

sonnets et de chansons, qu'il publie le cinquième livre de
ses *Odes*, aux accords du luth et de la guitare.

Certes, à Couture et ailleurs, au hasard de sa vie d'écuyer
et d'écolier, pendant sa convalescence, Ronsard a aimé bien
des fillettes, maigres ou grasses, rouées ou naïves, dans
son grand lit de fer[1],

> Bouche sur bouche et le flanc sur le flanc,

en évoquant les figures de Mars et de Vénus. Il a chanté et bu
avec Marguerite ou Jeanne; avec cette blanche Marguerite
surtout, qui avait de beaux yeux, des cheveux d'or fin qu'il
aimait à tordre dans sa bouche et dont il portait un « lien
amoureux ». Mais la dame, qui avait épousé un archer que le
poète nommait un « sot Vulcain », se lassa des querelles de
son mari, et peut-être aussi des caresses de son amant.

C'est un fait qu'au mois d'avril 1546[2], alors qu'il remplissait son service d'écuyer à la cour, à Blois, dans une belle
journée de printemps, pendant les fêtes qui, au milieu des
danses et des chants, réunissaient les pages du roi et les
filles des châtelaines du voisinage, Pierre de Ronsard, âgé
de vingt et un ans, tomba follement amoureux d'une jeune
fille de quatorze à quinze ans; elle chantait, en s'accompagnant sur le luth, un branle de Bourgogne, souriante et
pathétique[3]. La scène se passe dans la vieille forteresse

---

1. VI, 103. — 2. Le 21 avril, suivant l'édition de 1552.

3. Cassandre est célébrée d'abord dans les *Odes* de 1550, puis dans les *Amours* de
1552 dont le commentaire a été donné, en 1553, par Marc-Antoine de Muret,
limousin, glorieux professeur à Poitiers, à Bordeaux, puis à Paris et enfin au Collège
Romain. Cet interprète verbeux et éloquent d'Homère, jugé « divin » par la Pléiade,
musicien et poète latin, auteur des *Juvenilia* (1552), confident des *folastries*, fut
l'ami et le témoin. Mais son commentaire n'est qu'érudit. (Sur ce personnage, cf.
Ch. Dejob, *Marc-Antoine de Muret*, Paris, 1880, et surtout M. Pierre de Nolhac,
Ronsard et l'Humanisme, p. 92-100, 146-152). Une nouvelle édition du commentaire
et des *Amours* a été donnée par M. Hugues Vaganay, *Les Amours de P. de Ronsard
Vandomois*, Paris, 1919. La préface de Marc-Antoine de Muret, adressée à Adam Fumée,
conseiller du roi au Parlement, est importante et répond aux critiques formulées
contre Ronsard par « l'indocte arrogance ». On lui reprochait « de se trop louer »,
d'écrire obscurément, d'être trop audacieux « à faire nouveaux mots ».

des comtes de Blois, que Louis XII, la reine Anne et
François Ier ont embellie de quelques logis et de galeries,
sur la butte qui domine Saint-Sauveur, le vieux pont, la
Loire et la gentille petite ville.

Qu'elle était belle et gracile, sous ses cheveux noirs, avec
son visage où brillaient des yeux bruns qui eussent ému les
dieux ! (car c'est bien parce qu'il est alors rempli de son
Homère que le poète la dira, parfois, comme Hélène « aux
cheveux d'or »). C'est Cassandre[1], fille de Bernard Salviati,
marchand florentin, banquier du roi François Ier, et de
Françoise Doucet, d'une famille de maîtres de la Chambre
des comptes de Blois ; elle demeurait à Talcy, le beau château situé entre Mer et Marchenoir, que son père avait acquis
en 1517[2]. C'est Cassandre, dont l'image suivra pendant
quatre ans Pierre de Ronsard, au temps où il lut surtout le
Canzoniere de Pétrarque, Bembo et Jean Second. Il a imaginé qu'elle serait sa Laure. Car Cassandre ne fut pour Ronsard qu'une belle image ; ses amours, les amourettes d'un
collégien épris de sa cousine pendant les vacances[3] : Ronsard
et Cassandre étaient même un peu parents. Le jeune homme
était fier de la rencontre du nom antique de celle qu'il nommait « sa maîtresse » à ses compagnons de Coqueret, heureux
de vider avec eux neuf coupes en l'honneur des neuf lettres
de son nom. Il oubliait ainsi les peines de son cœur[4] :

1. On doit le peu que l'on sait sur Cassandre à M. Henri Longnon (*Pierre de
Ronsard, essai de biographie*, Paris 1912) qui a vérifié l'exactitude du renseignement
biographique donné par Agrippa d'Aubigné dans une lettre : « Mlle du Pré, qui
estoit sa Cassandre ». Brantôme, grand ami de Ronsard, savait aussi son nom. « Et
fust sa belle Cassandre ; je sçay bien qu'elle a esté belle, mais il l'a desguisé d'un
faux nom » (Ed. Lalanne, IX, 257). M. Jean Martellière, *Nouveaux documents sur
Ronsard et Cassandre Salviati*, Vendôme, 1904, et *Pierre de Ronsard, gentilhomme
vendomois*, Paris 1924, a permis d'esquisser sa biographie. M. Paul Laumonier,
dans son introduction à *Ronsard et sa province*, p. XIX-XXI, a résumé, de la manière la
plus heureuse, les éléments de la biographie, si ténue, de Cassandre.

2. Voir la photographie du château, qui a très grande allure, donnée par M. Paul
Laumonier, *Ronsard et sa province*, p. 55.

3. M. Paul Laumonier a publié l'intéressant sonnet des *Amours* de 1552, supprimé
en 1553, qui fixe absolument ce point (*Ronsard et sa province*, p. XVII).

4. VI, 255.

Je veux lire, en trois jours, l'Iliade d'Homere,
Et pour-ce, Corydon, ferme bien l'huis sur moy...
Je ne veux seulement que nostre chambriere
Vienne faire mon lit...
Mais si quelqu'un venoit de la part de Cassandre,
Ouvre luy tost la porte, et ne le fais attendre...

Toutefois, un an environ après la rencontre de Pierre de Ronsard, Cassandre, par acte passé devant M⁰ Rotelet, notaire à Beaugency, avait épousé Jean Peigné, seigneur de Pray, possesseur de ce château qui s'élevait non loin de la Possonnière (23 novembre 1546). Le seigneur de Pray lui fit des enfants et administra ses terres.

Pierre de Ronsard ne devait pas oublier sa Cassandre ; l'idée de son amour l'enchantait. Il ne cessait de célébrer ses perfections[1] :

Et le plaisir qui ne se peut passer
De les songer, penser, et repenser,
Songer, penser, et repenser encore.

De Couture, Pierre de Ronsard devait aller à Pray, si proche, chez le seigneur époux, son cousin au douzième degré. Ainsi il avait revu sa dame, non loin du Loir, alors qu'elle marchait dans un *pré*, fleur parmi les fleurs, les cheveux dénoués et en « simple verdugade ». Il la trouva plus grande et elle lui sourit. On fit des parties de barre, où elle mettait son amoureux dans le camp adverse, la méchante. Sa beauté et sa douceur l'ensorcelaient vraiment. Et Ronsard, qui avait rêvé de devenir un grand poète, qui ruminait déjà une *Franciade*, fit le vœu d'immortaliser sa belle Florentine. Car la sage dame ne voulut connaître de lui qu'amour courtois, recevoir ses vers, les lui chanter sur la musique qu'elle composait[2] :

Quand il lui plaist sur son lut doucement
Chanter mes vers animez de son pouce.

Pierre l'écoutait ravi, demandant qu'elle redît, pour

1. I, 13. — 2. I, 20.

lui seul, l'air qu'elle avait chanté à Blois lors de leur première rencontre. Jamais il n'était las de faire son portrait.
On pense à la figure du bain que peignit François Clouet[1].
Car l'art du poète est alors celui d'un artiste primitif, qui
s'attache à tous les détails, à tous les charmants détails de la
beauté de Cassandre[2] :

> Ces liens d'or, ceste bouche vermeille
> Pleine de lis, de roses et d'œuilletz,
> Et ces couraulx chastement vermeilletz,
> Et ceste joue à l'Aurore pareille.
> Ces mains, ce col, ce front et ceste oreille,
> Et de ce sein les boutons verdeletz,
> Et de ces yeulx les astres jumeletz,
> Qui font trembler les ames de merveille...

Vingt fois Ronsard a repris ce portrait; autant de fois il a
décrit les yeux bruns de sa maîtresse, sa chevelure ciselée
de frisons, dessiné cette bouche de corail avec ses dents de
perles, dit son baiser parfumé d'ambre et de musc, les fos-
settes de son rire et sa gorge « grassellette[3] ».

> O doulx parler, dont l'appas doulcereux
> Nourrit encor la faim de ma memoire,
> O front, d'Amour le trofée et la gloire,
> O riz sucrez, o baisers savoureux.
> O cheveulx d'or, o coustaulx plantureux
> De liz, d'œilletz, de porphyre et d'ivoyre :
> O feuz jumeaulx dont le ciel me fit boyre
> A si longs traitz le venin amoureux.
> O vermeillons, o perlettes encloses,
> O diamantz, o liz pourprez de roses,
> O chant qui peulx les plus durs esmouoyr...

Vers puérils et charmants, si bien faits pour la musique
que Cassandre chantait; sonnets précieux que Pierre lui
offrait, et qui pouvaient bien lui plaire. Il décrivait aussi son
bonnet[4] :

> Quel plaisir est ce, ainçoys quelle merveille,
> Quand ses cheveux troussez dessus l'oreille,

1. Ét. Moreau-Nélaton, *Les Clouet et leurs émules*, I, fig. 20.
2. I, 5 (texte de 1552).
3. I, 27 (texte de 1552). — 4. I, 45 (texte de 1552).

> D'une Venus imitent la façon ?
> Quand d'un bonet son chef elle adonize,
> Et qu'on ne sçait (tant bien elle desguise
> Son chef doubteux), s'elle est fille ou garçon ?

Et Cassandre accepta de venir chez Ronsard, en Vendômois. Pierre lui montra la maison paternelle, ses prés, ses antres, ses bois et, le soir, les roses de son jardin[1] :

> Mignonne, allon voir si la rose
> Qui ce matin avoit declose
> Sa robe de pourpre, au soleil,
> A point perdu cette vesprée,
> Les plis de sa robe pourprée
> Et son teint au vostre pareil.

S'il souffrait alors, douce était sa souffrance[2] :

> Le plus toffu d'un solitaire boys,
> Le plus aigu d'une roche sauvage,
> Le plus desert d'un separé rivage,
> Et la frayeur des antres les plus cois,
> Soulagent tant les soupirs de ma voix,
> Qu'au seul escart de leur secret ombrage
> Je sens garir une amoureuse rage,
> Qui me raffole au plus verd de mes moys.

La beauté de Cassandre, il la voyait peinte dans les fleurs, les prés, les champs, les rives et les eaux de son Loir[3]. Son pays, qu'il aimait, était comme le confident de ses amours ; Ronsard lui demandait même d'en être l'interprète[4] :

> Je vous supply, ciel, air, ventz, montz, et plaines,
> Tailliz, forestz, rivages et fontaines,
> Antres, prez, fleurs, dictes le luy pour moy..

La forêt de Gastine surtout, où Pierre se représente soupirant[5], était prise comme témoin de son amour :

> Saincte Gastine, heureuse secretaire
> De mes ennuis, qui respons en ton bois,

---

1. II, 168 (texte de 1553). — 2. I, 7 (texte de 1552).
3. I, 15. — 4. I, 32 (texte de 1552). — 5. I, 80 (texte de 1552).

>Ores en haute, ores en basse voix,
>Aux longz souspirs que mon cueur ne peult taire.

C'est que, dans cette forêt, Pierre et Cassandre avaient
chassé le cerf et le sanglier. Une ronce piqua même au bras
la jeune femme ; et le poète imaginait que les gouttes de son
sang, tombées sur la terre, y avaient fait naître la fleur qu'il
nommera *Cassandrelle*. Quand Pierre avait mal aux yeux,
sa dame composait une eau pour les lui baigner (de l'eau
des roses de son jardin, sans doute). Un jour qu'il s'était
blessé en faisant des armes, Cassandre pansa sa plaie de ses
doigts ; elle savait la vertu des simples, en châtelaine bonne
ménagère. Ils firent aussi des parties de bateau sur le Loir,
trop longtemps peut-être, car les marais du voisinage don-
nèrent la fièvre tierce à la jeune femme. Mais quelle fièvre le
saisit, lui, quand, dans ce mois de printemps, Cassandre
jaunit et dut garder le lit, le propre lit de Pierre ! Alors, avec
l'ami Denisot, le poète allait à travers les champs, promenant son émoi [1] :

>Cinq jours sont ja passés, Denizot, mon amy,
>Que Cassandre, malade, en repos n'a dormy :
>Tu sçais combien son mal de douleur me consomme.
>Allon dedans les pretz que ta Sarte, et mon Loir,
>Baignent, et s'il te plait, faison notre devoir
>De cuillir des pavotz qui sont sacrez au Somme.

Cassandre est touchée de ses attentions ; il semble que son
cœur doive s'adoucir. Et Ronsard n'ignorait pas que ses vers,
ses beaux vers, lui étaient agréables. Elle le saluait d'un petit
ris de l'œil, lui tendait la main, amoureusement. Alors Pierre
prit la hardiesse de lui découvrir une partie des passions
qu'il endurait pour elle. Il le fit avec tant de grâce qu'elle-
même, émue de pitié, se prit à pleurer [2] :

>Le tems s'en va, le tems s'en va, ma dame,
>Las ! le tems non, mais nous nous en allons,
>Et tost serons estendus sous la lame :

1. II, 369 (texte de 1555). — 2. VI, 249 (texte de 1555).

> Et des amours, desquelles nous parlons,
> Quand serons morts, n'en sera plus nouvelle :
> Pour-ce aymez moi, cependant qu'estes belle !

Comme il le fera avec toutes les femmes qu'il aima, Ronsard promit à Cassandre de la rendre immortelle. Nous l'entendons plaider sa cause, dans une attitude charmante[1] :

> Bien que vous surpassiés en grace et en richesse
> Celles de ce païs, et de toute autre part,
> Vous ne devés pourtant, et fussiés vous princesse,
> Jamais vous repentir d'avoir aimé Ronsard.
>
> C'est lui, Dame, qui peut avecque son bel art,
> Vous afranchir des ans, et vous faire Déesse...
>
> Vous me reponderés qu'il est un peu sourdaut,
> Et que c'est deplaisir en amour parler haut :
> Vous dites verité, mais vous celés aprés,
>
> Que luy, pour vous ouir, s'aproche à vôtre oreille,
> Et qu'il baise à tous coups vôtre bouche vermeille
> Au milieu des propos, d'autant qu'il en est prés.

Ainsi Pierre fut spirituel, éloquent et véhément. Il se compara à Prométhée dont un aigle rongea le cœur. Il parla de mourir. Puis il fut plus hardi de paroles et de gestes, maladroit. Et Cassandre s'enfuit.

C'est la commune aventure du génie et de la prude. Certes, Cassandre s'était montrée imprudente, lui avait abandonné sa bouche et chanté trop doucement ses vers. Mais le charme était rompu de l'idylle qui fait songer à la première partie du *Roman de la Rose*[2] :

> Há, Belacueil, que ta doulce parolle
> Vint traistrement ma jeunesse offenser,
> Quand au premier tu l'amenas dancer
> Dans le verger, l'amoureuse carolle !

Pierre ne devait jamais dormir sur le sein de sa dame, comme le petit barbet dont il était jaloux[3]. Il demeura avec

---

1. VI, 244-245 (texte de 1555). — 2. I, 82 (texte de 1552). — 3. I, 37.

sa tristesse. Le genre des *Amours* l'exige d'ailleurs. Une
fois de plus, Ronsard parcourut ses champs, enviant la
rusticité de ceux qui font des fagots et n'éprouvent pas de
sentiments[1]; il recherchait la solitude de sa campagne[2] :

> Je te hay, peuple, et m'en sert de tesmoing
> Le Loyr, Gastine, et les rives de Braye,
> Et la Neuffaune, et l'humide saulaye
> Qui de Sabut borne l'extreme coin.

Pierre songeait aussi à des choses dures que Cassandre
avait pu lui dire, ou qu'il lui prête à cause du prénom
qu'elle porte et qui annonce le malheur; il est encore si près
de ses livres[3] :

> Avant le temps tes temples fleuriront,
> De peu de jours ta fin sera bornée,
> Avant ton soir se clorra ta journée,
> Trahis d'espoirs tes pensers periront...
> Tu bastiras sus l'incertain du sable...

Demeuré seul, Pierre parcourut sa maison, veuve des beaux
yeux de sa dame. Il regardait le portrait peint par Nicolas
Denisot dont il nous a souvent entretenus, renversé sur la
terre, au milieu des bois touffus. Ce pourrait bien être le
médaillon qui accompagne l'édition des *Amours* où nous
voyons Cassandre regardant son poète. C'est là un vivant
portrait, au noble profil, aux yeux magnifiques et calmes;
et nous y retrouvons le beau front où brille un rang de perles,
qu'encadre la ciselure d'une lourde chevelure, troussée sur
l'oreille[4] :

> L'an mil cinq cens contant quarante et six,
> Dans ses cheveux une beaulté cruelle,
> (Ne sçay quel plus, las, ou cruelle ou belle)
> Lia mon cœur de ses graces épris...

Cassandre, on ne l'imaginerait pas autrement, avec quelque
chose de spirituel et d'enfantin dans le bas du visage, un cou

1. I, 38. — 2. I, 59 (texte de 1552).
3. I, 11 (texte de 1552). — 4. I, 60 (texte de 1552).

mince et cambré. Mais sa chaîne d'or, sur les épaules, soutient l'échancrure d'une draperie à l'antique qui laisse voir
les seins d'une vraie femme[1]. Oui, ses seins, ses « beaux
tetins à nu », tout ce que Pierre avait entrevu de la beauté
de son corps, car le reste était conjecture ! Ainsi l'avait-il
déclaré dans la charmante pièce à Janet, peintre du roi, celui-
là que nous nommons Jean Clouet, seul digne de la peindre[2] :

> Pein moy, Janet, pein moy je te supplie,
> Sur ce tableau les beautez de m'amie...
> Fay luy premier les cheveux ondelez,
> Serrez, retors, recrespez, annelez,
> Qui de couleur le cedre representent...

Car pour Ronsard, comme pour nous, Cassandre fut une
image, une figure d'Italie qui a miré peut-être sa beauté dans
l'eau du puits florentin à Talcy, où elle grandit, et que l'on
est si surpris de voir foré dans ce pays du Centre. Cassandre,
c'est la figure du Printemps, comme la Primavera d'un
Botticelli, noble et gracile, qui marche sur les prés de la
vallée du Loir, et respire les roses du jardin de Ronsard. De
son admiration, de son dépit, de ses lectures, des conventions
mêmes de la poésie courtoise, de son imagination d'adolescent exaspéré dans la solitude de ses bois et de ses livres,
Ronsard, qui a dit les antres moussus, les côteaux vineux
« écoliers de ses vers », a fait le livre de ses *Amours*, de ses
« chastes amours » avec la dame de Talcy[3]. Elles remplissent
en partie la première rédaction de son livre. Le reste est souvenir de l'Anthologie, d'Anacréon, d'Ovide, de Properce, de
Pétrarque, de Bembo surtout. Quelques sonnets, plus
réalistes, s'y rencontrent même, adressés à cette Marguerite
que Marc-Antoine de Muret connaissait mieux que nous. Car
il savait bien que Pierre ne parlait pas à Cassandre « si auda-
cieusement ». Le professeur, son ami, n'était pas la dupe de

---

1. Bibl. Nat., Réserve p. Y⁰ 125. — 2. I, 119 (texte de 1554, dans les *Meslanges*)⁴
3. Sur le prodigieux succès des *Amours* de Cassandre, voir l'ode à P. de Ronsard
Vandomois de Marc Claude de Buttet, *Le premier livre des vers*, 1561, fol. 56 ; Pierre
le Loyer, *Les Œuvres*, 1579, fol. 20 v°, 52.

notre homme ; il ajoute même, assez savoureusement,
« qu'au surplus les poètes ne sont pas toujours aussi
constants comme ils se représentent. Ils chaussent, comme
ils peuvent, chaussure à leur pied. Une bonne souris doit
avoir plus d'un trou à se retirer ».

Cassandre devait être d'ailleurs la voisine du poète en
Vendômois, quand elle habitait Pray, ayant, suivant les mots
de Ronsard, « changé son Loire au séjour de mon Loir ». Le
châtelain et la châtelaine de Pray demeurent parfois à Vendôme[1] où on les voit tenir des enfants sur les fonts du
baptême. Ainsi Cassandre Salviati, femme de M. de Pray, fut
marraine d'Antoine, fils de Mᵉ Raoul Buzy, licencié en lois,
en l'église de la Madeleine (décembre 1551); au mois de
février de l'année suivante, nous la trouvons encore marraine
de Camille, fille de Mᵉ Jean Thisard, trésorier des Écossais
de la garde du roi[2]. Tel est le petit monde, entre noblesse et
bazoche, où vécurent Cassandre et son époux, Jean de Peigné.

Et la dame rencontra un jour son poète vieilli, qui l'avait
rendue aussi célèbre que la Laure de Pétrarque. Mais ils
étaient seuls à porter ce secret. Par deux fois, d'une manière
très discrète, Ronsard s'est permis de jouer sur son nom
de Pray :

> Tant de plaisirs ne me donnent qu'un *Pré*
> Ou sans espoyr mes esperances paissent...
> Dedans des *Préz* je vis une Dryade...

Ce fut aux environs de Saint-Cosme, l'an 1568, que Pierre
revit sa Cassandre. Elle avait quarante ans celle qui, en son
adolescence, l'avait pris dans les rets de ses cheveux. Elle
était belle encore ; et Pierre, vaincu, s'abandonna à une douce
et voluptueuse rêverie[3] :

> L'absence, ny l'oubly, ny la course du jour
> N'ont effacé le nom, les graces ny l'amour

1. Dans un procès, le 16 août 1576, on voit Jean de Peigné ainsi qualifié : « Seigneur du Pré Vendosme » (Arch. Nat., Xⁱᵃ 5066).
2. Jean Martellière, *Pierre de Ronsard, gentilhomme Vandomois*, p. 157, 158.
3. VI, 371 (éd. de 1569 ; je cite le texte de 1578).

Qu'au cœur je m'imprimay dès ma jeunesse tendre,
Fait nouveau serviteur de toy, belle Cassandre !
Qui me fus autrefois plus chere que mes yeux,
Que mon sang, que ma vie, et que seule en tous lieux
Pour sujet eternel ma Muse avoit choisie,
A fin de te chanter par longue poësie...
Ma Cassandre, aussi tost que je me vy blessé,
Jeune d'ans et gaillard, depuis je n'ay pensé
Qu'à toy, mon cœur, mon ame, à qui tu as ravie
Absente si longtemps la raison et la vie...
Si bien qu'en souvenir je t'aimois tout ainsi
Que dès le premier jour que tu fus mon souci.
Et si l'âge, qui rompt et murs et forteresses,
En coulant a perdu un peu de noz jeunesses,
Cassandre, c'est tout un ! Car je n'ay pas esgard
A ce qui est present, mais au premier regard :
Au trait qui me navra de ta grace enfantine,
Qu'encores tout sanglant je sens en la poitrine.
Bien-heureux soit le jour que tes yeux je revy,
Qui m'ont, et pres, et loin, de moy-mesmes ravy.
Et si j'estois un roy qui toute chose ordonne,
Je mettrois en la place une haute colonne
Pour remerque d'amour : où tous ceux qui viendroient,
En baisant le pilier, de nous se souviendroient...

Dans cette journée de printemps, Pierre s'arrêta et demeura muet sous le regard de Cassandre. Il pensa aux propos qu'ils avaient échangés un soir :

Ce fut en la saison du printemps qui est ores :
En la mesme saison je t'ay reveuë encores...

Mais celle pour qui le poète avait chanté :

Le tems s'en va, le tems s'en va, ma dame,

passa le temps. Sa mignonne devint une vieille dame chenue qui devait survivre, plus de vingt ans, à son poète. Veuve avant 1580, on la verra aux prises avec toutes sortes de difficultés, peut-être même dans la gêne, compagne habituelle des familles nombreuses de gentilshommes terriens, embesognés dans leurs hommages, dans les procédures, dans l'administration de leurs métairies[1]. En 1570, Agrippa d'Aubigné, gentilhomme huguenot, grand admirateur de Ronsard, et comme lui poète frénétique, vint se réfugier dans le fief maternel de la lande Guynemer, non loin de Talcy qu'il ne quittait plus, car il était tombé éperdument amoureux de Diane, la nièce de Cassandre. Il écrivit pour elle son *Printemps*[2]. C'est peut-être de Cassandre elle-même qu'Agrippa recueillit le secret des amours de Ronsard. Mais Agrippa, sur ses vingt ans, fut chassé de Talcy par le seigneur Salviati, sur le « différent de religion »; et Diane mourut de douleur. Cassandre demeura dans sa solitude. Elle vit, en 1596, son bien saisi. Elle est au lit, malade, dans sa pauvre métairie de la Toise, dans le misérable pays de Pray. Celle dont le poète avait écrit :

> De peu de jours sera ta fin bornée,

mourut très ancienne, vers 1606, laissant une fille, nommée Cassandre, qui épousa Guillaume de Musset, dont descend Alfred de Musset.

L'an 1554, Ronsard partit respirer l'air de son pays. Il souffrait tant quand il devait rester « vingt ou trente mois » sans retourner dans son Vendômois[3].

Un grand événement littéraire venait de se produire. Henri Estienne avait publié, probablement au mois de mars, son édition d'Anacréon. Nous avons vu Ronsard, la coupe en main, fêter avec Dorat, Panjas le jeune, sieur de Pardailhan[4], et le vieux François Charbonnier, disciple de Crétin, l'apparition de cette édition, boire à la santé d'Henri Estienne.

Les vers « mignards » du harpeur lesbien, que Ronsard

---

1. Sur les procès de Jean Salviati, de Jean de Pré, voir Arch. Nat., X^{ia} 5018, 9 juillet 1568; X^{ia} 5020, 10 déc. 1568; X^{ia} 5066, 16 août 1576.

2. Ed. Maume et Caussade, I, p. 18. — 3. II, 326.

4. Sur ce grand ami de Du Bellay et de Magny, qui séjourna à Rome avec eux, voir Jules Fabre, *Olivier de Magny*, Paris, 1885, p. 48.

connaissait depuis un an au moins, l'avaient enthousiasmé.
D'autre part, il était las de ses imitations de Pétrarque et
de Bembo adaptées à Cassandre ; car si les *Odes* avaient fait
de Ronsard un poète curial illustre, beaucoup de lecteurs
eussent préféré de simples récits d'amour, d'un style moins
« grave » et « obscur ». Enfin, Ronsard était, comme eux,
fatigué de Pétrarque et de Pindare.

C'est dans cette disposition d'esprit qu'il gagna son Vendômois, qu'il quitta le Louvre pour cette campagne qu'il
aimant tant, où il travaillait toujours si bien. Car sa terre
l'inspirait vraiment, le grisait ; elle le faisait, comme il le
dira, mourir de plaisir[1] :

> Je mourois de plaisir voyant par ces bocages
> Les arbres enlassés de lierres épars,
> Et la lambruche errante en mille et mille pars
> Es aubespins fleuris prés des roses sauvages.
>
> Je mourois de plaisir oyant les dous langages
> Des hupes, et coqus, et des ramiers rouhars
> Sur le haut d'un fouteau, bec en bec, fretillarts,
> Et des tourtres aussi voyant les mariages :
>
> Je mourois de plaisir voyant en ces beaus mois
> Sortir de bon matin les chevreuilz hors des bois,
> Et de voir fretiller dans le ciel l'alouette...

Dans sa campagne, Pierre de Ronsard retrouve l'activité de la vie de gentilhomme et, il faut le dire, tout ce qui
flatte son libertinage d'esprit ou de tempérament[2] :

> Amour (comme l'on dit) ne naist d'oysiveté...
> Je ne suis point oisif, et ne l'ay point esté,
> Tousjours la haquebute, ou la paume champestre,
> Ou l'escrime qui rend une jeunesse adextre,
> Me tient en doux travail tout le jour arresté :
> Ores le chien couchant, ores la grande chasse,
> Ores un gros ballon bondissant en la place,
> Ores nager, lutter, voltiger et courir
> M'amusent sans repos : mais plus je m'exercite,
> Plus Amour naist dans moy, et plus je sens nourrir
> Son feu, qu'un seul regard au cœur me ressuscite.

1. I, 192 (texte de 1555). — 2. I, 152 (texte de 1557).

Son plaisir, il le dira franchement : tenir une heure dans ses bras son amie en un bocage :

> Nous estions l'autre jour dans une verte place
> Cueillants, m'amie et moi, les fraiziers savoureux;
> Un pot de cresme estoit au milieu de nous deux,
> Et sur le jonc du laict très luisant comme glace...

Entre 1554 et 1556 environ, Ronsard a vécu les heures les plus libres, les plus heureuses de sa vie, pleines d'invention et de volupté; il demeurait sur sa terre, d'où ses amis de Paris, Antoine de Baïf entre autres, ne pouvaient le tirer. Là, Ronsard s'est non seulement renouvelé, mais il a renouvelé la tradition marotique, gauloise, en des œuvres légères et charmantes, qui allaient connaître un succès sans précédent, susciter un nombre incroyable d'imitations.

Le Bocage[1] est dédié entièrement à Pierre de Paschal, « du bas païs de Languedoc », son grand ami, dont il mendie gentiment la louange, tout en affirmant qu'il est si mauvais courtisan des rois et des grands seigneurs. Car Pierre de Paschal doit illustrer Ronsard en écrivant, à la manière de Paul Jove, l'histoire du règne d'Henri II : l'aventure est plaisante! Ronsard y donne quelques odes, déjà écrites dans son style nouveau; les charmantes inscriptions, attiques, du vanneur de blé, du pêcheur aux Naïades; les paysanneries des dons de Jaquet à Isabeau qui se rendent au marché; l'épitaphe, si mal comprise, de Rabelais et celle de Marulle, son nouveau maître; des souvenirs de famille, la prosopopée de son père, Louis de Ronsard, et l'épitaphe de Jean de Ronsard, son oncle; l'élégie à Cassandre; l'ode au Rossignol, qui parle comme Ronsard, le libertin[2] :

> Mais, Rossignol, que ne vient elle
> Maintenant sur l'herbe nouvelle

1. Bibl. Nat., Rés. p. Y^e 124 (achevé d'imprimer du 27 novembre 1554). Je cite toujours ce texte, tout en renvoyant à l'édition Laumonier.

2. VI, 217 (texte de 1554).

Avecque moi dans ce buisson ?
Au bruit de ta douce chanson
Je lui ferois, sous la coudrette
Sa couleur blanche, vermeillette.

Voici le coin des bestioles : la Grenouille adressée à Remy Belleau du Perche, le Frelon, le « Fourmy », le Papillon de Belleau pour Ronsard. Au lieu des *odes*, voici les *odelettes*, où le poète demande à Corydon (ce sont des souvenirs de collège) de lui verser, sans fin, du vin dans son verre ; et Ronsard réclame des parfums durant sa vie, et non après sa mort, le bon vin de la taverne et les fruits qu'il apprécie davantage en été que la viande ; le sommeil, qu'il maudit alors, et qu'il implorera plus tard, de si pitoyable façon. Ronsard ouvre son cœur à Du Bellay[1] :

Certes j'en suis tesmoin, car quand je veus loüer
Quelque homme ou quelque Dieu, soudain je sens noüer
Ma langue à mon palais, et ma gorge se bouche :
Mais quand je veus d'amour ou écrire, ou parler,
Ma langue se desnoüe, et lors je sens couler
Ma chanson d'elle mesme aisement en la bouche.

Il a réalisé son rêve ancien[2] : car, sous les ombrages de la forêt de Gastine, s'il a chanté autrefois une chanson italienne, enamouré de Cassandre, Ronsard avait dit à son luth qu'il allait changer de style et sonner un chant français.

Ce chant, vraiment français, nous l'entendrons dans les *Meslanges*[3] qui parurent en novembre 1554, petit livre qui devait s'intituler *Le deuxieme livre du Bocage*, comme en témoignent certains titres courants qui n'ont pas été corrigés.

Les *Meslanges* étaient dédiés à Jean de Brinon, conseiller au Parlement, un magistrat bon vivant que Ronsard avait

---

1. II, 225-226 (*Le Bocage*, 1554).
2. *A son Luc*. Si autrefois sous l'ombre de Gatine... (VI, 130).
3. Bibl. Nat., Rés. p. Y⁰ 123. — Je cite toujours ce texte, tout en renvoyant à l'édition Laumonier.

connu à Paris; car il était l'ami des poètes, des musiciens,
jouait de la guitare en compagnie de dame « Sidere[1] »,
recevait volontiers dans ses propriétés de Villenes et de
Médan. Il était beau, spirituel, gourmand, bien chantant,
buvant le malvoisie dans des coupes d'or, et généreux
aussi[2]. Ainsi Ronsard reçut de Brinon un verre, une pano-
plie, un chien, un petit Bacchus. En manière de remerciement, dans les *Meslanges*, Ronsard lui avait adressé un
poème sur le verre, sur les armes, sur la chasse, et aussi
l'*Hymne de Bacus*[3].

Ronsard le disait à sa lyre : jadis il avait voulu chanter
Francus[4]; mais, en dépit de lui-même, son doigt ne pouvait
pincer que des accords pour chanter l'amour, et Cassandre.

1. Il s'agit là d'un nom de guerre. Jamyn aussi célèbrera une « Sidere », sa
maîtresse. On voit que dans l'« Elégie d'amour et de la Sidere de Jean Brinon Parisien », l'Amour se plaint à Olivier de Magny de n'être plus chanté. Il contemplait
cette belle et rebelle Sidere dont la mère, Vénus, eût été jalouse. Il n'ose la chanter.
Et Magny lui conseille de s'adresser à ce grand Ronsard, son prêtre ; car tous
les étrangers chantent, grâce à lui, les louanges de l'Amour. Ainsi Ronsard devait
écrire des vers que, de sa belle voix, Brinon eût chantés (Olivier de Magny, *Les Odes*,
1559, fol. 34-37).

2. Le 5 octobre 1548, le seigneur de Villenes constitue une rente viagère en
faveur de Louis Chesneau, avocat, « en consideration des peines et labeurs que maistre
Loys Chesneau ... a euz et prins pour l'instruire en son jeune age aux bonnes
lettres » (Arch. Nat., Y 94, fol. 63). En 1552, il lui fait un nouveau don d'une pièce
de terre et d'une rente à Villiers-Adam (Arch. Nat., Y 98, fol. 84). Le 27 juin 1553,
il fait une très importante donation au cardinal de Lorraine de terres à Auteuil,
Boissy, Villarceaux, de la terre et seigneurie de Médan près Poissy, d'une maison à
Paris appelée l'Hôtel de Laval, près de la Chapelle Braque (Arch. Nat., Y 98, fol.
57 v°).

3. Une magnifique édition in-4° parut en 1555, avec la version latine de Jean Dorat,
chez André Wechel à Paris (Bibl. Nat., Rés. Y° 489). Cette traduction est adressée à
Odet de Coligny, le bon Odet, protecteur de Ronsard. Voir dans les *Epigrammata*,
1586, p. 47, la pièce de Dorat à Brinon, le tombeau de sa chienne enterrée dans
son jardin ; la description de sa maison dans les *Pœmatia*, p. 173. — L'Hymne de
Bacchus à Pierre de Ronsard Vandosmois, par Olivier de Magny (*Les Odes*, 1559,
fol. 106-108) évoque, d'une façon charmante, ces libations à la fin des banquets :

> Et de ce verre plain, devot en ton service,
> Je m'en vaiz commencer un nouveau sacrifice
> Avecques mon Ronsard, l'honneur du Vendosmois,
> Pour joindre à cest honneur, l'honneur du Quercinoys.

4. Sur ce premier projet de la *Franciade*, voir la note intéressante de M. Paul
Laumonier (Claude Binet, *La Vie de Ronsard*, p. 143). Olivier de Magny, dans
ses *Odes*, a fait allusion à ce pauvre *Francus*, délaissé par Ronsard.

Adieu, pauvre Francus! va au surplus dire au roi Henri qu'il
« crosse » ma lyre, c'est-à-dire qu'il m'accorde le bénéfice
d'une abbaye[1]! En l'honneur de Jean de Brinon, Ronsard écrit
encore le blason et la légende du houx, qui pare sa demeure
en toutes saisons. Quelle table « bénigne » est la sienne où
fréquentent les poètes[2]! Et puis, comme Ronsard le dit dans
l'élégie à Brinon, soyons amoureux. Car celui qui aime est
courageux ; il ne craint rien d'autre au monde que le babil
d'une voisine ou la querelle d'un mari jaloux, qu'une cham-
brière le fasse attendre, la porte close, au vent et à la pluie :

> Tremblant de froid au bruit de ma guiterre.
> Donque, Brinon, si tu te plais d'avoir
> L'estomac plein de force et de pouvoir,
> Sois amoureux, et tu auras l'audace
> Plus forte au cœur, que si une cuirasse
> Vestoit ton cors, ou si un camp armé
> Pour ton secours, te serroit enfermé !

Dans la charmante élégie à Jean Clouet, peintre du roi[3],
Ronsard lui demandait de faire le portrait de sa maîtresse :

> Je ne scay plus, mon Janet, où j'en suis...
> Las! car jamais tant de faveurs je n'u
> Que d'avoir veu ses beaux tetins à nu...

On voit bien que Paschal, l'historien, a dû faire à Ronsard des reproches amicaux sur ce qu'il ne voulait chanter
que d'amour, sur le sein de son amie : car il lui répondait[4] :

> Et parmi ses ris et ses jeux,
> Laisse grisonner mes cheveux.

Mais si Ronsard célèbre Cassandre, il écrit aussi l'odelette
à Jeanne[5] :

---

1. II, 344-345.
2. J.-Antoine de Baif (*Les Passetems*, 1573, fol. 61) a dit de lui :
> La Muse tire à toy l'esperit plein de peine.
3. I, 119.
4. II, 363-364. — Mêmes reproches de la part de Joachim du Bellay : *Ad Petrum
Ronsardum ut relictis amoribus heroica scribat* (*Poematum libri quatuor*, Paris, 1558,
p. 41). — 5. II, 365.

> Jane, en te baisant, tu me dis
> Que j'ai le chef à demy gris,
> Et toujours me baisant, tu veus
> De l'ongle ôter mes blancs cheveus...

Car ce fut, chez Brinon, des heures folles et libres où le vieil étudiant, déjà grisonnant, qu'était demeuré Ronsard (il avait exactement trente ans) célèbre son « joly verre », fait des croquis de goinfres et d'ivrognes, boit à Henri Estienne puisqu'il a retrouvé Anacréon. Et, pour Jean de Brinon, Ronsard écrit l'*Hymne de Bacus*[1] qui nous présente une suite de brillants tableaux, comme ceux qui pouvaient orner sa gaie demeure. Mais le poète ajoutait aux mille noms savants du Dieu, celui de « Bacus le Vendomois » :

> Car lors que tu courois vagabond par le monde,
> Tu vins camper ton ost au bord gauche de l'onde
> De mon Loir, qui pour lors de ses coutaux voisins
> Ne voyoit remirer en ses eaux les raisins...
> La ta main provigna une haute coutiere
> Qui de ton nom Denis eut nom la Denisiere[2]...

Comme Ronsard le disait à Christophe de Choiseul[3], abbé commendataire de Notre-Dame de Mureaux, un ami de Belleau, « son Choiseul[4] », la vieillesse nous saisit et nous ne sommes que le « songe d'une vie ». Il souhaite de ne pas

> Atendre qu'une mort lente,
> Me conduise à Rhadamante
> Avecques des blancs cheveus.
>
> Aussi je ne veus mourir,
> Ores que je puis courir,
> Ouir, parler, boire, rire,

1. IV, 355-363.
2. « La Denisière est un gentil manoir à tourelle du seizième siècle, à une petite distance à l'ouest de la Possonnière », m'écrit M. L. A. Hallopeau. (J'ai corrigé : *Et là, ta main proigna...*) — 3. II, 434-436.
4. Ronsard avait pu le connaître à Paris où il était écolier, au mois de mai 1543. Sa tante, Benigne de Choiseul, veuve de François de Bouzey, lui faisait don d'une créance (Arch. Nat., Y 88, fol. 379 v°). « Mᵉ Christophe de Choiseul » sera encore mentionné en 1573 parmi les aumôniers du roi (Arch. Nat., KK. 134).

> Dancer, jouer de la lyre
> Et de plesirs me nourir...
>
> Car je vis : et c'est grand bien
> De vivre, et de vivre bien,
> Faire envers Dieu son office,
> Faire à son prince service
> Et se contenter du sien.
>
> Celuy qui vit en ce point
> Heureux, ne convoite point
> Du peuple estre nommé Sire,
> D'ajoindre au sien un Empire
> De trop d'avarice epoint.
>
> Celuy, n'a souci quel roy
> Tyrannise sous sa loy
> Ou la Perse, ou la Syrie,
> Ou l'Inde, ou la Tartarie :
> Car celui vit sans emoy...

Telle est la morale du chanteur des *Odes*[1], de celui à qui la belle Vénus amène un jour son fils pour qu'il apprenne à l'enfant à bien jouer de la lyre ; un enfant plus malin que son pédagogue, puisque son maître oubliait tous les accords pour retenir la chanson qu'il lui avait enseignée par cœur.

Ronsard qui avait déjà chanté tant de guerriers, tant de combats, maudissait les armes et l'âge de fer[2]; il évoquait l'âge d'or où tous les hommes passaient heureusement leur vie :

> Mais si tost que le fer par malheur fut trouvé...
> Au jour aveques lui la discorde et la guerre
> Et le meurtre sortit, et sortirent dehors
> Ces mots de tue, assomme, et mile horribles mors...
> De quel genre de mort estoit digne cet home
> Qui premier inventa le fer qui nous consomme ?
> Et qui premièrement le canon pertuisa,
> Et sortir de sa gorge un tel foudre avisa ?
> Et qui vit sans pleurer, roüer en tant de sortes
> Parmi l'air tant de bras et tant de testes mortes !

Ainsi Pierre de Ronsard accueillait les armes de Jean de Brinon, son pistolet, son rouet et son canon :

1. II, 441-443. — 2. V, 30.

Que je voudroi (croy moy) que celuy qui l'usaige
Trouva premier du fer n'eust jamais esté né,
Et n'avoir eu tes dons, car Dieu n'eust destourné
Son visaige de nous, et la paix violée
N'eust point abandonné la terre désolée.

Certes mieux vaut « aymer ardentement [1] », et même faire les hypocrites [2] :

Quand au temple nous serons
Agenouillés, nous ferons
Les devots, selon la guise
De ceus qui pour loüer Dieu
Humbles, se courbent au lieu
Le plus secret de l'eglise...

Mais quant au lit nous serons [3]
Entrelassés, nous ferons
Les lascifs, selon les guises
Des amans, qui librement
Pratiquent folatrement
Dans les dras cent mignardises...

Ah ! je meurs, Ah ! baise moi,
Ah maistresse aproche toi,
Tu fuis come fan qui tremble ;
Au moins soufre que ma main
S'esbate un peu dans ton sein,
Ou plus bas si bon te semble.

Tel est Ronsard [4] qui fait dialoguer en ce temps-là Cassandre et la Colombe, la « babillarde arondelle [5] », qui chantait les plaisirs de la chasse [6], toujours pour Jean de Brinon [7].

---

1. VI, 227. — 2. I, 63. — 3. J'ai corrigé : *ferons*.

4. On comprend que l'honnête Scévole de Sainte-Marthe ait été parfois scandalisé. Dans le programme d'éducation pour une fille à marier qu'il rédigea plus tard, il convient qu'une femme doit aimer la lecture, avoir quelque instruction, savoir jouer du luth et de la viole : mais Scévole demande aussi qu'on ne lui donne pas les vers d'amour de Ronsard, et les « baisers » trop brûlants capables de la dépraver :

Non pour lire les vers que ce divin Ronsard
Escrit quand il luy plaist d'un style si mignard.

(*Les Œuvres*, 1579, fol. 66 v°.) — 5. VI, 230. — 6. V, 37-43.

7. Jean de Brinon, clerc ordinaire de la Chambre des comptes, entre 1507 et 1508, conseiller du roi en 1515 et premier président à Rouen où il se rend en 1521, premier président de la Cour de Normandie, entre 1524 et 1526. Il mourut avant le 1er janvier 1559, et l'on voit que Nicolas Séguier, seigneur de Saint-Cyr, conseiller des

Hélas! tandis que l'on imprimait ces joyeux *Meslanges,*
Brinon, le gai chanteur au bon estomac, devait mourir,
laissant là sa « Sidere », et sa jolie maison de Médan [1].

Qu'y avait-il de sincère dans cette crise de libertinage, de
paganisme retrouvé autour d'Anacréon, que traversa alors
Ronsard ? Certes, le poète la donna comme un épisode de sa
vie littéraire. Mais nous ne sommes pas forcés de le croire, et
Julien, qui est certainement Julien Pacate, le recteur de
Thoré, son voisin, n'en était pas dupe [2] :

> Toujours tu me prêches, Julien,
> Que je ne parle que de boire,
> Et que ce n'est pas le moien
> De m'aquerir ny biens, ny gloire :
>
> Mais répon, gentil glorieux,
> (Je veux defendre mon afaire)
> Répon moy, ne vaut-il pas mieux
> En écrire, que de le faire ?

RESPONCE DE JULIEN.

> Tu veux avecques ton bel art
> Du bon sophiste contrefaire :
> Il ne faudroit, gentil Ronsard,
> Ny en écrire, ny le faire.

Enfin, dans la seconde moitié de cette heureuse annee
1555, Pierre de Ronsard devait donner chez André Wechel
les *Hymnes*[3], où il allait surtout employer l'alexandrin, le
merveilleux instrument d'expression que le poète enrichit
de toute la souplesse, de toute la robustesse de son génie.
Magnifique livre, si bien édité, et dédié au très illustre et

comptes, fut tuteur de son fils. Il laissait un fils unique, Jean de Brinon, seigneur de
Villenes, conseiller en Parlement, né de Jeanne Perdrix (Bibl. Nat., P. O. 519).
« Nous avons perdu ton Brinon », dira Charles Fontaine à Pierre de Ronsard
(*Odes*, 1557, p. 99).
1. Trois charmantes pièces latines de Du Bellay font allusion à la mort de Brinon,
autrefois riche, mais ruiné avant sa fin. Il le compare à Tibulle (*Pœmatum libri
quatuor*. Paris, 1558, fol. 48 v°). Pierre de Nolhac a retrouvé le *Tumulus* de Jean de
Brinon dans un recueil de la Bibliothèque Mazarine (*Ronsard et l'Humanisme*,
p. 249-261). — 2. VI, 231. — Julien Paccate, du Mans, avait été le condisciple
de Ronsard à Coqueret. — 3. Bibl. Nat., Rés. Y° 489.

révérendissime cardinal Odet de Chastillon. Car vif ou mort,
Ronsard se dit appartenir aux Chastillons. Il est prêt, tout
aussi bien, à louer Odet qu'à combattre sous Gaspard ou
François. Mais Ronsard n'y a pas seulement donné une
louange à Henri II, à Charles de Lorraine et à la Justice, édifié
le Temple des Chastillons, chanté la philosophie pour le cardinal Odet et invoqué la Fortune pour lui; il s'est élevé, vraiment, à la contemplation, tendu vers le mystère de la nature.
Ce qu'il a dû faire surtout dans le silence de sa campagne.
Ronsard décrit les « Daimons[1] » pour Lancelot de Carle[2] :

> Quand l'Éternel bastit la grand maison du monde,
> Il peupla de poissons les abysmes de l'onde,
> D'hommes la terre, et l'air de Daimons, et les cieux
> D'anges, à celle fin qu'il n'y eut point de lieux
> Vagues dans l'Univers...

Il disait les terreurs paniques, les maisons hantées, les
revenants, les petites divinités des eaux et des bois, la chasse
nocturne qu'il avait rencontrée, outre le Loir, après avoir
dépassé le détour joignant à la grande croix, tandis qu'il
allait voir sa maîtresse. Ronsard chantait, somptueusement,
pour Jean de Morel, l' « Hymne du ciel », sa voûte de feu,
l'esprit de Dieu qui s'est fait citoyen du monde, l'éternelle
Idée[3]; à Mellin de Saint-Gelais, il adressait un poème, les
« astres » qui règlent nos destins et sont les caractères sacrés
de Dieu[4] :

> Je vous salue, enfans de la première nuit,
> Heureux astres divins, par qui tout se conduit,
> Pendant que vous tournez vostre dance ordonnée

1. IV, 218-228.
2. Sur ce personnage, un ami de Magny, voir Jules Fabre, *Olivier de Magny*,
Paris, 1885, p. 33. Le calligraphe et helléniste Anne Vergèce lui avait adressé,
en 1554, son *Pimander*. Ce prélat lettré, italianisé par des missions à Rome où il
avait recherché des marbres pour le connétable de Montmorency, qui devint évêque
de Riez, s'interposa dans la querelle de Ronsard avec Saint-Gelais. On doit tout ce
que l'on sait sur lui à E. Picot, *Les Français italianisants au seizième siècle*, I, p. 235-
-249, à Pierre de Nolhac, *Ronsard et l'Humanisme*, p. 185. Voir son tombeau dans
les *Epigrammata* (1586, p. 154) de Dorat.
3. IV, 248-251. — 4. VI, 276 (texte de 1555).

> Au ciel, j'accompliray ça-bas la destinée
> Qu'il vous pleut me verser, bonne ou mauvaise, alors
> Que mon ame immortelle entra dedans mon corps.

Comme personne ne l'avait fait avant lui, Ronsard chantait la louange de la mort, nécessaire et douce, de cette mort dont le thème de terreur avait secoué tout le moyen âge[1]. Pour Paschal, son confident, en ces jours de force splendide et de jeunesse, oui, Ronsard allait

> chantant de la mort la non ditte louange.

Et Ronsard nous parle avec la sérénité d'un ancien :

> C'est une grand' Deesse, et qui merite bien
> Mes vers, puisqu'elle faict aux hommes tant de bien,
> Quand elle ne feroit que nous oster de peines
> Et hors de tant de maux dont noz vies sont pleines
> (Sans nous rejoindre à Dieu, nostre souvrain seigneur)
> Encore elle nous faict trop de bien et d'honneur,
> Et la devons nommer nostre mere amiable :
> Mais ou est cestuy-là, s'il n'est bien miserable,
> Et lourd d'entendement, qui ne veuille estre hors
> De l'humaine prison de ce terrestre corps?

La mort nous délivre de nos chaînes, libère les hommes, vrais fils de peine et de misère, du travail qui est aussi la loi des cieux, de la mer, de la terre en gésine. Pourquoi la craindre? Pourquoi pleurer quand il faudrait chanter le péan tandis que nous quittons la vie? Ce sont des enfants, ceux-là qui pensent que la mort est une bête noire qui viendra les manger, et que dix mille vers

> Rongeront de leurs corps les ôs tous descouvers,
> Et leur test, qui sera dans un lieu solitaire
> L'effroyable ornement d'un ombreux cimetiere.

Car les morts ne sentent plus rien. Et nous ne sommes rien de plus qu'une terre animée, des ombres vivantes...

1. IV, 364 (texte de 1555).

Que ta puissance (ô mort) est grande et admirable !
Rien au monde par toy ne se dit pardurable...
Ce qui fut, se refaict, tout coulle comme une eau
Et rien dessous le ciel ne se void de nouveau :
Mais la forme se change en une autre nouvelle,
Et ce changement là, VIVRE, au monde, s'appelle
Et MOURIR, quand la forme en une autre, s'en va...

Je te salue, heureuse et profitable MORT,
Des extremes douleurs medecin et confort :
Quand mon heure viendra, Deesse, je te prie
Ne me laisse long temps languir en maladie
Tourmenté dans un lict : mais puisqu'il faut mourir
Donne moy que soudain je te puisse encourir,
Ou pour l'honneur de Dieu, ou pour servir mon prince,
Navré d'une grand'playe au bort de ma province.

Pour Jean Dorat (une équivoque sur son nom prête à ce don), le poète dira l'or précieux, admirable, et cependant cause de tant de maux[1]. Car Ronsard, qui se donne comme un admirateur de l'or, appréciera surtout les rentes modérées du gentilhomme terrien.

A tant de chansons païennes, en contre-partie, Ronsard adressera bien à Odet de Coligny un Hercule chrétien[2], mais si rempli d'images mythologiques qu'il est tout païen. Et dans le second livre des *Hymnes*[3], qui paraîtra en 1556 (Ronsard le dédiera à Marguerite de France, sœur du roi), il méditera encore sur l'éternité, comme un ancien.

C'est au milieu de ce tumulte de pensées, de ce flot d'imaginations, qu'apparaît Marie dans la vie de Ronsard[4]. Car

---

1. IV, 336-355. — Il est réjouissant de penser que la louange de l'or est adressée à son illustre maître, au demeurant un pauvre hère, qui vend son grec d'une manière assez bohème, et qui finit par tendre la main. Voir l'introduction de Ch. Marty-Laveaux à ses vers français (*La Pleiade françoise*, V). Lui-même se nomma le « dédoré » (*Epigrammata*, 1586, p. 102, 111). — 2. IV, 268-276.

3. IV, 160-163. — Après le 5 août (Bibl. Nat., Rés., Yᵉ 489 *bis*).

4. *La Continuation des Amours* (1555) et la *Nouvelle continuation des Amours* (1556) sont consacrées à Marie. Un commentaire en a été donné par Remy Belleau (1560). Mais c'est Jean-Antoine de Baïf, qui a surtout connu Marie, « simple païsante ». Qu'il s'agisse de Cassandre ou de Marie, les *Amours* qu'Antoine de Baïf édita en

Marie n'est pas qu'un nom, comme on l'a soutenu[1].
Les vers de Ronsard pour Marie, il faut les lire dans la
Continuation des Amours, dans la petite édition qui parut
à Paris, en 1555, chez Vincent Certenas[2], mince plaquette, si
rare, pour avoir circulé entre tant de mains, et si plaisante
en effet. C'est là seulement que nous pouvons entrevoir
comme l'apparition de Marie, qui devint par la suite un prétexte à développements littéraires, jusqu'au jour de sa mort
que Ronsard pleura vraiment. Mais l'amour de Marie se place
dans le cortège des amis de Ronsard : Pontus de Tyard[3] avec
lequel le poète se rit du sentiment public, Jodelle, Joachim
du Bellay exilé à Rome, Magny, l'ami Peletier, Dorat et
Pasquier, Bruès[4], Imbert. Car Marie, que Baïf et Remy
Belleau ont connue, a bien existé :

1552 (Meline) et en 1555 (Francine), forment une suite de sonnets très précieux où
le disciple, alors sans personnalité, imite et copie Ronsard qu'il met souvent en
scène (*les Amours*, 1572). Ronsard, après 1572, a transfiguré le souvenir de Marie
qui était morte. Les pièces sur la mort de Marie se trouvent pour la première fois
dans l'édition collective de 1578. Un commentaire en a été donné par Nicolas
Richelet en 1597. — Mes citations sont faites d'après l'édition de 1555 (Bibl. Nat.,
Rés. Y⁰ 4759) de 1556 (Bibl. de l'Arsenal, B. L, 6490 in-8) et celle de 1557 (Bibl.
Nat., Rés., p. Y⁰ 370).

1. C'est un peu l'idée de M. Paul Laumonier, et c'est la thèse de H. Vaganay. Nous
ne l'acceptons pas, en admettant que le point de départ des amours de Marie ait été
une idylle assez mince. Brantôme, grand ami de Ronsard, et tant de fois son confident, a écrit : « Sa Marie, qui n'a jamais autre nom porté que cestuy là » (Ed.
Lalanne, IX, 257). Il faut mettre aussi sous les yeux du lecteur l'opinion si discu-
table d'Etienne Pasquier, toujours assez paradoxal, même dans ses admirations :
« Lisez la Cassandre de Ronsard, vous y trouverez cent sonnets qui prennent leur vol
jusqu'au ciel, vous laissant à part les secondes et troisièmes amours de Marie et
d'Hélène. Car en ses premières, il voulut contenter son esprit, et aux secondes et troisièmes vacquer seulement au contentement des sieurs de la cour » (*Recherches de la
France*, 1665, p. 615). Nous inclinerions vers la thèse contraire.

2. Bibl. Nat., Rés. Y⁰ 4758.

3. Pontus avait été un esthète novateur et hardi, mais nébuleux. Il avait tendu
vers la force, la beauté, le style. Il eut la sagesse de reconnaître que Ronsard l'avait
d'un coup dépassé. « Mais au mesme temps que je fiz prendre l'air à mes poësies,
sortirent en lumiere les œuvres de Ronsard Vandomois, et du Bellay angevin,
lesquels le Parnasse François reçut, comme fils aisnez des Muses, et les favorisa du
plus riche partage. » Préface aux *Œuvres poétiques*, 1573 (Bibl. Nat., Rés. 572).

4. Guy de Bruès, l'auteur des *Dialogues contre les nouveaux academiciens* (1557),
que Remy Belleau tenait pour un homme fort docte, en droit et en philosophie. Il
met en scène Baïf, qui mène le plus souvent le dialogue, Aubert et Nicot, donnant

> Une fille d'Anjou me detient en servage [1],
> A laquelle baisant maintenant le tetin,
> Et maintenant les yeus endormis au matin,
> Je vy (comme l'on dit) trop plus heureus que sage.

Marie n'est d'ailleurs pas la seule femme qui inspire alors Ronsard. Car il donne encore des souvenirs à Jeanne et à Cassandre. Et que veut dire le sonnet [2] :

> D'une belle Marie, en une autre Marie,
> Belleau, je suis tombé, et si dire ne puis
> De laquelle des deux plus l'amour je poursuis,
> Car j'en aime bien l'une, et l'autre est bien m'amie,

sinon que Marie est le nom qu'il donne alors à l'amour [3] ?

Livre rempli en effet de l'idée de l'amour, du chant des rossignols, des lamentations de la tourterelle, de la louange de la rose [4] :

> Hé Dieu, que je suis aise alors que je te voi
> Esclorre au point du jour sur l'espine à requoy
> Dedans quelque jardin pres d'un bois solitere !

aussi la parole à Ronsard, parmi les « entreparleurs ». Si ces dialogues, renouvelés de Platon, sont un peu décevants, l'ouvrage, adressé au cardinal de Lorraine et à Jean de Morel, un patron de l'auteur, est d'un grand intérêt (Bibl. Nat., Réserve Z 836). Ronsard, qui vient de se réconcilier avec Jean-Antoine de Baïf, évoque leur enfance commune. Il dit un bien joli mot sur la patience d'un ami qui doit être grande. Le décor du dialogue est souvent plus précieux que le texte. Car la dispute a lieu dans la prairie, près de la rive d'un ruisseau, où les arbres font une « feuillée si épesse que les rays du soleil ne la peuvent forcer : et là, couchez sur l'herbe, nous pourrons deviser tout à nostre aise ». Certes, on pense aux paysages de Platon ; mais tout aussi bien à ceux des environs de Paris (Pierre de Nolhac, *Ronsard et l'Humanisme*, p. 169, 319). Et Ronsard répliquait à Baïf : « Allons donc, car

> J'ay l'esprit tout ennuyé
> D'avoir trop estudié
> Les Phaenomenes d'Arate...

Et je me rejouiray voyant la verdure, et les petits poissons qui sautillent dessus l'eau. B. Puis les propos que nous tiendrons nous feront oublier nos ennuis : mesmement quand nous parlerons de la philosophie, en laquelle tu prens un merveilleux plaisir : et pour ce, en tes Hymnes, tu l'as divinement louée. » — C'est dans les *Dialogues* qu'est le beau mot de Ronsard, que j'aime tant : « La loy est la raison. » Ronsard y est donné comme un esprit supérieur, devant lequel tous s'inclinent.

1. I, 135. — Comme d'habitude, je renvoie à l'édition de M. P. Laumonier, mais les textes cités sont ceux de l'édition originale si différente (1555).

2. VI, 250. — 3. A moins de suivre le sens littéral suivant R. Belleau cette autre Marie habitait à Paris. Pierre de Nolhac, dans son introduction aux *OEuvres complètes*, éd. H. Vaganay, y voit comme l'écho de la *Maria* de Marulle. — 4. I, 136.

De toi les nymphes ont les coudes et le sein :
De toy l'aurore emprunte et sa joue, et sa main
Et son teint, celle-là qui d'Amour est la mere.

Viennent les charmantes imitations d'Anacréon : la Rose[1], adressée à Guillaume Aubert, Poitevin[2] :

Verson ces roses prés ce vin,
Prés de ce vin verson ces roses,
Et boyvon l'un à l'autre, afin
Qu'au cœur noz tristesses encloses,
Prennent en boyvant quelque fin…

Et nous y trouvons aussi les épigrammes de Bion, celles sur la génisse d'airain de Myron, la dédicace des « Gayetez » à Janot, c'est-à-dire à Jean-Antoine de Baïf. Des compositions de ses amis voisinent avec les siennes : l'Heure de Remy Belleau, du Perche, sa Cerise, son Escargot, le Ciron de G. Aubert.

C'est au cours d'une excursion sur les bords de la Loire, à Port-Guyet, près de Bourgueil, où était sa demeure, que Pierre rencontra Marie[3] (20 avril). Vraisemblablement il était allé voir son vieil ami, Charles de Pisseleu, abbé de Bourgueil, grand chasseur de sangliers ; et Ronsard adorait

1. II, 366.

2. Guillaume Aubert, Poitevin, était un avocat poète, « son Aubert », pour lequel, en 1557, Ronsard fit un sonnet, assez découragé, sur le sort de l'art et des artistes (VI, 309). Guy de Bruès, dans les Dialogues (Paris, 1557, p. 4), a nommé « Aubert, tant pour sa singuliere érudition que pour ses loüables vertus qui sont en luy, l'ornement de tout son païs ». Traducteur de l'Amadis de Gaule, grand ami de Du Bellay et éditeur de ses œuvres posthumes, il a été fort lié avec Scévole de Sainte-Marthe qui lui adressa son Elégie imitée de Solon (les Premières œuvres, 1569, fol. 50) :

Aubert, qui feis par ta docte éloquence
Naguieres voir au grand Senat de France
Combien plus vaut la simple verité
Que les aguets de la subtilité…

Pour cet « enfant d'Apollon », Scévole a fait un tableau important de l'état de la France mise au pillage. Cf. ses Pœmata et Elogia (1606), p. 262.

3. « C'est une maison qui appartient à sa mie » — « Plus il dit aimer un Pin, qui est au lieu de Bourgueil, demeure de sa maistresse » (Commentaire de Remy Belleau, 1560).

la chasse[1]. Le Port-Guyet était le lieu où les chalands de la
Loire accostaient[2] :

> Si quelque amoureux passe en Anjou par Bourgueil[3]
> Voye un Pin élevé par desus le vilage,
> Et là, tout au plus hault de son pointu fueilage
> Voyra ma liberté, qu'un favorable acueil
> A pendu pour trophée, aus graces d'un bel œil
> Qui depuis quinze mois me detient en servage…

Marie n'était pas une dame, comme Cassandre de Pray,
mais, au témoignage de Remy Belleau, sa « jeune, belle,
honnête et gracieuse maistresse », peut-être la fille du
métayer de l'endroit que nous nommons, par conjecture,
Dupin[4].

L'amant vendômois avait trop souffert des beaux yeux de
Cassandre qui pouvait chercher un nouveau poète. Il
s'excuse auprès des dames qui l'accuseraient d'inconstance.
C'est de leur faute, après tout, si les hommes sont volages et
légers, quand elles les tiennent dans leurs liens sans aucune
allégeance[5] :

> Cependant un valet en aura jouissance,
> Ou bien quelque badin emportera ce bien.

1. P. Laumonier, *Ronsard et sa province*, p. xxi.
2. « La chapelle Blanche est un port où abordent les bateas de la Loire près de
Bourgueil, le lieu de naissance de s'amie » (Commentaire de Remy Belleau, 1560). —
M. P. Laumonier a publié une vue ancienne de l'église romane de Bourgueil (*Ronsard
et sa province*, p. 98).
3. I, 159 (Texte de 1556).
4. Henry Longnon a eu tort de dire qu'elle était fille d'un hôtelier de Bourgueil.
Dans les commentaires publiés de son vivant, Remy Belleau n'indique rien de tel.
M. Jusserand a fait remarquer que le commentaire : « ce n'estoit que la fille d'une
hostellerie », a été donné pour la première fois en 1617 (*La Marie de Ronsard* dans
la *Revue d'Histoire littéraire*, XIX (1912), p. 532). On ne sait rien sur Marie, dont
le nom même n'est pas assuré. M. Pierre Loüys a cependant tenté d'écrire la *Vie
de Marie Dupin*, Paris, 1897. Les indications les plus acceptables sont données par
M. Guillaume, *Ronsard et Marie, second livre des amours de Ronsard* dans les
Positions des mémoires présentés à la Faculté des lettres [de Paris] *pour l'obtention
du diplôme d'Études supérieures*, Paris, 1906. M. Abel Lefranc, *Ronsard et Marie*,
dans la *Revue de la Semaine*, 1922, p. 403, a fait une critique intéressante de la thèse
inacceptable de M. Sorg, *le Secret de Ronsard* (*Revue d'histoire littéraire de la France*,
XXIX, janvier-mars 1922). — 5. I, 127, 155.

Maudites soient les cruelles qui n'ont pas d'égard pour la vraie amitié! maudites les rusées qu'il faut amadouer par de ruineux présents!

Alors Ronsard se disait las de pétrarquiser : il n'était plus d'humeur, «comme son bon maître», à demeurer trente et un ans amoureux de sa dame[1]. La petite pucelle,

> Fleur angevine de quinze ans[2],

qu'il avait aperçue, avec ses deux sœurs, le fit rêver; et, comme elle n'était pas prude, elle lui laissa entrevoir un bonheur plus réel. Car Pierre embrassait ses yeux, sa main et son tetin. Près d'elle il rêvait aussi d'un style nouveau, bas, populaire et plaisant[3],

> ainsi qu'a fait Tibulle
> L'ingénieux Ovide, et le docte Catulle.

Enfin, Pierre déclarait qu'un homme est bien sot d'aimer, si on ne l'aime.

Marie avait la joue vermeille comme une rose de mai, les cheveux entre le brun et le châtain, frisés et tortillés tout autour de l'oreille. Ses tetins pommelaient comme deux boutons au printemps nouveau[4]. Elles étaient trois sœurs, Marie, Anne et Antoinette, qui allaient, au soir, se promener sur l'eau[5] :

> Mais la plus jeune avoit le visage plus beau,
> Et sembloit une fleur voisine d'un ruisseau,
> Qui remire dans l'eau ses richesses vermeilles.
> Ores je souhaitois la plus vieille en mes vœus,
> Et ores la moienne, et ores toutes deux;
> Mais toujours la petite estoit en ma pensée.

C'est là cette Marie qui passait en taille et en visage[6],

> En grace, en ris, en yeus, en sein et en teton
> Vostre moienne sœur, d'autant que le bouton
> D'un rosier franc surpasse une rose sauvage.

---

1. I, 126. Cf. Joachim du Belllay : Contre les Petrarquistes. — 2. I, 133, 150. (Var. de 1557 : Belle et jeune fleur de quinze ans...) — 3. I, 130. — 4. I, 132-133. — 5. I, 358 (1555). — 6. VI, 243 (1555).

Non, Pierre ne disait pas qu'Annon ne fût belle; facilement, l'on deviendrait épris de son jeune embonpoint, mais
il faudrait alors que Marie fût absente :

> O corps divin qui causes mes soucis !

A Marie, Pierre disait encore :

> Si vous n'etes d'un lieu si noble que Cassandre,
> Je ne saurois qu'y faire : Amour m'a fait descendre
> Jusques à vous aimer, Amour qui n'a point d'yeux.

Car Marie, dont nous cherchons à deviner le nom, est plus
qu'un nom. Elle est l'amour, et aussi l'idée de l'amour,
associée au charme de la campagne de la Loire[1].

Au temps où il la connut, Ronsard fut si heureux qu'il
décrivait son bonheur à Du Bellay, résidant à cette époque
à Rome[2]. Peletier, Pasquier, Dorat, Remy Belleau, Antoine
de Baïf furent ses confidents; et ce dernier fut le témoin des
jours heureux que Pierre passa près de Marie, « simple
païsante ».

Car il semblait à Pierre qu'il était tombé dans un piège,
tel celui qui poursuit un jeune chevreuil. Se souvenant
d'Anacréon, il célébrait la rose[3]

> Aux jardins de Bourgueil près d'une eau solitaire...

Pierre répétait le nom de Marie où il lisait tout l'amour[4] :

> Marie, qui voudroit vostre beau nom tourner
> Il trouveroit : aimer : aimez-moi donq, Marie...

Pour elle, Pierre faisait des chansons rustiques[5] :

> Ma maistresse est toute angelette,
> Toute belle fleur nouvellette,
> Toute mon gratieux acueil,

---

1. Jamyn, le confident de Ronsard et plus tard son secrétaire, qui cherchait à
l'imiter en tout, dit que, lui aussi, à la campagne, il aime les paysannes. Tout son
développement est fort intéressant et doit être évoqué ici (les Œuvres, 1584, fol.
95 v°, 96).
2. I, 135. — 3. I, 136. — 4. I, 141. — 5. I, 145 (Texte de 1556).

> Toute ma petite brunette,
> Toute ma douce mignonette...

Il chantait[1] :

> Bon jour mon cœur, bon jour ma douce vie.

Pour elle, la fleur de son pays, à l'exemple des anciens trouvères, Ronsard composait une aube[2] :

> Mignonne, levés vous, vous estes paresseuse,
> Ja la gaie alouette au ciel a fredonné,
> Et ja le rossignol frisquement jargonné,
> Dessus l'espine assis, sa complainte amoureuse.
>
> Debout donq, allon voir l'herbelette perleuse
> Et vostre beau rosier de boutons couronné,
> Et voz œillets aimés, ausquels avés donné
> Hyer au soir de l'eau, d'une main si songneuse.
>
> Hyer, en vous couchant, vous me fistes promesse
> D'estre plus tost que moi ce matin eveillée :
> Mais le someil vous tient encor toute sillée :
>
> Ian ! je vous punirai du péché de paresse,
> Je vais baiser cent fois vostre œil, vostre tetin,
> Afin de vous aprendre à vous lever matin !

Pierre envoyait à Marie une quenouille[3]; il lui faisait présent d'un rossignol[4]. Pierre aimait Marie comme il aimait la nature, la violette de mars qui portait son nom, les roses et les oiseaux : il la nomme « son pin » de Bourgueil. Et le laurier qui couronnait sa tête ne lui agréait plus que parce que Marie l'avait lié de ses cheveux[5]. Mais si la fine enfant se laissait embrasser, toucher et courtiser, elle savait aussi, quand Pierre lui parlait d'amour, le renvoyer à sa Cassandre.

---

1. I, 150. — 2. I, 147 (Texte de 1555). — 3. I, 195.
4. Peut-être à l'automne de 1557 (P. Laumonier, *Ronsard et sa province*, p. XXII, XXIII).
5. Comme Ronsard devait l'aimer, ce livre de Marie, écrit pour lui seul (éd. 1557, fol. 168) :

> Mon fils, si tu sçavois que l'on dira de toy,
> Tu ne voudrois jamais déloger de chez moy
> Enclos en mon pupitre : et ne voudrois te faire
> User ny fueilleter aux mains du populaire...

Enfin, Marie semble avoir été très surveillée par sa mère, prompte à intervenir quand son poète voulait l'entraîner à des aventures.

On le vit bien quand Jean-Antoine de Baïf, son ami et son cadet, plein d'inventions, aussi mêlé en ce temps-là à sa vie intellectuelle qu'à sa vie amoureuse, qui désirait retrouver sa Francine bien-aimée, lui proposa de l'accompagner aux noces d'une cousine de Marie qui devait avoir lieu à Tours.

Ce fut une belle partie de campagne que Ronsard a rapportée plus tard, en 1560, sous ce titre : *Le voyage de Tours ou les amoureux*[1]. Dans le cadre de l'idylle antique, Théocrite semble ressusciter sur les bords de la Loire. Car Pierre a pris le nom de Perrot le Berger[2] et Jean-Antoine celui de Thoinet :

> C'estoit en la saison que l'amoureuse Flore
> Faisoit pour son amy les fleurettes esclorre
> Par les prés bigarés d'autant d'aimail de fleurs,
> Que le grand arc du ciel s'emaille de couleurs,
> Lors que les papillons et les blondes avettes,
> Les uns chargés au bec, les autres aus cuissettes,
> Errent par les jardins, et les petits oyseaux
> Volletans par les bois de rameaus en rameaus
> Amassent la bechée, et parmy la verdure
> Ont soucy, comme nous, de leur race future...

Qu'il fait bon, alors, courir sur les routes ! Ronsard et Baïf donnent, du haut de la côte, un coup d'œil à Couture qui disparaît. Ils traversent les hautes et vertes futaies de Gastine, abordent les lisières du bois de la Ferrière, redescendent à Marré, arrivent, au milieu de la journée, à Beaumont-la-Ronce, le manoir de Philippe de Ronsard, dont la haute tour était l'honneur du village,

> Comme un pin fait honneur aus feuilles d'un bocage.

---

1. I, 161-171. — Le texte que je cite est celui de 1560, *deuxième livre des Amours*.
2. Nous verrons que ce nom lui restera. En 1582, Flaminio de Birague sait le rappeler. Il écrira, lui aussi, la pastorale de Perrot le Berger et de Flamot. Voir ch. x.

Philippot, tout gaillard, les retient à déjeuner et les fête ; et de là nos bons marcheurs gagnent le gué de Lengenrie, sur la Choisille, où ils couchèrent

> Sous des saules plantés le long d'une præïrie.

Au point du jour, ils reprennent la route et ils voient le clocher de Saint-Cosme, qui émerge de l'autre côté de la Loire, au-dessus d'un bouquet d'arbres[1]. C'est déjà comme la guinguette ; car la noce a lieu dans une de ces îles qui ne sont que de vastes corbeilles de verdures[2] :

> De Sainct-Cosme, pres Tours, ou la nopce gentile
> Dans un pré se faisoit au beau millieu de l'isle,
> La Francine dançoit, de Thoinet le souci,
> La Marion balloit qui fut le mien aussi,
> Puis nous mettans tous deus en l'ordre de la danse
> Thoinet tout le premier ceste pleinte commence...

Ainsi, comme les bergers de l'*Idylle*, Ronsard et Baïf chantaient tour à tour. Thoinet célébrait sa Francine :

> O ma belle Francine, ô ma fiere, et pourquoy
> En dançant, de tes dois, ne me prens tu le doy ?
> Pourquoy, lasse du bal, entre ces fleurs couchée,
> N'ai je sur ton giron ou la teste panchée,
> Ou la main sous ta cotte, ou la levre dessus
> Ton tetin par lequel ton prisonnier je fus ?

Mais au milieu de la fête, la mère de Marie venait chercher sa Marion, que Perrot allait célébrer. Pierre voyait s'éloigner la barque qui la ramenait à la maison.

Alors Thoinet s'écriait en pensant à sa Francine :

> Las ! ou fuis tu de moi ? Ha ma fiere ennemie
> Je m'en vois despouiller jaquette et souquenie
> Et m'en courray tout nud au haut de ce rocher
> Ou tu vois ce garçon à la ligne pescher,

---

1. Ce bois de Saint-Cosme a disparu au xviiie siècle. — Charles de Ronsard, frère de Pierre, était prieur de Saint-Cosme depuis 1556.

2. Probablement dans l'île de Saint-Cosme même. Aujourd'hui Saint-Cosme a été rattaché à la terre.

> Afin de me lancer à corps perdu dans Loyre
> Pour laver mon souci, ou afin de tant boyre
> D'escumes et de flots, que la flamme d'aimer
> Par l'eau contraire au feu se puisse consumer.

Moins véhément, plus gracieux, rempli des belles images de la Fable, Pierre, assis sur le sable du large fleuve, regardait la barque qui s'éloignait à la rame et cinglait aussi au vent :

> Et la voile en enflant son grand repli bossu
> Emportoit le plaisir lequel me tient en peine.

Il demandait un vent favorable pour sa Marion, souhaitant que la barque ne tombât pas dans la bonace, ne s'enlisât pas dans les sablons. Il priait le gentil troupeau des Naïades d'accompagner la barque de Marion et de sa mère, en faisant mille gambades :

> Les unes balloyant des paumes de leurs mains
> Les flots devant la barque, et les autres leurs seins
> Descouvrent à fleur d'eau, d'une main ouvriere
> Conduisent le bateau du loing de la riviere.
> L'azuré martinet puisse voler d'avant
> Avecques la mouette, et le plongeon suivant
> Son malheureux destin...

Ainsi, dans ce cortège des Naïades et des oiseaux, Marie descendait jusqu'au port des chalands. Là s'élevait un orme aux longs bras soulevant une vigne que regardait Marie :

> Et la voyant ainsi doucement embrassée,
> De son pauvre Perrot se pourra souvenir,
> Et voudra sur le bord embrassé le tenir.

Que n'est-il l'onde portant cette barque ! Alors Pierre pourrait murmurer encore sous le fond du vaisseau :

> et mon amoureuse eau
> Bais'roit ore sa main, ore sa bouche franche,
> La suivant jusqu'au port de la Chapelle Blanche,
> Puis forçant mon canal pour ensuivre mon vueil,
> Par le trac de ses pas j'yrois jusqu'à Bourgueil

Et là, dessous un pin, sous la belle verdure
Je voudrois retenir ma premiere figure.

Notre amoureux gravait le nom de sa Marie sur le coudrier couronné de chapeaux de roses. Mais surtout Pierre demandait qu'on lui dressât un lit de feuilles de pervenches, de thym odorant, d'odorant poliot, de frais nénuphars. Car le poète entendait se griser de parfums, de souvenirs, de musique, et aussi de bon vin d'Anjou :

Je veus jusques au coude avoir l'herbe, et si veus
De roses et de lis coronner mes cheveus.
Je veus qu'on me defonce une pipe angevine,
Et en me souvenant de ma toute divine,
De toy, mon dous souci, espuiser jusqu'au fond
Mille fois ce jourd'huy mon gobelet profond,
Et ne partir d'icy jusqu'à tant qu'à la lye
De ce bon vin d'Anjou la liqueur soit saillie.
Melchior Champenois, et Guillaume Manceau,
L'un d'un petit rebec, l'autre d'un chalumeau,
Me chanteront comment, j'eu l'ame dépourveue
De sens et de raison, si tost que je t'eu veue...

Alors revient le nostalgique appel du plaisir que Ronsard répétera si souvent, en invoquant la fuite du temps[1] :

Bien fol est qui se fie en sa belle jeunesse,
Qui si tost se dérobbe, et si tost nous delaisse.
La rose à la parfin devient un grate cu,
Et tout, avecq' le tems, par le tems est vaincu.

Pierre demandait à Marie d'abandonner sa maison de Bourgueil[2] :

Quitte moy ton Anjou, et vien en Vandomois :
Là s'eslevent au ciel les sommets de nos bois,
Là sont mille taillis et mille belles pleines,
Là gargouillent les eaus de cent mille fonteines,
Là sont mille rochers, ou Echon a l'entour
En resonnant mes vers ne parle que d'amour.

Ou bien c'est lui, Pierre, le gentilhomme vendômois, qui

1. I, 169. — 2. I, 169.

deviendra Angevin, ira vivre parmi les « sablons » de sa Marie,
comme un pauvre inconnu. Car il désire, avec elle, garder
son troupeau, au port Guyet[1] :

> Puis sur l'ardant midi je veus en ton giron
> Me coucher sous un chesne, où l'herbe à l'environ
> Un beau lit nous fera de mainte fleur diverse,
> Ou nous serons tournés tous deus à la renverse...
> Là sans ambition de plus grans biens avoir,
> Contenté seulement de t'aimer et te voir,
> Je passerois mon âge, et sur ma sepulture
> Les Angevins mettroient ceste breve écriture :
> Celuy qui gist icy, touché de l'aiguillon
> Qu'amour nous laisse au cœur, garda comme Apollon
> Les trouppeaus de sa dame, et en cette prerie
> Mourut en bien aimant une belle Marie...

Le beau voyage était terminé. Les amoureux, Pierre et
Antoine, voyaient le tombeau de Tournus qu'on situait sous
le château de la ville, près du pont de Tours[2] :

> Quant le pasteur Janot tout gaillard nous emmaine
> Dedans son toict couvert de javelles d'avaine...

Ainsi il n'apparaît pas que Pierre ait été beaucoup plus
heureux avec Marie qu'avec Cassandre. Mais les plaintes,
comme plus tard les « purs sanglots » du poète, rentrent dans
la convention du genre des *Amours*[3]. Elle ne semble pas

---

1. Le port Guyet est aujourd'hui à 4 kilomètres de la Loire. — 2. I, 171. — On voit
une image du pont dans la planche de Tortorel et Perissin représentant les massacres de 1562 (Bibl. Nat., Estampes Q^b 20). Cf. l'aquarelle reproduite par P. Laumonier, *Ronsard et sa province*, p. 120.

3. Qu'il s'agisse de Cassandre ou de Marie, il ne faut pas oublier que les *Amours*
forment un genre littéraire qui a ses conventions. Il y a là beaucoup de littérature,
antique ou moderne, des souvenirs d'Homère, de Virgile, d'Ovide, des traductions de
Pétrarque, de Bembo, de Jean Second ; et l'on peut y noter aussi une sorte de rivalité
poétique de Ronsard avec Joachim du Bellay dont l'*Olive* parut en 1549. M. Joseph
Vianey, dans son livre remarquable (*Le Pétrarquisme en France au seizième siècle*,
Montpellier, 1909), a montré la filiation des diverses *Amours*. (Un texte très intéressant se lit à ce sujet parmi les *Amores* de Joachim du Bellay : *De poetarum amoribus*,
dans les *Poematum libri quatuor*, Paris, 1553, fol. 61 v°-62. Cf. fol. 40-41.) — M. Paul
Laumonier (*Ronsard lyrique*, p. 42-47, 150-176) a mis au point la question délicate
de la chronologie des *Amours*, et il a eu le grand mérite d'en faire connaître les
sources. Car Ronsard a passé à l'une ce qu'il disait de l'autre, s'ingénia à nous
tromper en faisant de ses *Amours* une création de plus en plus artistique. Il mépri-

cependant avoir été farouche, sa paysanne; et qui aurait
retenu Ronsard à Bourgueil, si ce n'est le plaisir? Mais le poète
a dit que c'était son lot de chanter des dames inexorables.
C'était du moins son plaisir secret, son génie, de parler
d'amour.

Il nous faut retenir un fait certain. L'hiver est revenu et
Ronsard n'est toujours pas rentré à Paris. Ses amis s'en
inquiètent, encore qu'ils le sachent amoureux. Il avouait
que c'était là sa maladie, que les médecins nomment, justement, « fureur de fantasie »,

> Qui ne se peut par herbes soulager[1].

Au nom de ses amis, Antoine de Baïf a écrit à Ronsard :
c'était bien lui le mieux qualifié pour le faire, puisqu'il fut
du voyage de Tours :

> Mais, doux Ronsard, ny du tems
> La trop fascheuse inconstance,
> Ny des amis t'attendans
> L'attrayable souvenance,
> N'ont encore le pouvoir
> Dehors tes chams te ravoir...
> Amour te retiendroit bien
> Estreinct d'un nouveau lien.
> Ronsard, la nouvelle amour
> D'une simple païsante
> Te regentant à son tour,
> A ta joue rougissante
> Ne face le sang monter,
> S'elle t'a bien peu domter.

Car Neptune, qui était un Dieu, avait pu aimer la jeune
Amymone lorsqu'elle était venue au gué d'Inache avec sa
cruche, les jambes nues, en simple habit[2]. Amymone désigne

---

sait les « historiographes » qui cousent de fil en aiguille, comme nous faisons. Ainsi
Ronsard a donné plus tard à Marie les vers faits pour Sinope (I, 171-174), pour
Isabeau de Limeuil (I, 196-203), et tout ce qu'il a traduit de Marulle et de Théocrite.

1. I, 139.

2. Ed. Marty-Laveaux, II, 128 (Tiers livre des Poemes, dans les *Euvres*, 1573,
fol. 74 v°) : Amymone. — Ce rapprochement a déjà été fait par M. Abel Lefranc
(*Revue de la Semaine*, 1922, p. 403).

certainement Marie, dont ne rougissait d'ailleurs pas Ronsard.

Pour Marie, Ronsard répétera les sonnets à Cassandre; près de Marie, il se désignera comme la victime de l'amour; pour Marie, il se désespérera, déclarant qu'il meurt comme un homme qui n'a plus de cœur. A Marie, la simple paysanne, il reprochera même de mépriser la nature, de ne vouloir aimer comme font les colombes et les ramiers! On est tout de même quelque peu étonné. Mais les sentiments ne se commandent pas. L'amour est quelque chose de libre et de fatal. La fille du métayer pouvait être sage, se refuser au gentilhomme de passage, sourd et illustre, qui chassait dans le voisinage. C'est du moins ce que Ronsard nous dit dans ses vers, sans que nous soyons forcés de le croire. Il apparaît surtout que la jeune Angevine cessa de prendre plaisir à sa compagnie, se lassa de ses requêtes et de ses plaintes. Car elle fit amitié avec un nouveau grand seigneur qui la retint pour lui seul en son service. Et Ronsard se représenta jaloux de la belle paysanne, jaloux de tous ceux qui l'approchaient, de son médecin, peut-être aussi de ce Charles de Pisseleu, abbé de Bourgueil, dont il raya partout le nom dans ses dédicaces[1].

Ronsard jaloux aima donc Marie.

Et si Marie oublia Pierre, celui-ci n'oublia jamais Marie. Car elle demeura le nom divin dont la simplicité l'enchantera toujours. Que Ronsard est heureux, sous l'invocation du doux nom de Marie, entre 1555 et 1556, d'avoir pu simplement exprimer l'amour, comme on l'entendait au bon vieux temps, celui du *Roman de la Rose* et de Marot, comme il le sentait à travers son admiration pour son Vendômois et la Loire! Qu'il est heureux, surtout, de traduire et de paraphraser les *Épigrammes* de Michel Marulle, poète néo-latin, contemporain et rival de Politien, Grec émigré de

---

1. VI, 284; VIII, 56. — Pierre de Nolhac, dans l'introduction aux *Œuvres complètes*, éd. Vaganay, I, p. xx-xxi, a montré tout ce qu'il y avait là d'artificiel.

Constantinople, Italien d'adoption, qui amenuise et enjolive
l'Anthologie ; qu'il est heureux de ne plus pindariser, de ne
plus pétrarquiser ! Horace, Ovide, Sannazar l'inclinent vers
l'ode légère, vers la simplicité, vers tout ce qui flatte aussi
son tempérament voluptueux et libertin. Enfin, en ces
jours, il a lu avec ravissement Théocrite, c'est-à-dire les
pièces de Bion et de Moschus publiées sous ce nom. Mais
Ronsard demeure ravi vraiment de pouvoir, sous une mince
aventure, animer, personnifier toutes ces nouveautés, l'antique idylle retrouvée, dans ce livre de Marie, vraiment écrit
pour elle et pour lui :

> Non, non, je ne veus pas que pour ce livre icy
> J'entre dans une escolle, ou qu'un regent aussi
> Me lise pour parade : il suffit si m'amie
> Le touche de la main dont elle tient ma vie[1] !

Le *Voyage de Tours* (1560) montre le souvenir que Pierre
avait conservé des heures où, à l'ombre des bosquets de l'île,
sous les traits de Marie, il entrevit ceux de son nouveau style, et
personnifia ses nouvelles lectures. Mais au temps où il adapte
l' « amourette » inspirée par l'*Oarystis*[2], « la Quenoille[3] » qui
est un souvenir de Théocrite (1560), il donnera à Marie les
mêmes sonnets qu'il a composés pour Sinope. Son nom est
devenu le signe de l'Amour.

Et voici qu'en manière d'épilogue, en 1560, Ronsard écrit
encore pour Marie la grande Élégie[4] dans laquelle il paraphrase Théocrite :

> Marie, à celle fin que le siecle advenir
> De nos jeunes amours se puisse souvenir...

Ronsard fait de Marie une déesse ; pour la simple Marie, il
construit un temple d'Amour :

---

1. I, 131 (leçon de 1560). — Cette pièce, qui date de 1556, devint, en 1560,
le prologue du second livre des *Amours*.
2. I, 194. — 3. I, 195. — 4. I, 203. — Je cite toujours les leçons de 1560, en
corrigeant quelques bévues.

O ma belle Angevine, ô ma douce Marie,
Mon œil, mon cueur, mon sang, mon esprit, et ma vie,
Dont la vertu me monstre un beau chemin aus cieus...
Si j'estois un grand roy, pour eternel exemple
De fidelle amitié, je bastirois un temple
De sur le bord de Loire, et ce temple auroit nom
Le temple de Ronsard et de sa Marion :
De marbre parien seroit vostre effigie,
Votre robbe seroit à plain fons élargie
De plis recamez d'or, et vos cheveus tressez
Seroient de filetz d'or par ondes enlassez...

Droite, sur un pilier, se tiendrait Marie. Et Ronsard, comme un Dieu, serait assis à ses côtés, tirant un trait menaçant dirigé contre le seigneur qui régnait actuellement sur le cœur de sa dame. Il aurait sur le chef un rameau de laurier, serait habillé comme un guerrier, mais avec un cystre d'or. Et la foule viendrait aux fêtes solennelles les invoquer tous les deux, tels les nouveaux dieux des amours fidèles. Des fêtes olympiques se donneraient à ce temple où les amants s'assembleraient avec leurs bien-aimées[1] :

Et là, celui qui mieux la bouche poseroit
Sur la bouche amoureuse, et qui mieus baiseroit
Ou soit d'un baiser sec, ou d'un baiser humide,
D'un baiser court ou long, ou d'un baiser qui guide
L'ame desur la levre, et laisse trespasser
Le baiseur qui ne vit, sinon que du penser,
Ou d'un baiser donné comme les colombelles,
Lorsqu'ils se font l'amour de la bouche et des aisles.
Celui qui mieus seroit en ses baisers apris,
Sur tous les jouvenceaus emporteroit le pris,
Seroit dit le veinqueur des baisers de Cythere,
Et tout chargé de fleurs s'en-iroit à sa mere...
[Et seroient ces combats nommez apres ma vie
Les jeux que fit Ronsard pour sa belle Marie.]
O ma belle maistresse, hé que je voudrois bien
Qu'amour nous eust conjoint d'un semblable lien,
Et qu'apres nos trespas, dans nos fosses ombreuses,
Nous fussions la chanson des bouches amoureuses.
Que ceus de Vandomois dissent tous d'un accord

1. I, 206.

(Visitant le tombeau sous qui je serois mort) :
Nostre Ronsard, quittant cette terre voisine,
Fut jadis amoureus d'une belle Angevine ;
Et que ceux là d'Anjou dissent tous d'une vois,
Nostre belle Marie aimoit un Vandomois :
Tous les deux n'estoient qu'un, et l'amour mutuelle
Qu'on ne voit plus ici leur fut perpetuelle :
Leur siecle estoit vraiment un siecle bienheureux
Ou tousjours se voyoit contraimé l'amoureus...
Or les Dieus en feront cela qu'il leur plaira
Si est-ce que ce livre apres mille ans dira
Aux hommes et au temps et à la renommée
Que je vous ay six ans plus que mon cœur aimée !

Ce sont là imaginations d'un humaniste libertin, puériles
sans doute, dans le dessin de l'architecture du temple : vers
admirables à coup sûr.

C'est entre 1572 et 1578[1] que Ronsard apprit la mort de
Marie. Un passant lui en avait apporté la nouvelle et Ronsard,
superstitieux comme un ancien ou un paysan, ne manque
pas de remarquer qu'un songe lui en avait donné le pres-
sentiment[2]. Alors le poète revoyait Marie en songe le prendre
par la main, s'envoler vers le ciel où il aurait voulu la suivre,
lui laissant seulement son nom qui sonne si doux en la
bouche[3]. Quelle merveilleuse offrande païenne Ronsard
lui adressa, ces vers qui ne sont que soupirs harmonieux[4] :

Comme on voit sur la branche, au mois de May, la rose
En sa belle jeunesse, en sa premiere fleur,
Rendre le ciel jaloux de sa vive couleur,
Quant l'Aube de ses pleurs au poinct du jour l'arrose :
    La grace dans sa feuille, et l'amour, se repose,
Embasmant les jardins et les arbres d'odeur :
Mais battue ou de pluye, ou d'excessive ardeur,
Languissante elle meurt, feuille à feuille déclose.
    Ainsi, en ta première et jeune nouveauté,
Quant la terre et le ciel honoroient ta beauté,
La Parque t'a tuee, et cendre tu reposes.

1. Les vers sur la mort de Marie parurent pour la première fois en 1578. L'édition des Œuvres de 1572 ne contient encore aucune allusion à cet événement.
    2. I, 209-210. — 3. I, 210. — 4. I, 216 (texte de 1578, comme toutes les cita-
tions qui suivent).

> Pour obseques, reçoy mes larmes et mes pleurs,
> Ce vase plein de laict, ce panier plein de fleurs,
> Afin que vif, et mort, ton corps ne soit que roses.

Alors Ronsard faisait dialoguer le Passant et le Génie[1]. S'il versait, sur Marie desséchée, des larmes, une fleur sortirait encore de son tombeau :

GÉNIE.

> Mais si Ronsard vouloit sur sa Marie espandre
> Des pleurs pour l'arrouser, soudain l'humide cendre
> Une fleur du sepulchre enfanteroit au jour.

PASSANT,

> A la cendre on congnoist combien vive estoit forte
> La beauté de ce corps, quand mesmes estant morte
> Elle enflame la terre, et sa tombe d'amour.

Et Pierre pensait à ce jour où il avait vu Marie, si belle, « toute flamber d'amour[2] » :

> Amour, tu es enfant inconstant et leger :
> Monde, tu es trompeur, pipeur et mensonger...
> Tous deus, comme la mer, vous n'avez point de foy,
> L'un fin, l'autre parjure, et l'autre oiseau volage.

Pierre la revoyait, la nuit, dans ses rêves, tant Marie était imprimée dans son sang[3] :

> Maintenant tu es vive, et je suis mort d'ennuy.
> Ha, siecle malheureux ! malheureux est celuy
> Qui s'abuse d'Amour, et qui se fie au Monde.

Ainsi passa Marie dont Ronsard fit la chanson sur le refrain : *Ma mort et ma vie*[4].

---

1. I, 217.
2. I, 219. — 3. I, 227.
4. VI, 383. Nous n'avons pas encore mentionné Sinope, la « Sinope cruelle » de Ronsard, une enfant de seize ans, qu'il rencontra et aima, un peu avant 1560. Ill'a chantée dans une série de seize sonnets, transformés plus tard en l'honneur de Marie. (I, 171-175 ; VI, 332-3.) On ne sait qui était cette jeune femme, de bonne naissance, « aimée

par le poete d'une affection presque furieuse », a noté Remy Belleau. Ronsard a écrit
pour elle des vers charmants (VI, 332) :

> L'an se rajeunissoit en sa verde jouvence,
> Quand je m'espris de vous, ma Sinope cruelle,
> Seize ans estoyent la fleur de vostre age nouvelle,
> Et vostre teint sentoit encore son enfance.
> Vous aviez d'une infante encor la contenance,
> La parolle, et les pas, vostre bouche estoit belle,
> Vostre front, et vos mains dignes d'une immortelle.

Ronsard a parlé de ses beaux yeux, de son parfum, de son baiser. Il pensa l'épouser.
Mais la loi cruelle pour les « puinés », et le bonnet rond, qu'il portait comme tout
tonsuré, y firent obstacle. Il fut malheureux et jaloux, comme toujours. Enfin la
dame paraît lui avoir préféré un rival plus jeune, plus beau et plus fortuné que lui.
Quel est le nom de Sinope, que Belleau expliquait « du verbe grec σίνω, qui signifie
perdre et gaster, et ὀψ, qui signifie regard et veuë » (VII, p. 192)? Par analogie
avec *Callirée* = Aquaviva, et *Callianthe* = Laubespine, on penserait assez à Isabeau de
Limeuil (lime-œil), d'autant que Belleau a dit que ces sonnets s'adressaient à une
dame « de plus illustre parenté que les premieres, dont auparavant il a fait mention »
(Cassandre Salviati et Marie). Les sonnets parurent pour la première fois en 1560.
L'allusion au « bonnet rond » se lit ainsi dans le texte primitif :

> Mais je voudrois avoir changé mon bonnet rond
> Et vous avoir chez moi pour ma chere espousée :
> Tout ainsi que la neige au doux soleil se fond,
> Je me fondrois en vous d'une douce rosée.

Cl. Moreau-Nélaton

Mellin de Saint-Gelais
(Musée Condé)

CHAPITRE IV

AU LOUVRE DE HENRI II

L'avant entrée du roy treschrestien à Paris (16 juin 1549)[1], *L'hymne de France* (novembre 1549)[2] et surtout *les quatre premiers livres des Odes*, qu'accompagnait le *Bocage*[3] (janvier ou février 1550), commençaient à faire de Pierre de Ronsard le poète de son roi. En 1550, vers avril, il compose l'*Ode de la paix*[4]. Toutes ces pièces, sous l'invocation du roi Henri II, ont été portées aux nues par les amis de Ronsard. Il a fait admirer ses images poétiques nouvelles, celles de la Fable et de la mythologie. Certaines avaient été familières à tout le moyen âge, et Jean Le Maire en avait déjà esquissé les graciles figures, à la manière d'un Mantegna. Mais chez Ronsard elles sont robustes, antiques et vivantes à la fois. Son érudition a ressuscité le décor de la Grèce et de Rome. Du même souffle que Pindare et Horace, il les a animées, passionnées de ses ardeurs.

Pierre de Ronsard est l'homme nouveau du Louvre, dont Henri II, reprenant les projets du roi François Ier, vient de terminer une aile ; il en est déjà le scandale, aux yeux des petits rimeurs, demeurés dans la tradition française de Marot, des petits secrétaires, muguets et mignons de cour, dont le

---

1. VI, 74. — L'édition princeps imprimée chez Gilles Corrozet est à la Bibl. de Troyes.
2. VI, 78. — Bibliothèque James de Rothschild.
3. II, 73. — Bibl. Nat., Rés. Y[e] 4769.
4. II, 77. — Bibl. Sainte-Geneviève, Réserve D8° 4410.

chef était en ce temps-là Mellin de Saint-Gelais, lecteur du roi[1].

« Gentille créature », avait dit de lui Marot ; causeur ironique, étonnamment jeune malgré son âge, le frivole Mellin est un papillon ; mais c'est aussi une guêpe. Chapelain de Henri II, en un autre temps il eût été abbé de cour. Et c'est vrai que, devant le roi, en pleine assemblée, vers mai 1550, il osa calomnier *les quatre premiers livres des Odes* de Ronsard ; il n'avait pas craint de lire ses vers tronqués[2], en les prononçant de mauvaise grâce, insistant sur les termes nouveaux tirés du latin et du grec, et aussi sur les provincialismes que le jeune poète tenait de son terroir vendômois. C'était là privilège de l'âge et de la barbe, que Mellin portait longue, avec beaucoup de malice. Ronsard prit parti franchement contre lui et riposta[3] :

> Autant de foys que tu seras leur guide
> Pour m'assaillir dans le seur de mon fort,
> Autant de foys me sentiras Alcide.

Mellin arriva-t-il, comme le pense Pasquier[4], à dégoûter le roi Henri de la lecture de « ce jeune poète » ? Il n'y a pas lieu de le croire. Ronsard resta l'aède de la cour, associé aux deuils et aux fêtes de la maison, pleurant, dans une belle hymne, la mort de la reine de Navarre, encore qu'il se plaignît de la « tenaille de Mellin[5] ». Mais le cinquième livre des *Odes*, publié à la suite des *Amours* et dédié à Madame

1. Sur ce personnage, voir P. Laumonier, *Ronsard poète lyrique*, p. 70-119 ; abbé Molinier, *Mellin de Saint-Gelais* (1490-1558), *Étude sur sa vie et son œuvre*, Rodez, 1910 et le ms. de Chantilly n° 523. — Pontus de Tyard, dans son « Chant en faveur de quelques excellens poëtes de ce temps », lui donne à la cour du roi Henri une place considérable (Les *Œuvres*, 1573, p. 120) : Ronsard est nommé déjà : Prince des neufs grecs antiques (*Ibid.*, p. 122). Voir aussi les *Odes* de Nicolas Bargedé (1550), les *Odes* de Ch. Fontaine (1557), p. 66.

2. *Elegia nomine P. Ronsardi adversus ejus obtrectatores et invidos scripta a Mich. Hospitalio, Franciæ cancellario* (*Œuvres complètes de P. de Ronsard*, éd. P. Blanchemain, IV, p. 362).

3. *Les Amours*, 1552, fol. 66. — 4. *Recherches de la France*, Paris, 1665, p. 612.

5. *Le Tombeau de Marguerite de Valois, reyne de Navarre*, Paris, Michel Fezandat, 1551 (Bibl. Nat., Rés. Y° 1633).

Marguerite, sœur du roi Henri, nous rapporte le récit de sa
paix avec Mellin (1552)[1].

Ainsi notre gentilhomme vendômois reçoit la consécration
de Paris et du Louvre. Ses *Odes* et ses *Amours* viennent
d'être le sujet de chants que chacun répète à l'envi. Il est
l'homme à la mode ; il est glorieux. Il fera même l'éloge
de son ennemi[2]. Ronsard triomphe avec un éclat qui paraît
aujourd'hui un peu lourd. Car dans l'assaut qu'il a donné,
avec les compagnons de la jeune Brigade, à la superbe cité
romaine, trop de dépouilles, emportées par eux, chargent les
épaules de ces gallo-grecs, comme ils se nomment. Quand
Ronsard fait parler Mgr de Guise aux soudards devant
Metz (1553), sa harangue n'est guère qu'une traduction de
Tyrtée, poète grec.

De cette érudition, Ronsard a l'orgueil, avec tout son
temps. L'Académie des Jeux Floraux de Toulouse elle-même,
conservatrice des traditions dont se gaussait un Du Bellay,
s'incline devant son excellent et rare savoir. Elle lui décerne,
l'an 1554, la fleur d'églantine « pour excellence et vertu de
sa personne ». Mais c'est Pierre de Paschal, jadis étudiant à
Toulouse, déjà couronné au collège de rhétorique, en rapport
avec les méridionaux lettrés, qui reçut la fleur de l'églantier,
« tenant lieu du sieur de Ronsard poete ». Vraisemblablement, l'habile homme obtint cette distinction pour son
ami[3]. Le collège et les capitouls de Toulouse pensent que
c'est trop peu encore. Par décret public, par « franche et
pure liberalité du Parlement et peuple de Toulouse », pour

---

1. II, 375. Ce fut un véritable événement littéraire. Guillaume des Autels (*Amoureux repos*, 1553) a célébré l' « accord de Messieurs de Saint-Gelais et de Ronsart ».
— Pierre de Nolhac a révélé le rôle joué par J. de Morel et Michel de l'Hospital en
cette circonstance (*Ronsard et l'Humanisme*, p. 183-185). Il a mis en lumière l'ombrageuse fierté de Ronsard, qui ne souffrait pas d'être endoctriné, ni repris. Voir dans
l'introduction du même auteur aux *Œuvres complètes*, éd. Vaganay, l'opposition des
« gens de lettres » (p. viii). Cf. Jean Dorat, *Prœmatia*, 1586 (Eglogarum liber, p. 35).

2. VI, 276. — Voir les textes rassemblés par P. de Nolhac, *Ronsard et l'Humanisme*,
p. 186-187.

3. Voir les textes cités par Pierre de Nolhac, *Ronsard et l'Humanisme*, p. 297-298.

honorer la Muse de Ronsard, nommé le « Poète François par excellence », une Minerve d'argent massif, d'un grand prix, lui est envoyée l'année suivante[1]. Mais Ronsard, toujours magnifique, devait adresser cette Minerve, qu'il appelait sa Pallas, au roi Henri, qui tint le présent pour fort agréable, « l'estimant beaucoup davantage qu'elle ne valoit, pour avoir servi de marque à la valeur infinie d'un tel personnage[2] ».

C'est là vraiment un beau geste que ce don de la Pallas d'argent au roi Henri[3]. Avec une franchise noble, Ronsard dira de lui :

> Je le servi seize ans, domestique à ses gages,

bien que le roi, qui l'appelait « sa nourriture[4] » (il avait joué avec lui, tandis qu'il était dauphin), ne se soit pas montré toujours généreux envers son « poète ordinaire ». Mais sa sœur, la princesse Marguerite, fut fidèle à M. de Ronsard, sachant demander pour lui, à l'occasion, une bonne abbaye. Elle déclarait que c'était un bonheur de posséder, durant un règne, un tel personnage près de soi : « Car à la vérité, c'est le premier de nostre temps, estant estimé tel, non seulement par la France, mays par tous les lieux ou les escris sont leuz de toute la France. » Et Marguerite saura dire, plus tard, à la reine mère que le labeur de Ronsard n'avait été entrepris qu'au « proffict et honneur de toute la France[5] ».

Les livres des *Odes*[6], dont les éditions parurent entre 1550

1. J. de Lahondès, dans le *Bulletin de la Société archéologique du Midi de la France*, 1908, p. 183. Cf. Bibl. Nat., ms. fr. 22560, p. 98.

2. On trouvera dans les *Pœmatum libri quatuor* de Joachim du Bellay (Paris, 1558, fol. 46-48) une série de pièces sur ce don. Voir la note importante de P. Laumonier, à la *Vie* de Binet, p. 148-149.

3. Mais il faut rappeler aussi que Ronsard n'attachait pas d'importance, comme ses amis, à la consécration toulousaine, les Jeux Floraux couronnant, à ses yeux, des « épisseries », comme il est dit dans la *Deffence*.

4. Brantôme a dit des poètes de la cour de Henri II : « Le roy aymoit fort à voir leurs œuvres, et surtout de M. de Ronsard, qu'il appelloit sa nourriture ; et lui faisoit toujours du bien et des presens, comme il faisoit aux autres. »

5. VIII, 279. — Léon Dorez a publié ces lettres dans la *Revue d'histoire littéraire de la France* (1895).

6. Une édition des *Odes*, suivant le texte des éditions originales, vient d'être mise à

et 1555, avec une dédicace générale à Henri II, ne forment
guère que la chronique du Louvre et de la cour. Ce
travestissement à l'antique, Dorat, poète royal, et son
disciple, Pierre de Ronsard, l'ont imposé, dès 1549, aux fêtes
de la nouvelle et joyeuse entrée du roi Henri II à Paris, où
les arcs de triomphe à la romaine, les symboles nouveaux,
sont sortis de l'imagination du maître et des élèves de
Coqueret. Et quand le roi, armé d'un harnais blanc, les
genoux nus, portant la cuirasse sous une saie d'argent, fait
bondir, parmi la foule, son fier cheval blanc couvert d'une
housse emperlée, il défile comme un triomphateur à Rome[1].
Vers 1555, Anne de Montmorency, le connétable (un soldat
butor et grognon qui rabrouait tout le monde), fait exécuter
par Léonard Limosin le repas des dieux d'après Raphaël ;
nous y reconnaissons Henri II sous les traits de Jupiter, la
reine Catherine en Junon et la maîtresse du roi, Diane de
Poitiers, en Diane[2]. Ce travestissement est accepté par tous.
Il ne doit cependant pas nous dérober les traits véritables des
Valois. Car dans la suite des *Odes* qui, à première vue, ne
semblent qu'une transcription lyrique et pédante de Pindare
par quelque gallo-grec, avec strophe, antistrophe et épode,
nous possédons les médaillons vrais des contemporains de
Ronsard, traités à la façon des pierres antiques, toute la
chronique de gloire et la vie de chaque jour des Valois. Au
festin des dieux Ronsard est à sa place[3] :

> Comme un qui prend une coupe,
> Seul honneur de son tresor,
> Et donne à boire à la troupe

jour par M. Paul Laumonier et enrichie de commentaires (*OEuvres complètes. Odes
et Bocage de 1550 précédés des premières poésies*, 1547-1549, I-II ; III, *Ode de la paix*
(1550), *Tombeau de Marguerite de Valois* (1551), *cinquième livre des Odes* (1552).
Paris, 1914-1921 (Soc. des textes français modernes) ; 2ᵉ édition en 1924. Mes citations
sont toujours faites d'après ce texte. — Cf. Ch. Fontaine, *Odes*... Lyon, 1557 (B. N.,
Rés. Yᵉ 1681 *bis*).

    1. *C'est l'ordre, qui a este tenu a la nouvelle entrée*, etc. Paris, J. Dallier. (Bibl.
Nat., Rés. Lᵇ. ³¹ 20B).

    2. Ce plat émaillé, conservé au Musée du South Kensington, a été publié dans la
Revue archéologique, XIIᵉ année, première partie (1855). — 3. II, 91. (Texte de 1550.)

> Du vin qui rit dedans l'or :
> Ainsi versant la rousée
> Dont ma langue est arousée
> Sur la race de Valois,
> En mon doux nectar j'abreuve
> Le plus grand roi qui se treuve,
> Soit en armes ou en lois.

Ronsard célèbre Henri en Jupiter, tel que nous le voyons sur la belle coupe de Léonard Limosin[1]. Les *Odes* sont un monument que Ronsard dresse à Henri II, dans le temps même où les appartements et les galeries du nouveau Louvre viennent d'être édifiés. Elles sont du même style[2] :

> Je te veil bâtir une ode
> La maçonnant à la mode
> De tes palais honnorés,
> Qui voulontiers ont l'entrée
> De grands marbres acoutrée
> Et de haus piliers dorés.

Ce monument, Ronsard l'élève dans un sentiment de filiale reconnaissance envers ce grand roi accueillant sa petitesse[3]

> Qui vient des rives du Loir.

Henri II, en ce temps-là, décore ses « beaux blasons » de l'arc d'Apollon[4], le Louvre des devises impérieuses : DONEC IMPLEAT ORBEM, des lettres H et C (Henri et Catherine), où l'on peut tout aussi bien voir le croissant de Diane[5].

C'est près d'Odet de Coligny, le cardinal de Chastillon, prélat de si nobles manières, somptueux et sceptique, son bon protecteur, que l'ambition s'était allumée dans le cœur de Ronsard[6] :

1. Le nom de Léonard Limosin figure dans tous les comptes royaux. Le compte posthume de l'argenterie de Henri II (1559) le mentionne ainsi : « Leonard Limosin, esmailleur et peintre du feu roi », à côté de François Clouet, « peintre du feu roy » (Arch. Nat., KK. 125). — 2. II, 181. (Texte de 1550.) — 3. II, 184. — 4. II. 184.
5. Il figura officiellement sur les arcs de triomphe de 1549. Trois croissants et la devise que nous venons de rapporter se voient sur une plaque de cheminée du Louvre (Salle Germain Pilon). — 6. V. 148. Cf. Marc-Claude de Buttet, *Le premier livre des vers*, 1561, fol. 12 :

> Desja Ronsard sçait combien
> Ta faveur a de puissance.

> Je conceu eveschez, prieurez, abbayes,
> Soudain abandonnant les Muses esbayes
> De me voir transformer d'un escolier contant
> En nouveau courtizan demandeur inconstant.

A la suite d'Odet de Coligny, Ronsard était devenu un
habitué du Louvre[1] :

> Contre mon naturel j'appris de me trouver
> Et à vostre coucher et à vostre lever,
> A me tenir debout dessus la terre dure,
> A suivre vos talons, à forcer ma nature.
> Et bref en moins d'un an je devins tout changé.

Ainsi, le rêveur vendômois, le « pauvre sot », imagina de
porter sur sa tête le chapeau de lauriers. Ce fut l'origine de
bien des malheurs pour lui ; au Louvre, il ne fit pas sa
fortune; et dès lors on le vit, aux côtés de son protecteur,
solliciter le roi[2]. Car Ronsard estime qu'il vaut bien une
« truelle timbrée de trois crosses », c'est-à-dire un Philibert
Delorme, qui a obtenu, entre 1547 et 1548, trois abbayes.
Mais Ronsard n'a pas trouvé le temps de réaliser son rêve,
celui de tous les humanistes, d'aller en Italie; et il n'a pas
suivi, à l'heure de ses découragements, les aventuriers en
Amérique, avec Villegagnon,

> où le peuple inconnu
> Erre innocentement tout farouche et tout nu.

Maintenant, Ronsard est comme la mouche qui a goûté le
miel ou le lait; dût-elle en mourir, elle n'abandonnera plus

---

1. V, 148.

2. Les Archives Nationales ne conservent plus que des débris des comptes de la
maison de Henri II. Mais dans ces fragments importants je n'ai pas trouvé le nom
de Ronsard, pas même dans les comptes très complets du deuil du roi (Arch. Nat.,
KK. 125) et de la liquidation des services rendus au feu roi Henri (Arch. Nat.,
KK. 127, 129). Et cependant que de quémandeurs, que de pensionnés surgissent !
Là, comme ailleurs, nous pouvons croire Ronsard. Il ne devait pas être un bon
courtisan. C'est seulement « Charles de Ronssart » qui figura officiellement parmi
les aumôniers d'Henri II, aux côtés de Christophe de Choiseul, abbé de Mureaux, un
ami de Ronsard, et de Philibert Delorme, son ennemi.

sa place. Mais il est bon parfois de soulager son cœur. Ah !
fuir aux « Isles fortunées[1] » !

Il nous faut donc demeurer avec Ronsard au Louvre, qu'il
a admiré et maudit.

Le Louvre que vit Ronsard, au temps de Henri II, était
encore, en grande partie, celui de Charles V, dont François Ier avait fait raser le gros donjon central (1527). Sa super-
ficie ne couvrait guère que le quart de la cour actuelle[2].
Le Louvre demeurait, en bordure des jardins et des fossés, en
face de l'Hôtel de Bourbon, une forteresse féodale, cantonnée de
grosses tours rondes, dont l'une abritait la fameuse « librairie ». C'est en 1546 que Pierre Lescot, seigneur de Clagny,
avait été chargé par François Ier de construire le « grand
corps » d'hôtel où s'élevait la « grande salle », qu'il dirigea
les travaux du nouveau Louvre. François Ier ne vit pas terminée la grande salle à la mode des antiques, qu'Henri II fit
parachever, là où Jean Goujon a sculpté les Cariatides.
L'aile occidentale du Louvre fut élevée par Henri II, qui fit
édifier le grand et haut pavillon d'angle, ses appartements.
Il commença la façade sur la rivière, continuée par Charles IX
et Henri III[3]. Au rez-de-chaussée, la salle des Cariatides servait aux fêtes, et les figures de Jean Goujon soutenaient, sans
doute, la tribune des musiciens. Elle donnait dans la salle du
Tribunal qui conduisait à la salle du Conseil ; on accédait par
les grands degrés au premier étage, où se trouvait la grande

1. V, 157.
2. Ma description est faite d'après les documents recueillis par Léon de Laborde
(les Comptes de bâtiments du roi, Paris, 1877, 2 vol.) Cf. A. Berty, Topographie historique du Vieux Paris, région du Louvre et des Tuileries, Paris, 1866, 2 vol.; le t. I
d'Androuet du Cerceau, Les plus excellents bâtiments de France, éd. Destailleurs. — Dans
la Salle des États, au Louvre, quelques rares boiseries anciennes ont servi à la recons-
titution de la chambre de Henri II. Tout le vieux Louvre a été décrit d'une façon très
attachante par H. Sauval (Histoire et Recherches des Antiquités de la Ville de Paris,
II (1724), p. 7 et s.).
3. La galerie, alors couronnée par une terrasse, sur l'ancien canal alimentant les
fossés du Louvre, a été entreprise entre 1562 et 1572, et surélevée par Henri IV.

salle haute, qui conduisait aux antichambres, à la grande
chambre de parade du roi donnant sur la Seine, sa chambre à
coucher (logis du roi)[1].

Pierre de Ronsard a dû voir surtout la salle des Cariatides
(1548), les grands degrés et l'antichambre du roi, la chambre
de parade de Henri II (1556). Elle était ornée de lambris de
bois doré, d'un plafond reluisant et ciselé comme un bronze.
On y voyait au centre les armoiries de France, un grand
monceau de casques, d'épées, de lances, de coutelas, de
piques, de trophées qui semblaient rendre hommage aux fleurs
de lys victorieuses. Aux embrasures des croisées étaient
sculptés des vipères, des centaures galopant, deux Nep-
tunes qui domptaient des chevaux marins. Cette chambre de
parade était la meilleure salle de musique qu'on aurait su
trouver. Sur les façades de la cour, conçues à l'antique par
Pierre Lescot, Jean Goujon avait sculpté ses allégories somptueuses et graciles.

Bien souvent avec orgueil, d'autres fois en maugréant,
quand il pensait au plaisir que c'est de chanter l'amour et
Cassandre[2], Pierre de Ronsard dut contempler la Renommée,
par laquelle Pierre Lescot avait entendu symboliser la *Franciade* dont on s'entretenait à la cour, mais que le poète
n'écrivait pas encore. Car il voulait être bien payé, l'œuvre
étant de longue haleine; il entendait jouer sur une « lyre
crossée[3] ».

Ronsard demandait une bonne pension qui lui assurât une
dizaine d'années de tranquillité pour réaliser sa grande
œuvre qui, primitivement, devait avoir vingt-quatre livres,
comme l'*Iliade* et l'*Odyssée*; ses amis vantaient déjà le poème
dont ils pouvaient connaître les arguments ou certains fragments. Lancelot de Carle[4], évêque de Riez, en avait lu le

---

1. A la suite de ces appartements étaient ceux de la reine, le long de la Seine,
qui venaient buter à une vieille tour. — 2. II, 345. — 3. II, 231, 345.
4. Mentionné en 1559 parmi les aumôniers de la maison du roi (Arch. Nat., KK. 129).
Ch. Fontaine (*Odes*, 1557, p. 54) nous dit son crédit à la cour.

prologue au roi, en 1550, au témoignage d'Olivier de Magny. Ainsi Pierre Lescot[1], avait été amené à symboliser la *Franciade* ; car il était grand ami de Ronsard, et le roi l'avait chargé de faire graver en demi-bosse, sur le haut de la face du Louvre, une déesse qui « embouchoit une trompette et regardoit une autre déesse portant une couronne de laurier et une palme en ses mains », avec cette inscription sur le marbre noir : VIRTUTI REGIS INVICTISSIMI.

Et comme un jour, à table, le roi demandait le sens de ces figures symboliques, Lescot répondit qu'il « entendoit Ronsard par la première figure », et par la trompette, la force de ses vers, et principalement de la *Franciade*, qui « pousseroit son nom et celui de la France par tous les quartiers de l'univers[2] ».

Pierre de Ronsard ne l'oublia jamais. Il le récompensa par la dédicace d'un discours admirable, où le poète faisait l'artiste confident de sa vie. Ronsard dépeignait Lescot, noble de mœurs[3] et de race, peintre, mathématicien, architecte, qui, disait-il, avait surmonté le « siecle ancien » ; il le montrait appliqué dès l'enfance à son art, honoré de la confiance de François Ier, cet esprit divin, « des lettres amateur ». A son tour, le roi Henri II lui avait donné la charge de ce Louvre[4] :

1. Pierre Lescot, descendant d'un Écossais résidant en France, fils d'un procureur en la cour des Aides, seigneur de Lissy, près de Melun, et d'une Dauvet, famille parlementaire qui tenait le fief de Clagny, peintre, sculpteur et architecte. Associé à Jean Goujon, on lui doit le Louvre, Carnavalet, la fontaine des Innocents et le jubé détruit de Saint-Germain-l'Auxerrois. Moins mignard et érudit que Philibert Delorme, son talent me paraît caractérisé à la fois par la puissance et la sobriété. Sur cet artiste, voir Guy le Fevre de La Boderie, *La Galliade*, 1578, p. 41.

2. Dès 1553 Guillaume des Autels a pu écrire dans ses *Amoureux repos* (sonnet XXI) :

> Voicy venir devers le Vendomois
> Je ne sçay quoy plus grand que l'Iliade.

La même année Olivier de Magny écrit dans l'Hymne sur la naissance de Marguerite de France :

> Et toi, Ronsard, le compaignon des dieus...

3. Ce ne devait pas être un quémandeur. Dans le seul compte de la maison du roi pour l'année 1573, non loin de Pierre de Ronsard, parmi les aumôniers se trouve une mention de « Me Pierre Lescot, abbé de Clermont » (Arch. Nat., KK. 134).

4. V, 178. — Voir l'image de la Renommée sur la façade du Louvre dans du Cerceau, *les plus excellents bâtiments de France*.

Ouvrage somptueux, afin d'estre montré,
Un roy tres magnifique en t'ayant rencontré,
Il me souvient un jour que ce prince à la table
Parlant de ta vertu comme chose admirable,
Disoit que tu avois de toy-mesme appris,
Et que sur tous aussi tu emportois le pris,
Comme a fait mon Ronsard, qui à la poësie,
Maugré tous ses parents a mis sa fantaisie.
Et pour cela tu fis engraver sur le haut
Du Louvre, une Déesse, à qui jamais ne faut
Le vent à joüe enflée au creux d'une trompete ;
Et la monstras au roy, disant qu'elle estoit faite
Expres pour figurer la force de mes vers,
Qui comme vent portoyent son nom par l'univers...

Et Ronsard, ami de Lescot, partageait sa haine d'artiste rival envers Philibert Delorme.

Ronsard n'est plus le petit provincial présenté à la cour par le bon Odet de Coligny[1], à qui les courtisans de Henri II répondent « d'un clin d'œil » ou d'un geste, quand il leur tire son bonnet, mais qu'ils refusent de reconnaître quand il les charge d'une commission pour le roi[2]. Il parle à chacun avec familiarité, entend ne s'incliner que devant l' « excellence de l'esprit de l'homme[3] » : comme il l'a dit à Odet, le monde est un vaste théâtre où l'homme joue, à visage découvert ou masqué, le rôle que la Fortune lui a imposé[4] :

L'un joüe avec l'habit d'un pompeux empereur,
L'autre d'un crocheteur, l'autre d'un laboureur,
L'autre d'un mercadant ; ainsi la farce humaine
Au plaisir de Fortune au monde se demaine.

Tous écoutent, ravis, l'audacieux aède, si orgueilleux, qui vient de réveiller les « filles de Mémoire » et n'a pas craint, après Marot, de récrire le chant de la victoire de François de Bourbon-Enghien, à Cerizoles (1544)[5] :

1. Brantôme a recueilli cette tradition à son sujet : « Car il avoit un bon sçavoir, et aymoit fort ceux qui en avoient, et en estoit le Mœcenas de plusieurs. Il faisoit plaisir à tout le monde, et jamais n'en reffusa homme à luy en faire, et jamais ne les abusa ny vendit des fumées de la court. » (éd. Lalanne, III, p. 188).

2. II, 305. — 3. V, 228. (Préface sur Tite-Live, traduite en français par Hamelin.) — 4. V, 226. — 5. II, 103 (texte de 1550).

> L'hinne que Marot te fit
> Apres l'heur de ta victoire,
> Prince vainqueur, ne sufit
> Pour eternizer ta gloire.

Ronsard est un poète batailleur, vraiment, qui tient bien assuré dans son poing l'arc des Muses, qui parle une langue à lui, qui ne dit plus mon luth, mais « ma lyre », ma « thebaine corde ». Il est le coureur qui « osa trouver un sentier inconnu » pour aller à l'immortalité[1]. Ingénument, il distribue la gloire, consacre la réputation de ceux qui sont dignes d'elle, et parfois aussi le mérite de ses bons amis qui changeront[2], suivant sa variable humeur.

Mais il était surtout prisé de son roi qui, suivant Brantôme, appréciait fort ses œuvres.

Au dire des chroniqueurs, Henri II est un géant[3], de stature majestueuse, plein de grâce, portant aussi bien la lourde armure de fer que la casaque noire à fils d'or, la mante, la toque et les chausses blanches. C'est un homme sérieux, assez timide et routinier, ardent et bon mari, qui n'aura qu'une maîtresse âgée de vingt ans de plus que lui. Son épouse Catherine, qui l'adore, ferme les yeux. Henri est l'un des plus beaux cavaliers de son royaume ; dès son plus jeune âge, il a étudié comme Ronsard, à cette Écurie des Tournelles, qu'il faisait visiter volontiers. Le dressage des chevaux est demeuré sa passion. De mars à octobre, comme un vieux chevalier, il est aux frontières à la tête des armées. L'hiver, il chasse le cerf avec ses grands chiens courants, les gris et les blancs. Quand il ne monte pas à cheval, il joue à la paume, au ballon, au pail mail, patine sur l'étang de Fontainebleau ou combat aux pelotes de neige, tire aux armes des deux mains ; il ne connaît

---

1. VII, 3. — 2. II, 297 ; 300, 305.

3. Pour le portrait du roi Henri II, je me suis servi de l'*Elogium* de Pierre de Paschal, qui avait été revu par le roi (1560), des souvenirs de Brantôme qu'il convient de corriger à l'aide des nombreux documents diplomatiques utilisés par M. Lucien Romier (*les Origines politiques des guerres de religion*, Paris, 1914, 2 vol.).

presque jamais de repos. Affable, doux[1], de grande mémoire, Henri est exact dans son travail, comme dans sa religion. Aux affaires, il donne chaque jour deux ou trois bonnes heures, à son lever, à son coucher ; après dîner, il passe avec sa cour dans la chambre de la reine, sa femme, retrouvant « une trouppe de déesses humaines, les unes plus belles que les autres, chaque seigneur entretenant celle qu'il aimoit le mieux ». Honnêtement, s'entend. Deux heures après, Henri sort pour prendre de l'exercice ; et le soir il y a assez souvent bal à la cour. Tel est celui que les contemporains, avant Louis XIV, ont appelé le « grand roy, » et que Brantôme nomme un autre César Auguste[2].

C'est bien l'idée que nous donnent de lui les vers de Ronsard dont les *Odes* forment vraiment le triomphe du roi qui a tant « sué » sous le faix des armes. Henri II est pour lui le César qui a battu l'Anglais sur terre et sur mer, qui a rendu à la France ses frontières anciennes[3], qui a triomphé de l'empercur[4] :

> Bornant plus loin ta France, et fait boire aux François
> Au creus de leurs armets en lieu de l'eau de Seine
> La Meuse Bourguignonne, et saccagé la plaine
> Des Flamans mis en route, et l'antique surnom
> Des chasteaux de Marie eschangez en ton nom :
> Apres estre vainqueur d'une bataille heureuse,
> Et veu Cesar courir d'une fuite peureuse...

1. Son intervention fut bien brutale dans l'affaire d'Anne Du Bourg. Tous les contemporains ont rendu hommage à sa douceur. Sa mort fut un deuil pour les Parisiens qui le pleurèrent : « et fut autant plainct que jamais fut roy, parce qu'il avoit esté gracieulx et bening qu'on ne veist de cent ans » (*Registres du bureau de la ville*, t. V, p. 34). — De charmants crayons (Moreau-Nélaton, *les Clouet et leurs émules*, fig. 36, 38) le représentent jeune.

2. Un « Mecenas Auguste » dit Ch. Fontaine. — Pour faire le tableau de la cour, j'ai utilisé les copies des comptes de la maison du roi (Bibl. Nat., ms. fr. 7854) et E. Bourciez, *Les mœurs polies et la littérature de cour sous Henri II*, Paris, 1886.

3. II, 7.

4. II, 73 (Dédicace des *Odes* de 1555). — Voir la série des médailles admirables reproduite dans le recueil sur l'histoire de France (Bibl. Nat., Cabinet des Estampes, Q[b]. 19) et l'image populaire du *Triomphe des Gaulois*, où le coq vainqueur est figuré sur un char (*Ibid.*, ad. a. 1555). Ce coq figure déjà sur l'*Ode de la Paix*, Paris, G. Cavellat, 1550.

Car Marienbourg s'appelle alors Henrybourg[1], et la bataille
de Renty a vu la retraite de Charles-Quint. Maintenant le
roi n'a plus qu'à garnir sa frontière, à la flanquer de forteresses; il prend quelque repos. Ronsard lui tend ce livre
des *Odes*, « sonné » jadis à la manière du Thébain Pindare et
d'Horace le Calabrais. C'est un petit myrte qu'il ose ajouter
aux lauriers que la guerre a mis au front du roi.

Comme Clouet, mais avec beaucoup plus de magnificence,
Ronsard dresse le portrait en pied du roi dans l'*Hynne de
Henry deuxiesme de ce nom* (1555)[2].

Devant lui, dans son palais, se tient son poète pour célébrer ses vertus. Mais il est comme le bûcheron, entré dans la
forêt pour y faire sa journée et qui ne sait par où commencer.
Le roi Henri est fort comme Achille; aucun escrimeur ne
peut lui être comparé, car il tire aussi bien de la main
gauche que de la droite. A cheval, il se montre un centaure.
Cœur héroïque à la guerre, Henri est chez lui sobre en propos,
pensif et taciturne. Sa mémoire est étonnante. Résistant, il
porte quand il chevauche sa lourde armure, tout couvert de
sueur. Prématurément il a le chef et le menton blancs.
Enfin, il se fie au conseil des « vieux », se montre libéral et
paye bien qui le sert[3] :

> Mais tu ne veux souffrir qu'un tresor dans le Louvre
> Se moisissant en vain d'une roüille se couvre.

Bon fils, le roi a élevé à son père un tombeau somptueux.
Henri II est un Jupiter. Sa cour est remplie d'Apollons[4] :

> Un Carle, un Saint-Gelais, et je m'ose promettre
> De seconder leur rang, si tu m'y daignes mettre.

Il règne sur le plus riche des royaumes, le plus agréable.
Et Ronsard décrivait le Paris des artisans, du travail, les Cy-

---

1. Cette forme ne paraît pas avoir été courante. On lit dans les comptes de
l'Épargne de 1560 : « Au sieur de Losses, gentilhomme ordinaire de la chambre et
nagueres cappitaine et gouverneur de Mariebourg », 1416 l. (Arch. Nat., KK. 127).
— 2. IV, 185. — 3. IV, 191. — 4. Dans ses *Gaytez* de 1554, O. de Magny nomme
parmi les trois « plus excellents » poètes, Ronsard, Du Bellay et Jodelle.

clopes de l'Arsenal. Le roi a racheté Boulogne; il a pris Metz en passant :

Du grand Rhin t'apparut l'Allemagne captive.

Ainsi il l'avait délivrée[1]. Sa flotte avait conquis la Corse. Ronsard célébrait le royaume où partout le roi était obéi[2].

Groupés autour du roi, nous retrouvons dans les *Odes* les gens de sa maison et de sa famille dont Ronsard esquisse les figures. Nous y reconnaissons l'épouse alors assez effacée que fut Catherine, la Junon française[3], qui aime tant la peinture, s'occupe en ce temps-là de mathématiques, et qui deviendra la Cybèle, la mère plantureuse de tant d'enfants[4]; Madame Marguerite, sœur du roi, la future duchesse de Savoie, qui a protégé le poète contre ceux qui l'avaient jadis « Mellinisé », la Pallas sortie armée de la cervelle du grand roi François Ier, celle qui a vaincu en France « l'hydre de l'ignorance[5] ». Gravement Ronsard parlait aux enfants de France. A Monseigneur d'Orléans, qui sera Charles IX (il a quatre ans et demi en 1555), Ronsard promettait l'Asie, puisque son aîné, François, règnera sur la France et l'Europe; et Monseigneur d'Alençon, son cadet, qui deviendra Henri III, aura l'Afrique[6]. On pense à ces pauvres enfants malingres, chétifs, rabougris, que l'immense tendresse de Catherine, la meilleure des mères, protégea si vainement. Mesdames Élisabeth et Claude, Marguerite qui n'a que vingt mois, Pierre de Ronsard les trouve brunes comme les Charites.

Ronsard s'incline, comme tout le monde, devant la vieille Égérie de Henri II, Diane, la duchesse de Valentinois[7],

---

1. VII, 432. — 2. Voir la série monétaire de Henri II qui rappelle tant celle des triomphes de Louis XIV. Ch. Fontaine (*Odes*, 1557, p. 61, 66) exalte la Nation française. Il ne faut plus parler latin.

3. II, 94, 96. — C'est la princesse « parfaite » de Marc-Claude de Buttet, *Le premier livre des vers*, 1561, fol. 5 v°. — 4. II, 237.

5. II, 375 ; VII, 289. Cf. Marc-Claude de Buttet, fol. 24 v°.

6. II, 250, 257, 263. Voir leurs portraits dans E. Moreau-Nélaton, *les Clouet et leurs émules*. — 7. Marie Hay, *Madame Dianne de Poytiers*, Londres, 1900, et G. M. Guiffrey, *Lettres inédites*, Paris, 1866.

ancienne beauté qui est sur la soixantaine, s'empresse auprès
des enfants, et qui a bien fait ses affaires. La reine vit appa-
remment en bonne intelligence avec elle. Mais Catherine la
chassera, dès qu'elle le pourra : « car jamais femme qui aime
son mari n'aime sa putain ». Ronsard flatte la lourde et
vulgaire dame[1], devant qui nous rêvons, parce que Jean
Goujon a sculpté pour Anet une souple déesse aux jambes
divines[2]. Mais Ronsard a célébré surtout le beau sang de
Poitiers qu'elle tient de ses ancêtres, la protectrice des arts.
Car la grâce et la beauté de Diane sont aussi conventionnelles
que l'arc de la sœur d'Apollon[3] :

> Je chanterois vers l'Eglise ta foy,
> Comme tu es la parente du roy,
> Qui te chérit comme une dame sage
> De bon conseil et de gentil courage,
> Grave, bénigne, aimant les bons esprits
> Et ne mettant les Muses à mépris[4].

Qui serait d'ailleurs insensible à la beauté véritable d'Anet
que le grand ami de Ronsard, Pierre Lescot, vient d'édifier[5] ?

> Je chanterois d'Annet les édifices.
> Termes, piliers, chapiteaux, frontispices...

Mais les louanges données à Diane n'étaient guère sincères
puisque le poète, qui l'avait sollicitée en vain, retrancha plus
tard de son œuvre les pièces adressées à la vieille dame[6].

---

1. *Continuation des Amours*, 1557, fol. 155 :
> Seray je seul vivant en France de vostre age,
> Sans chanter vostre nom si craint et si puissant ?

Dans les *Odes* de Ch. Fontaine, parues la même année, on lit, p. 60 :
> La grande Diane ancienne
> Grande Deesse Ephesienne...
> Mais la Diane Francienne
> La surpasse en renommée.

2. Jadis dans une des cours d'Anet aujourd'hui au Louvre. Une charmante Diane
chasseresse de l'École de Jean Goujon est reproduite dans H. Bouchot, *Catherine de
Médicis*, p. 44. Un portrait, dont l'original est perdu, aurait été l'œuvre du Primatice
(Bibl. Nat., Collect. Hennin, t. VI). La médaille du Cabinet des médailles ne donne
pas l'idée de sa beauté. La statue du tombeau d'Anet la représente âgée. — 3. VI, 339.
4. VI, 238.

5. VI, 341, 342. Voir les planches de Du Cerceau, *Les plus excellents bâtiments de
France*. — Une belle ode descriptive composée par Olivier de Magny, le chantre de la
duchesse de Valentinois, se lit dans ses *Odes*, 1559, fol. 84 (Ronsard l'implora en
faveur de d'Avanson. VI, 342). — 6. VI, 304, 339.

Cl. Moreau-Nélaton

Odet de Coligny, cardinal de Châtillon
(Musée Condé)

Et Ronsard chante aussi le cardinal de Lorraine, le tout-puissant ministre d'État que l'histoire du grand Bouillon et celle des rois de Sicile eussent suffi à immortaliser, mais qui brille de tout l'éclat de ses propres vertus[1] (cependant, nous savons bien que le cardinal n'a jamais été qu'un vaniteux brouillon, éloquent et lettré, certes). A la suite de Madame Marguerite de France, sœur unique du roi, après le bon Odet de Coligny, le cardinal avait accueilli Ronsard en toute humanité et franchise, sans baisser le front, sans tourner les yeux, comme font les courtisans qui dissimulent[2]; et Ronsard l'avait prié d'intéresser le roi au grand projet de la *Franciade* qu'il portait déjà dans son esprit[3] :

> Me blasme qui voudra d'importuner le roy,
> D'augmenter ma fortune : or Seigneur, quant à moy
> Je ne seray honteux de luy faire requeste :
> Il ne sçauroit monstrer largesse plus honneste
> Que vers ceux que la Muse, et Phœbus Apollon
> Nourrissent cherement pour illustrer son nom.
> Je ne sçaurois penser que des peintres estranges
> Meritent tant que nous les postes des loüanges,
> Ny qu'un tableau basty pour un art ocieux
> Vaille une Franciade, œuvre laborieux :
> Je vous en fais le juge...

Car cette grande œuvre, qui peut exiger de lui dix ans de travail, demande du loisir[4] :

> J'ay, Dieu mercy, prelat, un peu de bien pour moy.

Le cardinal, qui pensionnait Mellin de Saint-Gelais, Lancelot de Carle, Jean Dorat[5], Michel de l'Hospital, Joachim du Bellay, Paschal, Antoine de Baïf, sera, lui aussi, le protecteur de Ronsard qui ne l'importunerait pas, comme ses protonotaires. Il aimait trop, pour cela, la liberté et les champs :

> Il me suffist, prelat, si venant du village
> Quelquefois pour vous voir, j'ay de vous bon visage,

---

1. II, 101. — 2. VI, 292. Ch. Fontaine a parlé de sa « ronde candeur » (*Odes*, 1557, p. 27, 31); il nomme Marguerite « Seure Mecenate » (p. 17). — 3. VI, 293. 4. VI, 294. — 5. J. Dorat : *De pœtis et principibus pœtas amantibus* (*Pœmatia*, 1586, p. 209).

> Un ris, une accollade, un petit clin des yeux...
> Je ne vous seray point en deshonneur : car j'ose
> Sans rougir asseurer que je sçay quelque chose.

Et Ronsard, en 1556, dans la longue épître qu'il adressait à Charles de Lorraine, le nommait « l'honneur des cardinaux[1] ». Il faisait le portrait du jeune cardinal, au chef déjà grisonnant, qui lui apparaissait comme un autre roi de France[2]. Il le montrait répondant à tous les ambassadeurs, et gouvernant le roi lui-même[3]. Le cardinal est l'homme qui lit tout, qui sait tout[4] :

> Et nostre roy ne treuve
> Rien bon, si ton avis gravement ne l'appreuve.

Dans les *Odes* nous trouvons aussi les éloges des personnages subalternes, du seigneur François de Carnavalet, Breton, premier écuyer de l'écurie royale, l'ancien maître de Ronsard[5]; de Michel de l'Hospital, alors chancelier de Madame Marguerite, bon poète latin que Ronsard a pu connaître dans le salon de Jean de Morel, maréchal des logis de la reine et maître d'hôtel du roi : car Morel reçoit en sa maison de la rue Pavée; et ses filles savantes, qui savent le grec et l'hébreu, sont jugées de divines Charites par Ronsard[6]. Michel de L'Hospital a pris son parti contre Mellin; et pour lui Ronsard écrit la plus belle, la plus savante de ses odes, sur la naissance des Muses[7] :

> Errant par les champs de la Grace
> Qui peint mes vers de ces couleurs,
> Sur les bords Dirceans j'amasse
> Le tesor des plus belles fleurs...

---

1. VI, 292. Ch. Fontaine vante son éloquence, sa douceur, sa piété (*Odes*, 1557, p. 18). — 2. II, 11. — 3. VI, 292. Une admirable gravure de la Collection Hennin, t. V, représente le cardinal à sa table de travail. Voir le beau crayon reproduit par Moreau-Nélaton, *les Clouet et leurs émules*, fig. 201. — 4. IV, 232.

5. II, 117. Cf. J. Dorat, *Pœmatia*, 1586, p. 55.

6. C'est un milieu que Pierre de Nolhac a fait revivre avec beaucoup de bonheur, *Ronsard et l'Humanisme*, 169-178; *Un poète Rhénan ami de la Pléiade*, p. 70-72. Sur les filles de Morel, voir Joachim du Bellay, *Pœmatum libri quatuor*, Paris, 1558, fol. 52, 53 ; Nicolas Ellain, *Les Sonnets*, 1561, fol. 8-9; *Melissi Schediasmata*, 1586 (nombreuses pièces). — 7. II, 119 (texte de 1552).

Et Ronsard n'oublie pas Jacques Bouju, maître des requêtes
de la reine, qui l'a obligé[1]. Il a ménagé dans les *Odes* un
coin pour ses amis: Joachim du Bellay, poète excellent,
et cœur si tendre, comme lui un vainqueur de la jalouse
ignorance[2]; cet autre « briseur d'ignorance », Jean Dorat,
précepteur et poète royal[3]; Pierre de Paschal[4], dont il chante
la gloire, l'amitié, le beau latin, et qui ne fut pas qu'un
hâbleur promenant le projet d'une histoire latine de
Henri II, comme le dira plus tard Ronsard, en le déchirant;
Antoine de Baïf[5], le phénomène humaniste, qui n'a que
dix-sept ans; Jean Martin, architecte et poète, qui a traduit
l'*Arcadie* de Sannazar, paraphrasé Vitruve, et lui a promis de
commenter les *Odes*[6]; Bertrand Berger de Poitiers, provincial
devant qui notre poète déballe, avec un si naïf orgueil, sa
« mercerie » et ses « drogues »[7]; et Jean de Pardaillan[8],
secrétaire du cardinal d'Armagnac, à qui Ronsard dira les
souffrances que lui infligent son orgueil et son ambition.

Dans les *Odes*, Ronsard écrit la chronique de son temps
et celle des Valois, les jeux et les deuils de la maison royale,
avec un lyrisme qui n'est exempt ni de dogmatisme ni de
boursouflure, mais dont la ligne pure est, le plus souvent,
apparentée à l'architecture d'un bijou de cette époque, aux
vivantes allégories que Jean Goujon taille sur les façades du
nouveau Louvre. Ainsi Ronsard pleure Charles de Valois, duc

---

1. II, 156 (1555). Jacques Bouju, de Châteauneuf-sur-Sarthe, en Anjou, maître
des requêtes de la reine en 1550, président au Parlement de Bretagne en 1558. Il prit
immédiatement à la cour le parti de Ronsard. Qualifié de « docte » par Pierre le
Loyer, *Les Œuvres et Meslanges*, 1579, fol. 27 v°. Cf. E. Dupré-Lasale, *Notice sur
Jacques Bouju*, Paris, 1883. — 2. II, 149. — 3. II, 159. J. Dorat répétait alors en
latin tant d'odes de Ronsard. Cf. Ch. Fontaine, *Odes*, 1557, p. 71.

4. II, 177. Cf. Ch. Fontaine « A Pierre Pascal, croniqueur du roy », *Odes*, 1557,
p. 33. Les amis ne séparaient pas ces inséparables. Voir Olivier de Magny :

> Quand je voy Ronsard et Paschal
> Qui d'un nœud saintement fatal
> Se lient par amour ensemble

(*Les Odes*, 1559, fol. 24). — 5. II, 161. — 6. II, 162.

7. II, 165. Poète pastoral dont on ne connaît rien. Il est nommé ailleurs Berger
de Montembeuf. — 8. II, 228.

d'Orléans, dont il avait été le page, mort de la peste à Far-
moutier en 1545, et console sa tante Marguerite de Valois[1] ;
emphatiquement, en 1547, il célèbre la « victoire » de Guy
Chabot sur François de Vivonne, qui fut cependant un duel
barbare[2] ; il crie hymen et hyménée aux noces d'Antoine
de Bourbon, son seigneur, et de Jeanne de Navarre, en 1548[3] ;
et, cette année-là, la révolte de la gabelle en Guyenne lui
inspire l'éloge des chefs militaires qui vont combattre un
peuple mutin et sans loi[4] (c'est la terrible répression d'Anne
de Montmorency) ; en 1550, il porte aux nues la feue reine de
Navarre[5], qui le méritait, certes, et il célèbre l'heureuse paix
de Boulogne par laquelle Henri vient de racheter la ville
aux Anglais ; les ordonnances royales sur les gens d'armes,
la réforme des vêtements, des bénéfices ecclésiastiques[6] ; en
1558, au camp sur l'Authie, après Thionville, il fait parler
magnifiquement le roi à ses soldats[7]. Maintenant, c'est la
paix que Ronsard célèbre (1559), le traité de Cateau-Cam-
brésis, odieux aux combattants[8].

De ces triomphes, de cette mascarade des dieux, on aurait
tort de croire que Pierre de Ronsard ait toujours été la dupe.
Aussi bien qu'Alain Chartier, Ronsard savait qu'il s'avançait,
à la cour, sur un terrain peu sûr, que rien n'y était moins
stable que l'amitié.

Celle d'un Estienne Pasquier[9] le touchait, en ce temps-là.

1. II, 187. — 2. II, 114. — Voir le grand récit de Brantôme, et une gravure con-
temporaine dans la série historique du Cabinet des Estampes (Bibl. Nat., Q[b]. 19).

3. II, 308. L'*Epithalame*, Paris, Vascosan, est au British Museum et à Berne.

4. II, 194. — 5. II. — 6. II, 77, 371. — 7. V, 186. — 8. VI, 192, 199, 310,
316. Sur ces victoires et ces triomphes, voir Marc-Claude de Buttet, *Le premier livre
des vers*, 1561, fol. 45-49 et Jean Dorat *Pœmatia*, 1586.

9. Etienne Pasquier, le savant auteur des *Recherches de la France*, l'esprit « ardent
et vif » qui allait élever à la gloire de nos rois son « histoire » (II, 364) et que
Ronsard faisait alors le confident de ses amours (VI, 246). C'est lui qui « habilla à la
française » l'invective latine de Ronsard contre Paschal qui le divertit tant, en 1550
(Pierre de Nolhac, *Ronsard et l'Humanisme*, p. 269-261). C'était un homme d'autant
d'érudition que de goût, et un esprit hardi. Son chapitre : « de la grande flotte des
poètes que produisit le règne du roi Henri deuxiesme » demeure toujours plein
d'intérêt. Scévole de Sainte-Marthe l'a nommé un Mercure en l'art de bien dire, une
Thémis en justice, et il jugeait ses vers délicieux (*OEuvres*, 1579, fol. 162).

Comme Ronsard l'avait nommé en quelques endroits de ses œuvres, Pasquier lui écrivait : « Je vous en remercie, comme celuy qui ne sera jamais marry que l'on sçache à l'advenir que Ronsard et Pasquier furent, de leur vivant, amis. Mais, en vous remerciant, je souhaitterois que ne fissiez si bon marché de vostre plume à hault louer quelques uns que nous sçavons notoirement n'en estre dignes. Car en ce faisant vous faictes tort aux gens d'honneur. Je sçay bien que vous me direz qu'estes contraint par leurs importunitez de ce faire, ores que n'en ayez envie. Je le croy ; mais la plume d'un bon Poëte n'est pas telle que l'aureille d'un juge, qui doit donner, de mesme balance, audience au mauvais, tout ainsi qu'au bon. Car quant à la plume du Poëte, elle doit estre seulement vouée à la célébration de ceux qui le méritent. A Dieu. 1555 [1]. »

C'est là une déclaration pleine d'une noble liberté. Au fond, comme Ronsard le dira plus tard au cardinal de Chastillon, quand il apprit le chemin d' « aller souvent au Louvre », ce fut contre son naturel. Assister au lever, au coucher des grands, se tenir debout, suivre les talons des gens, l'excédait, le fatiguait, le rendait malade. Il ne s'illusionnait pas sur la valeur de la louange qu'il donnait souvent par politesse, par convenance. Mais nous devons reconnaître que, sa révérence tirée, Ronsard reprenait vite son jugement toujours si vif et sincère sur les choses et les gens.

On est heureux, tout de même, quand la fenêtre s'ouvre, au Louvre ou à Blois, quand Pierre de Ronsard regarde la campagne, chante pour lui et non pas pour les autres [2] :

Mignonne, allons voir si la rose...

Alors, d'une manière si voluptueuse, Pierre adapte pour « sa mye [3] » les baisers de Jean Second :

---

1. *Les Œuvres*, 1723, II, p. 11. — 2. II, 168. — 3. II, 196. (Texte de 1550.)

Du nectar, du sucre dous,
De la cannelle, et du bame,
Du tin, du lis, de la rose
Desus ses levres déclose...
O dieus que j'ai de plaisirs,
Quand je sen mon col saisir
De ses braz en mainte sorte :
Sur moi se laissant courber,
Peu à peu la voi tomber,
Dans mon sein à demi-morte.
Puis mettant la bouche sienne,
Tout à plat desus la mienne,
Je la mor, et suis remors...

Alors il nous parle de la petite « nymphe » Macée qui lui
suça l'âme et le sang[1] ; il nous montre la fontaine Bellerie,
près de laquelle, l'été, il allait dormir à l'ombre[2]. Il se
repose, et nous repose, quand délaissant Pindare, il imite,
de façon si personnelle et charmante, Anacréon qu'Henri
Estienne vient de publier[3] :

Pour boire dessus l'herbe tendre,
Je veus sous un laurier m'estendre,
Et veus qu'Amour d'un petit brin
Ou de lin, ou de cheneviere,
Trousse au flanc sa robe legere,
Et my-nu me verse du vin.
L'incertaine vie de l'homme
Incessamment se roule, comme
Se roulent aus rives les flots ;
Et apres nostre heure funeste,
De nous, en la tombe ne reste
Qu'un peu de cendre de nos ôs.
Je ne veus, selon la coustume,
Que d'encens ma tombe on parfume,
Nf qu'on y verse des odeurs :
Mais tandis que je suis en vie,
De me parfumer j'ay envie,
Et de me couronner de fleurs...

1. II, 198. — 2. II, 199. — 3. II, 212 (*Bocage* de 1554 : *Odelette à luy mesmes*).

L'année 1559, qui est celle de la paix du Cateau-Cambré-
sis, voit le mariage d'Elisabeth, fille de France[1], avec Philippe II, roi d'Espagne, et celui de Marguerite, sœur du roi,
avec le duc de Savoie[2]. Ronsard, qui vient de quitter son
Vendômois, est à la cour. Il adresse un discours à Philibert
de Savoie.

Il lui parle avec cette familiarité hautaine qui est la
manière de Ronsard, portant dans les régions sereines les
faits de la politique, ou simplement les faits du jour[3]. Car
le pauvre laboureur et l'empereur sont entre les mains
de Dieu. Ronsard évoque le temps où Philibert n'avait que
la cape et l'épée ; il rappelle l'honneur que Philibert avait
reçu de l'empereur quand il l'aida à châtier les princes
d'Allemagne, la défaite que lui infligea Henri II, l'aide que
le Savoyard donna aux Espagnols, les coups terribles qu'il
porta à la France, brûlant nos villages à Thérouanne, à
Hesdin, qu'il mit en poudre : car Philibert était ce beau soldat qui, à Saint-Quentin, avait culbuté la jeunesse française.
Maintenant que la paix était faite, Philibert était devenu un
ami de la France ; il nommait le roi Henri son frère au lieu
de le nommer son ennemi. Ainsi le duc de Savoie emmenait
pour épouse la sœur du roi, Marguerite de France, qui n'était
que bonté et honneur, la protectrice de Ronsard, une autre
Minerve, la studieuse qu'il représente si gentiment assise au
milieu de ses demoiselles, causant avec elles en tirant l'aiguille.

Et déjà Ronsard faisait entendre le chant pastoral des bergers
à l'occasion de l'enlèvement de cette belle nymphe, Marguerite[4]. Car Pierre de Ronsard avait mis à la mode, sur les
conseils de Dorat[5], une Arcadie qui lui permettait de traduire

---

1. Voir la charmante gravure représentant Isabelle tenant un œillet à la main qui
date de ce temps (Bibl. Nat., Collection Hennin, t. VI, fol. 10). — 2. Une médaille
ut frappée à cette occasion donnant de belles effigies de Marguerite et de Philibert
(Bibl. Nat., Estampes. Q[b]. 19). — 3. III, 259. — 4. III, 418. Cf. Marc-Claude de
Buttet, *Le premier livre des vers*, 1561, fol. 5 v°, 110 v°. Voir les belles éditions de
Robert Estienne et d'A. Wechel du *Discours*, du *Chant de Liesse*, *La Paix au Roy*,
publiées en 1559 (Bibl. de l'Arsenal, B.L. 11694 in-4°, 11637 *bis* in-4°). — 5. III, 430.

l'amour qu'il portait à la nature, d'interpréter Virgile et
Théocrite, et aussi de peindre ces figures mythologiques,
élégantes, graciles et nues, d'un si fier et vivant dessin,
comme nous les voyons dans la galerie de Fontainebleau, et
surtout sur les belles sanguines du Primatice.

En ce temps-là, Pontus de Tyard, un disciple de Maurice
Scève, un précurseur que Ronsard a ébloui, et quelque peu
réduit au silence, esquisse de lui ce portrait où il le montre beau,
jeune, aimé, jouissant entièrement de la faveur de son roi [1] :

> Je n'oserois Ronsard, je n'oserois penser
> Que de toy, qui m'es cher, l'heur me puisse offencer :
> Mais je confesse bien que ma trainante vie,
> Porte à la tienne heureuse une secrete envie :
> Non pour ce que tu as l'œil gracieux du roy :
> Le desir courtisan ne me tient en esmoy,
> Ny pour ce que Fortune en biens te favorise :
> Elle aveugle me suit plus que je ne la prise,
> Ny pour ce que dispost, jeune et beau je te voy :
> Nature de tels bien ne fust trop chiche en moy,
> Ny pour ce qu'à jamais ton sçavoir te fait vivre :
> Et cela me suffist t'admirer et te suivre,
> Mais pour ce qu'en l'amour duquel nous sommes serfs
> Tu te gaignes tousjours et tousjours je me pers,
> Et que blessé cent fois ta passion est gaye,
> Et je meurs langoureux pour une seule playe.
> Mais, Ronsard ! si Phébus t'a son archet donné,
> Si du plus beau laurier tes sœurs t'ont couronné,
> De conseil ou pitié (je te prie) aide moy :
> Qu'ainsi d'œil désiré te regarde le Roy
> Et veuille Cupidon favorables te rendre
> Et Jane, et Marguerite, et Marie et Cassandre.

Tel apparaît l'homme qui a connu tous les succès au Louvre
de Henri II.

Mondain, Ronsard évoquait encore les figures de la cour,
dans une série de « vingt-quatre inscriptions », pour une

1. Elégie à Pierre de Ronsard (*Œuvres poétiques*, 1573). — Guillaume des Autels
(*Amoureux repos*, 1553) a bien marqué l'impression profonde causée par le « brave
Ronsard », dont les chants frappèrent surtout par leur nouveauté et leur audace. Du
Bellay vaut par la douceur et la gravité ; le divin Tyard par l'inspiration ; Saint-Gelais
par son miel et sa veine.

Cl. Moreau-Nélaton

Cl. Moreau-Nélaton

comédie que le révérendissime cardinal de Lorraine devait
faire représenter en la maison de Guise à l'occasion de cette
fête[1]. Médaillons du roi d'Espagne ; du roi de France ; de la
reine mère ; de la reine d'Espagne, ce « beau lys » qu'était
Elisabeth ; du dauphin François[2] ; de la belle Marie Stuart,
semblable à la divine Vénus qui sort de l'écume de la mer ;
de Philibert et de son épouse ; du duc de Lorraine avec ses
grands yeux clairs qui le faisaient ressembler à Mars sous
l'armure, mais désarmé à une amazone, de toute la famille
de Lorraine enfin[3] :

> Vien, hymenée, et d'un estroit lien,
> Comme un lhyerre, estroitement assemble
> Le sang d'Austriche au sang Velesien,
> Pour vivre en paix heureusement ensemble.

Paris avait cet air de fête qui n'appartient qu'à Paris en
fête. On ne parlait que de tournois, des hourds qui se dres-
saient en la rue Saint-Antoine, toute dépavée, convertie en
lices, ornée de théâtres et d'arcs triomphaux[4]. Le 8 juillet, en
l'église Saint-Paul, le mariage de Philibert et de Marguerite
est célébré. Deux jours après, au milieu des réjouissances,
Gabriel de Lorges, comte de Montgomery, capitaine de la
garde écossaise, blesse gravement le roi à la tête, au cours
d'un tournoi. Et la salle des Tournelles, préparée pour les
danses, les mascarades et les ballets, sert de chapelle
ardente au corps du prince[5]. Fatal coup de lance qui fit périr
non seulement Henri II, mais aussi, avec lui, la race des Valois !
Car François II, qui lui succède (1559), est un garçon de

---

1. VI, 319. — 2. Un admirable médaillon ovale représentant François II dans
son armure ciselée date de ce temps (Bibl. Nat., Collection Hennin, t. V). Les vers de
Ronsard sont aussi à rapprocher des médailles frappées alors. — 3. VI, 325.

4. Voir la planche de Tortorel et Perissin dans la série historique du Cabinet des
Estampes (Bibl. Nat., Q^b. 19) et Collection Hennin, t. IV. — *Les Registres du
Bureau de la ville*, V, p. 16-33, donnent bien la physionomie de Paris, des fêtes et
du deuil. Cf. Arch. Nat., KK. 125.

5. Voir la planche si intéressante de Tortorel et Perissin où l'on voit Catherine en
larmes. — Cf. Marc-Claude de Buttet, « Sur le trespas du roi » (*Le premier livre des
vers*, 1561, fol. 58).

quinze ans, malingre, timide et violent, plein de vertiges et
d'effrois, dont les oreilles suintent, qui se plaît surtout à
s'enfoncer dans les forêts, derrière les cerfs, et subitement
tourne bride[1]. Il avait épousé Marie Stuart, il y avait déjà
deux ans ; et l'on avait souri de ces enfants précoces qui s'aimaient tant, « s'isolant au fond des salles pour échanger de
petites confidences sans qu'on puisse les entendre ».

Que Ronsard l'aimait, cette pâle enfant, la fille de Jacques
Stuart, le roi qu'il avait suivi comme page en Écosse,
et de cette Marie de Lorraine aux yeux bleus[2]! Il savait
sa pitoyable histoire, comment sa mère l'avait cachée sur la
terre écossaise, fuyant devant l'armée anglaise, comment,
au sortir du berceau, on l'avait fait passer en France. Il
l'avait admirée[3], studieuse enfant, si maigre et blanche, qui
toujours s'était réservé deux heures par jour, pour étudier
et pour lire, et qui discourait en latin comme un petit prodige.
Mais surtout Marie Stuart appréciait la poésie et les poètes,
et entre tous M. de Ronsard[4] :

> O belle et plus que belle et agréable Aurore,
> Qui avez delaissé vostre terre Escossoise
> Pour venir habiter la region Françoise
> Qui de vostre clarté maintenant se decore !
>
> Si j'ay eu cet honneur d'avoir quitté la France
> Voguant dessus la mer pour suivre vostre pere,
> Si loing de mon païs, de freres et de mere,
> J'ay dans le vostre usé trois ans de mon enfance :
>
> Prenez ces vers en gré, Royne, que je vous donne
> Pour fuyr d'un ingrat le miserable vice,
> D'autant que je suis né pour faire humble service
> A vous, à vostre terre, et à vostre couronne.

1. Lucien Romier, *le Royaume de Catherine de Médicis*, I, p. 21-26.
2. Sur Marie de Lorraine et ses portraits, voir Robert S. Rait, *Five Stuart princesses*,
1908. Pour Marie Stuart, j'ai utilisé l'admirable Vie de Brantôme (éd. Lalanne, VII,
403-453), qui la connut parfaitement, puisqu'il l'accompagna en Écosse en 1561 (Cf.
A. de Ruble, *la Première jeunesse de Marie Stuart*, et surtout les indications nouvelles
données par M. Lucien Romier, *le Royaume de Catherine de Médicis*, I, p. 85 et 55 ;
Catholiques et Huguenots, p. 53, 110). P. Laumonier, *Ronsard et l'Écosse*, dans la
Revue de littérature comparée, 1924. — 3. Cf. les vers latins de Joachim du Bellay,
In futuras nupcias Francisci Gall. Delphini et Mariæ Stuartæ (*Pœmatum libri quatuor*,
1558, fol. 50). — 4. VI, 306 (éd. 1557).

N'était-elle pas digne de toutes les couronnes, de la triple couronne de France, d'Écosse et d'Angleterre, Marie Stuart qui sera surtout la victime malheureuse de la politique des Guises? A son jeune époux, Ronsard avait adressé ses chansons : sans doute parce que Marie chantait parfaitement, accordant sa voix au luth qu'elle touchait joliment de sa belle main blanche, de ses doigts si bien façonnés qui ne devaient rien à ceux de l'Aurore ; car Ronsard, qui ne concevait pas la poésie sans la musique, était, on peut le dire, amoureux de la reine [1].

Mais qui n'est tombé amoureux de Marie laquelle, en grandissant, est devenue si belle? Elle unit à la fantaisie d'une étrangère la grâce française. Elle s'est mariée en blanc, qui était pour les reines de France la couleur du deuil. Un jour Marie paraît dans le costume des femmes des montagnes d'Écosse ; et la petite sauvage, à demi nue sous ses fourrures, semble plus belle encore. Elle sait même donner de la grâce à son jargon écossais. On lui passe toutes ses fantaisies ; on lui pardonne le scandale qu'elle cause quand, dans la forêt, elle est allée voir les cerfs combattre pour l'amour.

Mais voici que le roi François II, fiévreux, devient blafard et rouge, qu'un apostume crève dans son oreille gauche. Plus que jamais il court le cerf ; et bientôt il meurt, laissant sa petite épousée ensevelie dans son deuil, « comme en un sepulcre ». C'est la reine blanche que nous montre le beau portrait d'Edimbourg, la reine au teint plus clair que ses voiles, la reine aux yeux de velours. Les Guises veulent la marier, déjà, à l'héritier du roi catholique ; mais la reine mère est furieuse, et elle ordonne son départ pour l'Écosse.

Alors Ronsard la montre, si triste, se promenant dans les longues allées du château de Fontainebleau, où les cygnes, habillés de blanc comme elle, et les pins, la regardaient

---

1. Ronsard devint amoureux de Cassandre pour l'avoir entendue chanter en s'accompagnant sur le luth.

comme une « chose sainte », la déesse qu'elle était vraiment de ces jardins qu'elle allait bientôt quitter.

Marie Stuart laissa au poète un portrait qu'il conservera dans son étude « parée de livres », en face du portrait de son roi, « bien jeunes d'ans[1] ». Mais il n'y a pas que Ronsard pour regarder amoureusement le portrait de la reine des Écossais. Le roi Charles, son beau-frère, en fera tout autant, au témoignage de Brantôme : « Car je l'en ay veu tellement amoureux, que jamais il ne regardoit son pourtraict qu'il n'y tint l'œil tellement ravy qu'il ne s'en pouvoit jamais oster ny s'en rassasier, et dire souvent que c'estoit la plus belle princesse qui nasquit jamais au monde : et tenoit le feu roy son frère par trop heureux d'avoir jouy d'une si belle princesse, et qu'il ne debvoit nullement regretter sa mort dans le tumbeau... et que telle jouissance valloit plus que celle de son royaume. De sorte que, si elle fust demeurée en France, il l'eût espousée[2]. »

Comme Marie pleura quand la galère sortit du port de Calais[3], quand l'on mit à la voile et que la chiourme, dont elle avait pitié, se reposa ! Elle pleura à grosses larmes, accoudée à la poupe, jusqu'à la nuit, prononçant toujours ces tristes paroles : « Adieu France ! Adieu France ! » Car Marie refusa de descendre dans la chambre ; et, n'ayant mangé qu'une salade, elle fit dresser son lit sous la tente de la poupe, demandant au timonier de lui dire, dès le lever du jour, s'il découvrait encore la terre de France, et qu'il ne craignît pas surtout de l'éveiller. Pour la dernière fois, au matin (on avait dû marcher pendant cette nuit-là à la rame), Marie aperçut son « beau terrain » qu'elle perdit bientôt de vue, disant : « Adieu la France, je pense ne vous voir jamais plus ! » Sur la galère, il y avait M. de Bourdeille,

1. Sur les portraits de Marie Stuart, voir E. Moreau-Nélaton, *les Clouet et leurs émules*. J'ai reproduit celui du Musée d'Edimbourg.

2. Charles IX avait dix ans lorsqu'il monta sur le trône. On peut donc mettre en doute cette assertion de Brantôme (VII, 413). Mais la scène peut se passer plus tard.

3. Le 15 août 1561.

un jeune hobereau de Gascogne à la triste figure ; il causait
avec le seigneur de Chastelard, gentil cavalier, homme de
bonne épée et de bonnes lettres, admirateur de M. de Ronsard ; et Chastelard dit à Brantôme ce mot, quand on
alluma le fanal : « Il ne seroit poinct besoing de ce fanal, ny
de ce flambeau, pour vous esclairer en mer, car les beaux
yeux de ceste reyne sont assez esclairans et bastans pour
esclairer de leurs beaux feux toute la mer, voire l'embraser
pour un besoing. »

Pierre de Ronsard, grisonnant, se souviendra toujours de
Marie qui pleurait en lisant ses vers. C'est pourquoi il lui
dédia le deuxième livre de ses *Poèmes* où il avait mis tant
de son génie[1] :

> Le jour que vostre voile aux Zephyrs se courba [2]
> Et de nos yeux pleurans les vostres desroba,
> Ce jour, la mesme voile emporta loin de France
> Les Muses qui vouloyent y faire demeurance...
> Les roses et les lys ne regnent qu'un printemps...

Et Ronsard lui disait encore[3] :

> Je n'ay voulu, Madame, que ce livre
> Passast la mer sans vous voir et vous suivre...
> Prenez un luc, ou chantez, ou lisez,
> Et quelque fois mes vers vous eslisez
> Entre un millier, dont je tressaute d'aise...
>
> L'Huillier[4], si nous perdons ceste belle princesse,
> Qui en un corps mortel resemble une Deesse,
> Nous perdons de la court le beau soleil qui luit...[5]

Ronsard lui confiait sa tristesse, la vie qui lui pesait depuis
son départ[6] :

> Se trouvant seul, et pleurant par les bois
> La triste mort d'un prince, et de deux roys.

1. V, 4 (1578). — 2. V, 4 (1563). — 3. V, 13 (1567) : Elegie a la Royne.
4. H. L'Huillier, sieur de Maisonfleur, ami de jeunesse de Ronsard, qui passa du
service du duc François de Guise à la Réforme, et composa des cantiques et des
psaumes. Ronsard lui retira alors la dédicace du *Voyage de Tours* (VII, 190), une
élégie dans laquelle Ronsard avouait à cet ami l'ardeur de son tempérament (III,
312-315), la dédicace du livre II du *Recueil des nouvelles pœsies* (1564). — 5. V, 15
(1564) : Elegie a H. L'Huillier, seigneur de Maisonfleur. — 6. V, 15 (1567).

Ainsi Marie Stuart avait retrouvé la froide terre d'Écosse, où le soleil est si rare, les Écossais batailleurs, les marauds qui viennent à sa rencontre et lui dónnent une aubade de méchants violons et de petits rebecs, si mal accordés. Quel vacarme cette nuit-là ! Le lendemain, son aumônier pense être tué devant son logis. C'était un beau commencement que la fin ne démentit pas. Marie Stuart, qui avait connu la splendeur dorée du Louvre et de Fontainebleau, vécut dans les petites chambres boisées d'Holyrood, ces petites pièces sombres, tout en coins et recoins, là où est son lit à courtines rouges parmi de pauvres verdures.

De dessous ce lit, un soir, sortit Chastelard, gentilhomme dauphinois, qui entendait assez bien l'italien, petit homme maigrelet et brave, dont la folie était d'aimer la reine. Comme le faisait Ronsard à ses admiratrices, Chastelard disait à la femme qu'il ne lui convient pas de dormir seule, et froide comme glace. Il avait oublié que la femme était reine. Marie le chassa. Il repassa en France où la première guerre de Religion venait d'éclater. Chastelard était huguenot. Sa place était donc à Orléans. Mais il ne pouvait se décider à porter les armes contre son roi. C'est pourquoi il prit la résolution de se bannir et de retourner en Écosse. Et le malheureux, brûlé à nouveau des feux de sa passion, fut assez présomptueux pour se cacher encore sous le lit de Marie. Elle lui pardonne. Il recommence et, perdant patience, pour calmer ce peuple de presbytériens qui l'espionnait, Marie doit livrer le fol amoureux au bourreau. Chastelard est condamné à avoir la tête tranchée. « Et le jour venu, ayant esté mené sur l'eschaffaut, avant mourir avoit en ses mains les hymnes de M. de Ronsard ; et pour son éternelle consolation, se mist à lire tout entièrement l'Himne de la mort[1], qui est très bien faict et propre pour faire abhorrer la mort, ne s'aydant autrement d'autre livre spirituel, ny de ministre,

1. IV, 365.

Marie Stuart
(Musée d'Edimbourg)

Lettre autographe de Marie Stuart à Charles IX (Juin 1568)
(Bibl. Nat., n. acq. fr. 22885)

ny de confesseur. Après avoir faict son entière lecture, se
tourne vers le lieu où il pensoit que la reyne fust, s'escria
hault : « A dieu la plus belle et la plus cruelle princesse du
monde [1] ! » Et il salua la mort :

> C'est une grand'déesse et qui merite bien
> Mes vers, puisqu'elle fait aux hommes tant de bien.
> Quand elle ne feroit que nous oster des peïnes,
> Et hors de tant de maux dont nos vies sont pleines
> Je te salue heureuse et profitable mort...

1   Brantôme, éd. Lalanne, t. VII, p. 452-453.

CHAPITRE V

CAFARDS ET PRÉDICANTS

En 1560, au mois de décembre, Pierre de Ronsard donna
la première édition collective de ses *Œuvres*, en quatre
tomes in-16, à Paris, chez Gabriel Buon, successeur de la
veuve Maurice de la Porte[1].

Le privilège, délivré au nom de la veuve, a été accordé
pour cette publication, le 10 septembre, par François II à son
« féal conseiller et aulmosnier ordinaire, maistre Pierre de
Ronsard » ; c'est là sans doute, non seulement la plus rare,
mais la plus intéressante des éditions de Ronsard, peu satis-
fait des impressions de ses ouvrages par les précédents
éditeurs.

Le poète a trente-six ans. Il se recueille un moment, donnant quelque repos à son esprit qui enfante dans le tumulte,
dans la nervosité, l'orgueil et la rogne, une invention chassant
l'autre. Ronsard vient de revoir entièrement ses *Œuvres* ;
il les a « grandement augmentées et amplifiées, et icelles
réduites en quatre volumes » qu'il a fait correctement
imprimer. Le livre est important[2], moins par le nombre des
pièces nouvelles qu'il nous présente que par la distribution
plus architecturale des poèmes. Dans de très nombreuses
suppressions, Ronsard montre son discernement, l'esprit de
sacrifice, si nécessaire à l'artiste ; enfin, plusieurs grandes

---

1. Bibl. Nat., Rés., p. Y⁰ 217.
2. On doit à M. Paul Laumonier une vue pénétrante sur l'édition de 1560
(*Ronsard, poète lyrique*, p. 186 et s. ; *Tableau chronologique*, p. 30) qui m'a été très
utile pour montrer les dispositions spirituelles du poète.

pièces figurant dans l'édition de 1560 pour la première fois
sont d'une rare beauté. Pierre de Ronsard est arrivé à
l'expression de son lyrisme, à l'épanouissement de son art.
Il peut écrire, au mois d'août 1561, les vers de l'*Élégie sur
le despart de la Royne Marie* :

> Comme un beau pré despouillé de ses fleurs...

Mais il ne semble pas que, parvenu à la maîtrise de son art[1],
Ronsard ait trouvé la sérénité de l'esprit, ni la paix du cœur.
L'ère des guerres et des polémiques religieuses s'ouvre d'ailleurs. Il faut connaître la physionomie de l'homme qui va
s'y jeter, renouveler un talent qui paraissait avoir trouvé son
expression suprême.

En 1561, quand parut le *Théâtre* de Jacques Grévin, Pierre
de Ronsard a tracé le plus véhément et le plus véridique de
ses portraits. Il convient de l'avoir toujours dans la mémoire
si nous voulons entendre les vers que Ronsard écrivit au
cours des années troublées que nous allons parcourir avec
lui. Ce portrait explique l'homme versatile qu'il a été ; lui
seul nous permet d'apprécier la controverse qu'il eut avec
les prédicants, et qui a été si mal comprise. Car les vers
adressés à Jacques Grévin nous donnent le sens des admirables paroles françaises que Ronsard fit entendre en ces
jours abominables. Ils nous expliquent le dégoût de Ronsard
à poursuivre une œuvre de propagande politique qui était
loin de valoir à ses yeux la pure poésie, la lassitude qu'il
éprouva assez vite de répondre aux arguments de ses adversaires, et surtout aux calomnies d'un genre, il faut le dire,
infâme. Car Ronsard était avant tout poète, et poète inspiré. Il
l'était, suivant la définition de Platon, que Jean Dorat a dû commenter bien des fois à ses disciples, puisque tous la répétèrent.

---

1. Cette suprématie est reconnue de tous. Cf. Nicolas Ellain, *Les Sonnets*, Paris,
1561, fol. 8 r° (Bibl. Nat., Rés. Ye 1760) :

> Ronsard à qui la France doist hommage,
> Un vif renom, et immortel honneur...

Une longue pratique peut nous faire exceller dans l'art du médecin ou dans celui de l'avocat, dira Ronsard. Il n'en va pas de même pour la poésie[1] :

> Le don de poësie est semblable à ce feu,
> Lequel aux nuicts d'hyver comme un presage est veu...
> Sautant et jallissant, jettant de toutes pars
> Par l'obscur de la nuict de grans rayons espars :
> Le peuple le regarde, et de frayeur et crainte
> L'ame luy bat au corps, voyant la flamme saincte.

Aucune nation, pas même celle des Hébreux, des Grecs ou des Romains, n'a possédé toute la poésie :

> Elle a veu l'Alemagne, et a pris accroissance
> Aux rives d'Angleterre, en Escosse, et en France...

Quant à lui, Ronsard, si son nom s'est « enflé » de quelque honneur, il l'a payé bien cher. Car son art est devenu son tourment, encore qu'il ait connu, vivant, la gloire qu'on ne donne qu'aux morts. Pour avoir bu aux ondes du Parnasse, le voici accablé sous le poids de ses songes :

> Inhabile, inutile : et qui pis, je ne puis
> Arracher cest humeur dont esclave je suis.
> Je suis opiniastre, indiscret, fantastique,
> Farouche, soupçonneux, triste et melancolicque,
> Content et non content, mal propre, et mal courtois :
> Au reste craignant Dieu, les princes, et les loix,
> Né d'assez bon esprit, de nature assez bonne,
> Qui pour rien ne voudroit avoir fasché personne :
> Voyla mon naturel, mon Grevin, et je croy
> Que tous ceux de mon art ont tels vices que moy.

C'est pourquoi Ronsard souhaitait parfois d'exercer un métier moins divin que le sien. Car il n'est pas de ces froids versificateurs dont les vers serviront d'enveloppe, chez l'épicier,

> A la cannelle, au succre, au gingembre, et au ris.

1. VI, 404. — Le *Theatre de Jacques Grevin... ensemble la seconde partie de l'Olimpe...* Paris, 1562 (Bibl. Nat., Rés. Yf. 2955).

Il se jette tout entier dans le feu ardent de la poésie. Ronsard est du petit nombre de ceux qu'un Dieu tient agités :

> Ils ont les pieds à terre, et l'esprit dans les cieux,
> Le peuple les estime enragez, furieux,
> Ils errent par les bois, par les monts, par les prées,
> Et jouyssent tous seuls des Nymphes et des Fées.

Il faut tenir grand compte du tempérament, aussi passionné qu'artiste de Ronsard, quand nous le suivrons sur les chemins divers de la politique.

Pierre de Ronsard, depuis sa jeunesse la plus tendre, avait été le fidèle serviteur, le chantre de la maison de Lorraine. Il a suivi toutes les affaires d'Écosse, c'est-à-dire la politique de famille des Guises, servi Marie de Lorraine, célébré Marie Stuart, et pleuré son départ. Charles, le cardinal de Lorraine, fut son protecteur ; dès 1550, Ronsard a chanté dans ses *Odes* le cardinal, exalté l'orgueil terrible et monstrueux des Lorrains, commenté la légende politique du grand Bouillon, leur ancêtre[1]. C'est à Charles que Ronsard dédia la belle harangue de François, duc de Guise, aux soldats de Metz[2] (août 1553), dans laquelle, se souvenant d'Homère et d'Hésiode, il a décrit sa brillante armure illustrée des hauts faits de sa maison ; il a annoncé que de ses gestes il écrirait une longue *Iliade*. En 1555, tandis que Charles séjournait à Rome, Ronsard lui avait adressé l'« Hymne de la justice[3] » ; alors il se contentait de chanter cette seule vertu du prélat, car il réservait à un plus savant que lui de dire la gloire de la maison de Lorraine depuis la croisade de Godefroy. Aux fêtes qui devaient avoir lieu dans la maison de Guise, à l'occasion du mariage de Marguerite avec le duc de Savoie, c'est Ronsard qui avait été chargé par le cardinal de rédiger les inscriptions de la « comédie[4] ».

En 1559, Ronsard entonnait l'*Hymne de Charles*[5]. Il rappelait la légende de son aïeul Charlemagne qui convient si

---

1. II, 101. — 2. V, 21. — 3. IV, 203. — 4. VI, 319. — 5. IV, 228 (Rés. Yᵉ 497).

bien à ceux qui aspirent à gouverner le roi, à se faire roi un
jour, l'histoire glorieuse de sa maison, les services que sa
prudence et son éloquence venaient de rendre à Rome, à
Venise, à Ferrare où Charles de Lorraine avait exposé le
point de vue français, tandis que son frère attachait au
Palais les étendards captifs de Guines et de Calais[1]. Il rappelait qu'à ses loisirs, dans son cabinet, le cardinal écrivait
l'histoire d'Henri II, avec ses alternatives de pertes et de victoires ; il le montrait tournant des vers ; et Meudon, sa maison de plaisance, était devenu le séjour des Muses. Aux noces
de Charles, duc de Lorraine, avec Claude de France (22 janvier 1559), Ronsard faisait parler à Meudon les pasteurs Perrot, Bellot, Michau, c'est-à-dire lui-même, Du Bellay et Michel
de l'Hospital[2]. Enfin dans la « Suite de l'Hymne[3] », Ronsard
désignait le cardinal de Lorraine comme l'auteur de la paix.

Ces Guises n'ont été qu'orgueil. Mais M. de Guise, le grand,
incarne la victoire, le soldat heureux qui domptera les reîtres ;
il plaît au peuple qu'il domine de sa haute taille, le corps
en retrait, si brave ; il charme et étonne avec ses yeux bleu
clair, son teint rose, et sa barbiche blonde. Il se tient droit
sur ses étriers, montant un genet noir ; et il fait grand
effet avec son pourpoint et ses chausses de satin cramoisi, sa
cape de velours noir, une plume rouge au chapeau. François
de Guise aime le péril ; mais quand il ordonne l'assaut, il monte
à la brèche. Il sait parler au guetteur et au soldat : « Allons,
compaignons, tout est à nous ; la bataille nous est gaignée[4] ! »
De telles gens ne sont ni sans moyens ni sans prestige.

Mais c'est un fait qu'après 1560, dans une pièce ambiguë
que Ronsard nommera plus tard le « Procès », si l'on sent
encore la flatterie envers les Guises, on prévoit la rupture
entre le poète et le cardinal de Lorraine[5] :

---

1. Les pièces latines de Joachim du Bellay sur ces thèmes sont intéressantes
(*Pœmatum libri quatuor*, 1558, fol. 50-59). Cf. J. Dorat, *Pœmatia*, 1586, p. 199-207,
  2. III, 403. — 3. VI, 326 (1559).
4. Ces détails sont tirés de Brantôme (IV, 187-281). J'ai regardé aussi le portrait du
Louvre et le bel émail de Limosin. — 5. III, 268-275.

> Vous fustes condamné à l'amende vers moy,
> A payer mes despens, mon prelat, et je croy
> Que vous acquiterez bien tost de vostre déte
> Pour n'encourir l'aigreur d'un mesdisant poëte.

Ronsard, qui prenait pour juge Apollon, pour avocat Calliope, ne demeurait pas sans aigreur. Ce n'était plus le maître, issu de Charlemagne et de Godefroy, qu'il considérait dans Charles de Lorraine, mais l'homme qui n'avait pas tenu sa promesse envers lui, Ronsard. Car depuis le temps où ils avaient étudié sous le même régent, au collège de Navarre, le poète n'avait cessé de le chanter ainsi que sa maison. En toutes circonstances, il avait pris la défense des Guises, quand mille placards diffamaient leur race[1] ; quand chacun se taisait, à leurs ennemis

> Il opposa sa Muse à leur felonne audace,
> Les desfiant tout seul, et hardi tant osa,
> Que sa poitrine nue à leurs coups opposa.

C'est lui qui avait réveillé l'ardeur d'Antoine de Baïf, de des Autels, de Remy Belleau :

> Il n'escrivit jamais qu'il n'eust la bouche pleine
> Des illustres vertus de Charles de Lorraine,
> Que mille et mille fois, en mille et mille lieux,
> Esparses il sema comme estoiles aux cieux.

Tout cela, le poète l'avait fait sans épargner son temps ni sa fatigue, sans être sur les talons du cardinal. Car Ronsard aimerait mieux mourir dénué de biens que de les acquérir par importunité. Le cardinal l'avait oublié, puisqu'un autre avait obtenu la situation que Ronsard ambitionnait d'avoir. Triste métier que celui d'écrire !

> Hà ! que vous fustes fols, pauvres peres, de faire
> Apprendre à vos enfans le mestier literaire :

---

1. Le cardinal avait été particulièrement déchiré dans l'*Epistre envoyée au Tigre de la France* où l'on demande sa mort, comme celle d'un César, le vrai roi de ce temps. Il est dénoncé par Hotman, en 1560, comme voleur, traître, sodomite, adultère, paillard, incestueux, etc. (Éd. Ch. Read.)

Mieux vaudroit leur apprendre un publique mestier,
Vigneron, laboureur, maçon ou charpentier...

Ainsi Pierre de Ronsard, qui avait adressé tant de poèmes
au cardinal de Lorraine, ne lui envoya plus jamais un vers,
bien que celui-ci ne soit mort qu'en 1574. Il supprima dans les
réimpressions de ses *Œuvres* les vers où il s'était montré si
empressé envers lui, et partout il effaça le nom du cardinal[1].
Ce revirement, faut-il l'attribuer à une déception d'ambition
ou d'argent[2]?

Oui, et non. Il y a lieu surtout de penser que les circonstances avaient déterminé Ronsard à suivre, à la fois en partisan et aussi en poète épris de beauté païenne et catholique,
en Français de tradition, une autre politique qui était celle de
la reine mère.

Deux élégies, publiées à la fin de l'année 1560, sont bien
intéressantes pour suivre l'évolution de la pensée de Ronsard.

A Louis des Masures, son ami[3], poète de Tournai, acquis
cependant aux idées nouvelles, Ronsard adressa la première en date de ces pièces qui ouvraient la guerre des pamphlets[4]. Il protestait de son orthodoxie, repoussait le reproche

1. C'est le temps où le cardinal est insulté par les huguenots, où on ne le nomme
plus que le renard rouge (Bibl. Nat., fr. 22560, Recueil de Rasse de Neus). Ce recueil
est particulièrement intéressant. L'auteur était bien placé pour recueillir ces pièces ;
« Me Rasse Desneux » était en effet chirurgien ordinaire du roi depuis 1560 (Arch Nat.,
KK. 128) ; mais, comme Ambroise Paré, son collègue, il inclinait vers le protestantisme. Il mourut avant 1573, date à laquelle lui succéda « Me Nicolle Desneux, fils
de feu Me Race » (Arch. Nat., KK. 134). Le premier chirurgien était toujours
Ambroise Paré. — Cf. la pièce que lui adressa Ch. Godran en 1564 à la fin de l'*Epicedium.*

2. Les huguenots insisteront lourdement sur l'avarice de Ronsard, qui demeura
toujours pauvre (Bibl. Nat., fr. 22560, p. 35. Recueil de Rasse de Neus).

3. Voir le beau sonnet à Louis des Masures composé en 1560 (II, 20), faisant allusion à sa traduction de l'*Énéide* (1560), dans lequel Ronsard se plaint que De Bèze
ait été « délogé pour une opinion ». Cf. P. de Nolhac, *Un poète rhénan, Paul Melissus*, p. 8.

4. VI, 362 (éd. 1560, t. III, fol. 219 v°). — Louis des Masures, auteur d'une tra-
duction des quatre premiers livres de l'*Énéide* (1552), d'une traduction du *Jeu des
Eschecz* de Vida (1557), des *Carmina* (Lyon, de Tournes, 1557) et des *Œuvres Poë-
tiques*, dédiées au cardinal de Lorraine avec un éloge très senti de sa famille (Lyon,
J. de Tournes, 1557) ; il était en relation avec Joachim et Jean du Bellay, Ronsard
(*Carmina*, fol. 54), les Guises et rima les *Vingt Pseaumes de David traduits selon la*

que les réformés lui adressaient d'avoir chanté l'amour, la
guerre, plutôt que Jésus-Christ, manquant à la promesse
qu'il avait prise dans son « Hercule chrestien ».

Ronsard défend surtout son livre contre les réformés :

> Le lise qui voudra, l'achette qui voudra,
> Celuy qui bien content de mon vers se tiendra
> Me fera grand plaisir : s'il advient au contraire,
> Masures, c'est tout un! Je ne sçaurois qu'y faire.
> Je m'estonne de ceulx de la nouvelle foy
> Qui pour me hault louer disent tousjours de moy :
> Sy Ronsard ne cachoit son talent dedans terre,
> Or parlant de l'amour, or parlant de la guerre,
> Et qu'il voulust du tout chanter de Jesuchrist,
> Il seroit tout parfaict : car il a bon esprit,
> Mais Sathan l'a seduict, le pere des mensonges,
> Qui ne luy fait chanter que fables et que songes.
> O pauvres abusez! que le cuider sçavoir
> Plus que toute l'eglise, a laissé decevoir :
> Tenez vous en vos peaux, et ne jugez personne,
> Je suis ce que je suis, ma conscience est bonne,
> Et Dieu, à qui le cœur des hommes apparoist,
> Sonde ma volonté, et seul il la connoist.

On le voit, c'est une querelle littéraire, d'ordre esthétique,
qu'il vide avec les réformés.

Ronsard se tournait encore vers les Guises, ses protecteurs :

> O bien heureux Lorreins, que la secte Calvine
> Et l'erreur de la terre, à la vostre voisine,
> Ne deprava jamais : d'où seroit animé,
> Un poussif Alemant dans un poesle enfermé,
> A bien interpreter les sainctes escriptures,
> Entre les gobelets, les vins, et les injures?
> Y croye qui voudra, amy, je te promets
> Par ton bel Amphion de n'y croire jamais.

L' « Élégie à Guillaume des Autels[1] », gentilhomme cha-

---

vérité hébraïque et mis en rime françoise (Lyon, J. de Tournes, 1557). Quand il fut
devenu réformé, il produira la *Bergerie spirituelle*, à Genève (1566), une épître à
Madame la duchesse de Lorraine, une *Églogue spirituelle sur l'enfance de Mgr Henri,
marquis du Pont* (1566) et bon nombre de tragédies saintes : David, Jephté, Josias.
(Voir le Recueil de la Bibl. Nat., Rés. Y^e 366-369.) Cf. Ch. Fontaine, *Odes*, 1557, p. 86.

1. V, 355 (éd. 1560, t. III fol. 215 v°) L'ouvrage a paru à part chez G. Buon
en 1563 : *Elegie... sur les troubles d'Amboise*, 1560 (Bibl. Nat., Rés. Y^e 1114). —

Charles, cardinal de Lorraine
(Musée Condé)

rollois et catholique, poète[1] et jurisconsulte, écrite un peu avant les troubles d'Amboise, est bien intéressante dans sa forme primitive, pour fixer la pensée de Ronsard. Il se montre toujours préoccupé de recourir aux armes de l'éloquence; pour pacifier les partis, il convient d'user des livres et des lois. L'adversaire a séduit le peuple par des livres :

> Il fault, en disputant, par livres le confondre,
> Par livres l'assaillir, par livres luy respondre.

Ronsard met son espérance dans le concile qui doit s'ouvrir. Mieux que tout autre, il connaît les maux dont souffre le clergé catholique; il sait bien que des ignorants, des muguets de quinze ans jouissent des biens de l'Église; il n'ignore pas que les bénéfices, comme les offices, se vendent argent comptant :

> Mais que diroit sainct Paul, s'il revenoit icy,
> De noz jeunes prelatz, qui n'ont poinct de soucy
> De leur pauvre troupeau, dont ilz prennent la laine,
> Et quelque fois le cuir : qui tous vivent sans peine,
> Sans prescher, sans prier, sans bon exemple d'eux,
> Parfumez, decoupez, courtizans, amoureux,
> Veneurs, et fauconniers, et avecq' la paillarde
> Perdent les biens de Dieu, dont ilz n'ont que la garde.

Les réformés ne diront pas autre chose. Ronsard montrait l'Église catholique riche, grasse et hautaine :

> Ses ministres enflez, et ses papes encor,
> Pompeusement vestuz de soye et de drap d'or.

Oui, saint Paul pourrait bien se repentir d'avoir reçu tant

Sur ce personnage Cf. abbé F. Charbonnier, *la Poésie française et les guerres de religion*, p. 37-38; F. Lachèvre, *Bibliographie des recueils collectifs de poésies du seizième siècle*, 89, 95, 167.

1. Guillaume des Autels venait de faire paraître, en 1559, sa *Remonstrance au peuple Françoys*, Paris, A. Wechel (Bibl. Nat., Rés., Ye 982), qui contient un éloge de la Paix dédié à Ronsard. L'éloge de la Trève est adressé à Du Bellay et celui de la Guerre à Etienne Jodelle. Les beaux vers sont nombreux dans la *Remonstrance*, rempli de patriotisme, de modération et de talent. Auteur d'une *Harangue au peuple françois contre la Rebellion*, Paris, 1560. G. des Autels, était né à Charolles en 1529; il mourut vers 1576. Pontus de Tyard, qui l'appréciait beaucoup, lui adressa de ses compositions et inséra des vers de lui (*Œuvres*, 1573). Ronsard était lié avec des Autels depuis 1552 au moins. Son *Amoureux repos* de 1553 est fort intéressant.

de coups de bâton et souffert le martyre pour cette Église. Sur ce point-là, Ronsard est donc d'accord avec les réformés qui savent très bien défendre une mauvaise cause, tandis que les catholiques ne savent pas en défendre une bonne. Car s'il est nécessaire de corriger les abus de notre sainte Église, est-ce le moment de se soulever, de prendre les armes contre la pauvre France, quand rois et princes doivent veiller sur leurs provinces ?

> N'avions nous pas assez engressé la campaigne
> De Flandres, de Piedmont, de Naples et d'Espaigne,
> En nostre propre sang, sans tourner les cousteaux
> Contre toy, nostre mere, et tes propres boyaux?
> A fin que du grand Turc les peuples infidelles
> Rissent en nous voyant sanglans de noz querelles?...
> Las! fault il, ô destin, que le sceptre François
> Que le fier Allemant, l'Espagnol, et l'Anglois,
> N'a sceu jamais froisser, tombe soubz la puissance
> Du peuple qui devroit luy rendre obeissance?...
> France, de ton malheur tu es cause en partie,
> Je t'en ay par mes vers mille fois advertye,
> Tu es marastre aux tiens, et mere aux estrangers,
> Qui se mocquent de toy quand tu es aux dangers :
> Car la plus grande part des estrangers obtiennent
> Les biens qui à tes fils justement appartiennent.

On le voit, Ronsard a commencé par défendre son œuvre attaquée par les réformés : et quand ceux-ci ont voulu par la force, et à l'aide de l'étranger, s'emparer du roi et du royaume, il est demeuré sur le terrain pacifique de l'union nationale[1].

Dans un songe[2] Joachim du Bellay, qui l'aima si tendrement[3] et qui venait de mourir, lui apparaissait, hâve et décharné, un pauvre squelette déjà rongé des vers. Il lui parlait de sa

---

1. Il y a, à ce sujet, une lettre de la main de Catherine de Médicis qui éclaire la pensée de Ronsard, et la sienne, après Amboise : « Beaucoup qui étaient de leur opinion quant à cete novelle relygion, ayant veu quele elle était, et à quoy ils voulaient par la venyr, s'en sont retiré. » J'ai un peu modernisé les mots de la reine qui écrit dans un jargon phonétique.

2. Discours à Loys des Masures (V, 364-365). — Je cite toujours le texte de 1560.

3. « Pars animæ quondam dimidiata meæ », dira Joachim du Bellay, dans les vers charmants : Ad P. Ronsardum lyræ gallicæ principem (Pœmatum libri quatuor, 1558, fol. 30-31).

bouche morne et pâle. Ce gentilhomme de lettres dictait à l'autre gentilhomme, au vendômois, son devoir :

> Et me disoit, Ronsard, que sans tache d'envye
> J'aymé, quand je vivois, comme ma propre vie,
> Qui premier me poussas et me formas la voix
> A celebrer l'honneur du langage François,
> Et compaignon d'un art, tu me monstras l'adresse
> De me laver la bouche es ondes de Permesse :
> Puisqu'il a pleu à Dieu me prendre devant toy,
> Entends ceste leçon et la retiens de moy.
> Crains Dieu sur toute chose, et jour et nuict medite
> En la loy que son filz nous a laissee escripte,
> Ton esperance apres, et de corps et d'esprit,
> Soit fermement fichee au sauveur Iesuchrist,
> Obeis à ton prince, et au bras de justice,
> Et fais à tes amis et plaisir et service,
> Contente toy du tien, et ne sois desireux
> De biens ny de faveurs : et tu seras heureux.
> Quant au monde où tu es, ce n'est qu'une chimere...
> Dieu ne change jamais : l'homme n'est que fumée
> Qu'un petit traict de feu tient un jour allumée.
> Bien heureux est celuy qui n'y vit longuement,
> Et celuy qui sans nom vit si obscurement,
> Qu'a peine est il cogneu de ceux de son village,
> Celuy, amy Ronsard, celuy est le plus sage.
> Sy aux esprits des mors tu veux adjouster foy,
> Qui ne sont plus menteurs : Ronsard retires toy,
> Vy seul en ta maison, et ja grison delaisse
> A suyvre plus la court, ta Circe enchanteresse...

Mais il arriva que les « bien heureux Lorrains », que Ronsard célébrait encore dans l'Élégie à Louis des Masures, avaient si bien exploité la conjuration protestante d'Amboise, qu'ils étaient devenus, à leur tour, plus gênants que Condé et les huguenots. Eux aussi, ils ont dans leur plan de mettre la main sur la personne du roi et de la reine. Ronsard le sait bien, puisqu'il a chanté pour eux la légende de Charlemagne. Le cardinal aspire à la papauté, tandis que son frère François, l'heureux et beau soldat, qui vient de dénombrer ses forces (elles sont considérables), a lié partie avec l'Espagne, jouant sur l'échiquier d'Écosse. Les Guises comptent sur l'irritation des petites gens, de tous les mécontents, du clergé catholique exaspéré par le développement si rapide de la Réforme, pour mater la maison de Bourbon; et peut-être, sous prétexte de délivrer la maison de France, les Guises se substitueront à elle. C'est du moins l'accusation qui court à Genève, dès 1560, celle qu'on retrouve dans le *Tigre* où François Hotman demande la mort du cardinal, un factieux tel César[1]. Car, en dépit de l'appel à l'apaisement d'un Calvin, les forces sont déchaînées. Ce ne sont plus deux religions qui se trouvent en présence, mais deux armées qui vont s'affronter. Condé, les huguenots, une partie de la noblesse la plus pauvre du royaume, le peuple mystique des chrétiens réformés, dont le nombre augmente chaque jour, les seigneurs d'Allemagne et l'Angleterre d'une part; et de l'autre les Guises, le simple peuple de France[2] et celui de Paris surtout, les curés et les prédicateurs fanatiques, Rome et l'Espagne.

C'est une bien curieuse figure que celle de la reine mère[3] qui, depuis la mort de son mari, n'a vécu que pour ses enfants, « en un royaume tout divisé, n'y ayant un seul à qui je me puisse du tout fier, qui n'ait quelque passion particulière », comme elle l'écrira dès le mois de décembre 1560.

Catherine de Médicis a horreur de ce qu'elle nomme, comme le faisait son mari, « le garbouil », de ce qui heurte l'autorité royale. Car celle que la légende romantique a tant défigurée fut vraiment alors la « mère et nourrice de toute

---

1. *Le Tigre de* 1560, *reproduit pour la première fois en fac-similé d'après l'unique exemplaire connu* p. p. Charles Read. Peris, 1875. (*Acad. des Bibliophiles.*)

2. Au témoignage de Jean Michel les nobles n'allaient même plus à la messe en ce temps-là.

3. Pour tracer ce portrait, j'ai utilisé les *Lettres* publiées par H. de la Ferrière et Baguenault de Puchesse, Paris, 1880-1909, 10 vol., et surtout les études récentes de M. Lucien Romier, *le Royaume de Catherine de Médicis*, 1922, 2 vol. ; *Catholiques et Huguenots à la cour de Charles IX*, 1924. A l'aide de la correspondance des attachés étrangers, M. Lucien Romier a détruit entièrement la légende romantique qui dissimulait la vraie Catherine. Catherine paraît surtout avoir manqué de résolution, une fois un parti adopté.

paix et tranquillité » que les contemporains ont reconnue.
Acquise peut-être aux idées nouvelles, encore qu'elle pro-
testât de son orthodoxie catholique et entendît chaque jour
la messe, dès Amboise, les Guises ont compris que Catherine
jouerait sa partie sans eux. Elle a chassé de France Marie
Stuart; elle n'a plus recours aux conseils du cardinal de
Lorraine, qui a été brûlé en effigie à Paris. Catherine de
Médicis correspond avec Genève. Elle entend résoudre le problème de la foi comme toute autre question politique. C'est
une vraie Française, sans aucun fanatisme, la fille de
Laurent de Médicis et de Madeleine de la Tour d'Auvergne,
une servante empressée des lys dont elle a l'orgueil. Femme
épaisse et virile, dont la physionomie au teint olivâtre rappelait aux Italiens celle de Léon X, elle se montre sage,
active, séduisant par sa conversation à la fois pondérée et
hardie. Rien ne découragera Catherine dans son travail politique; elle connaît l'histoire de France, ne cessera de négo-
cier, d'expédier missives sur missives. Elle voit dans le
débat confessionnel un procès qui devrait finir par une trans-
action, une simple matière à arbitrer (le roi ne doit pas
prendre un parti, dira son chancelier). Le cardinal de Lorraine est inquiet et louvoie; Théodore de Bèze est reçu par
Charles IX et par la reine à Saint-Germain. C'est elle qui le
présente au cardinal. On plaisante ensemble. Puis les
ministres arrivent par groupes en vue du colloque de Poissy.

Et la brutale opposition catholique aussi s'agglomère,
et reconnaît ses chefs : Guise, Montmorency, Saint-André.
Guise lâche de gros mots. Le cardinal de Tournon veut
surtout faire peur à la reine et il lui annonce la révolution
prochaine : la France va s'organiser à la mode des cantons
suisses.

C'est dans cette atmosphère de lutte et de spectacle que
s'ouvrit, le 9 septembre, à Poissy[1], la controverse des évêques

1. J'ai utilisé les documents réunis et critiqués par le baron de Ruble, *Mémoires
de la Société de l'Histoire de Paris*, t. XVI, 1889.

et des ministres, sous la présidence du petit roi et de la
reine mère, dans la salle du réfectoire du couvent des Domi-
nicains où l'on a utilisé les simples bancs de bois. L'Hospital,
le chancelier, fait naturellement une belle harangue. Il parle
en humaniste, presqu'en sceptique, celui-là à qui Ronsard
avait dédié l'ode sur la naissance des Muses : *Errant par les
champs de la Grâce*[1]... Il faut user de douceur et de bénignité.
Ceux qui savent mourir avec sérénité au milieu des flammes
ont leur conscience aussi. Les livres ne sont pas utiles; il
suffit d'entendre simplement la parole de Dieu, de s'y con-
former, de connaître Dieu seulement et son fils crucifié[2]. Puis
Théodore de Bèze[3], éloquent et beau parleur que Ronsard et
Michel de L'Hospital connaissaient bien (il a écrit les *Juvenilia*), fait une harangue d'apparat, en beau et vulgaire français,
maladroite cependant sur un point. Car emporté par une
métaphore, il déclare que le corps de Jésus est aussi loin du
pain que le haut des cieux est éloigné de la terre. Des protes-
tations s'élèvent dans la salle. Tournon apostrophe la reine :
« Supporterez-vous que de telles horreurs soient proférées
devant le roi et vos enfants, d'un âge si tendre et innocent ? » Le cardinal de Lorraine cherche à amadouer Catherine par l'octroi des subsides des églises. Le connétable de
Montmorency se montre agacé. En parlant des hérétiques,
il dit qu'il faut les traiter avec le fouet. Mais la reine
demeure fidèle à l'idée d'un compromis. On le voit bientôt :
le plan des catholiques est de rompre la partie. Bèze et
Lorraine échangent d'aigres propos. Et le P. Lainez, général
des Jésuites, condamne brutalement tout le programme
du colloque : « La foi n'est pas du domaine des nations
particulières, mais universelle et catholique[4]. » Il se tourne
vers la reine déclarant qu'il ne lui appartenait pas de faire

---

1. I, 119, 142. — 2. *OEuvres*, éd. Dufey, I, p. 469, 473.
3. La planche de Tortorel et Périssin le montre à la barre, au milieu des pasteurs,
dressé et la main levée, dans son action oratoire.
4. *Disputationes Tridentiæ*, éd. Griser, 1886.

traiter de telles questions. Alors Catherine pleure. Les protestants ayant refusé de souscrire la formule qu'on leur
imposait, les docteurs catholiques en profitent pour déclarer
le colloque clos.

Pierre de Ronsard est parmi les assistants du colloque de
Poissy[1]. Depuis bien des années il connaît les luthériens, les
ayant observés en Allemagne. Son esprit, libre et hardi,
avait même été touché par les idées nouvelles :

> J'ay autrefois goûté, quand j'estois jeune d'âge,
> Du miel empoisonné de vostre doux breuvage.

Mais durant la controverse de Poissy, Ronsard observe
encore :

> Tu dis que des prelats la troupe docte et sainte,
> Au colloque à Poissi, trembla toute de crainte
> Voyant les Predicans contre elle s'assembler :
> Je la vy disputer et ne la vy trembler,
> Ferme comme un rocher, qui jamais pour orage
> Soit de gresle ou de vent ne bouge du rivage,
> Assuré de son poix : ainsi sans s'esbranler
> Je vy constantement cette troupe parler.

En vérité, aux jardins de Poissy, Ronsard paraît bien s'être
intéressé surtout à cette « fleur nouvelle », passant la rose et
le lys, à sœur Anne des Marquets[2], une jeune religieuse de
vingt-trois ans du couvent des Dominicaines, qui avait écrit
à propos de l'assemblée, une suite de sonnets, des vers mystiques d'une élévation véritable[3]; et il chansonna, avec
Lancelot de Carle, évêque de Riez, ancien aumônier de

1. On peut l'imaginer, derrière les bancs, parmi les serviteurs qui paraissent
fort s'ennuyer, là où les montre la planche de Tortorel et Perissin. (Collection
Hennin, t. V.)

2. VI, 409 ; en tête des *Sonnets, prieres et devises en forme de pasquins* (Bibl. de
l'Arsenal, 8898.)

3. Dans les *Premieres Œuvres* de Scévole de Sainte-Marthe, 1569, fol. 110, on trouve
un magnifique éloge d'Anne des Marquets dont il avait lu, « cent fois le jour », ses
beaux vers remplis de l'amour de Dieu. — *Les Divines Poésies de Marc Antoine Fla-
minius... mises en francois... avec plusieurs sonnets et cantiques ou chansons spirituelles pour louer Dieu*. Paris, Nic. Chesneau, 1569 (Bibl. Nat., Rés. Y° 2 695). —
La suite des sonnets est charmante, si les traductions sont médiocres ; mais l'idée de
traduire en français des hymnes a séduit Ronsard.

Henri II, prélat italianisé et helléniste, traducteur de *Théagène et Chariclée*, les docteurs, les ministres, le pape lui-même, sur le plaisant thème qu'il faut bien que tout le monde aime[1] :

> Le Pape aussi, qui est le Dieu de Rome,
> Pour bien aimer il dict qu'il ne craind homme.
> Et puis Calvin dit, concluant l'affaire,
> Qu'en bien aimant on peut à Dieu complaire.

Ainsi, au mois d'octobre, les seigneurs catholiques ont regagné leurs terres, résolus à sauver par la force le royaume et les États de la chrétienté. Ils préconisent la guerre ; une grande ligue, soutenue par le roi catholique, est en formation. Voilà pour les Espagnols la porte de la France ouverte, sous le prétexte d'y sauver la religion. Car Philippe II a promis d'aider ceux qui lui demanderaient assistance pour la religion. L'ambassadeur d'Espagne Chantonnay le confirme à la reine[2]. Cette fin d'année voit se lever, un peu partout, des tumultes. Ici les huguenots sont pourchassés ; ailleurs, ils s'emparent des temples. Les catholiques dressent des listes de huguenots.

Mais la reine, qui vient cependant de subir un échec au colloque, reprend courageusement son grand dessein ; elle veut un statut légal pour la Réforme qui apportera la paix au royaume. C'est l'édit de tolérance qui, ayant fait défense aux protestants de s'assembler à l'intérieur des cités, leur permettra, pendant le jour, de se réunir hors des villes (17 janvier 1562). Alors Bèze nomme Charles IX « notre petit roi », un nouveau « Josias ». Et Catherine demande à Jean de Monluc[3] et à Michel de L'Hospital, deux amis de Ronsard, un nouveau programme de conférences entre théologiens catholiques et théologiens réformés.

1. VI, 409. La chanson, pleine d'équivoques, a été conservée par Rasse de Neus (Bibl. Nat., **fr. 22 560**) : *Chanson faite par Lancelot Carles, evesque de Riez, contre les ministres estans a Poissy. Ronsard et Bai[f] y ont aussi besongné.* — Dorat a écrit son tombeau (*Pœmatio*, 1586, p. 154).

2. L. Romier, *Catholiques et huguenots à la cour de Charles IX*, p. 247.

3. II, 14. — Ce frère du soldat, évêque de Valence, était un esprit très libre, favorable aux huguenots. Voir ce qu'en dit Brantôme, qui l'a bien connu (IV, 45-46).

Les notes que prit Pierre de Paschal dans son journal de l'année 1562, où il met amicalement en scène Ronsard, est vraiment un document d'un extraordinaire intérêt[1] ; par lui nous pouvons revivre, jour par jour, les alarmes de la vie de Paris, cette année-là où le poète allait devenir un propagandiste militant. Car ce Paschal, Méridional verbeux sans doute[2], cicéronien à ses heures, qui avait suivi le cardinal d'Armagnac à Rome dont il a si bien exprimé l'aspect et le charme, historiographe officiel de Henri II, protégé du cardinal de Lorraine dont il a utilisé les notes historiques, ami de Ronsard qui le porta aux nues avant de le déchirer dans une invective latine, est loin d'avoir été le hâbleur ignare, l'imposteur que le poète a pu dépeindre à Brantôme et à Pasquier, un jour de rogne. Paschal a beaucoup travaillé à l'histoire latine de Henri II que sa courte vie ne lui permit pas de produire[3]. Il a été mêlé, de très près, à la propagande française[4]. Il est resté l'homme de la reine à qui il présenta, en 1560, un éloge latin de Henri II revu par le roi, et qu'elle fit imprimer et traduire en trois langues[5]. Il ne faut pas

---

1. Bibl. Nat., ms. Dupuy 944, publié dans la *Revue rétrospective*, t. V, 1834, p. 81-116 ; 168-212. Ce journal est de la main de Pierre de Paschal. — Sur ce personnage, cf. Paul Bonnefon, *Pierre de Paschal, historiographe du roi (1522-1565)*, Paris, 1883 (*Revue d'histoire littéraire*) et surtout P. de Nolhac, *Ronsard et l'Humanisme*, p. 257-339 ; *Un humaniste ami de Ronsard, Pierre de Paschal*, dans la *Revue d'histoire littéraire*, 1918, p. 32, 243, 362. — Le journal de Paschal doit être complété par la relation insérée dans les *Registres du Bureau de la ville*, V, 163 : *Repetition des choses advenues en ceste presente année* 1562. Ce dernier document, dû à un homme très catholique, appartenant sans doute au connétable, favorable aux Guises, est important : les nouvelles doctrines mettent Paris en danger, et Paris est le miroir de la Chrétienté. On le voit bien : la Saint-Barthélemy est une révolte populaire retardée de dix ans.

2. Dans les *Amours* de 1552, Ronsard a écrit sur lui ce vers charmant :
Paschal, Paschal, Garonne resonnant...

3. Il mourut en 1565. — « Bel abuseur », a dit de lui Brantôme (III, 283), qui peut bien répéter un mot de Ronsard (Voir à ce sujet les railleries de Florent Chrestien : *Seconde response*). — Le ms. lat. 11481 contient un fragment autographe du livre I de la vie d'Henri II et des notes diverses ; le ms. lat. 18339, les livres II, III, IV ; le ms. Dupuy 944, le journal autographe en français que nous allons utiliser.

4. Bibl. Nat., ms. Dupuy 624, fol. 160, 188.

5. Un exemplaire fut déposé par son ordre au Trésor des Chartes.

attacher trop d'importance à un mouvement d'humeur de
Ronsard dans sa brouille avec Paschal qui devait d'ailleurs
durer si peu de temps. Oublions le latiniste, qui n'était
peut-être pas fameux; mais rendons grâces au bon observateur que Pierre de Paschal a été dans son journal, où il
s'exprime non pas dans la langue de Cicéron, mais en vulgaire français, où il parle surtout en bon Français et non en
partisan. C'est seulement à la lumière de ce beau document
que les vers de Ronsard prennent leur valeur et leur sens.
Par lui nous comprenons comment Ronsard, serviteur de
la maison de Lorraine, devint l'homme de la reine Catherine.

Voici le résumé de ce qui se passa, suivant Paschal, entre
janvier et mai 1562, époque où Ronsard devait écrire pour
la reine le « Discours des miseres de ce temps ».

En janvier, la sédition catholique couve dans Paris, une
grande ville d'artisans attachés à leurs paroisses, qui compte
de 400 000 à 500 000 habitants et 20 000 écoliers. On conduit à Saint-Germain-en-Laye, sous la garde des marchands et des archers, armés de pistolets, les théologiens qui
vont disputer avec les ministres certains points de la religion. On voit le recteur de l'Université se rendre au Parlement pour le supplier de ne pas accepter l'édit des assem-
blées de Saint-Germain. Le clergé fait la même démarche. A
Saint-Germain, la bataille se poursuit âpre et si longue, au
sujet des images, que la reine fait demander par le chancelier
à tous de se retirer à Paris et de mettre par écrit leurs arguments en vue du concile. Bèze y prêche le carême. Dès ce
temps le bruit court que les prétendus réformés enrôlaient
jusqu'à 12 000 reîtres à cheval. Puis la reine rentre à son
tour dans Paris.

En février, elle se rend à l'assemblée des huguenots dans
une maison privée du quartier des Tournelles. Catherine
et la reine de Navarre, sans être connues, parcourent Paris,
pour savoir ce qu'on dit du gouvernement; dans les bou-

tiques, elles se présentent comme des clientes. Ainsi elles
entendent beaucoup de propos contre les grands, et aussi
contre la reine de Navarre. Le 7 mars, le roi de Navarre a
porté lui-même au Parlement l'édit qui permettait aux protestants de prêcher hors des villes. L'édit est imposé au
Parlement malgré sa résistance. En manière de protestation,
les ministres cessent leurs prêches au faubourg Saint-Victor.
De grandes bandes d'écoliers, qui allaient au prêche deux
par deux, processionnaient vers le Palais, l'épée au côté,
pour demander la publication de l'édit. De leur côté, les
marchands et bourgeois de Paris se rendaient fréquemment
à Saint-Germain pour supplier la reine de faire cesser ces
tumultes. Le connétable de Montmorency, avec trois cents
hommes, est chargé d'assurer la sûreté dans Paris où les écoliers sont désarmés. Mais quand on demande à la ville de
Paris d'acquitter la solde des soldats, le bureau répond qu'il
ne veut pas payer ceux qui gardent seulement les huguenots.

Le 20 mars, on ensevelit un huguenot au cimetière des Innocents ; soudain les « papistes[1] » le viennent désensevelir, et
ils déposent le mort au milieu de la rue, dans la boue. Les
huguenots le remettent en terre ; derechef les papistes le
déterrent. Ce jour-là, il y eut un tué et quelques blessés.
Des contestations s'élèvent au sujet de l'application de l'édit ;
on trouve que les huguenots prêchent dans des jardins trop
rapprochés des murailles.

Enfin, M. de Guise arrive à Paris, entre en triomphe par la
porte Saint-Denis, au milieu d'un peuple infini criant qu'il
était le bienvenu, qu'il arrivait encore assez à temps pour
chasser les huguenots. Il s'avance au milieu des acclamations,
le grand ambitieux, celui qui rêve de jouer le rôle de
Charlemagne. Le prévôt des marchands est là, avec M. le connétable et le maréchal de Saint-André. Déjà M. de Guise
parle d'aller trouver le roi et la reine ; les bourgeois et les

1. C'est le terme dont use Paschal.

marchands lui présentent leurs doléances. M. de Condé se
tient, lui aussi, à Paris. Mais il ne s'est pas rendu à l'assemblée et il demeure dans sa maison, sous bonne garde. Le
19 mars, les ministres ont prêté au Parlement serment
d'observer l'édit. Le président va parler à Condé. Il répond
que, quoi que la cour ait ordonné, les ministres prêcheront
là où ils prêchaient suivant la volonté du roi. M. le cardinal
de Lorraine s'est installé au Louvre. Les partisans de MM. le
prince de Condé et Guise sont en armes dans la rue. « Par
toute la ville tant oyoit on les arquebusades qu'il sembloit
que Paris fust une ville frontière. »

Et voici comment l'on fêta, le 22 mars, le jour de Pâques
fleuries. Le connétable, M. de Guise, le maréchal de Saint-
André, quinze ou seize chevaliers de l'Ordre, ainsi qu'un
grand nombre d'autres gentilshommes et de grands seigneurs,
partent de la maison du connétable, rejoignent la procession
de Sainte-Geneviève, et vont à Notre-Dame entendre la
grand'messe. Un dîner magnifique a lieu le soir chez
M. le connétable. Le même jour, M. de Bèze prêche, tient son
assemblée, administre les baptêmes suivant la nouvelle et la
vieille tradition. Après dîner, M. de Bèze parle dans le jardin,
devant une nombreuse assemblée; M. La Rivière, du haut
d'une fenêtre, à ceux qui étaient sur les fossés. Mais ce jour-là,
on se compta et on se regarda. Car les papistes portaient des
rameaux aux mains et les huguenots n'en avaient pas; et
plusieurs se moquaient de ceux qui en portaient. Il apparaissait alors que le nombre des papistes dépassait de beaucoup
celui des huguenots.

Interdiction est faite à qui n'est pas gentilhomme, sous
peine d'être pendu et étranglé, de porter l'épée ou la dague.
Les maisons sont remplies de soldats, sans qu'on sache qui
les paye. M. le prince de Condé ne sortira pas de Paris si
M. de Guise ne s'en va pas, lui aussi. Au port Saint-Jean
en Grève, quinze pipes pleines d'armes, de pistolets, de corselets, de poudre sont déchargées ; et les mariniers savaient

que d'autres nefs arriveraient bientôt. Quatre portes de Paris seulement demeurent ouvertes. Le 21 mars, M. de Guise, le roi de Navarre, le maréchal de Saint-André marchent sur Fontainebleau. Ils sont accompagnés de plus de cent chevaux. Le vendredi saint, les huguenots font leur prêche entre la porte Saint-Jacques et la porte Saint-Marcel, au lieu accoutumé. Et comme ceux de la ville avaient braqué quelques vieilles pièces sur la porte Saint-Jacques, par moquerie les huguenots mettent aux fenêtres de la maison où ils étaient rassemblés des pots à beurre et des mortiers, comme s'ils pointaient des pièces d'artillerie. Le 2 avril, la garde des portes et des murailles est renforcée. Certains capitaines passent la revue de leurs soldats au couvent des Cordeliers.

Le prince de Condé et ses partisans entrent dans Orléans, au grand déplaisir de la reine qui les prie de déposer les armes. Mais Condé répond que M. de Guise, son grand ennemi, veuille bien les déposer aussi, qu'il était comme lui prince du sang, que Guise n'était qu'un prince étranger. Le 4, M. le connétable se rend au faubourg Saint-Jacques, dans la maison où l'on prêchait ; il s'empare des armes qui étaient dans cette maison, les donne, comme après un pillage, aux soldats. On trouve là force arquebuses, pistolets, corselets, morions, hallebardes, piques et autres harnois. Le connétable fait brûler la chaire à prêcher, les bancs, tout ce qui était en bois dans la maison. De même à Popincourt. On apporte tout ce bois devant la Maison de la ville ; on y met le feu, aux cris de : *Dieu n'a pas oublié le peuple de Paris !* Si quelqu'un murmure, il est immédiatement battu ou tué.

Le roi et la reine sentent le danger, l'embrasement général qui menace. Ils se rendent à Vincennes, puis au Louvre, au milieu de la garde suisse. Le Parlement ne va même pas à leur rencontre, comme c'était l'usage. On prie dans la grande salle du Louvre. La reine demande au prince de Condé de déposer les armes. Mais les échevins de Paris se placent sous la protection de M. de Guise. Car on craint une surprise des huguenots. Le roi de Navarre, qui aperçoit Pierre de Paschal, l'appelle et lui dit : « Nous vous donnons bien matière de faire une bonne histoire! » Et Paschal lui répondit, avec sagesse, qu'il le voyait bien, qu'il priait Dieu que la fin fût plus salutaire à la République que n'était le commencement.

On ne désarmera pas les violents des deux partis par des proclamations; des tranchées sont creusées sur le chemin d'Orléans, hors du faubourg Saint-Jacques. La reine mère, qui se promène dans le jardin du Louvre, en s'entretenant avec un émissaire d'Orléans, est accueillie par un concert de cornets à bouquins que fait donner le roi de Navarre. Elle se fâche et dit que ce n'est pas l'instant de se réjouir, quand tout le monde demeurait en détresse et fâcherie de l'état où était la France pour les troubles qui y naissaient tous les jours. On croit parer au mal en publiant un édit interdisant les prêches dans le bailliage de Paris. La reine se rend à Notre-Dame, au milieu de tout un peuple qui prie Dieu de conserver le roi, la vraie et pure religion de Jésus-Christ. Au mois d'avril, la ville de Rouen est prise par les huguenots. Le 22, le roi et la reine, M. de Guise et le connétable, visitent les canons de l'Arsenal et en font tirer plusieurs coups. « M. de Ronsard et moy y pensâmes perdre les oreilles », dira Paschal, qui savait bien que Ronsard était dur d'oreille, « un peu sourdaud », mais pas sourd comme ses disciples tardifs le diront poétiquement.

M. de Guise se loge au Louvre avec deux mille chevaux. On ramène l'artillerie d'Amiens et de Compiègne. Le 3 mai, les huguenots brûlent à Rouen tous les ornements d'église, dommage estimé à trois cent mille écus. C'est le commencement du pillage de tant d'églises en France. Les habitants de Paris s'organisent militairement, par quartier, sous des capitaines. Le 3 mai, le roi et la reine quittent Paris, pour montrer à ceux d'Orléans qu'ils ne sont pas les prisonniers des Parisiens. Des chaînes sont tendues partout.

Les papistes de Provence exilent les huguenots. Paris est
dans les alarmes. Dix mille personnes entourent Saint-Germain-l'Auxerrois quand on y baptise catholiquement, au son
des cloches, une fille de sept ans déjà baptisée par les
ministres. On brûle leurs livres sur la place Maubert. Des
processions considérables de catholiques se déroulent dans
Paris. La reine y rentre cependant et elle s'efforce d'apaiser
les gens du Parlement.

En ces jours terribles, Pierre de Ronsard prend la parole[1].
C'est à la « Royne mere du Roy », Catherine de Médicis, qu'il
adresse le « Discours des Miseres de ce Temps », paru d'abord
sous la forme de six feuillets volants non chiffrés[2].

Ronsard peut s'y montrer encore l'homme des Guises. Mais
c'est le catholique qui parle, et surtout le patriote royaliste.
Car les triumvirs ont menacé Catherine, si elle ne renonçait
pas à sa politique personnelle, de détrôner Charles IX. Et
Saint-André a proposé simplement de la jeter à la rivière !
Elle savait qu'elle pouvait être assassinée d'un moment à
l'autre ; et le petit Charles avait bien pleuré quand on l'avait
arraché de Fontainebleau.

C'est à la reine que Ronsard connaît bien, à la mère surtout qu'il s'adresse[3] ; et Catherine de Médicis, le modèle des
épouses, a été une admirable mère[4]. C'est à la politique, à la

1. Un commentaire bien éloquent de ces événements est donné par une série de
planches de propagande protestante (Recueil de Tortorel et Perissin) et par une suite
d'images catholiques : *Horribles cruautez des Huguenots en France* (Bibl. Nat., Cabinet
des Estampes, série historique Q 20.) — 2. A Paris chez Gabriel Buon Bibl. Nat.,
Rés., m Y⁰ 5o (V, 328-336). Mes citations sont faites d'après ce texte. — L'ouvrage a
dû être très répandu, populaire. Il y a des réimpressions à Lyon, à Paris, à Anvers.
Récemment M. A. Péreire retrouvait un exemplaire imprimé en lettres gothiques
par un petit libraire de Troyes, François Trumeau.

3. Ronsard vient de publier l'*Institution pour l'Adolescence du Roy treschrestien
Charles neufviesme de ce nom*. Paris, Buon, in-4°.

4. Les documents relatifs à la polémique de Ronsard avec les huguenots ont été
rassemblés par M. Pierre Perdrizet, *Ronsard et la Réforme*, Paris, 1902 ; par
M. l'abbé F. Charbonnier, *la Poésie française et les guerres de Religion* (1560-1574),
Paris, 1919 ; *Pamphlets protestants contre Ronsard* (1560-1577), Paris, 1923. Les
appréciations de M. Pierre Perdrizet, qui s'est élevé avec raison contre un article

femme expérimentée que parle Ronsard, à celle qui se fait lire l'histoire de France, exige l'union et la bonne volonté des Français[1]; elle peut bien savoir, comme Ronsard, que le vice et la vertu ne sont pas l'apanage d'un temps, que les princes sont différents de caractère et de complexion. Ronsard la félicite d'abord de n'avoir pas fait changer de religion à son fils :

> Las! Madame, en ce temps que le cruel orage
> Menace les François d'un si piteux naufrage...
> Prenez le gouvernail de ce pauvre navire,
> Et maugré la tempeste, et le cruel effort
> De la mer, et des vens, conduisez-le à bon port.
> La France à jointe mains vous en prie et reprie.

Et Ronsard rappelait, avec une magnifique éloquence, le précieux héritage des vaillants rois du temps passé, nos Charles et nos Louis, qui avaient rassemblé, pour leurs fils, une si belle terre :

> Heritage opulent, que toy peuple qui bois
> De l'Angloise Tamise, et toy More qui vois
> Tomber le chariot du soleil sur ta teste,
> Et toy race Gottique aux armes toujours preste
> Qui sens la froide bise en tes cheveux venter,
> Par armes n'avés sçeu ny froisser, ny domter.

Ronsard disait la pitié qui saisissait les étrangers eux-mêmes, lorsqu'ils pensaient à notre nation, en cette mauvaise année 1562, annoncée par les comètes :

> O toy historien, qui d'ancre non menteuse
> Escrits de nostre temps l'histoire monstrueuse,
> Raconte à nos enfans tout ce malheur fatal,
> Afin qu'en te lisant ils pleurent notre mal,
> Et qu'ils prennent exemple aux pechés de leurs peres,
> De peur de ne tomber en pareilles miseres.

célèbre et tendancieux de Brunetière (*Revue des Deux-Mondes*, 15 mai 1900), sont en général très justes. Mais la chronologie des pièces doit être corrigée. M. Henri Longnon (*Revue Universelle*, 15 octobre 1923) a montré l'importance des *Discours* dans la polémique d'idées, et comment Ronsard, qui ne fut jamais théologien, s'est placé sur le terrain du Français royaliste, du politique en un mot, parla en poète épris de beauté, d'ordre et de raison.

1. Voir le passage si intéressant des *Mémoires* d'Henri de Mesmes, où il rapporte que la reine intervint elle-même pour le décider à se mettre au service du roi et de la patrie.

Comme jadis aurait pu le faire Alain Chartier, Ronsard imaginait l'allégorie d'Opinion, fille d'Orgueil, de Fantaisie et de Jeunesse Folle ; elle cache, sous un pauvre habit, l'ambition ; son visage est celui d'une sirène et, de sa bouche, coulent de douces paroles :

> Ses jambes et ses pieds n'estoient de chair ny d'os ;
> Ils estoient faits de laine, et de cotton bien tendre,
> Afin qu'à son marcher on ne la peut entendre.

Ce monstre, logé au cabinet des théologiens, a mis la France en campagne, armant le frère factieux contre le frère, en un temps où la femme ne reconnaissait plus l'autorité de son mari :

> Les enfans sans raison disputent de la foy,
> Et tout à l'abandon va sans ordre et sans loy.
> L'artizan par ce monstre a laissé sa boutique,
> Le pasteur ses brebis, l'advocat sa pratique,
> Sa nef le marinier, sa foyre le marchand,
> Et par luy le preud'homme est devenu mechant.
> L'escolier se desbauche, et de sa faulx tortue
> Le laboureur façonne une dague pointue,
> Une pique guerriere il fait de son rateau,
> Et l'acier de son coultre il change en un couteau.
> Morte est l'authorité : chacun vit à sa guise.

Voilà un tableau, non seulement vigoureux, mais exact des misères de ce temps. Car, « farouche à son prince », la France se détruisait elle-même par la guerre civile. Que la reine, dans cette ruine de l'autorité, commande et prenne la direction du gouvernement :

> Mais vous, royne tressage, en voyant ce discord
> Pouvez, en commandant, les mettre tous d'accord.

Qu'elle imite le pasteur qui, voyant les abeilles se ruer l'une contre l'autre, verse sur leur essaim un peu de poussière pour apaiser leurs querelles :

> Retenant des deux camps la fureur à son aise,
> Pour un peu de sablon leurs querelles appaise.

RONSARD. 11

Ainsi presque pour rien la seulle dignité
De vos enfans, de vous, de vostre autorité,
(Que pour vostre vertu chaque Estat vous accorde)
Pourra bien appaiser une telle discorde.

On le voit, Ronsard traduisait bien la pensée secrète de la reine qui, depuis deux ans, avait essayé d'imposer sa direction aux événements et aux hommes, inspirant toutes les paroles de conciliation d'un Michel de l'Hospital[1].

Car Michel de l'Hospital, robin d'Auvergne, était un humaniste italianisé. Chancelier de Marguerite de France, il avait servi avec dévouement la sœur d'Henri II, devenue duchesse de Savoie, la bonne amie de la reine Catherine qui tint de Marguerite son propre chancelier. Avec non moins de dévouement Michel de l'Hospital servit Catherine. L'homme était souple, doux, sceptique, aimant par-dessus tout les belles-lettres latines. Sans personnalité, Michel de l'Hospital a surtout traduit les idées de la reine mère. Il a raconté qu'en prenant la charge de chancelier il avait trouvé deux politiques en présence : l'une, qui consistait à s'appuyer sur « des gens très audacieux et très puissants, qui aimoient toujours

1. Ronsard connaissait Michel de l'Hospital depuis 1552, et il avait dû le rencontrer dans la maison savante de Morel (Pierre de Nolhac, *Ronsard et l'Humanisme*, p. 178). Les vers latins de Michel de l'Hospital sont très intéressants à comparer avec les poèmes de Ronsard. Il y a un parallélisme frappant, et souvent un emprunt de l'un à l'autre (*Œuvres*, éd. Dufey, III). Comme Ronsard, avant que la reine Catherine ait décidé de jouer la partie du jeune roi sans les Guises, l'Hospital avait célébré la maison de Lorraine, les triomphes de François de Lorraine, la victoire de Calais et de Guines, la prise de Thionville (III, p. 232, 240, 245, 511), parlé à Charles de Lorraine et à Odet de Chastillon (*Ibid.*, p. 224) ; et il a chanté, comme Ronsard, sa protectrice Marguerite de France. Le poème qu'il écrivit en ces jours : *De bello civili* (*Ibid.*, p. 418) a certainement inspiré Ronsard qui avait déjà traduit son poème latin sur l'instruction du roi : *De sacra Francisci II initiatione*, dans l'*Institution pour l'adolescence du Roy*. Je ne suis pas le premier à faire cette remarque ; mais je l'ai faite sans connaître le travail de M. Maurice Lange paru dans la *Revue d'histoire littéraire*, t. XX (1913) : « Quelques sources probables des Discours de Ronsard ». C'est l'évidence même. — P. de Nolhac a signalé qu'en 1564, les humanistes latinisants offrirent au chancelier une médaille antique représentant Aristote : à cette occasion ils composèrent une poésie latine pour comparer le chancelier à un autre Aristote (Bibl. Nat., ms. lat. 8139). On rencontre dans cet hommage bien des amis de Ronsard, J. de Mesmes, Denis Lambin, Léger du Chesne, Claude Fauchet, et, ne l'oublions pas, Théodore de Bèze (*Ronsard et l'Humanisme*, p. 178, note).

agir par force » ; l'autre, procédant par « conseil et raison ».
La première méthode était celle des Guises; l'autre, la
méthode de Catherine de Médicis : c'est celle qu'il suivit[1].

Mais en présence des forces déchaînées, des intérêts en
cause, ce programme était plus facile à réaliser en images
poétiques qu'en fait. Sachons gré, du moins, à Ronsard d'avoir
indiqué à la reine, qui le savait bien, où était le devoir,
d'avoir prié, avec tant de cœur, le Dieu de la paix éternelle
d'apaiser la colère des deux camps, de lui avoir demandé
d'attacher au croc, dans un magasin, les armes des mutins :

> D'un esclat de tonnerre arme ta main aux cieux,
> Et pour punition eslance sur leur teste,
> Et non sur les rochers, les traits de la tempeste.

Ainsi, au mois de mai 1562, raisonnait Ronsard.

Ce qui se passa entre mai et octobre, suivant Pierre de
Paschal, fut plus violent encore, surtout dans la province. A
Saint-Calais, près du Mans, les papistes remplissent un
puits de huguenots; ces derniers sauront rendre même traitement aux catholiques. Dans le Vendômois, les huguenots
brûlent les reliques et les images. Les gens terrifiés se réfu-
gient dans les villes où le prix des denrées rend la vie si
difficile. La foi catholique s'exalte dans d'immenses processions se déroulant à Paris où le peuple se prosterne devant
la châsse de sainte Geneviève. On voit monter la fumée des
livres que l'on brûle. Par contre, les églises de Meaux sont
pillées par les huguenots. A ces dévastations répond la sauvagerie du populaire qui, à Paris, jette à la rivière ceux qui
sont soupçonnés d'être favorables aux réformés. Car la populace veut faire sa justice elle-même, exterminer sans le concours de magistrats. On entend jusqu'aux enfants crier dans
les rues : *au méchant huguenot hérétique !* Et bientôt, à Paris,
dans un juillet pluvieux, règnent la peste et la famine. La

1. Roger Peyre, *Marguerite de France* ; E. Dupré-Lasale, *Michel de l'Hospital avant son élévation au poste de chancelier*, Paris, 1875-1899, 2 vol., et C. T. Atkinson, Londres, 1900.

reine Catherine est désespérée ; car ceux de Paris ne veulent pas tolérer les huguenots, vivre en paix avec eux. Ils supplient la reine de les laisser s'exiler. Ils iront vivre catholiquement en Espagne, en Flandre, en Italie. « De quoi, la reine fut, ce dit-on, en grande peine. »

Affreux jours, qui arrachent des larmes à Catherine de Médicis, à celle-là qu'on nous disait sans cœur ! Alors l'ambassadeur d'Angleterre demandait son rappel pour ne pas être le témoin des scènes du vandalisme huguenot et de la terreur catholique à Paris, où la populace semblait revenue à une sauvagerie primitive. Le bruit courait que les Anglais allaient descendre en France et les ports étaient pleins de gens armés ; les lansquenets du comte de Rheingraf, tous de vieux soldats, s'installaient à Charenton. Dans le Tardenois, c'est la commune, la jacquerie.

« Gentilhomme de courage, et à qui les vers n'avoyent pas osté l'usage de l'espée »[1], ainsi, chevaleresquement, comme avant le duel, Agrippa d'Aubigné saluera Ronsard. Car Ronsard, qui avait maudit la guerre[2], était entré dans la guerre. Il faut dire qu'au printemps de 1562, les huguenots s'étaient emparés de Vendôme, où les tombes des princes de la maison de Vendôme avaient été violées dans l'église de la Trinité. Des bandes de huguenots brisaient, dans la campagne, les croix et les images.

Ainsi, entre mai et octobre 1562, Ronsard a dû prendre les armes. L'historien Jacques-Auguste de Thou nous rapporte même que Ronsard avait formé une troupe de gentilshommes et qu'à leur tête il châtia sévèrement « un grand nombre de ces brigands » ; suivant de Bèze, réformé, qui rapporte les mêmes faits dans son *Histoire Ecclésiastique*, c'est naturellement Ronsard qui est coupable de « plusieurs courses avec

1. *Histoire universelle*, éd. de Ruble, II, p. 42.
2. V, 30.

pilleries et meurtres » sur le pays, car les gentilshommes catholiques du Mans tenaient ceux de la religion « en merveilleuse sujétion ». Un fait assuré est que Ronsard a défendu, les armes à la main, sa cure-baronie d'Evaillé, le seul bénéfice qu'il eût alors [1].

Ce qui est certain, c'est que l'affaire fut chaude, que Ronsard échappa, par miracle, aux coups des réformés [2] :

> N'agueres le bon Dieu me sauva de leurs mains,
> Après m'avoir tiré cinq coups de harquebuse...
> Je vis encor', Paschal, et ce bien je recoy
> Par un miracle grand que Dieu fist dessur moy.

On ne doit pas s'étonner si Ronsard, entre juillet et octobre, lançant une autre plaquette de propagande, la « Continuation du Discours [3] », prend un ton violent que nous ne lui connaissions pas encore. Ronsard comprend que les huguenots ne désarmeront pas. Au surplus, ils viennent, coup sur coup, de l'attaquer dans leurs libelles, de l'accuser d'athéisme [4]. Mais son patriotisme se hausse à l'épreuve :

> Ma Dame, je serois ou du plomb ou du bois,
> Si moy que la nature a fait naistre François,
> Aux siecles advenir je ne contois la peine
> Et l'extreme malheur dont notre France est pleine.
> Je veux maugré les ans au monde publier,
> D'une plume de fer sur un papier d'acier,
> Que ses propres enfans l'ont prise et devestue,
> Et jusques à la mort vilainement batue.

Ronsard disait, une fois de plus, les brigandages des nouveaux chrétiens (un Calvin les déplora); il peignait de la sorte ceux qui se disaient les héritiers du royaume céleste :

---

1. Il avait résigné, avant juin 1559, la cure de Challes, près du Mans (P. Laumonier, *Ronsard et sa province*, p. xxvi). La charge d'archidiacre de Château-du-Loir paraît avoir été surtout honorifique.
2. V, 381.
3. V, 336-348. — Bibl. Nat., Rés., m Y⁵ 51. Mes citations sont faites d'après ce texte.
4. F. Charbonnier, *Pamphlets protestants contre Ronsard*, p. 3-4.

> Les pauvres insensez! qui ne cognoissent pas
> Que Dieu pere commun des hommes d'icy bas
> Veult sauver un chacun, et que la grand closture
> De son grand Paradis s'ouvre à toute creature...
> Et quoy? bruler maisons, piller et brigander,
> Tuer, assassiner, par force commander,
> N'obeir plus aux roys, amasser des armées,
> Appelez-vous cela Eglises reformées?

Tout cela, les ministres le savaient aussi bien que Ronsard. Depuis longtemps Calvin recommandait à tous douceur et patience. Mais que faire en présence de forces déchaînées? que dire à tous les révoltés d'alors, gentilshommes et croyants mystiques, à tous ceux qui vivaient de la guerre, à tant de « méchantes gens »?

L'homme de la génération nouvelle n'est plus Calvin, c'est Théodore de Bèze dont la parole est plus ardente, ce Bèze dont Marc-Antoine Barbaro, ambassadeur de Venise, a fait, cette année-là, un portrait qui doit être ressemblant. Car s'il le tenait pour un esprit vif et fin, pour un homme éloquent, il le dénonçait aussi comme un dangereux brouillon, un séducteur et un violent[1]. Né en 1519 à Vézelay où son père était bailli, d'une famille noble de Bourgogne, Bèze avait étudié à Bourges, puis à Orléans. Mais à la pratique des Pandectes, il préférait alors Catulle et Ovide. Aimable, de belle taille, charmant avec les dames, d'une famille aisée, Bèze avait commencé par être un mondain. Il s'était fiancé avec Claudine Denosse. En 1548, il avait publié à Paris ses *Poemata* qui le placèrent au premier rang des poètes néo-latins, à vingt-neuf ans. Puis il avait enseigné le grec à Lausanne pendant neuf ans.

C'est pourquoi Ronsard s'adressait à Bèze :

> Ainsi en avortant vous avés fait mourir
> La France vostre mere, en lieu de la nourrir.
> De Besze, je te prie, escoute ma parolle...

---

1. *Relations des Ambassadeurs vénitiens*, t. II p. 50, 52.

Ronsard lui rappelait la douce terre de Vézelay, où le conçut sa mère,

> Celle qui t'a nourry, et qui t'a faict aprendre
> La science et les arts dès ta jeunesse tendre,
> Pour luy faire service, et pour en bien user,
> Et non, comme tu fais, à fin d'en abuser.

Il lui disait encore :

> Ne presche plus en France une Evangile armée,
> Un Christ empistollé tout noircy de fumée,
> Portant un morion en teste, et dans la main
> Un large coustelas rouge du sang humain.

Ce Bèze, que Ronsard avait connu avant 1548, auteur de juvéniles poèmes amoureux et païens, le chantre de sa Candida [1], il l'avait revu faisant un prêche :

> Ayant de soubs un raistre une espée au costé :
> Mon Dieu, ce di-je lors, quelle sainte bonté !
> Quelle évangille helas ! quel charitable zelle
> Qu'un Prescheur porte au flanc une espée cruelle !

Les surveillants qui l'avaient entendu maugréer lui avaient répondu que Bèze était un envoyé du Ciel, un saint prophète tandis qu'il n'était, lui Ronsard, qu'un athée :

> Adonq je respondi : appelés-vous athée
> La personne qui point n'a de son cœur ostée
> La foy de ses ayeux ? qui ne trouble les loix
> De son pays natal, les peuples ny les Roys ?...
> Qui croit en un seul Dieu, qui croit au sainct Esprit,
> Qui croit de tout son cœur au sauveur Jesuchrist ?
> Apelés vous athée un homme qui deteste
> Et vous et vos erreurs comme infernalle peste ?...

Cependant Ronsard devait bien savoir que les prêches en armes résultaient souvent de la violence des catholiques et

---

1. Th. de Bèze a toujours soutenu qu'il n'y eut dans les *Juvenilia* qu'un jeu d'esprit, une imitation de Catulle, que Candida n'avait pas existé ; son activité religieuse commence vers 1558 (Voir E. Haag, *la France protestante*, 2ᵉ éd., II, col. 503).

du petit peuple ; et, si les calvinistes n'avaient point fait de
miracles comme les premiers apôtres, ils avaient eu leurs
martyrs dont la liste était longue. Mais son cœur de catholique traditionnel était choqué des variations de leur doctrine
(c'est la thèse que reprendra Bossuet) :

> Les apostres jadis preschoient tous d'un accord,
> Entre vous aujourd'huy ne regne que discord,
> Les uns sont Zvingliens, les autres Lutheristes,
> Œcolampadiens, Quintins, Anabaptistes,
> Les autres de Calvin vont adorant les pas,
> L'un est predestiné, et l'autre ne l'est pas,
> Et l'autre enrage apres l'erreur Muncerienne,
> Et bien tost s'ouvrira l'escole Beszienne...
> Vous devriez pour le moins avant que nous troubler
> Estre ensemble d'accord sans vous desassembler,
> Car Christ n'est pas un Dieu de noise ny discorde :
> Christ n'est que charité, qu'amour, et que concorde.

Et Ronsard dépeignait les cafards, les renégats qui avaient
changé de couleur et de teint, mais présentaient les mêmes
vices sous un aspect différent,

> Hydeux en barbe longue, et en visage feint,
> Qui sont plus que devant tristes, mornes, et palles,
> Comme Oreste agité des fureurs infernalles.

Enfin [1] Ronsard connaissait bien la tourbe « affriandée de
liberté » qui s'était réfugiée sur la terre étrangère, les nobles
princes égarés, leurs chefs : Bourbon, et surtout Odet de
Coligny, ce digne prélat dont Ronsard se tenait toujours
pour le serviteur :

> Dieu preserve son chef de malheur et d'ennuy,
> Et le bonheur du ciel puisse tomber sur luy !

La pensée d'un poète est autant dans ses raisons que dans
ses images. Et c'est vraiment une magnifique image (une
« idole », comme il dit) que Ronsard nous donne de la France
divisée, envahie, qui se détourne de son roi [1] :

---

1. Ce passage est à rapprocher du *Quadriloque invectif* d'Alain Chartier, que Ronsard devait connaître.

> L'autre jour, en pensant que ceste pauvre terre
> S'en alloit (ô malheur) la proye d'Angleterre,
> Et que ses propres fils amenoient l'estranger
> Qui boit les eaux du Rhin, à fin de l'outrager,
> M'apparut tristement l'idole de la France,
> Non telle qu'elle estoit lors que la brave lance
> De Henry la gardoit, mais foible et sans confort,
> Comme une pauvre femme atteinte de la mort.
> Son sceptre luy pendoit, et sa robe semée
> De fleurs de lys estoit en cent lieux entamée :
> Son poil estoit hydeux, son œil have, et profond,
> Et nulle magesté ne luy hausoit le front.

En ces jours malheureux les ports de Normandie, le Havre, Rouen et Dieppe, étaient livrés aux troupes anglaises ; les ports anglais, remplis de gens armés, prêts à passer en France. Au mois de septembre, le vidame de Chartres, au nom du parti huguenot, signait le traité de Hampton Court.

Alors la France pouvait bien accuser Genève, la ville « assise ès champs savoysiens » qui avait chassé ses seigneurs naturels, d'être coupable de sa ruine, du pillage des églises, en Suisse et en France :

> Miserable sejour de toute apostasie,
> D'opiniastreté, d'orgueil, et d'heresie.

Mais la France disait aussi qu'elle avait heureusement rencontré une sage reine, Catherine :

> Preposant mon salut à son autorité,
> Mesmes estant malade, est meintefois allée
> Pour m'apointer à ceux qui m'ont ainsi vollée.

Il est exact qu'en revenant de Toury, la reine, bonne écuyère qui ne connaissait aucune limite à sa fatigue, avait fait une chute de cheval, le 16 juin. Mais elle partait de Vincennes, le lendemain, en litière, et écrivait[1] : « Avec tres grande incommodité de ma personne, me trouvant si mal que je ne me pouvois soutenir ni remuer que avec grande

1. *Lettres*, t. I, p. 333.

peine et difficulté, toutefois postposant ma santé au bien, repos et tranquillité de ce royaume, je me feis porter en litière en une maison qui est assise entre Beaugency et Orléans, à costé desdites deux armées, n'ayant rien oublié de ce que j'ai pensé pouvoir servir au fait de ladite pacification. »

Ronsard avait raison de faire son éloge, comme la France faisait celui du fils de Catherine, le roi qui grandissait (il avait alors douze ans), de cet enfant dont les « faux devineurs » huguenots avaient annoncé qu'il perdrait son sceptre.

La *Remonstrance au peuple de France* fut écrite au mois de décembre 1562, tandis que l'armée huguenote de Condé était sous les murs de Paris[1]. C'est un grand poème où Ronsard, comme un ancien, invoquait le Père commun des hommes, lui demandant raison de l'agitation des esprits :

> Certes si je n'avois une certaine foy
> Que Dieu par son esprit de grace a mise en moy,
> Voyant la Chrestienté n'estre plus que risée,
> J'aurois honte d'avoir la teste baptisée :
> Je me repentirois d'avoir esté chrestien,
> Et comme les premiers je deviendrois payen.
> La nuit, j'adorerois les rayons de la Lune,
> Au matin le Soleil, la lumiere commune...
> J'adorerois Cerés qui les bleds nous apporte,
> Et Bacchus qui le cueur des hommes reconforte...
> Mais l'Évangile sainct du Sauveur Jesus-Christ
> M'a fermement gravée une foy dans l'esprit,
> Que je ne veux changer pour une autre nouvelle,
> Et deussé-je endurer une mort trescruelle.
> De tant de nouveautez je ne suis curieux,
> Il me plaist d'imiter le train de mes ayeux :
> Je croy qu'en Paradis ils vivent à leur aise,
> Encor qu'ils n'ayent suivy ny Calvin ny de Besze.

A quoi bon, au surplus, tourmenter notre entendement des mystères des cieux et de ceux de la foi :

> Quand nous ne sçavons pas regir noz republiques,
> Ny mesmes gouverner noz choses domestiques !

1. V. 366-390. Catalogue Rothschild, I, 476. Réimp. de 1572 à Paris et à Lyon (Bibl. Nat., Rés., Yᵉ 4773). Je cite e dernier texte.

Quand nous ne connoissons la moindre herbe des prez !
Quand nous ne voyons pas ce qui est à nos pieds !

Comme le fera Montaigne, ainsi parla Ronsard. Et jamais
il n'a été plus véhément, plus sarcastique, que dans la peinture qu'il traça des maîtres nourris aux écoles de Paris[1] :

> Qui de contre une natte estudiant attachent
> Melancholiquement la pituite qu'ils crachent...
> Il ne faut pas avoir beaucoup d'experience
> Pour estre exactement docte en vostre science :
> Les barbiers, les maçons en un jour y sont clercs,
> Tant vos misteres saincts sont cachez et couvers !
> Il faut tant seulement avecques hardiesse
> Detester le Papat, parler contre la messe,
> Estre sobre en propos, barbe longue, et le front
> De rides labouré, l'œil farouche et profond,
> Les cheveux mal peignés, le sourcy qui s'avalle,
> Le maintien renfrogné, le visage tout palle,
> Se montrer rarement, composer maint escrit,
> Parler de l'Éternel, du Seigneur, et de Christ,
> Avoir d'un reistre long les espaules couvertes,
> Bref estre bon brigand et ne jurer que certes...
> J'ay autresfois gousté, quand j'estois jeune d'aage,
> Du miel empoisonné de vostre doux breuvage :
> Mais quelque bon Daimon, m'ayant ouy crier,
> Avant que l'avaller me l'osta du gosier.
> Non, non, je ne veux pas que ceux qui doivent naistre
> Pour un fol Huguenot me puissent recognoistre :
> Je n'ayme point ces noms qui sont finis en os,
> Ces gots, ces Austregots, Visgots, et Huguenots :
> Ils me sont odieux comme peste, et je pense
> Qu'ils sont prodigieux au Roy, et à la France.

Longuement Ronsard décrivait cette Opinion, fille de Fantaisie, qui avait armé le frère contre le frère, perdu la religion, ruiné les grandes villes, fait choir les couronnes des
rois et suscité Luther. Mais pour Ronsard, la victoire dépendait toujours de la grâce de Dieu, et non de la force des
armes.

Comme il l'a fait tant de fois, il dénonçait encore les vices

1. V, 371.

de la religion catholique, ceux de ses prélats. Il demandait
à la reine de chasser toutes les « éponges de cour ». Avec
la reine, Ronsard mettait son espérance dans les pères du
concile, dans la réforme catholique en un mot. Il suppliait
les nobles, qu'il accusait d'avoir dérobé la province d'un roi
mineur, de mettre bas les armes, de chasser l'Espagnol, de
combattre l'Anglais. Si « ceux de la religion » n'avaient
demandé que la réforme de l'Église, celle des abus de
l' « avare prêtrise », Ronsard eût été avec eux. Mais ils
n'agissaient que par ambition, pour s'emparer du gouvernement :

> Vos haines, vos discords, vos querelles privées,
> Sont causes que vos mains sont de sang abreuvées,
> Non la religion qui sans plus ne vous sert
> Que d'un masque emprunté qu'on voit au descouvert.

Ainsi Ronsard sonnait le ralliement autour du jeune roi
(c'est-à-dire autour de l'idée de patrie). Aux nobles, il demandait de le soutenir, de lui mettre solidement le sceptre en
main, de mourir au besoin pour lui :

> Heureux celuy qui meurt pour garder sa patrie !

Aux paysans, aux marchands qui n'adhéraient pas au
luthérianisme, Ronsard conseillait d'agir comme de bons
serviteurs. Enfin, il faisait appel au gentil troupeau des
« mignons des Muses » :

> De nostre jeune Prince escrivez la querelle,
> Et armez Apollon et les Muses pour elle.

Pour donner l'exemple, Ronsard s'était réconcilié avec
Paschal.

Jamais il n'avait été rempli de plus de verve, de génie. Il
enrageait vraiment, lui qui avait échappé à leurs arquebusades, d'entendre les huguenots accabler de brocards et d'injures les seigneurs catholiques :

1. V, 382.

Je meurs quand je les voy par troupes incognues
Marcher aux carrefours ou au milieu des rues,
Et dire que la France est en piteux estat,
Et que les Guisiens auront bien tost le mast...
Je suis plein de despit, quand les femmes fragiles
Interpretent en vain le sens des Evangiles,
Qui devroyent mesnager et garder leur maison.
Je meurs quand les enfans qui n'ont point de raison,
Vont disputant de Dieu qu'on ne sauroit comprendre,
Tant s'en faut qu'un enfant ses secrets puisse entendre.
Je suis remply d'ennuy, de dueil et de tourment
Voyant ce peuple icy des presches si gourmant,
Qui laisse son estau, sa boutique et charrue,
Et comme furieux par les presches se rue...
J'ay pitié quand je voy quelque homme de boutique,
Quelque pauvre artizan devenir heretique...

Et Ronsard se tournait encore vers Condé, qui demeurait
pour lui « le sang de France »; il lui parlait avec force et
gravité, déclarant que, sous prétexte de calvinisme, il cherchait simplement à gouverner le royaume[1] :

Puis vous qui ne sçaviez (certes dire je l'ose)
Combien le commander est une douce chose,
Vous voyant obey de vingt mille soldars,
Voyant floter pour vous aux champs mille estendars,
Voyant tant de seigneurs qui vous font tant d'hommages,
Voyant de tous costés bours, cités et villages
Obeyr à vos loix, et vous nommer vainqueur,
Cela, prince tres-bon, vous fait grossir le cœur.
Ce pendant ils vous font un roy de tragedie...

C'est là un portrait fort exact de Condé[2], du joli petit
homme sans fortune, chétif, bossu, sournois, né le douzième
de sa famille, l'époux de la mystique et charitable Éléonore
de Roye, qui nourrissait chez elle tant de prédicants illu-
minés : Condé, l'homme que Calvin a traité de parjure et de
traître, dénonçant, d'un mot admirable, « sa débauche d'am-

1. V, 384. — Cette critique du prince de Condé semble avoir été prise à cœur par
les réformés qui demanderont au prince de se venger de Ronsard (Sonnet au prince de
Condé, à la fin de la *Remonstrance à la Royne*, Arsenal, B. L. 11700, in-8).

2. Voir une intéressante effigie dans la collection Hennin, t. V., d'autres dans le
Recueil historique du Cabinet des Estampes (Qb. 20 et 21).

bition », le chef qui a renié les conjurés d'Amboise.. Mais quand Ronsard pensait à Odet de Coligny, dont il sera le « servant » jusqu'à la mort, son cœur s'attendrissait encore : car, toujours, il priait pour lui.

Ronsard décrit enfin le peuple réformé, toujours battu et « caquetant », semant de fausses nouvelles, avec son cœur superbe et glorieux, le peuple illuminé qui croit voir tantôt l'escadron des archanges descendre à son secours, ou les troupes innombrables de la Germanie, les renforts anglais. Ronsard le montre dans ses rêves et sa mobilité, voulant tantôt la guerre et tantôt la paix[1] :

> Que diroit-on de Dieu, si luy benin et doux,
> Suyvoit vostre party, et combatoit pour vous ?
> Voulez-vous qu'il soit Dieu des meurtriers de ses papes,
> De ces briseurs d'autels, de ces larrons de chapes,
> Des volleurs de calice ? Ha ! Prince, je say bien
> Que la plus grande part des prebstres ne vaut rien,
> Mais l'Eglise de Dieu est saincte et veritable,
> Ses misteres sacrez, et sa voix perdurable.

Enfin, Ronsard disait à Condé qu'il pouvait bien voir que ses ministres étaient encore plus méchants que les nôtres[2] :

> Ils sont simples d'habits, d'honneur ambitieux,
> Ils sont doux au parler, le cueur est glorieux,
> Leur front est vergongneux, leurs ames eshontées,
> Les uns sont apostats, les autres sont athées,
> Les autres par sur tous veullent le premier lieu...

Ainsi l'amour du pays, et le sentiment de la vérité, faisaient parler Ronsard.

Dans une péroraison, où est annoncée la bataille proche, Ronsard célébrait les chefs catholiques (Bourbon, le vieux et fidèle Montmorency, d'Anville son fils); il rassurait les soldats au sujet des reîtres d'Allemagne qui ne sont point invulnérables :

> Combatez pour la France et pour sa liberté !...
> La bonne targue au bras, au corps bons corcellets,
> Bonne poudre, bon plomb, bon feu, bons pistollets,

1. V, 385. — 2. V, 386.

> Bon morion en teste, et surtout une face
> Qui du premier regard vostre ennemy desface.

Car Ronsard souhaitait, au printemps prochain, de voir les auteurs de tant de maux, Condé et ses compagnons, mordre la poussière entre leurs dents[1].

Mais Condé devait triompher au jour de la bataille de Dreux, le 19 décembre 1562; et c'est François de Guise qui allait tomber le premier, devant Orléans, quand ce maraud de Poltrot, traîtreusement, l'attendant à un carrefour, lui déchargea derrière l'épaule les trois balles de son pistolet (18 février 1563)[2].

Cinq semaines après cet assassinat, un ami de Ronsard lui communiqua trois petits livres. Il s'agit en réalité de pièces imprimées à Orléans, l'une des capitales de la Réforme, « secretement composées par quelque ministreau ou sectaire de semblable humeur » : *Response aux calomnies contenues au Discours et Suyte du discours sur les miseres de ce temps, faits par messire Pierre Ronsard, jadis poëte et maintenant prebstre.* Pièces qui devaient être suivies de « mille autres fatras » que nous ne possédons heureusement pas tous[3].

Quelles pauvretés où reviennent toujours les mêmes accusations, les mêmes platitudes contre PIERRE ROSSARD, sa métamorphose en curé, sa tonsure, sa plume vénale, son âpreté au gain, le désir qu'il a de cumuler les abbayes! Car l'esprit de ses adversaires ne se hausse qu'à écrire des *palinodies* textuelles de ses élégies, au nom de Théodore de Bèze[4].

---

1. M. F. Charbonnier, d'après le recueil de Rasse de Neus (Bibl. Nat., ms. fr. 22 560), a publié le sonnet que les réformés adressèrent à cette occasion à Ronsard (*Pamphlets protestants contre Ronsard*, p. 23-24). — 2. Sur cet épisode et le développement de la dure bataille, voir le Recueil de Tortorel et Perissin.

3. M. F. Charbonnier (*Pamphlets protestants contre Ronsard*, 1923) en a donné une liste plus complète que celle de M. Perdrizet, *Ronsard et la Réforme*, 1902. Les indications données par Ronsard (VII, 30-31) montrent d'assez grandes lacunes dans ce que nous possédons. Voir le recueil très intéressant de Ronsard, Bibl. Nat.. Rés. Ye 1908-1914. — 4. F. Charbonnier, *op. cit.*, p. 27. — Cf. la *Remonstrance à la royne*, Lyon, Fr. Le Clerc (Arsenal, B. L., in-12, 11700) du 20 septembre 1563, mais qui remonterait à janvier. L'ouvrage est d'ailleurs fort intéressant.

Une seule de ces pièces est spirituelle, une prose en latin macaronique, composée en 1563, chantée sur le ton de la prose de l'Epiphanie ou de la Pentecôte, où l'orgueil du poète, et la part éminente qu'il prit dans la polémique, sont finement raillés :

> O clara Lutetia
> Quam multa negotia
> Habuisses misera,
> Si Dominus Ronsardus,
> Si poeta Auratus
> Non fecissent opera[1].

La préface de la *Response* dit tout : « I. D. N., à Messire Pierre Ronsard. Messire Pierre, quand Theodore de Besze aura le vouloir et le loisir de te respondre, il t'apprendra à mieux parler, ou à te taire. Cependant, pource que tu monstres, par signes tresevidens, que tu es fort malade de la teste, et que si tu mourois si tost la France perdroit une partie de son passetemps, je t'envoye ces trois pillules, que tu prendras, et digereras le mieux qu'il te sera possible, comme un preparatif, en attendant que l'Anticyre t'envoye autant d'hellebore qu'il est requis pour purger ton cerveau. A Dieu Messire Pierre. »

> Ta Poësie, Ronsard, ta verolle, et ta messe,
> Par raige, surdité, et par des benefices,
> Font (rymant, paillardant et faisant sacrifices)
> Ton cœur fol, ton corps vain, et ta Muse prebstresse.

Un sonneur vendômois qui a vendu sa plume, un athée qui adore l'unique volupté, qui a sacrifié un bouc à Bacchus, un poète plus dangereux que les autres, car il a plus de talent, tel est Pierre de Ronsard. Ce n'est d'ailleurs plus la couronne des poètes qu'il porte, celle de lauriers, mais la tonsure que le rasoir du barbier a dessinée sur sa tête de prêtre[2].

---

1. M. F. Charbonnier a publié d'après le Recueil de Rasse de Neus cet intéressant morceau, mis fallacieusement sous le nom de Nicolas Maillard (*Pamphlets protestants contre Ronsard*, p. 61-69). — J'ai corrigé *Poeta arturus*, faute évidente du ms. fr. 12 616.

2. Ce premier discours signé A. Zamariel (en hébreu *chant de Dieu*) désigne

Caricature de Pierre de Ronsard
(Bibl. Nat., p. Y° 173)

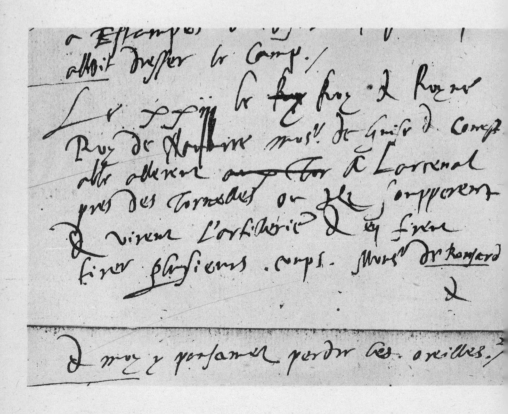

Journal autographe de Pierre de Paschal
(Bibl. Nat., Ms. Dupuy 944, p. 22-23)

Quant à B. de Mont-Dieu[1], non sans verve, il se tournait vers la reine mère, l'engageant à administrer mieux les affaires de France, à instruire le roi dans la bonne doctrine. Ah ! si Catherine voulait bannir de France l'idolâtrie ! Il accusait enfin Pierre de Ronsard de gagner beaucoup « à la messe », déclarant que si le pape disparaissait, il perdrait ses « riches prébendes ». Après un éloge bien senti de Genève, une allusion à la mort de Saint-André, le pamphlétaire huguenot formulait des menaces directes :

> Appreste lors, Ronsard, ta triste funeraille,
> Et non seulement toy, mais toute la prestaille,
> Car, le pape par terre, il faut que ses adjoints,
> Et qui tiennent de luy, n'en attendent pas moins.

Pierre de Ronsard devait répliquer dans sa *Responce... aux injures et calomnies, de je ne sçay quels Predicans, et Ministres de Geneve*, pièce publiée isolément vers le mois d'avril 1563[2].

La première remarque que fit Ronsard c'est que, du vivant de François de Guise, le prédicant n'aurait osé prendre la parole. Au surplus, il reconnaissait un disciple en lui :

très clairement son auteur, Antoine de La Roche-Chandieu, jeune et éloquent pasteur de l'église d'Orléans, qui avait converti Condé, et qui écrira la célèbre *Histoire des Persecutions* (Lyon, 1563). On s'étonne de l'incartade de ce fin lettré, « jeune homme de naissance distinguée en qui la noblesse, la bonne grâce et la bonne mine, la science et l'éloquence disputaient avec sa rare modestie à qui le rendrait recommandable », suivant J.-A. de Thou (*Histoire universelle*, IV, 205). Mais il ne faut pas oublier que J.-A. de Thou était acquis à la Réforme (Cf. E. Haag, *la France protestante*, III, col. 327, et surtout A. Bernus, *Le ministre Antoine de Chandieu d'après son journal autographe inédit*, dans le *Bulletin de la Société du Protestantisme*, 1888, p. 124, 191).

1. M. l'abbé F. Charbonnier pense qu'il s'agit toujours de La Roche-Chandieu, car Ronsard ne s'adressa qu'à un seul ministre (*La Poésie française et les guerres de Religion*, p. 64-65). Cependant *Mont-Dieu* ne peut désigner que Montmeja, par une équivoque analogue à celle de Zamariel-Chandieu, puisque *ia* signifie *Dieu* en hébreu. Le ministre Montmeja s'appelait *Bernard*, prénom qui correspond bien au B *de Mont-Dieu* ; La Roche-Chandieu se prénommait Antoine. Or M. Ch. Read (*Bulletin historique et littéraire de la Société du protestantisme*, 1889, p. 143) a montré que Bernard de Montmeja a parfaitement existé : il est l'auteur de *Poemes chrétiens* recueillis, en 1574, par Philippe de Par. — Sur B. de Montmeja, voir Frédéric Lachèvre, *Bibliographie des recueils collectifs de poésies du seizième siècle*, p. 186, 206, 417.

2. V, 397-430. — Bibl. Nat., Ye 4935 (Paris, G. Buon). C'est ce texte que je cite.

> Car à voir tes escrits tu m'as tout desrobé,
> Et du faix du larcin ton dos est tout courbé.

Mais à quoi bon répondre à un si faible escrimeur : si encore il s'agissait de Théodore de Bèze ! Ronsard d'ailleurs n'entend pas pratiquer l'injure. Il rétablira seulement la vérité :

> Or sus, mon frere en Christ, tu dis que suis prestre.
> J'ateste l'Eternel que je le voudrois estre,
> Et avoir tout le chef et le dos empesché
> Desoubs la pesanteur d'une bonne Evesché :
> Lors j'aurois la couronne à bon droit sur la teste,
> Qu'un rasoer poliroit le jour d'une grand feste
> Ouverte, grande, blanche et large, jusque au front,
> En forme d'un croissant qui tout se courbe en rond.

Ronsard n'était en effet que simple clerc, tonsuré, capable de recevoir des bénéfices ecclésiastiques. Mais il n'était pas prêtre[1]. Plût à Dieu qu'il le fût, qu'il en eût les bénéfices :

> Je serois reveré, je tiendrois bonne table[2],
> Non vivant comme toy, ministre miserable,
> Pauvre sot predicant, à qui l'ambition
> Dresse au cœur une rouë, et te fait Ixion.

Ronsard montrait le ministre écumant et bavant, dans les convulsions, affreux, hideux, bourbeux, un vrai loup-garou qui vomit son venin. Mais changeons de propos. Tu te moques, lui dit-il, d'un pauvre accident que Dieu a voulu me donner. Est-ce bien à un chrétien de se moquer d'un affligé ?

---

1. Sur la question de la tonsure de Pierre de Ronsard, voir l'abbé Froger, *Ronsard ecclésiastique*, Mamers, 1882, qui a mal interprété l'intéressant document qu'il a publié. — C'est l'accusation que nous trouverons dans la *Prosa Magistri Nicolai Maillardi* :

> Valde sum admiratus
> Quod cito esses factus
> De poeta presbyter.
> O presbyter nobilis,
> Poeta rasibilis,
> Vivas immortaliter !

(F. Charbonnier, *op. cit.* p. 62.)

2. C'est un fait que Ronsard, par la suite, se montrera très libéral avec les religieux qu'il devait entretenir dans ses bénéfices, dans les grands bâtiments de Saint-Cosme en particulier.

Mais moi, quand je t'ai vu l'an dernier à Paris, décharné et pâle, j'ai eu pitié de toi, et aussi de la maladie honteuse que tu as gagnée en faisant l'amour[1] :

> Tu m'accuses, cafard, d'avoir eu la verolle :
> Un chaste predicant de fait et de parolle
> Ne devroit jamais dire un propos si vilain :
> Mais que sort il du sac ? cela dont il est plain.

Ronsard avouait ses trente-sept ans passés : il n'était pas tellement vieux; ses nerfs et ses veines demeuraient en bon état, encore qu'il eût le teint pâle et les cheveux grisonnants.

Pourquoi dire qu'il est un athée, quand il est si facile de s'assurer du contraire ? Ronsard a foi dans le Seigneur, maître du grand univers, qui gouverne l'ordre du ciel[2] :

> Je suis tres assuré qu'un moteur est là-haut,
> Qui tout sage et tout bon gouverne cest empire,
> Comme un pilote en mer gouverne son navire :
> Et que ce grand Palais si largement vousté
> De son divin ouvrier ensuit la volonté.

Ainsi Ronsard glose son Credo, affirme sa foi dans l'Église, sans chercher à dissimuler les abus des mauvais pasteurs et des abbés dont la cuisine est trop riche. Il faut réformer l'Église et non s'en séparer. Il expliquait la plaisanterie du bouc sacrifié jadis en l'honneur de Jodelle. Il disait simplement l'emploi de sa journée. Si tous les prédicants avaient vécu comme lui, le pays ne serait pas dans l'état où il est. Quel a été le résultat de la prédication du nouvel évangile en France ? L'amitié rompue entre les peuples, le pillage des villes et des églises, la destruction des châteaux, les marchés désertés, car les laboureurs n'osaient sortir de chez eux[3] :

1. V, 405. — 2. V, 407.
3. V. 414. — Sur l'accusation de paganisme, adressée à Ronsard par les huguenots, voir le *Vœu* recueilli par Rasse de Neus (Bibl. Nat., ms. fr. 22560, 2me partie, p. 227) :

> Ronsard, Bayf, Belleau et Butet sous les treilles
> Offrent, fuyant soucy, d'un doux plaisir veincus,
> A Phœbus, aux neufs sœurs, à Venus, à Bacchus,
> La lyre, le laurier, l'amour et les bouteilles.

> Les Reistres en laissant le rivage du Rhin,
> Comme frelons armés, n'eussent beu nostre vin :
> Je me pleins de bien peu. Ils n'eussent brigandée
> La Gaule qui s'estoit en deux pars debandée,
> Et n'eussent fait rouller avecq tant de charois
> Dessous un roy mineur, le thresor des François :
> Ny les blonds nourrissons de la froide Angleterre
> N'eussent passé la mer achettant nostre terre.
> Or c'est là, predicant, l'Evangile et le fruit
> Que ta nouvelle secte en la France a produit...

Jamais Ronsard, gentilhomme, ne sera ministre ou cafard pour vendre des « songes » au peuple. La vertu n'est pas enfermée dans Genève, qui n'a pas le monopole de la science pour gouverner une république. Il interdit au prédicant de parler de son art, lui qui n'a fait que piller ses vers. La douce et gentille frénésie d'Apollon l'anime seulement. Il sait bien qu'au retour du printemps les Muses ne sont pas toujours sages. Mais tout ce qu'il a dit ne doit pas être pris au sérieux[1] :

> En riant je compose, en riant je veux lire,
> Et voyla tout le fruit que je reçoy d'escrire :
> Ceux qui font autrement, ils ne sçavent choisir
> Les vers qui ne sont nés sinon pour le plaisir.

A vingt ans, épris d'une belle maîtresse, Ronsard l'a chantée sur des rythmes nouveaux, rendant les Français égaux aux Romains et aux Grecs pour la poésie :

> Hà que je me repends de l'avoir aportée[2]
> Des rives d'Ausonie et du rivage Actée :
> Filles de Jupiter, je vous requiers pardon !
> Helas ! je ne pensois que vostre gentil don
> Se deust faire l'apast de la bouche heretique,
> Pour servir de chansons aux valets de boutique :
> Aporté seulement en France je l'avois
> Pour donner passetemps aux princes et aux roys.

Au surplus, Ronsard ne répondra pas à la théologie du ministre. Il lui dira seulement sa pensée dernière, essentielle,

---

1. V, 422. — 2. V, 425.

ce qu'il nomme son testament : la secte des prédicants, il l'a vue à ses débuts en Saxe, elle n'est pas la religion du Christ[1] :

...Ains par force et puissance
Desoubs un apostat elle prit sa naissance :
Le feu, le sang, le fer en sont le fondement :
Dieu veuille que la fin en arrive autrement,
Et que le grand flambeau de la guerre alumée
Comme un tyzon de feu se consume en fumée !

C'est par cette belle image, sur cette pensée sereine que termine Ronsard.

L'année 1563 vit les horreurs de la première guerre de Religion qu'Étienne Pasquier, ami de Ronsard et catholique, résume ainsi : « Il seroit impossible de vous dire quelles cruautés barbaresques sont commises de part et d'autre. Où le huguenot est le maître, il ruine toutes les images, démolit les sépulcres et les tombeaux, même celui des rois, enlève tous les biens sacrés et voués aux églises. En contre échange de ce, le catholique tue, meurtrit, noye tous ceux qu'il connoit de cette secte, et en regorgent les rivières. » Si les catholiques sortaient, naturellement, victorieux de cette guerre, ils avaient perdu leurs chefs. Catherine de Médicis avait relevé le prestige de la royauté en reprenant le Havre aux Anglais, en se portant elle-même à la tranchée. Mais quelle lassitude suivait ces événements! Aussi, après les coups de canon et d'arquebuses, les coups de gueule que s'adressent encore les partisans paraissent sans intérêt.

Il faut retenir toutefois que les réformés continuèrent à poursuivre âprement Ronsard de leurs injures. Preuve évidente de l'importance qu'ils attachaient à son œuvre de polémiste et de propagandiste.

Ainsi, en septembre 1563, parut la *Seconde response*[2] de *F. de la Baronie a Messire Pierre de Ronsard, Prestre-Gen-*

---

1. V, 430. — 2. On ne connaît pas la première.

tilhomme Vandomois, evesque futur. Plus le Temple de Ron-
sard où la Legende de sa vie est briefvement descrite[1]. Sur le
petit bois du titre, nous voyons la caricature de M. P. DE
RONSARD, un vieillard cacochyme, assis devant son feu, dans
une chambre nue, meublée du seul coffre où il conserve le
produit de ses bénéfices[2].

C'est là un long discours, soufflé de grands mots enflés de
vent, visant à la parodie : car Ronsard n'a pas le privilège de
la science, affirmera l'auteur, Florent Chrestien, seigneur de
la Baronie, le précepteur du futur Henri IV :

> Nous avons leu Pindare et la douce Sapphon,
> Et l'obscur labyrinth du fascheus Lycophron,
> Et mieus que toy, Ronsard, qui puises dans les gloses
> De tes livres brouillez les vers que tu composes...
> D'Aurat t'a expliqué quelques livres d'Homere,
> Quelques hymnes d'Orphée ou bien de Callimach,
> Et pource incontinent tu fais de l'Antimach,
> Tu enfles ton gosier, pensant estre en la France
> Seul à qui Apollon a vendu sa science,
> Ou que dés le berceau les abeilles du ciel,
> Sur toy, comme à Pindare, ont distillé leur miel.

Car le poète n'est riche que des gloses d'autrui, d'emprunts
faits aux livres de sa librairie,

> Des annotations escrites dans les marges.

Si on les lui dérobait, Ronsard ne saurait plus rien produire ; sa misérable plume deviendrait un objet de risée pour
les Français[3]. Tu es poète, mais tu es surtout menteur,

---

1. Bibl. Nat., p. Yᵉ 173, 1027. — La même année vit paraître le factum de Les-
caldin : *Replique sur la Response faite par Pierre de Ronsard*, qui n'a d'autre mérite
que sa rareté (un seul exemplaire, à la bibliothèque Rothschild. Cf. Abbé Charbonnier, *la Poésie française et les guerres de Religion*, p. 93).

2. Un agrandissement de cette vignette (Bibl. Nat., p. Yᵉ 173) a été donné par
M. Pierre Perdrizet, *Ronsard et la Réforme*, feuillet préliminaire.

3. Il est à l'honneur de Ronsard d'être demeuré sans rancune envers le bon
helléniste, élève d'Henri Estienne. Sur le tard, il a nommé Chrestien parmi les
« divines testes et sacrées aux Muses » qu'il aurait voulu arracher au culte exclusif
du latin (VII, 97). Mais faut-il croire Jacques-Auguste de Thou, assez prévenu en
faveur des écumeurs de latin et des réformés, quand il déclare que si Florent Chres-

insinuait le réformé. Tu dis que tu n'es pas prêtre, mais
c'est ton vœu secret d'avoir un évêché. Ronsard pasteur !
Comme cela irait bien à celui qui lisait Théocrite en accolant
les bergères ! La couronne de prêtre n'est pas d'ailleurs la
seule qui entoure son front. Le chantre de Bacchus et du vin
porte la couronne de lierre ; le « gardeur de jardins » ceint
aussi celle des feuilles de gaiac, présent de la belle Cypris[1] ;
l'autre est autour des oreilles du misérable[2]. Ces trois couronnes lui forment même une tiare, comme au souverain
pontife. Et cruellement le réformé insistait sur la vieillesse
anticipée du poète, qui le rendait mélancolique, opiniâtre,
affreux,

> Phantastique, indiscret, mal-courtois, soubçonneus,
> Inhabile, inutile, et d'une humeur esclave,
> Qui te cause, Ronsard, incessamment la bave,
> Qui te rend furieux, vagabond, inconstant,
> Farouche, hors du sens, content et non content,
> Sans repos de l'esprit, ainsi comme un Oreste...
> Voilà le pauvre estat ou maintenant te laisse
> Ta diserte prestrise et ta sourde vieillesse.

Traits pour traits, le parodiant, le huguenot reprenait le
portrait que Ronsard avait fait de lui-même[3]. Il le renvoyait
à ses vers d'amour, à sa Sinope ; ce sera pour lui une meil-

---

tien « se montra quelquefois un peu caustique... sa critique causa moins de chagrin
à ceux qui en étaient l'objet qu'elle ne les porta à rechercher son amitié. Pierre
Ronsard et Guy du Faur de Pibrac ayant été *finement* censurés par Florent, regar-
derent dans la suite comme un grand honneur l'amitié et les louanges de ce bel
esprit » ? Laissons à J.-A. de Thou son jugement. Le pamphlet de Chrestien demeure
ignoble. — Sur ce personnage, descendant d'une noble famille de Bretagne, fils de
médecin, cf. Eug. Haag, *La France protestante*, III, col. 457 ; P. de Nolhac, *Un poète
Rhénan*, p. 23, 80.

1. Le gaiac au seizième siècle était considéré comme un remède spécifique.

2. Allusion à la surdité de Ronsard. Voir la *Prosa ad Ronsardum*, publiée par
F. Charbonnier, *op. cit.*, p. 66 :

> Plus dicunt quod Ronsardus
> Certo sit factus surdus
> A lue hispanica,
> Et quamvis sudaverit
> Non tamen receperit
> Auditum et reliqua.

3. Dans le même sentiment, voir les palinodies de l'*Elégie à Guillaume des Autels* et
du *Discours des misères de ce temps* publiés par F. Charbonnier, *op. cit.*, p. 24, 27-59.

leure occupation que de vouloir conseiller l'État, à l'instiga-
tion de quelque cardinal, et pour de l'argent.

*Le Temple de Ronsard ou la legende de sa vie est briefve-
ment descrite*, nous représente Ronsard comme un athée et
un paillard. L'ouvrage est certainement de quelqu'un qui
a connu Ronsard[1]. On y trouve la même inspiration qui
anima les précédents pamphlets, une protestation véhémente
contre la prétention de Ronsard d'être le seul poète érudit de
la France. Ainsi l'auteur montrait Ronsard discourant
comme Épicure, sans respect de Dieu, désignant du doigt
l'escadron des fourmis[2], chacune travaillant, chacune portant
son grain, tableau où le poète pouvait bien reconnaître l'activité stérile des hommes :

> Quel mal (ce disois-tu) nous a fait ceste beste
> D'avoir fait dessus l'autre une injuste conqueste ?
> Nul mal, mais bien plustot nous y prenons plaisir,
> Qu'elle a sceu ce gros grain si dextrement choisir.
> Ainsi est-il de Dieu, envers qui tous les hommes
> Ne sont qu'une fourmis, et d'autant que nous sommes
> Meschants et desbauchez, d'autant moins est-il Dieu,
> Si telles gayetés le meuvent en son lieu.
> Tu parlois en ces mots de l'Eternelle essence ..

Ainsi le réformé décrit le « Temple de saint Ronsard », où
le poète est dépeint avec sa « mitre d'insolence », sa barbe
clairsemée sous le « souffle de l'amour », très propre à
guérir la pelade, ses chausses où apparaît le bout de son
épée. Une châsse, bordée de flacons et de pots, y est révérée.
Une suite de tapisseries, dont voici les sujets, décorent ce
temple : 1° Ronsard chez les putains priant Cupidon de ne
pas laisser voir les boutons de sa vérole ; 2° la condamnation
du livre des *Folastries* par le Parlement de Paris[3]; 3° Ron-

1. L'auteur de cette ordure, suivant Colletet, serait Jacques Grévin. Ce n'est pas dans
tous les cas un ministre.

2. L'origine de cette accusation peut être dans le *Formy* que Ronsard adressa à
Remy Belleau.

3. Condamné dans l'estime de certains de ses amis, ce livre n'a jamais encouru
de condamnation de la part du Parlement.

sard dans son lit, couvert d'onguents, puis sacrifiant un bouc [1]; 4° Ronsard faisant la cour à son hôtesse tandis que son mari est au Palais ou à l'église [2]; 5° l'hôtesse, comme une Junon, tempêtant contre Ronsard qu'elle a surpris sur le bord du lit avec un laquais [3] :

> Jupiter quelquefois usa de ce remede [4],
> A l'heure qu'il en fit autant de Ganymede.

6° Ronsard accusé d'adultère ; 7° le carême de Ronsard, farci de bons chapons.

Et la suite de sa vie ne manquerait pas de fournir au huguenot le sujet du martyre de saint Ronsard :

> Sus donc peuple confit en messes et pardons,
> Allez tous en ce temple offrir vos riches dons,
> Adorez la voz vœus, faites dire une messe,
> Au nom du saint Ronsard et de la sainte hostesse !

Pierre de Ronsard devait répliquer au mois d'octobre 1563 dans la longue « Epistre... à ses calomniateurs ». Mais sa réponse est une préface au *Recueil des nouvelles poésies* [5].

Cette polémique l'avait, on le comprend, dégoûté, comme elle nous dégoûte. Il ne tient pas à entretenir le public de sa personne : cela est contre la modestie de son naturel, affir-

1. Allusion au prix de tragédie offert à Jodelle par ses condisciples de Coqueret.
2. Aventure galante, analogue à celle de Genèvre, et connue de l'auteur.
3. Voir la *Prosa ad P. Ronsardum* publiée par F. Charbonnier, *op. cit.*, p. 66 :
> Est summus pæderastes
> Ob hoc vobis est notus,
> Ob hoc vos est tutatus,
> Pandite illi nates.
4. Les réformés traiteront Amadis Jamyn de vieux Corydon de Ronsard.
5. VII, 26-27. — Le jeune « drogueur », le « charlatan », peut désigner Jacques Grévin, médecin, l'un des auteurs du *Temple*, suivant Colletet. — Quant à Florent Chrestien, il paraît bien visé dans le « galland » que Ronsard avait rencontré et qui, trois jours avant de « barbouiller » son papier contre lui, disait mille vilenies de Calvin et de Bèze. Car Florent Chrestien, grand érudit, savant helléniste et latiniste, avait été lié en effet avec Camille Morel (Bibl. Nat., Y^e 222), avec Belleau dont il traduisit en 1561, chez son ami Robert Estienne, la *Sylva*, avec Grévin surtout au temps où il écrivait ses vers amoureux pour *Olympe*. Il a traduit Oppien en 1575, les quatrains de Pibrac en latin et en grec en 1584, Eschyle en 1585, Catulle en grec en 1587, Aristophane en 1589, Euripide en 1594. On le tient pour un des collaborateurs de la *Ménippée*. Cf. P. de Nolhac, *Un poète Rhénan...*, 1923.

mera-t-il. Ronsard ne répondra pas aux injures des nouveaux
« rimasseurs ». Celui qui achète encre, plume et papier, est
bien libre d'en faire honnêtement ce qui lui plaît. Il n'est pas
le contrôleur des mélancolies, des songes et fantaisies de ses
calomniateurs : « Car, comme je ne lis jamais leurs œuvres,
aussi je ne m'enquiers point s'ils lisent les miennes, ny
moins de leur vie ny de leurs actions. »

Au surplus, Ronsard n'a jamais été un courtisan ambitieux.
Il est résolu à mépriser la fortune, à supporter avec patience
la volonté de Dieu, soit la paix, soit la guerre, soit la mort,
soit la vie, soit même les querelles générales ou particulières. Sa poésie est d'ailleurs pleine d'une honnête liberté ;
elle ne comporte ni avancement ni profit. « Si tu veux sçavoir
pourquoy j'y travaille si allegrement, pour ce qu'un tel
passetemps m'est aggreable ; et si mon esprit, en escrivant,
ne se contentoit, je n'en ferois jamais un vers... Et pour une
medisance, je leur conseille d'en dire deux, trois, quatre, cinq,
six, dix, vingt, trente, cent, mille, et autant qu'il en pourroit
en toutes les caques des harengeres de Petit Pont. » Ronsard
le dira avec un sincère enjouement : dans cette époque de
troubles, ce qui l'a le plus ennuyé, c'est de n'avoir pu jouir
de la « franchise » de son esprit, d'étudier librement comme
auparavant. Il n'a jamais recherché la popularité, les factions
de l'un ou l'autre parti : « Seulement quand il fait beau
temps je me pourmeine ; quand il pleut, je me retire au
logis, je devise, je passe le temps sans discourir, practiquer
ni affecter choses plus hautes que ma vacation. » Au surplus,
il lui plaît d'être le but des flèches, épointées, des deux compagnons qu'il a hébergés. « De là j'atens ma gloire, mon
honneur et ma reputation... Car, comme j'ay dit, gentil
barbouilleur de papier, qui m'as pris à partie, tu ne sçais rien
en cest art que tu n'ayes aprins dedans les œuvres de mes
compaignons ou dedans les miennes, comme vray singe de
nos escris... » Sur quoi, Ronsard souhaitait de voir bientôt
les troubles du royaume apaisés, les bonnes lettres fleurir

sous le règne du roi Charles, « auquel je souhaitte les ans d'Auguste, la paix et la felicité[1] ».

Enfin Ronsard aura sa vengeance. Elle est digne de lui : il biffera, dans ses œuvres, les noms des amis qui l'ont trahi. Ainsi il agira avec beaucoup d'esprit et de dignité[2].

Un ingrat qu'il ne peut plus aimer, voilà ce qu'il écrira de Grévin, avec regret ; car Ronsard goûtait la hardiesse, la jeunesse, la force, tout ce qu'il avait admiré chez lui quand un « petit crespe d'or » ornait son menton[3] :

> A Phebus, mon Grévin, tu es du tout semblable
> De face et de cheveux, et d'art et de sçavoir...

Car Grévin, d'un seul effort, avait surmonté tous les « grisons », au rang desquels Ronsard se comptait ; Grévin qui avait, pour la gloire de la France, réuni

> La docte medecine et les vers tout ensemble.

Quand il pense à Grévin, Ronsard peut bien revivre les souvenirs anciens des beaux jours du faubourg Saint-Marcel, évoqués dans les *Sonnets* de Nicolas Ellain, parisien[4] ; alors il faisait bon de prendre le frais pendant la canicule, dans sa maison de l'agréable Montagne-Sainte-Geneviève, où l'air est si pur. Là, Grévin pouvait parler librement d'Olimpe[5], la fille d'Estienne, contempler la « nature des herbes », converser avec Belleau et Uytenhove. Comme on y respirait bien, le matin, quand murmurait le doux zéphir :

> Puis nous irons, Grevin, par adventure
> A Gentilly, pour disner alentour

1. VII, 34, 35, 36, 40.
2. VI, 461. — Cette pièce n'a même pas été recueillie par Ronsard. Nous ne la connaissons que par un *Recueil* de 1617. C'est par erreur que Blanchemain la croit de 1572.
3. VI, 408. — L'*Olimpe*, Paris, Robert Estienne, 1560 (Bibl. Nat., Rés. Y[f], 2958).
4. Publiés à Paris, chez Vincent Certenas, en 1561 (Bibl. Nat., Rés. Y[e] 1760).
5. On lit ces vers dans l'*Olimpe*, 1560, p. 17 :
> Mon Ronsard, tu m'as dict qu'en voyant ta maistresse
> Tu sentois peu à peu addoucir ta chaleur..

p. 27 :
> Ronsard ne me dy plus que pour n'en aimer qu'une
> L'homme se monstre lourd...

De la fontaine; et estant de retour,
Nous soupperons dessoubz quelque verdure.
Par dessus tout nous aurons du vin frais,
Pour endormir, et alleger le fais
Du grief ennuy, qui si fort nous martire.
Tu pourras là, si tu veulx, aysement
Arboriser, et là commodement
Ronsard pourra charpenter son navire[1].

Maintenant voici les jours de la bataille, et plus cruels encore dans notre vie, ces jours où nous devons perdre nos illusions sur les compagnons aimés, sur nos confidents; et Jacques Grévin avait été tout cela pour Ronsard[2] :

J'oste Grevin[3] de mes escris,
Pour ce qu'il fut si mal appris
Afin de plaire au calvinisme,
(Je vouloy dire à l'atheisme)
D'injurier par ses brocards
Mon nom cogneu de toutes parts,
Et dont il faisoit tant d'estime
Par son discours et par sa rime.
Les ingrats je ne puis aymer :
Et toy, que je veux bien nommer,
Beau Chrestien[4], qui faist l'habille homme
Pour te prendre au pape de Rome,
Et à toute l'antiquité,
Cesse ton langage effronté,
Sans blasmer, en blasmant l'Eglise
Que le bon Jesus auctorise,
Ceux qui t'aymoient, et plus cent fois
Vrayment que tu ne meritois.
Vous n'avez les testes bien faites,
Vous estes deux nouveaux poëtes,

1. Travailler à la description du navire sur lequel Francus devait s'embarquer.

2. VI, 461.

3. Grévin est donc bien le « jeune drogueur », visé ailleurs par Ronsard (VII, 35). On sait que Jacques Grévin, de Clermont-en-Beauvaisis, né en 1538, mort à trente ans, est ce jeune érudit et médecin qui venait de donner, en 1558-1559, ses premières poésies, la *Pastorale* et l'*Olimpe*, pour Nicole Estienne, prônées par Ronsard ; en 1560 et, en 1562, son *Théâtre*. Cette année-là il fut reçu docteur en médecine. Il avait alors pour amis Ronsard, Belleau, Baïf, Jodelle, Denisot, d'Epinay, Uytenhove, De Neux. Sur sa querelle avec Ronsard, cf. les pages excellentes de L. Pinvert, *Jacques Grévin*, Paris, 1898, p. 520-535.

4. Allusion à Florent Chrestien, grand ami de Grévin.

Taisez-vous, ou, comme il faudra,
Mon cuisinier vous respondra,
Car de vous presenter mon page[1],
Ce vous seroit trop d'advantage!

Cette polémique avait écœuré Ronsard ; mais il n'était pas mort de tant de coups de pointes. On l'a vu, il prenait la chose avec sang-froid. Il savait bien qu'il était demeuré le « prince des poètes français, celui qui avait tant contribué à répandre la langue française, l'architecte des mots et des rythmes nouveaux[2] ». On verra, au mois de février 1565, l'ambassadeur d'Angleterre, Smith, donner à Cecil, secrétaire d'Élisabeth, des nouvelles envoyées de Paris sur « le premier poète de France », parmi des informations diplomatiques[3]. Il venait de recueillir le bruit que Ronsard était malade. Les huguenots peuvent seuls se réjouir. Ses amis gémissent et écrivent de tous côtés[4]. M. Lambin affirmait à Passerat « l'avoir veu et salué, sain et gaillard, à Paris ». Le seigneur Delbene en éprouvait un incroyable plaisir. Le bon Passerat, à Bourges, s'inquiétait tout de même des propos qui couraient, de la rumeur que Muret, Gouvea et Ronsard étaient accusés d'athéisme. Du ton de l'homme qui a connu d'autres ennuis, le poète raillait son ami timoré[5] :

A Monsieur et bon amy Monsieur Passerat, à Bourges,

Monsieur Passerat, depuis ma lettre escritte, M. Lambin est venu souper avec moy, qui m'a monstré vostre lettre latine en laquelle j'ay veu comme les bons huguenots de Bourges (car autres ne peuvent estre qu'eux) ont semé par la ville que ledit sieur Lambin avoit dict en chaire publiquement que le monde estoit delivré de trois athées, sçavoir Muret, Ronsard et

1. La pièce a bien été écrite du vivant de Grévin, mort en 1570. L'observation de M. Perdrizet, op. cit., p. 32, est fausse. Le trait final n'aurait aucun sens dans l'hypothèse contraire.
2. Je traduis les termes de l'épître latine de Lambin à Paschal publiée par Pierre de Nolhac, Ronsard et l'Humanisme, p. 162.— L'épithète de « prince des poètes françois » est à rapprocher du titre de la pièce latine de Joachim du Bellay : Ad P. Ronsardum lyræ Gallicæ principem (Pœmatum libri quatuor, 1558, fol. 30ᵛᵒ).
3. Calendars of state papers.
4. On doit à M. Pierre de Nolhac cette jolie trouvaille (Ronsard et l'Humanisme, p. 163-165). — 5. VII, 125. (Bibl. Nat., ms. lat., 8585, fol. 152. Copie.)

Gouvean. Je n'ay recueilly autre fruict de telle nouvelle, sinon l'honeur qu'on me faict de m'accoupler avec de si grands personages, desquels je ne merite deslier la courraye du soullier, et voudrois que l'on me fist tousjours de tels outrages à si bon marché et à si bon prix, et me sentirois bien heureux de pouvoir esgaller les vertus, sçavoir et doctrine et bonne vie des deux, et mesme de Muret que j'ai cognu homme de bien. Si M. Lambin l'a dit, je n'en sçay rien, cela ne m'importe en rien, et là dessus je m'en iray demain aux Trois Poissons boire à vos bones graces, me recommandant de tout cœur à vos divines Muses.

Vostre humble amy et serviteur,

RONSARD.

C'est le sentiment qu'il traduira dans l'Ode à Monsieur de Verdun[1], contrôleur des deniers du roi, à qui Ronsard envoya, en ce temps-là, des vers ; il lui souhaitait la paix, le bonheur domestique[2] :

> Sois gaillard, dispost et joyeux,
> Ny convoiteux ny soucieux
> Des choses qui nous rongent l'ame...
>
> Ne romps ton tranquille repos
> Pour Papaux ny pour Huguenotz,

1. Nicolas de Verdun, Sr de Places, conseiller du roi et intendant de ses finances en 1568. Il mourut avant 1571, date à laquelle on voit Me Claude de Verdun, chanoine de Paris, curateur de ses enfants mineurs. Nicolas est dit feu « noble homme ». Il laissait entre autres un fils, Nicolas, né de son mariage avec Nicole de Laubespine. Ce Nicolas sera secrétaire de la Chambre du Roi en 1581, conseiller d'État et Président des Comptes en 1595, Président du Parlement en 1601. (Bibl. Nat., P. orig., 2964.)

2. II, 454-457. Ode publiée en 1565 dans les *Élégies*, fol. 84. — Florent Chrestien ne se tint pas pour battu. Il répliqua dans son *Apologie ou deffense d'un homme chrestien*, 1564 (Bibl. Nat., Rés, p. Ye 173. Cf. abbé F. Charbonnier, *La poésie française et les guerres de Religion*, p. 111-113). Ronsard est un chien enragé qui continue à traiter les autres poètes d'apprentis ; ce prince des poètes n'est qu'un larron, un pillard dont il énumère les vols, un mauvais orateur et un piètre dialecticien. Chrestien défend contre lui son sonnet :

> Parler souvent de Dieu, sans croire à l'Evangile :
> L'appeler Tout-puissant, et nier son pouvoir :
> Lire les Testaments sans faire leur vouloir :
> Autoriser sur Christ le pape et le concile :
>
> Prier le sainct Esprit, et le rendre inutile :
> Blasmer les assassins, et chacun decevoir :
> Desirer une paix, et tascher d'esmouvoir
> A mille cruautez la commune civile :
>
> Se dire obeissant des seigneurs et des roys,
> Et rompre cependant de nature les loix,
> Et despiter de Dieu la foudre et le tonnerre,
>
> Au reste contrefaire un peu l'homme de bien,
> Et de son atheisme accuser le chrestien,
> C'est la religion que tient messire Pierre.

C'est là une palinodie du sonnet de Ronsard contre Théodore de Bèze (VII, 32).

Des deux amy ny adversaire,
Croyant que Dieu, pere tres doux,
(Qui n'est partial comme nous)
Sçait ce qui nous est necessaire...

Couche toy à l'ombre d'un bois
Ou pres d'un rivage, où la voix
D'une fonteine jazeresse
Tressaulte, et tandis que tes ans
Sont encore et verds et plaisans,
Par le jeu trompe la vieillesse.

Car incontinent nous mourons,
Et bien loing banis nous irons
Dedans une nasselle obscure,
Où plus de rien ne nous souvient,
Et d'où jamais on ne revient :
Car ainsi l'a voulu Nature.

Telle était la sérénité païenne de sa sagesse.

Son Dieu, qui s'est fait le « citoyen » du monde, Ronsard l'avait décrit dans l'Hymne du ciel[1], adressé à Jean de Morel[2] : c'est le Dieu de Platon, de Cicéron, tout autant que celui des chrétiens[3] :

Soit saint de quelque nom que tu voudras, ô Pere,
A qui de l'Univers la nature obtempere,
Aimantin, varié, azuré, tournoyant,
Fils de Saturne, roy tout-oyant, tout-voyant,
Ciel, grand Palais de Dieu, exauce ma priere,
Quand la mort desli'ra mon ame prisonniere.

---

1. IV, 248-251. — Cette pièce, sous sa forme primitive, se rencontre dans les *Hymnes* de 1555. — 2. Jean de Morel, gentilhomme d'Embrun, maréchal ordinaire des logis de la reine Catherine de Médicis, et maître d'hôtel du roi. Il avait pris des leçons de grec de Dorat et reçut, dans son hôtel de la rue Pavée, la première génération des humanistes. Ce latiniste avait assisté à Bâle à la mort d'Érasme et visité l'Italie. Ronsard, et surtout Du Bellay, fréquenteront beaucoup chez lui. Jean de Morel reçut, en 1556, la dédicace de la *Nouvelle continuation des amours*. Ronsard l'appelait la « fleur de ses amis », et célébrait aussi les beaux yeux de sa savante femme, Antoinette de Loynes. Michel de L'Hospital était un des familiers de cette maison. Quant aux trois filles de Jean de Morel, Camille, Lucrèce et Diane, elles furent élevées par un jeune savant gantois, Charles Uytenhove, l'hébraïsant. A dix ans, Camille parlait le grec... Ronsard aimait les enfants de Morel qu'il nommait ses Charites (P. de Nolhac, *Ronsard et l'Humanisme*, p. 170-178, et Frédéric Lachèvre, *Bibliographie des recueils collectifs de poésies*, à ces différents noms.) Le *Tumulus* de 1583 (Bibl. Nat., Rés., m Y c 925) est particulièrement riche en témoignages. Cf. Nicolas Ellain, *Les Sonnets*, 1561, fol. 8-9, et P. de Nolhac, *Un poète Rhénan... P. Melissus*, p. 13, 19. — 3. IV, 251.

Ronsard a tout connu, tout aimé. Du même accent que Lucrèce il a parlé de la mort[1] :

> Ce qui fut, se refait : tout coule comme une eau[2],
> Et rien dessous le Ciel ne se voit de nouveau :
> Mais la forme se change en une autre nouvelle,
> Et ce changement-là, vivre, au monde s'appelle,
> Et mourir, quand la forme en une autre s'en va...

Sa pensée, Ronsard nous la fera connaître plus clairement encore dans le Discours de l'alteration et change des choses humaines[3] qu'il adressa, avant 1569, à Julien Chauveau, procureur au Parlement de Paris, personnage bien placé pour observer[4]. Car les procès se multipliaient alors[5] par suite de notre faible foi, et souvent la justice était « forcée » par les armes. Que de changements Ronsard avait pu observer depuis quelques années[6] :

> Le crocheteur s'égale au citoyen.
> Bref tout se change en vent et en risée,
> Quand des ayeux la loy est mesprisée,
> Quand l'Evangile est commune aux Pasteurs,
> Femmes, enfans, artizans, serviteurs.
> Mesme aux brigans, qui fils de Dieu se vantent,
> Et quelque Psalme entre les meurtres chantent...

1. IV, 364. — Il s'agit du beau morceau adressé, en 1555, dans les *Hymnes*, à Pierre de Paschal, et qu'il donna, en 1560, à Louis des Masures. Entre temps, cette admirable pièce avait été présentée à Jean de Morel qui la refusa, ainsi qu'à Camille de Morel, qui ne voulut pas des dépouilles de Paschal avec lequel Ronsard venait de se brouiller (Bibl. Nat., ms. Dupuy 843, fol. 141 vo ; VII, 463).

2. IV, 373.

3. V, 113. (*Sixième livre des poèmes*, 1569.)

4. Julien Chauveau, que l'on trouve procureur au Parlement dès 1559. Il signe une pièce en 1576 et vivait toujours en 1579. Un document de l'année 1606 mentionne « feu Julien Chauveau, procureur en Parlement, père de noble homme Jean Chauveau, conseiller du roy, magistrat criminel au bailliage de Melun ». (Bibl. Nat., P. Orig., 721.) Le nom de Julien Chauveau revient constamment dans les registres du Parlement de Paris (matinées). Ronsard avait alors un procès de bornage avec un voisin :

> Puis je ne plaide encontre un Sarrazin,
> Juif, Mamelu, mais contres mon voisin
> De qui la borne est prochaine à la mienne...

5. Ceux qui ont travaillé dans les registres du Parlement civil, ces années-là, conservent un certain effroi des dizaines de registres de « matinées » pour une seule année de plaidoiries. — 6. V, 114.

Ces changements, Ronsard les considérait avec sérénité, en philosophe[1] :

> « Tout est mortel, tout vieillist en ce monde :
> L'air et le feu, la terre mere, et l'onde
> Contre la mort resister ne pourront,
> Et vieillissant, ainsi que nous, mourront. »

Mais Ronsard allait plus loin encore : la mort n'est qu'un nom, celui de l'éternelle métamorphose :

> On ne meurt point, on change seulement
> De forme en autre, et ce changer s'appelle
> Mort, quand on prend une forme nouvelle.
> Et quand on cesse à n'estre plus ici,
> Des cœurs humains le plus fascheux souci.

Il disait les métamorphoses du ver à soie, honneur de la Touraine, qui est d'abord un œuf, dont l'artisan tire la soie pour tisser un habit royal ; ce ver devient le papillon aux ailes diaprées, le papillon donne la chenille[2] :

> D'un œuf surgit un coq ou un paon...
> Leve, Chauveau, de tous costez les yeux,
> Voy ces rochers au front audacieux,
> C'estoyent jadis des plaines fromenteuses :
> Voy d'autre part ces campaignes venteuses,
> Ce fut jadis terre ferme, où les bœufs
> Paissoyent, cornus, par les pastis herbeux.
> Ainsi la forme en une autre se change...

Avec beaucoup de clairvoyance, sans passion, Ronsard prévoyait déjà la ruine de la cité : des musiques tendres, trop de farceurs et de comédiens, le fard et la parure des femmes, les innovations juridiques, des marchands vêtus comme les nobles ne l'étaient plus, un peuple disant du mal de son prince, des provinces mutinées et changeant de religion annonçaient, trop clairement, que la république était bien malade. Car les sceptres aussi se brisent, sous les coups de la guerre civile et de la guerre étrangère. Alors Ronsard priait. Il priait pour son roi et sa patrie[3] :

1. V, 115. — 2. V, 116. — 3. V, 119.

> O tout puissant, grand Monarque des rois,
> Qui dans les cœurs nous sondes et nous vois,
> Qui dans tes mains gardes le cœur d'un prince,
> Garde, grand Dieu, la françoise province,
> Garde le roy, ses freres et sa sœur,
> Garde la mere !...

Sa religion était celle de ses pères. Il avait tenu sa parole à Louis de Ronsard qui lui était apparu dans un songe pour lui recommander la fidélité envers son Dieu et son prince, la modération [1]; il était demeuré attaché aux patrons de Couture, Gervais et Protais ; aux dieux lares, saint Roch et saint Blaise, patrons des familles et des troupeaux [2]. Ronsard n'était pas un disciple d'Épicure. Son esprit, penché sur le mystère des choses, inclinait plutôt vers l'animisme. Mais Pierre de Ronsard croyait surtout aux passions des hommes ; il ne croyait pas en leur sagesse.

C'est au prince de Condé, un ambitieux plutôt qu'un fanatique, mais que ses partisans transformaient en saint huguenot, que Ronsard avait dit [3] :

> Prince du sang royal, je suis d'une nature
> Constante, opiniastre, et qui n'admire rien :
> Je voy passer le mal, je voy passer le bien,
> Sans me donner soucy d'une telle aventure...
> L'un se dit Zuinglien, l'autre Lutherien,
> Et fait de l'habile homme au sens de l'Escriture.
> Tandis que nous aurons des muscles et des veines
> Et du sang, nous aurons des passions humaines.
> Chascun songe et discourt, et dit qu'il a raison,
> Chascun s'opiniastre et se dit veritable :
> Aprés une saison vient une autre saison,
> Et l'homme ce-pendant n'est sinon qu'une fable !

1. V, 163-165 (*Bocage*, 1554). — Louis de Ronsard était mort au mois de juin 1544. Voir l'*Épitaphe de feu Messire Loys de Roussart en son vivant chevalier seigneur de la Possonniere et maistre d'hostel de Mgr le Daulphin.* (Jean Bouchet, *Les Généalogies, effigies et épitaphes*, Poitiers, Jacques Bouchet, 1555, in-fol., fol. 85 v°-86. Bibl. Nat. L. 373.)

2. V, 163 ; VI, 109. — On voit encore l'image des saints Gervais et Protais au chœur de l'église de Couture.

3. VI, 360.

Quand on retrouva, sur le champ de Jarnac, en 1569, le corps
du joli petit homme, du pimpant bossu qui avait déchiré la
France, celui-ci avait oublié les conseils du poète. Mais la
contemplation de Pierre de Ronsard comporte une morale,
que les hommes de son temps, et nous-mêmes, n'avons pas
su entendre.

Vers 1565, Pierre de Ronsard regardait les « Nues[1] »,
cherchant à lire dans la forme des nuages un avenir si
incertain, tout chargé de tempêtes, rêveur que le dégoût des
prédicants et l'horreur de la guerre civile avaient rendu à la
méditation, à la poésie, à l'amour, tandis que la reine
mère s'apprêtait à mener son enfant de ville en ville, pour
lui faire connaître son royaume et son devoir :

> Un tel brouillart dessus Paris arrive
> Quand de ses rais nostre soleil nous prive...

Ronsard, comme salaire de son dévouement, si nous nous
en rapportons à l'admirable *Promesse*[2], qu'il publia à part
en 1563, n'avait encore eu que de bonnes paroles. Mais la
confiance qu'il avait placée dans la reine devait trouver sa
récompense, en 1565, dans les trois abbayes qu'il obtint
coup sur coup.

Il est toutefois impossible d'imaginer que c'est par ambition, pour devenir évêque (Ronsard n'a jamais été que tonsuré),
qu'il avait si bien servi la reine mère et son pays. Ronsard
avait parlé en catholique et en patriote, frémi devant les
coups mortels portés par les partisans à la Patrie, ému de la
misère de ses paysans. Et il n'a été si insulté par les huguenots qu'à cause de son talent, de la répercussion profonde[3]
qu'avaient eue des paroles de modération et de raison.

---

1. VI, 410-417. — Bibl. Nat., p. Y^e 173 : *Les nues ou nouvelles de Pierre de Ronsard... a la royne*, 1565. — 2. IV, 117. — Voir ce qu'en dit Brantôme, V, 125.
Bibl. Nat., p. Y^e 513 (éd. de 1564. Don de M. Frédéric Lachèvre) L'exemplaire de
la Bibl. de Besançon est un envoi d'auteur. — 3. Georgii Critonii, *Epicedium*, Lutetiæ,
1586 (Bibl. Nat., m Y^c 9257, dans l'*Oratio funebris* de Pierre Perreau, de Moulins).

CHAPITRE VI

CHARLES IX ET SON POÈTE

L'histoire littéraire a retenu la légende du roi poète. Volontiers, on cite ces beaux vers attribués à Charles IX :

> Tous deux également nous portons des couronnes,
> Mais roy, je les reçois, poète, tu les donnes.

Ces vers ne sont pas du roi. Ils ont été écrits pendant la Fronde[1]. Toutefois Charles de France, le jeune roi Charles IX, qui succéda, à dix ans, à un autre enfant, son frère, au milieu de circonstances si tragiques, quand tout semblait remis en question dans le royaume, fut vraiment l'élève de Ronsard.

C'était un enfant de sang pauvre, chétif, fébrile, maigre, un peu voûté, toujours refroidi, avec un triste visage au menton fuyant, et ce mauvais teint noir des Médicis. Sa mère, qui couchera si longtemps dans sa chambre, le protège de son grand amour, combinant, au milieu de tant de difficultés, fidèle à la devise que nous lisons sur ses beaux livres, et qui la dépeint si bien : *Per ardua surgo.* Charles devient un honnête et chaste garçon à qui l'on conseille surtout les sports pour le fortifier, qui court le cerf avec fureur, manquant plusieurs fois de s'assommer dans les futaies. Et quand sa mère l'interroge, Charles lui répond de tout cœur : « Oui, mère ! », comme s'il devait la défendre contre tant de périls

---

1. On les lit pour la première fois dans une *Histoire de France depuis Pharamond jusqu'à Louis XIII*, publiée en 1652, chez Antoine de Sommaville, par Jean Royer, auteur de tragédies et ami de Rotrou.

dont, maternelle, Catherine le protégeait. Car elle n'a qu'une idée : neutraliser, gagner du temps, pour que l'enfant grandisse, et pour sauver l'héritage menacé[1].

Pierre de Ronsard, qui vient de réunir pour la première fois ses *Œuvres*, en 1560, au mois de décembre, est dans la maturité de son génie. Il a trente-six ans ; il écrit surtout de beaux et souples alexandrins dont il a le secret, et qu'il va assouplir dans ses véhéments discours. Ainsi qu'il le fera au cours de sa polémique avec les réformés, Ronsard peut bien entrer alors dans les vues de la reine, et dans celles de Michel de l'Hospital, le chancelier, cet autre censeur Caton, dont il avait l'apparence, avec sa grande barbe blanche, son visage pâle, sa façon grave « qu'on eust dit à le voir que c'estoit un vray portrait de saint Jherosme », comme l'a dit Brantôme[2], et comme on le rapportait à la cour. Michel de l'Hospital avait composé un poème latin : *De sacra Francisci II initiatione*. Pierre de Ronsard s'en inspirera, le traduira dans l' « Institution pour l'Adolescence du Roy », le manuel d'éducation qu'il adresse en 1562 au jeune Charles IX[3].

C'est là un beau morceau, où son expérience, sa franchise et son génie ont transformé des lieux communs :

> Sire, ce n'est pas tout que d'estre roy de France,
> Il faut que la vertu honore vostre enfance...
> Car l'esprit d'un grand roy ne doit rien ignorer.

Certes, il doit savoir l'art de la guerre, ce que n'ignorent pas d'ailleurs « les rois les plus brutaux ». Mais les princes « mieux nés » étudient les « beaux mestiers » des Muses dont ils sont les disciples ; car elles leur enseignent à « ordonner » l'équité parmi le peuple[4] :

---

1. Lucien Romier, *Catholiques et Huguenots à la cour de Charles IX*, Paris, 1924. Par la suite, j'ai beaucoup utilisé la vie de Charles IX par Brantôme, très lié avec Ronsard, et qui reproduit plusieurs de leurs conversations (éd. Lalanne, t. V. p. 239).
2. Brantôme, éd. Lalanne, III, 306.
3. V. 349. — Bibl. Nat., Rés., Y⁵ 1912, Lyon, 1563 (texte cité ici) ; Paris, 1564, Y⁵ 1115. — 4. V, 350.

> Ils deviennent apris en la mathematique,
> En l'art de bien parler, en histoire, et musique,
> En physiognomie, à fin de mieux sçavoir
> Juger de leurs subjects seulement à les voir...

Et Ronsard recommandait aussi à Charles de craindre Dieu et sa mère[1] :

> Apres si vous voulés en terre prosperer,
> Il vous faut vostre mere humblement honorer,
> La craindre et la servir, qui seulement de mere
> Ne vous sert par icy, mais de garde, et de pere.

Conseils qui pouvaient bien réjouir Catherine. Que la raison domine toujours dans l'âme du roi ; qu'il apprenne à distinguer le vice sous le vêtement de la vertu ; qu'il se connaisse enfin pour connaître les autres ; qu'il ne s'en remette pas à des commis pour être informé de l'état de son peuple ; qu'il n'offense pas ses sujets comme un tyran. Fuyez les menteurs, fuyez les flatteurs, ne donnez pas vos offices pour de l'argent ; ne pillez pas vos sujets par des rançons et des tailles ; ne faites pas la guerre : ainsi parlait Ronsard à Charles IX, après Michel de l'Hospital[2] :

> Il faut que d'un bon œil le peuple vous regarde,
> Qu'il vous ayme sans creinte : ainsi les puissans roys
> Ont gardé leur empire, et non par le harnois...
> Ne souffrés que les grands blessent le populaire,
> Ne souffrés que le peuple au grand puisse desplaire.

Et Ronsard disait encore au jeune Charles IX : réfléchissez longtemps avant de faire un édit, puis appliquez-le avec résolution[3] :

> Ne soyés point chagrin, despit, ne furieux :
> Mais honeste et gaillard, portant sur le visage,
> De vostre gentil'ame un gentil tesmoignage...
> Punissés vous vous mesme, à fin que la justice
> De Dieu, qui est plus grand, vos fautes ne punisse...

1. V, 351. — 2. V, 353. — 3. V, 354.

En ce temps-là, Pierre de Ronsard vécut inquiet et mélancolique. Sa pensée était pleine de soucis par rapport au temps présent et à l'avenir.

C'est en 1562 que Germain Pilon travaillait à la sépulture du cœur du roi Henri II, aux Célestins, et qu'il sculpta les Grâces françaises, dignes d'Athènes, qui soutiennent le cœur du roi défunt[1]. Ronsard pouvait bien admirer ce monument, lui qui médita en ces jours aux Célestins et à Saint-Denis où il suivit les pompes funèbres; il écrivait le sonnet[2] :

> Par une Royne où sont toutes les graces,
> Trois Graces sont mises dessus ce cueur,
> Cœur d'un grand prince, invincible veinqueur,
> Qui fut l'honneur des Vertus et des Graces...
> Car de ce Roy l'espouse Catherine
> En lieu de marbre Attique ou Parien,
> Prenant ce cœur le mist en sa poitrine,
> Et pour tombeau le garde aupres du sien.

Car Ronsard est demeuré fidèle au souvenir du roi Henri, plein de reconnaissance pour les bienfaits qu'il a reçus de lui[3]. Mais quand Pilon fait vivre dans le marbre ses gentilles et menues Charites, Ronsard, dont le génie est plus véhément que celui du sculpteur, imagine le plus grandiose des tombeaux pour « feu François de Lorraine, duc de Guise ». Il le fait parler ainsi[4] :

1. Delaborde, *les Comptes des bâtiments du roi*, II, 70. On sait que ce chef-d'œuvre est conservé au Louvre. On en verra une image complète dans le recueil historique du cabinet des Estampes (Q[b] 19). Le monument a été érigé sur l'ordre de Catherine :

> Hic cor deposuit Regis
> Catharina mariti
> Id cupiens proprio condere
> Posse sinu.

Il est intéressant de voir que, sur les comptes de la maison du roi de 1573, « Me Germain Pilon » est dit « sculpteur de la royne » à 400 livres. Il s'agit d'ailleurs d'une addition au compte. Le nom du peintre Jean de Court, à 100 livres, est porté dans les mêmes conditions (Arch. Nat., KK. 134).

On voyait également aux Célestins la colonne du cœur de François II.

2. V, 239.

3. Voir le Tombeau de Marguerite de France, écrit beaucoup plus tard, et adressé à Pibrac, qui semble bien le souvenir d'une visite de Ronsard au tombeau des Valois à Saint-Denis (V, 248). — 4. V, 263 (éd. 1564) : Prosopopee.

> A moy qui ay conduit en France tant d'armées...
> A moy qui le soldat aux combats animé,
> A moy qui ay l'Anglois en sa mer renfermé,
> A moy qui ay fait teste aux peuples d'Alemagne,
> A moy qui fus l'horreur de Naples et d'Espagne...
> Ne dressés un tombeau par artifice humain,
> Et tant de marbre dur ne polissés en vain.
> Pour tombe dressés moy de Mets la grande ville,
> Les grands murs de Calais, et ceux de Thionville,
> Et dessus le trophée en deux lieux soit basty
> De l'honneur que j'acquis à Dreux et à Renty.

De la Montagne Sainte-Geneviève au Louvre, le long de la Seine, devant le nouveau Louvre, Pierre de Ronsard dut errer bien souvent sur sa trente-septième année.

C'est à la baignade de la Seine, au cours d'une chaude journée de juillet, sous un ciel étincelant, qu'il avait rencontré Genèvre : elle venait de prendre son bain et dansait sur la grève pour se réchauffer. Tout nu, Ronsard était venu s'asseoir près d'elle et il lui baisait la main ; puis d'un bond, agilement, il avait sauté dans l'eau. Cette Genèvre, la femme que l'on rencontre, avec qui l'on cause, le poète la consola, car elle venait de perdre son amant ; ardemment, il l'aima pendant une année (juillet 1561-1562)[1]. Ronsard fut payé de retour. Elle demeurait au faubourg Saint-Marcel[2], l'ardente veuve, qu'il éblouit du prestige de sa renommée[3] :

> Je suis, di-je, Ronsard, et cela te suffise ;
> Ce Ronsard que la France, honore, chante et prise.

1. IV, 12-26. — Discours publié en 1564 au 3e livre des *Nouvelles poësies* sous ce titre : *Discours amoureux de Genevre*, fol. 102 v° (Bibl. de l'Institut, Réserve).

2. On ne sait qui était Genèvre. Colletet l'a identifiée avec la femme de l'avocat Blaise de Vigenère qui demeurait quai de la Tournelle, personnage avec qui Ronsard aurait eu une querelle (Genèvre ne donne pas l'anagramme Vigenère) ; mais Genèvre n'est pas une femme mariée. Claude Garnier déclare qu'elle était l'épouse d'un concierge de la geôle de Saint-Marcel, nommée Geneviève Raut, « haute femme, claire, brune ». La même objection que pour l'épouse de Blaise de Vigenère se présente. Enfin Furetière, très tardivement, brouille tout dans le *Roman bourgeois*, disant que Cassandre n'était qu'une grande Halebreda, tenant le cabaret du Sabot au faubourg Saint-Marcel. — 3. Ch. d'Espinay (*Les Sonets*, 1560) nous a laissé un curieux témoignage de ce moyen de séduction chez Ronsard :

> Et l'oreille et les yeux de ces dames si belles
> Ainsi j'ay veu de loin tes vers favoriser...

Il lui déclara, avec simplicité, qu'il y avait une place à prendre dans son cœur[1] :

> Maintenant je poursuy tout amour vagabonde,
> Ores j'ayme la noire, ores j'ayme la blonde,
> Et sans amour certaine en mon cueur esprouver,
> Je cherche ma fortune où je la puis trouver.

A Genèvre, comme à toutes les femmes, Ronsard avait répété qu'elle devait se hâter de jouir de la fleur de ses ans. Comme la dame lui avait fait le récit de ses aventures, de la maladie et de la mort de son ami, qu'elle avait tant pleuré; il lui avait déclaré :

> Il faut prendre un vivant en la place d'un mort.

A sa jeunesse fraîche et tendre convenait un ami « gaillard », qui ne serait pas un sot. Ronsard fut cet ami[2]. Car il a dit, plus tard, l'obsession de son cher souvenir, des plaisirs qu'il avait pris avec elle, soit qu'il lût ou se promenât, au long de ses veilles, quand ses valets venaient lui dire[3] :

> Monsieur, il est bien tard, un chacun se retire,
> Ja my-nuit est sonné, qu'avés vous à gemir ?
> La chandelle est faillie, il est temps de dormir !

Alors son corps penche sur son siège et ses bras pendent; un de ses valets lui ôte sa ceinture, l'autre tire sa chausse et son pourpoint. Ses gens le portent au lit, sans qu'il s'en aperçoive même, tant l'idée de l'amour le travaille, le déchire ; mais, sur son lit, le poète se retourne, d'un côté ou de l'autre, toute la nuit, au souvenir de la jeune beauté de Genèvre[4] :

> Ainsi tous deux n'estions que mesme chose,
> Vostre ame estoit dedans la mienne enclose,
> La mienne estoit en la vostre, et nos corps

1. IV, 16.
2. IV, 37-43: Second discours de Genévre en forme d'Elégie. — Publié en 1564, au troisième livre des *Nouvelles poésies*, fol. 114, sous le titre d'Elegie. — 3. IV, 39.
4. IV, 107-117 : Elégie XX, Troisiesme pour Genèvre. — Publiée en 1571, mais écrite certainement peu après 1561, puisqu'il est fait allusion au colloque de Poissy.

> Par sympathie et semblables accords
> N'estoient plus qu'un : si bien que vous, Madame,
> Et moy n'estions qu'un seul corps et qu'une ame...

Une autre promenade ramène Ronsard sur les rives de la Seine[1], le long de ses grèves rustiques où poussent beaucoup de gros arbres, la campagne d'alors ; il aime tant regarder les bateaux à voile qui cinglent et le sillage des barques des passeurs[2] :

> Solitaire et pensif (car forcer je ne puis
> Mon Saturne ennemy), si loing je me promeine
> Que seul je m'esgaray de sur les bords de Seine,
> Un peu desoubs le Louvre, où les Bon-hommes sont
> Enclos estroittement de la rive et du mont[3].

La pensée de Ronsard, on vient de le voir, n'était pas alors remplie que de l'idée de la reine mère, à laquelle il dédia sa belle « Compleinte »[4]. Mais il déplorait, tout de même, son destin, le malheureux métier qui amusait sa folie[5] :

> Puis pensant d'une part combien j'ay fait d'escris,
> Et voyant d'autre part vieillir mes cheveux gris,
> Apres trente et sept ans, sans que la destinée
> Se soit en ma faveur d'un seul point enclinée,
> Je hayssois ma vie et confessois aussi
> Que l'antique vertu n'habitoit plus icy.

Et Ronsard pleurait Du Bellay, du même âge que lui, son parent, mort pauvre après avoir chanté les princes et les rois.

Répondant au démon intérieur qui l'interrogeait, Ronsard disait sa vie pleine d'études, de voyages, de travaux. Il le constatait[6] :

> Je n'ay jamais servy autre maistre que roys,

(le docte roi François, Henri le guerrier, Catherine son

---

1. IV, 114. — 2. III, 288 (éd. 1563).
3. Le couvent des Bonshommes, vers Passy.
4. Publiée à la fin de 1564, au second livre du *Recueil des nouvelles poësies*, fol, 68 v° ; rangée parmi les *Poèmes* (premier livre, de 1567 à 1578) ; dans la seconde partie du *Bocage royal*, en 1584 (III, 287-296). — 5. III, 288. — 6. III, 289.

épouse, la chaste Marguerite sa sœur, le duc d'Orléans qui l'avait nourri dans sa jeunesse). Hélas ! tous sont des gens capables de dire à son sujet :

> C'est un gentil ouvrier, il faut qu'il ait du bien :
> Mais des le lendemain ils n'ont plus souvenance
> De mes vers ny de moy, ô ingrate science !...

Et cependant, quand il errait dans Saint-Denis où étaient ensépulturés tant de rois qui faisaient naguère trembler la France, Ronsard savait bien que les rois ne sont rien, que seul le poète leur donne l'immortalité[1] :

> Et les voyant couchés, n'ayans plus que l'escorce,
> Comme buches de bois, sans puissance ny force,
> Je disois à part moy : Ce n'est rien que les Roys ;
> D'un nombre que voicy, à peine deux ou trois
> Vivent aprés leur mort, pour n'avoir été chiches
> Vers les bons escrivans et les avoir fait riches.

Regardant l'admirable monument où Germain Pilon, au-dessous du roi qui prie dans sa gloire, a sculpté le pauvre gisant, tout nu et décharné, qui est son grand roi Henri :

> Je disois, ô mon Roy, qui vivant as chery
> Les Muses, et l'honneur des armes valeureuses,
> Ton ame puisse vivre entre les bienheureuses :
> Au haut de ton cercueil soient tousjours fleurissans
> Les beaux oillets pourprés et les lys blanchissans,
> Et leur plaisante odeur jusques au ciel en monte,
> Puisque de ton Ronsard tu as fait tant de conte...

Car son époque d'usuriers, d'assassins, de filous, d'opulents prélats, de singes mitrés, Ronsard la maudissait :

> Presque un seul Montluc[2] esloigné d'avarice
> Acomplist au jourd'hui sainement son office...

---

1. III, 292.
2. Il s'agit de Jean de Monluc, évêque de Valence, frère du mémorialiste, confident de Catherine de Médicis, et bien vu de Louis de Condé. Pour chanter en son église, Ronsard lui adressa la paraphrase du *Te Deum* (V, 443). — La leçon de 1584 donne ainsi ce vers :
> Un nombre bien petit esloigné d'avarice.

Oui, Ronsard était découragé. Jadis, le cœur généreux, l'esprit gaillard, il aurait bien écrit une *Franciade* qui eût été une autre *Iliade* (ce grand laborieux va cependant la mettre au point). Mais, comme la plupart des robustes tempéraments de cette époque, dégoûté de son temps et de son pays, Ronsard nous dit qu'il est sur le point de passer à l'étranger et de servir un autre prince :

> Souvent le malheur change en changeant de province.

On pense à Maisonfort, à Coligny, à tous ceux qui rêvaient de l'Asie et du Pérou, à son ami Brantôme, un vrai Français cependant, mais qui chercha à se vendre au roi d'Espagne, à tous les étrangers qui vaguaient chez nous.

Un vieux sorcier examine les lignes de la main du poète, après l'avoir fait cracher trois fois ; il lui ordonne de marcher en rond, trace des points sur le sol, regarde trois fois la terre et trois fois le ciel ; puis il lui dit à voix basse [1] :

> Mon fils, la poésie
> Est un mal de cerveau qu'on nomme frenaisie :
> Ta teste en est malade, il te la faut guerir,
> Autrement tu serois en danger d'en mourir...

Et le sorcier disait à Ronsard : Puisque le siècle d'or d'un Auguste est pour toujours aboli, fais comme les autres, deviens courtisan, invente des contes à l'usage des gens de cour, sois importun, ne te laisse pas oublier. Mais surtout va vers la reine, douce et bienfaisante, vers celle qui a restauré la raison et le droit ; tourne-toi vers cette race des Médicis qui a fait revivre des noms fameux dans Athènes, ceux de Platon, de Socrate et d'Homère. Car Ronsard savait bien que Catherine avait eu grand soin de faire rechercher les vieux manuscrits hébreux, grecs et latins, conservés dans la librairie du Louvre [2]. Mais si, grâce à la reine, ta fortune ne change pas [3] :

1. III, 295. — 2. L. Delisle, *Le Cabinet des manuscrits*, I, 207-212. — 3. III, 296.

Laisse l'ingrate France, et va chercher ailleurs,
(Si tu les peux trouver) autres destins meilleurs.

Il arriva que Catherine devait se servir du poète pour sa propagande et que Charles IX, enfant, reçut de lui ses préceptes versifiés, qu'il prit goût à la poésie.

Charles IX avait été, en effet, instruit par son précepteur Amyot[1] qu'il aimait fort, l'appelant toujours « son maistre », un savant personnage en grec et en latin. Il y avait entre eux une grande intimité; ainsi l'enfant le taquinait sur son avarice, sur son goût pour les langues de bœuf et la viande qu'il avait vu apprêter chez son père, boucher de Melun. Or, Amyot l'avait très catholiquement élevé, lui faisant, après la messe, baiser l'évangile qu'il lui interprétait chaque jour[2]. Et comme Amyot, Ronsard demeura très près du jeune roi.

Mais durant l'adolescence de Charles IX, c'est autour de la reine mère que nous verrons surtout Ronsard remplissant son service curial. Ainsi la pacifique Catherine de Médicis avait imaginé une série de fêtes, où nous n'avons vu que dépenses superflues, mais où elle avait imaginé de réconcilier une noblesse batailleuse, et aussi de « montrer à l'estranger que la France n'estoit si totalement ruynée et pauvre, à cause des guerres passées, comme il l'estimoit[3] ».

Ces fêtes ont d'abord pour cadre le beau palais de François Ier à Fontainebleau, où toute la cour peut se loger commodément dans les quatre corps de bâtiments que des fossés entourent; elles se reflètent dans le miroir du beau lac, se déroulent dans les jardins qui ne sont pas encore dans l'état d'abandon où les a vus, en 1577, Jérome Lippomano, qui

1. C'est « M. de Bellozane », porté dans les comptes comme précepteur des enfants d'Angoulême et d'Orléans, en 1559 (Arch. Nat., KK. 125). — Plus tard, en 1554, Jacques Amyot résignera volontairement à Ronsard l'abbaye de Bellozane. (Cf. René Sturel, *Jacques Amyot traducteur des Vies parallèles de Plutarque*, Paris, 1909, p. 84.) — « Jacques Amyot, evesque d'Auxerre, abbé de Saint-Corneille et des Roches, grand aulmosnier et predicateur du roy » figurera, encore dans les comptes de 1572 (Arch. Nat., KK. 134).
2. Brantôme, éd. Lalanne, V, 282-285. — 3. Brantôme, VII, 370.

parle toujours de ce lieu de délices[1], du pays coupé de collines et de plaines boisées si propre à la chasse au cerf, de ce romantique paysage où vallons et rochers sont les cadres naturels de l'idylle amoureuse.

C'est ainsi qu'au mardi gras qui suivit les premiers troubles, à Fontainebleau, entre février et mars 1564, la reine Catherine réunit sa cour, et les princes ennemis qu'elle tentait de réconcilier.

Quel décor charmant à ces fêtes de la fantaisie antique est Fontainebleau, le beau château « merveilleusement aimé » de François Ier et de Henri II, le premier miracle italien en France, dont les jardins mosaïqués allaient bientôt redevenir sauvages, et les pièces d'eau boueuses le domaine des roseaux! Mais Fontainebleau, en 1563, est toujours dans son printemps doré, dans la nouveauté de ses bâtiments que dessinera, quelques années plus tard, Androuet du Cerceau. Le château, assis dans les sablons de la forêt de Bièvre, dans la plaine boisée que ferment des collines hérissées de rochers, où les gens d'autrefois voyaient des montagnes, se mire dans les douves profondes qu'alimentait la belle eau de la fontaine, dans l'étang qui appelle les joutes nautiques. C'est une vaste et splendide demeure, avec ses bains antiques que décorent les bronzes, les marbres amenés d'Italie, les tableaux qui forment l'origine de la collection du Louvre. Et dans la merveilleuse salle de bal, le Primatice, élève de Jules Romain qui se souvient de Michel-Ange et du Corrège, a peint les légendes voluptueuses de la vie des Dieux, leurs amours et leurs festins ; Rosso, les tableaux qu'encadrent les stucs vivants et graciles de Germain Pilon. La légende homérique d'Ulysse dans la grande galerie, aujourd'hui détruite, pouvait bien plaire à Ronsard ;

1. *Relations des ambassadeurs vénitiens*, II, 381. — Le cardinal Du Perron a écrit : « Quant je vins d'Italie et que j'entray à Fontainebleau, je trouvay tout fort bas » (*Perroniana*, Genève, 1669, p. 184).

car ce peintre humaniste qu'est le Primatice y avait réalisé
ses propres idées sur la création poétique. Mais chacun, à
Fontainebleau, peut bien trouver son plaisir : la suite nombreuse qui se loge dans les bâtiments de la cour encadrant
le cheval blanc, les gentilshommes qui s'adonnent aux sports,
aux jeux de la balle et du tape-cul sur les mails et sous les
quinconces ombreux [1].

On était las de cette atroce guerre, où presque tous les
chefs étaient restés : le roi de Navarre au siège de Rouen, le
connétable fait prisonnier, le maréchal de Saint-André tué à
la bataille de Dreux, le duc de Guise assassiné devant Orléans.
La reine désirait la réconciliation des Français. Elle avait
besoin de réduire les Anglais qui, tenant le Havre, avaient
formé le dessein, grâce à nos divisions, de s'emparer de la
Normandie. Car il n'y avait plus rien chez nous qu'un corps
« pourri et gâté », suivant le beau mot de Castelnau de
Mauvissière. On avait revu tous les phénomènes de la déso-
lation des églises de France au quinzième siècle, les mêmes
brigandages, l'artisan devenu larron, la noblesse divisée.
Mais le Havre venait d'être repris. Catherine négociait
avec les Anglais. Les comptes de ce temps ne mentionnent
que « voyages faits en diligence sur chevaux de poste », du
camp du roi vers toutes les provinces. Les secrétaires aussi
galopent, les Robertet, les Laubespine, les Neuville ; et
Michel de Castelnau, gentilhomme de la maison de Monseigneur le duc d'Orléans, a tenu une compagnie de gens de
pied en Normandie pour garder le château de Varangeville.
Lui aussi court au camp. Quel mouvement, de la Normandie
à la Bourgogne, en passant par Blois, Chartres et Orléans[2] !
Et le roi, las du séjour des camps et de Paris, résolut d'aller
à Fontainebleau, au début de l'année, pour y respirer

---

1. J'utilise la description donnée par Androuet du Cerceau, *Les plus excellents
bastiments de France*, éd. Destailleurs, et le livre de M. Dimier, *le Primatice*, 1901.
2. Ces détails sont empruntés au compte de l'Epargne de l'année 1563. (Arch. Nat.,
KK. 132.)

meilleur air, pour recevoir les ambassadeurs du pape, de l'empereur, des princes catholiques qui lui demandaient d'observer les articles du concile de Trente et aussi de persévérer dans la foi catholique. Infatigablement, on s'abordait sur la question des deux religions [1]. Ainsi, à Fontainebleau, eurent lieu des festins magnifiques, courses de bagues et combats de barrière, où le jeune roi, le duc d'Anjou firent plusieurs parties, où le prince de Condé figurait parmi les tenants. Car le huguenot était prince courageux et adroit cavalier. Ainsi l'aigreur semblait disparaître des cœurs.

Et l'on vit un fort beau combat de douze Grecs et de douze Troyens, « lesquels avoient depuis longtemps une grande dispute pour l'amour d'une dame et sur sa beauté » : ils allaient rendre tant de personnes de l'assemblée témoins de leurs luttes. Les hérauts récitaient des cartels et autres belles poésies, proclamaient les noms des combattants, Grecs et Troyens ; et sur leurs pavois on voyait peintes leurs devises. Ainsi Castelnau de Mauvissière, ambassadeur de France en Angleterre, combattit sous le nom du chevalier Glaucus ; et il parut encore dans les tournois. On le retrouve parmi les acteurs d'une tragi-comédie que la reine mère fit jouer au festin, « la plus belle et aussi bien artistiquement représentée que l'on pourroit imaginer » (le duc d'Anjou, Marguerite sa sœur, Condé, Lorraine, la duchesse de Nevers, la duchesse d'Uzès, le duc de Retz, Villequier et d'autres jouèrent à ses côtés [2]). Cette comédie, au dire de Brantôme, est la belle Genièvre de l'Arioste [3].

Mais donnons encore la parole à Castelnau [4] : « Et, après la comedie, qui fut admirée d'un chacun, je fus choisi pour

1. Mémoires de Castelnau de Mauvissière, dans la *Nouvelle collection des mémoires pour servir à l'histoire de France* de Michaud et Poujoulat, IX, 498 ; *Calendars of state papers*, Foreign, 1564-1565, p. 89-100.
2. Castelnau, p. 499.
3. VII, 370. — Il s'agit d'un épisode du *Roland Furieux* que la reine fit représenter par Mme d'Angoulême « et par ses plus honnestes et belles princesses, et dames et filles de sa cour qui la représenterent très bien » (Brantôme, éd. de Lalanne, VII, 370).
4. Castelnau, 499-500.

reciter en la grande salle, devant le roy, le fruit qui se peut
tirer des tragedies, esquelles sont representées les actions des
empereurs, rois, princes, bergers et toutes sortes de gens qui
vivent en la terre, le theatre commun du monde, où les
hommes sont les acteurs, et la Fortune est bien souvent
maistresse de la scene et de la vie. Car tel represente aujour-
d'hui le personnage d'un grand prince, demain joue celuy
d'un bouffon, aussi bien sur le grand theatre que sur le
petit ! »

Les vers que Castelnau, ambassadeur auprès d'Élisabeth,
« plein de faconde et de mémoire heureuse[1] », récita au
carnaval de Fontainebleau, ce sont les vers charmants de
Ronsard[2] ; ils nous donnent à penser que si le Vendômois
avait été moins entiché d'une érudition livresque, et surtout s'il avait admis la tradition vivante du théâtre de chez
nous, il aurait donné à la France le poète dramatique
qu'eut le règne d'Élisabeth :

> Icy la Comedie apparoist un exemple[3]
> Ou chacun de son fait les actions contemple :
> Le monde est le theatre, et les hommes, acteurs,
> La Fortune qui est maistresse de la scene
> Apreste les habitz, et de la vie humaine
> Les cieux et les destins sont les grans spectateurs.
> En gestes differens, en differens langages
> Roys, Princes, et bergers jouënt leurs personnages
> Devant les yeux de tous, sur l'escharfaut commun,
> Et quoy que l'homme essaye à vouloir contrefaire
> Sa nature et sa vie, il ne sçauroit tant faire
> Qu'il ne soit, ce qu'il est, remarqué d'un chacun.
> L'un vit comme un pasteur, l'un est roy des provinces,
> L'autre fait le marchant, l'autre s'égalle aux princes,
> L'autre se feint contant, l'autre poursuit du bien :
> Ce pendant le soucy de sa lime nous ronge,
> Qui fait que nostre vie est seullement un songe,
> Et que tous nos desseins se finissent en rien...

1. VI, 347.
2. Vers shakespeariens vraiment, écrits cette année-là où naquit Shakespeare.
3. Ed. 1565, fol. 68 v° : *Ces vers furent recitez par le seigneur Mauvissier sur la
fin de la comedie à Fonteine-bleau.*

Il ne faut esperer estre parfait au monde,
Ce n'est que vent, fumée, une onde qui suit l'onde :
Ce qui estoit hyer ne se voit au jourd'huy.
« Heureux, trois fois heureux qui au temps ne s'oblige
« Qui n'est vaincu d'Amour, et qui sage corrige
« Ses fautes en vivant par les fautes d'autruy ! »

Le lendemain, « pour clorre le pas à tous ces plaisirs »,
le roi Charles et son frère, se promenant dans le jardin, aper-
çurent une grande tour enchantée en laquelle étaient détenues
plusieurs belles dames gardées par des Furies infernales.
Deux géants, d'admirable grandeur, en étaient les geôliers ;
et ils ne pouvaient être vaincus que par deux grands princes
de la plus noble et plus illustre maison du monde. Alors
le roi et son frère s'arment secrètement. Ils vont combattre
ces deux géants ; vainqueurs, ils pénètrent dans la tour où ils
livrent quelques autres combats qui mettent fin aux enchantements. Ainsi ils délivrent les dames de la tour ; elle
s'embrase. C'est le bouquet : « Voila comme l'on mesloit avec
les affaires de la cour toutes sortes de plaisirs honnestes [1]. »

Au mois de mai 1564, Ronsard doit toujours suivre la cour
qui se rend à Bar-le-Duc [2]. Car de grandes fêtes eurent lieu
à l'occasion du baptême du fils de Charles, duc de Lorraine,
et de Claude de France. Là encore, la reine pacifie les choses
et les gens, visite les Guises. A l'occasion du baptême, Ronsard écrit des vers, faisant dialoguer les planètes, rimant des
mascarades [3].

Mais il suit en pensée [4] la mère et l'enfant, lorsque Catherine et le jeune Charles IX descendent en Provence et en
Languedoc à la fin de l'année [5], quand Catherine montre à

1. Castelnau, p. 500. — 2. *Lettres de Catherine de Médicis*, itinéraire.
3. III, 468-469. — Le sujet de la Mascarade est indiqué dans R. Belleau, première
journée de la Bergerie (*Œuvres*, éd. Daupeley-Gouverneur, t. II). — 4. III, 297.
5. Je ne sais pourquoi M. Paul Laumonier a daté du mois d'août 1564 la très intéressante pièce *les Nues ou Nouvelles de Pierre de Ronsard Vendosmois à la royne*
(VI, 410 ; Bibl. Nat., Rés. p Y⁰ 173). Ronsard n'y parle que de l'hiver, des nues et
des brouillards qui couvrent Paris. C'est en décembre 1564 que la reine était en
Provence, et au mois de janvier 1565 en Languedoc (*Lettres de Catherine de Médicis*,
itinéraire, t. X).

ses fils leur royaume. Avec toute la France Ronsard attend leur retour, certainement à Paris, « qui lamente et languit en soucy » : car on y commente les nouvelles de ce grand voyage qui durera douze lunaisons.

Ronsard, qui venait de célébrer la « tres vertueuse princesse, la royne Catherine de Medicis, mere du roy[1] », celle qui savait prudemment conduire au port la nef, l'épouse, la reine sur qui l'on comptait pour réformer le royaume, celle qui avait fait refleurir en France la vertu et la science, la famille des Médicis qui avait sauvé de l'oubli les œuvres de Platon, de Socrate et d'Homère, nous montrait encore :

> Ceste royne d'honneur de telle race issuë...
> Soingneuse a fait chercher les livres les plus vieux,
> Hebreux, grecs et latins, traduits et à traduire.
> Et par noble despense elle en a fait reluire
> Son chasteau de Sainct Maur[2], afin que sans danger
> Le François fust veincueur du sçavoir estranger.

Ronsard lui disait, tandis qu'elle faisait voyager son fils[3] :

> Vostre Monceaux tout gaillard vous appelle,
> Sainct Mor pour vous fait sa rive plus belle,
> Et Chenonceau rend pour vous diaprez
> De mille fleurs son rivage et ses prez :
> La Tuillerie au bastiment superbe
> Pour vous faist croistre et son bois et son herbe,
> Et desormais ne desire sinon
> Que de porter sur le front vostre nom.

La reine, qui est alors en Provence, gagne le Languedoc[4]. Qui vous retient, lui disait-il en d'admirables vers; rentrez au printemps[5] :

> Seroit-ce point le Rhosne impetueux?
> Le cours de Seine aux grands ports fructueux

---

1. III, 287. — 2. Ailleurs, Ronsard a parlé de la librairie du Louvre. — 3. III, 298. 4. *Lettres de Catherine de Médicis*, itinéraire, t. X. La reine était à Lyon le 15 juin 1564, à Marseille du 9 au 13 novembre, à Nîmes le 13 décembre, à Toulouse tout le mois de février 1565, à Bayonne du 2 au 30 juin. — 5. Je cite le texte de 1565.

> Est plus plaisant. Seroit-ce point Marseille ?
> Non, car Paris est ville sans pareille :
> Bien que Marseille en ses tiltres plus vieux
> Vante bien haut ses Phocenses ayeux,
> Qui d'Apollon fuyans l'oracle et l'ire,
> A ce bord là ancrerent leur navire.
> L'air plus serain des peuples estrangers
> Et le doux vent parfumé d'orengers,
> De leur douceur vous ont ils point ravye ?
> La peste, hélas ! vous a toujours suivie.
> De Languedoc les palles oliviers
> Sont ils plus beaux que les arbres fruitiers
> De vostre Anjou ? ou les fruitz que Touraine
> Plantés de rang en ses jardins ameine ?
> Je croy que non. Y vit-on mieux d'acord ?
> Mars en tous lieux de vostre grace est mort.

Le portrait que Ronsard trace de Catherine de Médicis est alors tout à fait juste. La reine aura bientôt les cheveux « grisons » :

> Et les soucis vous commandent de faire
> Honneste chere et doucement vous plaire.

Oui, le moment était venu pour elle de rejeter

> Tous vos ennuis sur les aisles du vent...
> Vostre grand nom que la grand'Renommée
> Seme par tout, est plus fort qu'une armée.
> Car sans combatre, avecque la vertu,
> Vous avés tout doucement combatu.

Ronsard, qui avait réglé les divertissements de Fontainebleau, en souhaitait bientôt d'autres, pour elle et pour lui :

> Quand voirrons nous quelque tournay nouveau ?
> Quand voirrons nous par tout Fontainebleau
> De chambre en chambre aller les masquarades ?
> Quand oyrons nous au matin les aubades
> De divers luthz mariés à la voix,
> Et les cornets, les fifres, les haut bois,
> Les tabourins, les fluttes, espinettes,
> Sonner ensemble avecque les trompettes ?
> Quand voirrons nous comme balles voler
> Par artifice un grand feu dedans l'air ?

> Quand voirrons nous sur le haut d'une scene
> Quelque Janin [1], ayant la jouë pleine
> Ou de farine ou d'ancre, qui dira
> Quelque bon mot qui vous resjouyra?
> Quand voirrons nous une autre Polynesse
> Tromper Dalinde [2], et une jeune presse
> De tous costez sur les tapis tendus
> Honnestement aux girons espandus
> De leur maistresse, et de douces parolles
> Flechir leurs cœurs et les rendre plus molles,
> Pour sainctement un jour les espouzer,
> Et chastement pres d'elles repouzer?
> C'est en ce point, Madame, qu'il faut vivre
> Laissant l'ennuy à qui le voudra suivre.

Ronsard traçait le plus vif tableau de la paix qui régnait alors en France :

> Morts sont ces motz Papaux et Huguenotz,
> Le Prestre vit en tranquille repos,
> Le vieil souldart se tient à son mesnage,
> L'artizan chante en faisant son ouvrage,
> Les marchés sont frequentez des marchans,
> Les laboureurs sans peur sement les champs...
> En travaillant chacun fait sa journée :
> Puis quant au ciel la lune est retournée,
> Le laboureur delivré de tout soing
> Se sied à table, et pren la tasse au poing,
> Il vous invoque, et remply d'alegresse
> Vous sacrifie ainsi qu'à sa Déesse,
> Verse du vin sur la place, et aux cieux
> Dressant ses mains et soulevant les yeux,
> Supplie à Dieu qu'en santé tres parfaitte
> Viviez cent ans en la paix qu'avez faitte !

Ces jours de paix, si rares dans ce seizième siècle tourmenté, Ronsard les a goûtés pleinement, dans la puissance de son art, de son intelligence, de son âge :

> Après l'ardeur de la guerre cruelle
> Je voy fleurir le beau siècle doré...

1. Ce sont les Zani et les Pantalon qui réjouissaient tant la reine, au dire de Brantôme.
2. Allusion à la tragicomédie de la belle Genièvre tirée de l'Arioste.

Car il a vraiment tout compris, s'il a beaucoup varié. Ces
jours enchanteurs qu'il appelait pour les prolonger encore [1],
il allait, sinon les vivre, du moins les évoquer lors des fêtes
de Bayonne.

Ronsard, qui a certainement rédigé le programme du
carnaval de Fontainebleau, collabore à d'autres fêtes données
au mois de juin 1565, à l'entrevue de Bayonne, s'il n'y assiste
pas [2].

Catherine rend visite à sa bonne fille Élisabeth, l'épouse
de Philippe II, son ennemi ; à « Madame sa fille », la reine
catholique, à qui elle adresse, depuis plusieurs années,
d'abondantes missives secrètes et politiques. C'est encore un
succès pour la reine Catherine : elle réussit, par sa magnificence, à surprendre les Espagnols, « qui sont fort desdaigneux
de toutes autres [choses], fors des leurs, jurarent n'avoir rien
veu de plus beau et que le roy n'y sçauroit pas approcher ».
Élisabeth de France, reine d'Espagne, parut superbement à
ces fêtes, celle-là dont on admirait la beauté, et que les courtisans n'osaient regarder pour ne point donner de jalousie à
leur souverain. Sa haute taille, sa grâce à la fois espagnole
et française, la gravité et la douceur de la *reyna de la paz y
de la bondad* enchantent tous les assistants [3]. On donne un
festin superbe, suivi d'un ballet, dans l'île de l'Adour ; des
bergères, habillées de toile d'or et de satin, figurant toutes
les provinces de France, servent à la table royale. Les dieux
marins chantent autour du bateau de leurs Majestés : les Poi-
tevines soufflent dans leur cornemuse ; les Provençales voltent

1. Éd. 1569, fol. 79. Voir aussi les deux sonnets au prince de Condé, fol. 79 :
    Qui a point veu aux tristes jours d'hyver...
    Prince bien né quand le ciel t'anima...
2. Claude Binet affirme sa présence : « Lequel (Charles IX) print Ronsard en
telle amitié, admirant l'excellence de son divin esprit, qu'il luy commanda de le
suivre, et de ne le point abandonner, luy faisant marquer logis partout où il alloit,
mesmement au voyage de Bayonne, où il le voulut avoir tousjours auprès de soy »
(*Vie de Pierre de Ronsard*, éd. P. Laumonier, p. 25, 157). Mais M. Paul Laumonier
(*Ronsard poète lyrique*, p. 224, et appendices, pièces justificatives, II, p. 743) a montré
que Ronsard n'alla pas jusqu'à Bayonne.
3. Brantôme, VII, 370 ; VIII, p. 7, 11-13.

au son des cymbales; Bourguignonnes et Champenoises jouent de leurs petits hautbois et tambours de village; les Bretonnes dansent leur passe-pied et branle-gai. Après le festin, on voit se loger dans un rocher lumineux une grande troupe de satyres musiciens qui allaient rejoindre, pour danser, des nymphes étincelantes de lumières[1]. Mais l'orage qui éclate dans la nuit, portant partout la confusion et la retraite, et qui amène aussi tant de rires, est bien accordé au temps où Catherine, inquiète et sombre, entend les mauvais avis du duc d'Albe[2].

Ronsard s'attache à ces splendeurs, à la joie d'une mère qui retrouve sa fille. Il écrit des « Stances a chanter sur la lyre pour l'avant-venue de la Royne d'Espaigne[3] », assez pauvres d'ailleurs, mais elles se chantent :

> O siecle heureux, et digne qu'on l'appelle
> Le siecle d'or, si onque en fut aucun,
> Où l'Espaignol d'une amitié fidelle
> Ayme la France, et les deux ne sont qu'un ;
> C'est un plaisir qu'en l'esprit il faut prendre,
> Le corps n'est pas digne de le comprendre.

Enfin, Ronsard voyait dans cette entrevue la paix qu'il a tant de fois, et toujours si généreusement, célébrée.

Mais Ronsard n'a pas dû se rendre à Bayonne, où sa présence eût été remarquée, où il n'aurait pas manqué d'écrire bien des mascarades (la chose lui coûtait si peu), comme Antoine de Baïf qui en écrivit une vingtaine[4]. Il dut rester à Bordeaux, chez Jean Belot, conseiller au Parlement, si

---

1. Sur les fêtes de Bayonne, voir Brantôme, Vie de Catherine de Médicis, VII, 158-162, 370-373, et les *Mémoires* de Marguerite de Valois, éd. F. Guessard, 1852, p 8-10 ; Abel Jouan, *Recueil et discours du voyage du roi Charles IX* et le *Recueil des choses notables faites à Bayonne* (Bibl. Nat., L b 33, 178). Le compte de l'Argenterie pour l'année 1565 (Arch. Nat., KK. 130) est rempli de détails sur ces fêtes, le tournoi, les costumes présentés à la reine d'Espagne, au duc d'Albe, à leur suite. On a l'impression d'un travesti très brillant, mi-espagnol, mi-français.

2. Voir les documents de la collection Simancas allégués par H. de la Ferrière (*Lettres de Catherine de Médicis*, II, LXVI-LXVII).

3. Éd. 1565, fol. 74 r°.

4. *OEuvres*, 1573, fol. 196-201 (Bibl. Nat., Rés. Ye 1988).

accueillant[1], retenu sans doute par sa goutte[2]. Ce « jour heureux » de l'entrevue de Bayonne, il y a lieu de croire que Ronsard l'honora seulement par « penser », comme il l'a dit. Au mois de mars 1565, il pouvait être à Saint-Cosme, prieuré dont il venait de prendre possession. C'est là sans doute que le toucha l'invitation du roi aux fêtes de Bayonne[3]. Mais il n'a pas dû dépasser Bordeaux. Dans tous les cas, le 12 juin 1565, Ronsard assistait à Paris à la mort d'Adrien Turnèbe, lecteur royal, le grand érudit et professeur de langue grecque, qui lui a révélé bien des poètes, et qu'il pleure avec ses disciples dont il fut[4].

Au mois de juillet 1565, Pierre de Ronsard faisait paraître le recueil des *Elegies, Mascarades et Bergerie*[5] qu'il adressa à la reine d'Angleterre Élisabeth, et qui résume le goût nouveau à la cour des Valois, comme il atteste sa propre maîtrise[6]. C'était le temps où la reine d'Angleterre venait de faire la paix avec la France que gouvernait la reine mère[7].

Bien mieux, à l'issue des conférences de Bayonne, Paul de Foix, notre ambassadeur, que connaissait Ronsard, a demandé

1. J.-Antoine de Baïf a écrit de lui dans ses *Passetems* (1573, fol. 57) :

    Va, Muse, et vole où Garonne
    Lave le mur qui couronne
    Bordeaux...
    Je le voy là, ce me semble
    Comme en un rond il assemble
    Ses amis qu'il en ébat.

2. Paul Laumonier, *Ronsard lyrique*, p. 224.

3. C'est cette invitation qui doit être la source du mauvais renseignement donné par Claude Binet (éd. Laumonier, p. 25). — M. Henry Prunières, *Ronsard et les fêtes de cour*, dans *Ronsard et la Musique*, numéro spécial de la *Revue Musicale* (1er mai 1924), a publié l'intéressante suite de tapisseries des Offices reproduisant les scènes des fêtes de Bayonne.

4. Voir l'*Epistola quæ vere exponit obitum Adriani Turnebii Regii professoris*, Parisiis, 1565 (Bibl. Nat., Rés. m Yc 925) ; le *Tumulus*, publié à Paris chez Frédéric Morel, en 1565 (*Ibid.*). La complainte de Jean Passerat à P. de Ronsard précise que Ronsard fut témoin de sa fin :

    Nous l'avons beu des yeux, qui l'avons veu mourant...

5. Bibl. Nat., Rés. Y° 503.

6. Alors Ronsard adresse à Alphonse Delbene, abbé de Hautecombe en Savoie, son *Abbregé de l'art poetique françois*, si plein d'intérêt (VII, 44-65. Bibl. Nat., Rés, Y° 102).

7. Rymer, *Fœdera*, (1741) VI, p. 122, 124 (octobre 1563).

la main de la reine d'Angleterre pour Charles IX[1] : la main d'Elisabeth, de la grande Elisabeth, la femme la plus anglaise de son royaume et la plus avare, qui vient d'entrer dans sa trente-deuxième année, une forte tête pour cet adolescent !

Catherine, dans son ambition pour son fils, dans son amour, lève toutes les objections : « Mon fils pourrait de temps en temps résider en Angleterre... Ma bonne sœur Elisabeth s'intitule déjà reine de France. elle n'en a que le titre, elle le serait de fait. » Et Smith, l'ambassadeur d'Angleterre, se tournait vers le jeune roi : « Si vous aviez, Sire, trois ou quatre ans de plus, si vous aviez vu la reine et si vraiment vous aviez de l'amour pour elle, je ne m'étonnerais pas de cette hâte. » — « Mais en vérité, s'écrie vivement le roi, je l'aime ! » — « A votre âge, Sire, réplique Smith, on ne sait pas encore ce que c'est que l'amour : bientôt vous passerez par là, car tous y passent, homme ou prince ! C'est bien la chose de ce monde la plus folle, la plus empressée, et la moins respectueuse ». Le roi rougit et la reine répond pour lui : « Ce n'est pas un fol amour ! » — « J'en conviens, reprend Smith ; mais comme il doit reposer sur de sérieuses raisons, de dignes et graves considérations, il n'y faut procéder qu'après mûres délibérations. » Il ajoute que sa reine entend rester libre de dire oui ou non.

C'est ainsi que Ronsard, considéré comme un homme de premier plan en Angleterre[2], fut amené à dédier « à la Majesté de la Royne d'Angleterre » le livre des *Elegies, Mascarades et Bergerie* qu'il venait de faire imprimer chez Gabriel Buon, au clos Bruneau, à l'enseigne saint Claude[3]. Car « le plus grand heur que nostre France puisse recevoir pour le

1. *Lettres de Catherine de Médicis*, II, introduction de H. de la Ferrière, p. LXVIII-LXX ; *Calendars of state papers*, Foreign, 1564-1565, p. 334-336. (La lettre de Smith à Élisabeth, qui rapporte cet événement, est du 15 avril 1565.)

2. Smith à Cecil, 10 février 1565, p. s. « Because he should not want news, send the news of Ronsard, the archpoet of France, sent him from Paris... » *Calendars of state papers* (Orig. End. by Cecil's secretary, p. 6).

3. Bibl. Nat., Rés. Y⁰ 503. (Le privilège est daté du 20 septembre 1565.) — Le

jourd'huy, après celui de son privé repos, est le bien de la
Paix solennellement jurée avec vostre Majesté, laquelle est si
forte qu'elle a peu rompre, en deux ans, les rancunes et
dissentions presque naturellement augmentées et nourries
par tant de siecles au desavantage des deux royaumes si voysins et si florissans». C'était la raison même, mais un résultat
que « les hommes bien nez, qui ont je ne sçay quel jugement
outre le vulgaire » tenaient cependant pour un miracle de
Dieu. Ce que tant de rois de France et d'Angleterre n'avaient
su faire, deux reines, très sages et vertueuses, l'avaient réussi
pour la gloire du sexe féminin, « auparavant eslongné des
sceptres », et cependant très digne de commander. A un roi
fainéant, qui n'a de prince que le nom, Ronsard trouvait plus
profitable pour gouverner la République « une princesse de
gentil et accort esprit ». Et, dans son allégresse, il rêvait
d'une prudente « Gynecocratie ». Il rappelait les rapports par
correspondances de Catherine avec Elisabeth, leurs échanges
de courtoisies.

« Or, Madame, tout ainsi que le Roy mon maistre et la
Royne sa mere, ne vous visitent seulement par lettres et
messages, ains honorent vostre Majesté de nouveaux et rares
presentz (dont vous scavez tres bien revancher par semblables
courtoisies, ne voulant estre vaincue en si honorable combat).
Ainsi à l'exemple de mes maistres, je ne puis estre justement accusé si j'ay pris la hardiesse d'ouvrir le cabinet des
Muses, pour vous offrir ce petit present, lequel sera, peut
estre, mieux receu de vostre royalle main, qu'un plus riche,
ou de plus somptueux appareil. Et si quelque melancho-
lique calumniateur se fasche, de quoy, après avoir illustré et
honoré mes Rois et Seigneurs naturelz, je dedie et consacre
ce mien œuvre aux princesses d'autre nation, il apprendra
par cecy que je suis tres marry que plus tost je ne l'ay faict,
tant pour envoyer (selon ma petite puissance) les honneurs

23 août, M. de Foix présentait à Cecil « a book written by Ronsard, in whose name
he begs it may be presented to the Queen » (*Calendars of state papers*, nº 1 411).

des Francoys aux peuples voysins, que pour faire connoistre mon nom aux royaumes estrangers[1]. »

C'est un livre vraiment royal que les *Elegies, Mascarades et Bergerie* ; et Ronsard doit avoir plaisir à signer des envois, comme il le fit sur l'exemplaire de M. de Fictes[2].

Dorat introduit encore son noble disciple dans une pièce latine ; puis Ronsard y parle à la « Magesté de la Royne d'Angleterre » dont il loue, dans une Élégie, jusqu'à la beauté (toutes les reines seraient donc belles ?), ses somptueuses toilettes dont l'ambassadeur avait pu parler à Fontainebleau :

1. Ronsard ne s'est pas trompé. Le livre a eu son influence sur la littérature anglaise. Ronsard a été lu en Angleterre au seizième siècle et commenté en Écosse dans les écoles publiques. Watson, Sydney, Southern et Lodge imitèrent ses sonnets et ses odes (Sidney Lee, *Elizabethan sonnets* (Cambridge, 1904) et *the French Renaissance in England*, Oxford, 1910). John Éliot, dans un ouvrage publié à Londres en 1593, préconisait la lecture de Ronsard. Ben Johnson estimait particulièrement les Odes de Ronsard. (Cf. Laumonier, « Ronsard et l'Écosse », dans la *Revue de littérature comparée*, 1924 ; voir aussi la belle adresse signée d'Emund Gosse, rédigée par Eccles, publiée par la *Muse française*, 1924, p. 795).

2. Bibl. Nat., Y⁰503. — Mais Ronsard n'a fait que le signer. Car la dédicace : *Pour Monsieur de Fictes*, est de la main d'Amadis Jamyn. — Pierre de Fictes, que l'on trouve « Mᵉ de la Chambre aux deniers du roy à son advenement en 1560 (Arch. Nat., KK. 128), conseiller du roi et trésorier de son épargne, en 1573 (Bibl. Nat., P. orig. 1151), qui prend en 1579 le titre de seigneur de Soucy (*Ibid.*). Il mourut avant 1599, laissant pour veuve Louise de Haqueville, fille de Nicolas, seigneur de Garges et d'Attichy, avocat au Parlement (Dossiers bleus, 269). Ce personnage, considérable, contresignait les faveurs royales. Antoine de Baïf, dans *les Jeux*, 1573, fol. 13 v⁰ (Bibl. Nat. Rés. Yᵉ 1990), a fait un éloge senti de M. de Fictes, ami des muses et des poètes, à la parole douce et sûre : il a écrit au *Tiers livre des Poemes*, p. 90 :

> *A M. de Fittes trésorier de l'Épargne.*
>
> Fittes, ami d'un cœur entier,
> De ceux que l'honneste mestier
> Des Muses gentiles contente,
> Ly ces vers que de toy recors
> Suivant les Calabrois accors
> Au bord de la Sene je chante.
> Heureux, heureux le laboureur,
> S'il pouvoit congnoistre son heur !
> Sa vie n'est pas vie humaine,
> Mais bien, Fittes, telle qu'és Cieux
> La race bien aise des Dieux,
> Une plus gaye ne demeine.

Voir également la dédicace de l'Adonis de Ronsard, en 1564, fol. 44r⁰ : Fictes, qui n'es point feint aux enfans de la Muse...

> Et lors je dy si cette royne Angloise
> Est en beauté pareille à l'Escossoise [1],
> Comment voit on en lumiere pareilz
> Dedans un isle ensemble deux soleilz?

Ronsard disait magnifiquement la légende nationale : l'île d'Angleterre errante sur la mer. Mais aussi, avec beaucoup de dignité et de sagesse, il se permet de la conseiller :

> N'offensez point par armes ny par noyse,
> Si m'en croiez la province Françoise !...
> Le François semble au saule verdissant :
> Plus on le coupe et plus il est naissant,
> Et rejetonne en branches davantage,
> Prenant vigueur de son propre dommage.

Il s'adresse aussi à Mylord Robert Dudley, comte de Leiceister, son correspondant et son favori[2], le patron des écrivains.

Ronsard esquisse le portrait le plus flatté de l'ami d'Elisabeth, du beau Robert Dudley, aimé de toutes les femmes, qui ne fut cependant qu'un brouillon, un bel ami désinvolte et magnifique, recevant aussi facilement des cadeaux de ses amies qu'il leur en faisait, le protecteur des troupes de comédiens, factotum candidat à toutes les ambassades, et qui faillit devenir vice-roi des Provinces Unies. En 1563, la question s'était posée devant le conseil d'en faire un mari pour la reine d'Écosse. Élisabeth admettait de faire ce sacrifice. Mais en 1565, le mariage de Marie Stuart avec Darnley avait écarté ce projet[3] :

> Aussy Dudlé, homme icy ne te passe
> Soit en prouësse ou soit en bonne grace,
> Soit en beauté, galantize et vertu
> Dont l'envieux est par toy combatu...
> Nul mieux que toy ne dompte en la campaigne

1. Il s'agit de Marie Stuart, qui venait d'épouser Darnley, mais dont la mésentente commençait avec Élisabeth.

2. Voir l'important article de la *National Biography* et *Melissi schediasmata*, 1586, p. 159.

3. Ed. 1565, fol 10 v° : *Élégie a Mylord Robert Du-Dlé comte de l'Encestre.*

Soit le roussin, soit le cheval d'Espagne...
Nul mieux que toy ne suit par les bocages,
Les cerfs rameux, ou les sangliers sauvages...
Nul mieux que toy ne tombe à la cadance,
Quand main à main tu guides une dance,
Soit decoupant ou les branles Anglois,
Ou les Flamans, ou les nostres François,
Ou soit balant d'une jambe soudaine
Une gaillarde espagnolle ou romaine,
Monstrant la greve et le corps bien adroit
Que pour espoux une Nymphe voudroit...
Nul plus que toy n'honore la musique,
Ny la douceur du bel art poëtique...
Nul mieux que toy d'un visage accointable,
Et d'un parler courtois et amiable
Pour de ta Royne illustrer la grandeur
Ne fait caresse à un ambassadeur...

Et Ronsard dédie la « Bergerie » à la « majesté de la Royne d'Escosse [1] », une sorte de pastorale symbolique accompagnée au son de la « lyre », genre nouveau en France, qu'il avait composée à Fontainebleau au printemps de l'année 1564. Les rôles sont indiqués pour être tenus par les enfants de France : Orléantin (Henri d'Orléans qui a douze ans et demi), Angelot (François d'Anjou, âgé de neuf ans); Navarrin (Henri de Navarre, âgé de dix ans); Guisin (Henri de Guise, qui a treize ans passés); Margot (Marguerite de Valois, âgée de onze ans). La reine mère est Catherine la bergère. Ainsi le Sannazar de l'Arcadie et Virgile parlent par la bouche de ces enfants bergers. On est seulement étonné qu'ils aient pu

1. Il est remarquable de constater que Ronsard qui confia à Castelnau de Mauvissière, ambassadeur, un exemplaire des *Élégies* pour Marie Stuart :

Je n'ay voulu, madame, que ce livre
Passat la mer sans vous voir et vous suivre,

n'adressa plus de vers à sa grande amie, pendant près de dix ans, jusqu'au jour où il écrivit le chevaleresque sonnet :

Encore que la mer de bien loin nous sépare,

pour engager les Français à aller la délivrer (1578). C'est que Marie Stuart, surtout après son mariage avec Darnley, était aussi odieuse à Catherine de Médicis qu'à Élisabeth. On sait que c'est après 1568 que Marie demeura prisonnière en Angleterre jusqu'en 1586, date de sa mort. C'est à Castelnau que Marie écrira de sa main une lettre désespérée.

réciter les beaux vers de la « Pastorale [1] », où l'on retrouve l'élégance et la volupté des figures du Primatice :

> Plus belle est une nymphe en sa cotte agrafée,
> Aux bras à demy nuds, qu'une dame coifée
> D'artifice soigneux, toute peinte de fard :
> « Car toujours la Nature est meilleur que l'art. »

Quel repos, en cette époque troublée, quel amusement aussi pour ces raffinés, de se retrouver, menant leurs brebis paître, sur les « herbages » de France, d'entendre chanter dans l'antre le chœur des bergères, sous la houlette de Catherine !

> Lors nous ferons de gazons un autel
> Tout couvert de branche myrtine,
> Et de la nymphe Katherine
> Appellerons le grand nom immortel...

Orléantin commençait :

> Icy diversement s'émaille la prairie,
> Icy la tendre vigne aux ormeaux se marie,
> Icy l'ombrage frais va ses feuilles mouvant
> Errantes, ça et la, sous l'halaine du vent ;
> Ici de pré en pré les soigneuses avettes
> Vont baizant et sussant les odeurs des fleurettes,
> Icy le gazouiller enroüé des ruisseaux
> S'accorde doucement aux pleintes des oyseaux.

Un âge d'or, en vérité, ce court moment de paix que la reine de France a réalisé avec l'Anglaise.

Le poète nous introduit dans les cours d'Europe et de France [2], dans le monde diplomatique de M. de Foix [3],

---

1. Mais comme pour les pasteurs dans l'antre, « l'un représentant la Royne, l'autre madame Marguerite duchesse de Savoye », il se peut qu'il s'agisse d'une figuration (fol. 15).

2. *Élégie à la majesté du roy mon maistre* (fol. 37 v°) ; *Élégie à la majesté de la royne ma maistresse* (fol. 41).

3. *Élégie à M. de Foyx, ambassadeur du Roy en Angleterre, et maistre de ses requestes* (fol. 44 v°). Sur ce personnage voir les *Calendars of state papers*. — Charles Uytenhove, le Gantois polyglotte et l'ami de la Pléiade, admirateur et familier de Ronsard, de Morel, quitta Paris en 1562, pour accompagner en Angleterre, comme secrétaire, Paul de Foix (P. de Nolhac, *Ronsard et l'Humanisme*, p. 217).

ambassadeur d'Angleterre, auprès du seigneur Cecil, secrétaire d'Élisabeth[1]. « Les Mascarades, combatz et cartelz[2] » nous font revivre tout le carnaval à Fontainebleau de février 1564[3].

> Mascarades et cartels ont prins leur nourriture,
> L'un des Italiens, l'autre des vieux François...

dira Ronsard, qui n'ignore pas que c'est assez la coutume, chez nous, d'adopter les façons des étrangers. Dans ces défis, il nous semble revoir les splendeurs de l'antique maison de Bourgogne, quand les chevaliers errants, aventureux, combattaient pour leurs belles et sous leur devise. Amour, le grand maître des Dieux, est le roi de la fête[4]; Chasteté y triomphe sur son char. Et les dames de Catherine de Médicis sont les sirènes qui chantent et prophétisent aux fêtes du carnaval qui eurent pour cadre le canal du jardin de Mgr d'Orléans à Fontainebleau.

Jours merveilleux de la quarantaine de Ronsard que les *Élégies, Mascarades et Bergeries* nous révèlent; beau livre qu'il adresse en message à la cour d'Angleterre, et dans lequel il esquisse les portraits de gentilshommes français défunts (on pense aux crayons de Chantilly) : on y voit celui de Roch Chasteignier, seigneur de la Roche-Posay, noble, beau, gaillard et parfait, qui sert son pays depuis le règne de François I[er][5] :

> Et poudroyant sous ses pieds la campagne
> La pique au point s'opposoit à l'Espagne,

1. *Au seigneur Cecille secrétaire de la Royne d'Angleterre* (fol. 48 ro). — Sir William, lord Burghlen, le plus pauvre lord de l'Angleterre, mais personnage considérable, dont la correspondance avec Elisabeth remplit les *Calendars of state papers*. Cecil était son homme de confiance, beaucoup plus sûr et puissant que Dudley, le comte de Leicester ; ce que savait Ronsard, qui loue aussi sa sage épouse composant « en toute langue » (Voir le *Dictionnary of national biography* et l'introduction aux *Calendars*).
2. Fol. 62 vo. — 3. Les fêtes de Paris aussi, de Bar-le-Duc (fol. 72 vo) et de Bayonne (fol. 74). — 4. III, 465.
5. Éd. 1565, fol. 59 vo : *Épitaphe de feu Roc Chasteigner, filz aisné de M. de la Roche de Posé, chevalier de l'ordre, lequel Roc mourut à Bourges, gentilhomme de la chambre du roy et lieutenant de cinquante hommes d'armes soubs Monseigneur de Longueville.* — Ce « Regnault Chasteignier, sieur de la Rochepousay », est un de ceux que l'on trouve parmi les gentilshommes de la chambre, en 1560 (Arch. Nat., KK. 128, 129). Sur cette famille, cf. de Nolhac, *Un poète Rhénan*, p. 32-35.

Celui-là, qui défendit Boulogne sous le roi Henri, fut tant de
fois blessé, démonté, fait prisonnier, venait de tomber sous les
murs de Bourges, tandis qu'il faisait avancer ses canons[1] ;
et nous admirons l'effigie de Mgr Jean d'Annebault, fils de
l'amiral, qui accumule les risques depuis sa jeunesse, a
combattu à Cerisoles, et vient de périr à Dreux[2] :

> Il fut toujours à son prince loyal,
> Et aux soldats honneste et liberal,
> Et ne suyvoit (comme il disoit) la guerre,
> Comme beaucoup pour du bien y acquerre :
> « Mais pour l'honneur, qui est le seul loyer
> « Du cœur, qui veut aux vertus s'employer. »

Et ce livre des *Elégies*, vraiment diplomatique et royal, se
termine curieusement par une paraphrase du *Te Deum
laudamus*[3]. Ronsard peut n'être pas riche, comme il le dit
dans l'Ode à M. de Verdun[4] :

> Si j'avois un riche thresor
> Ou des vaisseaux engravez d'or,
> Tableaux, ou medailles de cuivre,
> Ou ces joyaux qui font passer
> Tant de mer pour les amasser,
> Où le jour se laisse revivre :
> Je t'en ferois un beau present...

A ce jeune Verdun[5], dont Ronsard se dit le poète, et qui

---

1. V, 268-273. — Voir sur cette famille une note intéressante de P. de Nolhac,
Ronsard et l'Humanisme, p. 233.

2. V, 264-268 : en faveur de Simon Nicolas, secretaire du Roy. — Voir E. Moreau-
Nélaton, *les Clouet et leurs émules*, t. III.

3. V, 443-445 ; éd. 1565, fol. 84 : *Au seigneur Boulan, receveur general de ceste
ville de Paris*. — Bouland, receveur général, « soupçonné de la religion », qui fut
menacé par la foule, et protégé par la milice de la ville, à la suite de l'explosion des
poudres de l'Arsenal (*Registres du Bureau de la ville*, V, 189-190).

4. II, 454. — La pension ordinaire de Ronsard, en 1563, « comme aumosnier et poete
francoys du roy », était de 1200 l. (Blanchemain, VIII, 39 note 3). La pièce est
signée par Nicolas, « notaire et secretaire du roy », l'ami de Ronsard. Cette quittance
a été détruite avec la Bibliothèque du Louvre.

5. Un Nicolas de Verdun, seigneur de Places, est dit conseiller du roi et intendant de ses finances, en 1568 (Bibl. Nat., P. Orig., 2964). Il mourut avant 1571

aimait sa tranquille maison, sa femme belle et pudique, il souhaitait un repos que ne troublent ni papaux ni huguenots ; le poète faisait au secrétaire le magnifique présent de ces vers :

> Mais les beaux vers ne changent pas,
> Qui durent contre le trespas,
> Et en devançant les années
> Hautains de gloire et de bon heur,
> Des hommes emportent l'honneur,
> De sur leurs courses empanées.

Que Ronsard est heureux, en ces jours, lui qui nous a déclaré sans ambages :

> J'aime à faire l'amour, j'aime à parler aux femmes !

Alors il a pour maîtresse la propre maîtresse de Louis de Condé, Mlle de la Tour-Limeuil, qui vivait publiquement avec le prince. Il a courtisé Françoise d'Estrées[1]. Il a célébré, une fête de mai, les beaux yeux bruns de Rhodanthe[2] qui l'avaient si fort ému, encore qu'il rendît hommage à sa vertu. Et Rhodanthe est très vraisemblablement la jeune Madeleine de Laubespine, la fille du secrétaire d'État, dont Desportes chantera les mêmes yeux bruns sous le nom de Callianthe, sa Rosette[3]. Ronsard a fait parler cette Diane, « palle, muette et triste », qui envoyait à Anne, absente, son portrait en médaillon avec le temple de la chaste amitié ; c'est un

(*Ibid.*). Peut-être s'agit-il de Nicolas de Verdun, secrétaire de la Chambre du roi, celui qui peut bien avoir donné quittance de la pension de Ronsard, et qui délivre, en 1581, quittance de ses gages de secrétaire. En 1591, il est dit conseiller d'État et président des Comptes, président au Parlement en 1601 (*Ibid.*). De ce jeune Verdun, en 1571, Claude de Verdun avait été tuteur. Sa mère était Nicole de Laubespine, d'une famille amie de Ronsard.

1. Voir plus loin.

2. I, 44. — Sonnet rangé, dès 1567, anonyme, dans les *Amours* à Cassandre. Éd. 1565, fol. 83 : *Sonnet à Rhodenthe*.

3. Voir Roger Sorg, *Une fille de Ronsard*, dans la *Revue des Deux Mondes*, 1er janvier 1923. —Un admirable crayon, d'après Madeleine de Laubespine, est conservé au cabinet des Estampes (Boîte Villeroy).

Madame de Crussol
(Musée Condé)

Claude de Beaune, dame de Chateaubrun
(Musée Condé)

bijou qui a la forme d'une pomme. Diane s'exprimait comme
une autre Sapho [1] :

> Mais quel besoin est-il de presenter
> Un portrait mort qui ne peut contenter,
> Quand de mon corps vous estes la maistresse,
> Et de l'esprit qui jamais ne nous laisse....
> Mon sang, mon cœur, ma peinture et ma vie.

Et Ronsard entretient souvent Mlle de Chasteaubrun [2], dont
l'âme est si gentille et pure, et qu'il craint tant d'impor-
tuner :

> Mais quand fortune icy m'est adversaire,
> Quand je ne puis despescher mon affaire,
> Quand quelque ennuy me desrobe l'espoir,
> Quand on ne veut ma Muse recevoir,
> Quand un fascheux chrysophile [3] rechine
> A ma priere, ou me tourne l'eschine
> Ou parle à moy par fraude ou par courrous,
> Pour mon support je me retire à vous,
> Je vous caresse et courtize et supplie,
> Et par escrit, Deesse, je vous prie
> Comme mon tout...
> En ceste court la plupart sont menteurs,
> Trompeurs, causeurs, mesdisans, affronteurs,
> Vous presque seule y estes veritable,
> Phenix d'honneur qui n'a point de semblable.

Enfin Ronsard célèbre dans un sonnet : [4]

> De ceste cour l'ornement le plus beau,
> Amour aux yeux et Pallas au cerveau,

1. VI, 349-353. Pièces retranchées de 1578. — Il s'agit très vraisemblablement d'Anne
d'Aquaviva et de Diane de Cossé-Brissac, la Diane de Desportes, filles d'honneur de
la reine, qu'un voyage venait de séparer. Le vice de Lesbos semble avoir été celui du
petit milieu des platoniciennes très surveillées par la reine mère. Voir aussi ce que
dit Ronsard de l'amie d'Hélène, Madeleine Martel de Baqueville (VI, 389). Cf. la
pièce de Pontus de Tyard : *Elégie d'une dame enamourée d'une autre dame.*
2. Mlle de Chasteaubrun en 1565, morte avant 1571, et qui portait alors le titre
de Claude de Beaune, duchesse de Roannois, épouse de Louis Burgensis, seigneur du
Goguier, puis de Claude Gouffier, grand écuyer (Madame la grande Beaune) dont on
connaît la munificence envers François Clouet. Son portrait est au musée du Louvre
(E. Moreau-Nélaton, *les Clouet et leurs émules*, fig. 29. Voir aussi les beaux dessins,
fig. 25, 29, 196). Ph. Desportes a parlé de sa beauté, et de son portrait par J. de
Court (*Premières Œuvres*, 1573, fol. 88). — 3. Ronsard désigne ainsi les nouveaux
riches. — 4. Éd. 1565, fol. 80. Cf. II, 14-15.

Mme de Crussol, Louise de Clermont-Tallard, veuve de François du Bellay, prince d'Yvetot, qui a épousé, en 1556, Antoine de Crussol, duc d'Uzès[1]. C'est un fait qu'en 1558, Catherine de Médicis faisait envoyer « la figure de Mme de Crussol » à son château de Monceaux[2].

Oui, ce furent là de beaux jours, ces jours du carnaval de Fontainebleau, des jours sans lendemain, où Ronsard a vu, dans les larmes de la passionnée Limeuil, se baigner l'Amour enfant[3] :

> Douce beauté à qui je doy la vie[4] !

Jours enchanteurs et plaisants (si peu remplissent une existence), bientôt évanouis comme le son du luth accompagnant le chœur des bergers ou le chant des sirènes, le reflet sur l'eau du feu d'artifice, l'éclat de la robe de parade que porte Astrée ; ils passent, comme la momerie[5] :

> Demain viendra la penitence extreme.
> Dames, prenez ces poissons de caresme
> Ou si longtemps il vous faudra jeusner.

Charles IX a grandi. Il avait quatorze ans quand Marc Antoine Barbaro[6] le dit de tempérament « chaud et sec », aimant surtout les armes, l'exercice du cheval, les choses de la

---

1. III, 90-91. — Elle était fort célèbre par ses bons mots (Brantôme, éd. Lalanne, IX ; 478-479).

2. E. Moreau-Nélaton, *les Clouet et leurs émules*, II, 16. — Son portrait au crayon est au musée Condé (Moreau-Nélaton, III, n° 191 : *Mme d'Uzebz*. Voir aussi musée du Louvre, 45).

3. VI, 360 : *Sonet des larmes de ma maistresse*. — Pièce retranchée dès 1567 :
> Quand en pleurant ma maistresse s'ennuye,
> Voyant s'amye avoir mille douleurs,
> L'enfant Amour se baigne dans ses pleurs,
> Et dans ses yeux ses larmes il essuye...

4. I, 40. — La pièce a été conservée par Ronsard, en 1584, mais très modifiée et anonyme. (Ed. 1565, fol. 87 v° : *Sonnet à M. de Limeuil*.)

5. Éd. 1565 fol. 70 v° : *Sonet pour une momerie*. — Les tapisseries du musée des Offices forment le plus éloquent commentaire de ces fêtes. M. Henry Expert a publié la version si charmante et grave des couplets d'Amour : *Je suis Amour le grand maistre des Dieux...*

6. *Relation des ambassadeurs Vénitiens*, t. II, p. 41.

guerre. Son extérieur est assez avenant. Il a le teint blanc,
la taille haute pour son âge, bien qu'il demeure un peu
maigre. Il s'exerce à chevaucher, à faire des armes, à chasser ;
il aime la fatigue, tous les travaux manuels, et principalement ceux de peinture et de ciselure. C'est un bon
catholique, pieux, de mœurs pures, ennemi du vice,
magnanime, agréable et libéral. D'esprit assez vif, il étudie
surtout l'histoire, les langues, la latine et l'italienne. Mais
sur sa quinzième année, au moment où sa mère estime qu'il
pourrait être un époux possible pour la reine Elisabeth,
l'adolescent se montre un garçon ingrat, passant de la
douceur à la colère, et qui a trop souvent le juron à la
bouche. On vante son éloquence. Mais il demeure surtout un
solitaire, un timide, qui fuit les femmes ; il est sans grâce,
tout à fait comme dans le vivant portrait de Clouet où
nous le voyons, la tête penchée, l'œil bas, importuné.
Il n'était chez lui, à l'aise, que dans les forêts, au milieu de
ses chiens, poursuivant les grands cerfs[1], parmi les veneurs
dont il excellait à parler le langage[2]. En ce temps-là, Brantôme[3] a dit de lui :

« Il voulut sçavoir la poësie et se mesler d'en escrire, et
« fort gentiment. M. de Ronsard en a monstré en son livre
« quelque petit eschantillon ; et m'estonne qu'il n'en a
« monstré d'advantage, car il a bien plus composé que cela,
« et surtout des quatrains, qu'il faisoit fort gentiment,
« prestement et impromptu, sans songer, comme j'en ai veu
« plusieurs qu'il daignoit bien quelquesfois montrer à ses
« plus privez en sortant de son cabinet, et mesmes aucuns
« qu'il adressoit à M. Nicolas, l'un de ses secrettaires, fort

1. Voir le beau dessin de l'école de Fontainebleau représentant Charles IX servant
le cerf, publié par H. Bouchot, *Catherine de Médicis*, p. 106-107, et la suite des
tapisseries de Florence. Les comptes de la maison du roi sont remplis de détails sur
la chasse : meutes, personnel, armures, etc.
2. Ronsard le fera parler ainsi.
3. Éd. Lalanne, t. V, p. 280-281.

« honneste homme et bon compagnon[1], qui estoit fort
« heureux à en faire et rencontrer de très bons et plaisants
« qu'il adressoit au roy ; et le roy aussitost attaqué se deffen-
« doit, disant qu'il y alloit de son honneur s'il ne respondoit
« de mesme. »

Mais la poésie était surtout estimée du roi Charles IX
les jours de pluie ou d'extrême chaleur ; alors il envoyait
chercher « Messieurs ses poëtes en son cabinet », tuait
le temps avec eux. Autrement, il « estoit toujours hors de
la chambre, en campaigne, en action », jouant à la paume
et à la longue paume qu'il aimait si fort, au « pallemaille »,
s'adonnant frénétiquement à tous les exercices violents,
« hors de la maison, qu'il hayssoit estrangement, » disant
que

> Le séjour des maisons, palais et bastimens
> Estoit le sepulchre des vivans.

« Entre autres poëtes qu'il aymoit le plus, estoient
MM. de Ronsard, Dorat et Bayf, lesquelz il vouloit tousjours
qu'ilz composassent quelque chose. Et, quand ilz la luy
apportoient, il se plaisoit fort à la lire ou se la faire lire,
et les en récompensoit, non pas tout à coup, mais peu à peu,
afin qu'ilz fussent contraintz toujours de bien faire, disant
que les poëtes ressembloient les chevaux, qu'il falloit nourrir
et non pas trop saouler ny engraisser, car amprès ilz ne
valent rien plus[2] ».

Tel est le capricieux sire, auteur de pauvres quatrains,
dont on a fait le disciple de Ronsard, et comme son émule.

Cependant les attentions du roi Charles IX suffisaient à
transporter d'aise Ronsard, bien qu'il ait toujours préféré le
père au fils :

---

1. Il s'agit sans doute de Simon Nicolas, secrétaire du roi, en relation avec Jean-
Antoine de Baïf (*Les Passetems*, 1573, fol. 37ʳᵒ) qui lui faisait des confidences
amoureuses.

2. Brantôme, éd. Lalanne, t. V, p. 281-282. — M. Paul Laumonier a montré que
la source de cette anecdote est dans Papire Masson, *Historia vitæ Caroli IX* (Paris,
1577). Commentaire critique de Cl. Binet, *Vie de Pierre de Ronsard*, p. 165.

> Il faisoit de mes vers et de moy telle estime [1]
> Que souvent sa grandeur me rescrivoit en ryme,
> Et je luy respondois, m'estimant bien heureux
> De me voir assaillir d'un roy si genereux...

Sachons gré à Ronsard de lui avoir donné tant de bons conseils, de lui avoir proposé l'exemple de son patron, Charlemagne; et le poète se réjouissait quand il le voyait habillé « à la mode des vieux Gaulois ».

Pierre de Ronsard lui faisait des vers sur la chasse [2], beau sujet sur lequel le roi fera rédiger un livre entier par Villeroy [3]. Il composait une épitaphe pour la « Courte », chienne que Charles IX chérissait à ce point qu'il se fit faire des gants de sa forte peau [4]. Et Ronsard faisait dialoguer son lévrier Beaumont avec Charon [5].

En 1565, Charles IX rendait visite à Pierre de Ronsard dans son prieuré de Saint-Cosme. Ils échangèrent des rimes et le roi l'invita, dans d'assez pauvres vers d'écolier, à le venir voir à Amboise [6]. Alors, Ronsard, charmé, le disait « tout sçavant en la fleur de jeunesse » et vaincu par lui dans son art :

> Ainsi le grand Auguste escrivoit à Virgile.

Ce malingre garçon, qui allait visiter ses provinces, longuement, Pierre de Ronsard le comparait à Hercule [7]. Mais il arriva que le roi Charles IX fit allusion assez maladroitement à l'âge du poète [8] :

1. V, 258.

2. III, 176. — Et naturellement Amadis Jamyn, secrétaire de Ronsard, en écrivait d'autres (*OEuvres*, 1575, fol. 75 v°). M. H. Chevreul a publié ce *Livre du roi Charles de la chasse du cerf*, Paris, Aubry, 1859, d'après un manuscrit de la bibliothèque de l'Institut, fonds Godefroy, contenant la dédicace du roi à Mesnil, son lieutenant de vénerie.

3. Suivant un renseignement donné par le Père Matthieu, *Remarques d'Estat... sur la vie et les services de M. de Villeroy*, 1618, p. 18, ce livre aurait été dicté à Nicolas de Neuville, « son secrétaire ».

4. V, 320. — 5. V, 321. — 6. III, 179. — 7. III, 181.

8. Ces vers auraient été dictés à Nicolas de Neuville (P. Matthieu, *Remarques d'Estat... op. cit.*).

> Par ainsi je conclus, qu'en sçavoir tu me passes
> D'autant que mon Printemps tes cheveux qui efface.

Pierre de Ronsard semble alors se fâcher : mais il lui répond par ces vers magnifiques, double leçon de poésie et de convenance [1] :

> Charles, tel que je suis, vous serez quelque jour :
> L'âge vole toujours sans espoir de retour...
> Voyez au mois de may sur l'espine la rose,
> Au matin un bouton, à vespre elle est esclose,
> Sur le soir elle meurt : ô belle fleur, ainsi
> Un jour est ta naissance et ton trepas aussi...
> Je vous passe, mon Roy, de vingt et deux années...
> Heureux, trois fois heureux, si vous aviez mon âge,
> Vous seriez delivré de l'importune rage
> Des chaudes passions, dont l'homme ne vit franc
> Quand son gaillard printemps lui eschauffe le sang...
> Vous verriez, mon grand prince, en barbe venerable
> Vostre race royale autour de vostre table,
> Comme jeunes lauriers : et monarque puissant,
> Vous verriez dessous vous le peuple obeyssant,
> Vostre espargne fournie, et vos villes Françoises,
> Terres, havres et ports loin de civiles noises,
> Riches d'honneur, de paix et de biens plantureux,
> Et vieillard vous seriez plus qu'en jeunesse heureux...
> Pourquoy en vous moquant me faites vous ce tort
> De m'appeler voisin des ombres de la mort,
> Et de me peindre aux yeux une fin si prochaine,
> Quand de mon chaud esté je ne sors qu'à grand peine ?
> Je n'entre qu'en Autonne, et ne peux arriver
> De quinze ou de seize ans aux jours de mon Hyver ;
> Voire et puis (si le Ciel à ma vie est propice)
> Faire encor' pour le moins vingt bons ans de service :
> Et quand le corps seroit de trop d'âge donté,
> L'âge ne peut forcer la bonne volonté.
> De force et de vigueur malgré moy je vous cede :
> L'escorce au prix de vous, non la fleur je possede :
> Et je vous cede encore en genereux esprit.
> Qui m'appelle au combat par un royal escrit.
> Et bref, s'il vous plaisoit un peu prendre la peine
> De courtiser la Muse, et boire en la fonteine
> Fille de ce cheval qui fit sourcer le mont,

1. III, 182 (éd. 1575) dans *Les Estoilles à Monsieur de Pibrac* (Bibl. Nat., Rés. Y^e 1117).

> Tout seul vous raviriez les lauriers de mon front
> Un second roy François : de là viendroit ma gloire
> « Estre vaincu d'un Roy c'est gaigner la victoire. »

C'est Arnaud Sorbin, prédicateur et confesseur de Charles IX, qui a écrit du roi[1] : « Aimoit la poésie, et bien souvent prenoit plaisir à faire des vers qu'il envoyoit à son poete, M. Ronsard, homme qui se fait plus paroistre par ses vertus[2] et ses doctes vers que je saurois descrire, de qui la facture luy estoit si aggreable que bien souvent il passoit une grande partie de la nuict à lire ou faire réciter ses vers, à quoy il employoit volontiers Amadis Jamin, Estienne le Roy, abbé de Sainct Laurent, maistre de la musique de sa chambre[3], et quelques autres de ses serviteurs domestiques. Et non seulement prenoit plaisir à ouyr la poésie bien faite, ains avoit encore l'esprit si gentil qu'il en jugeoit fort heureusement. Dieu ! qu'il aimoit la musique, fust aux instrumens ou aux voix humaines ; et surtout luy estoit aggreable la musique, principalement celle d'un des plus rares musiciens de ce temps, nommé Orlande[4], serviteur du duc de Baviere. »

Une des conséquences de la visite de Charles IX à Ronsard a été fort malheureuse pour la poésie française. Car il semble bien que c'est à la demande expresse de

---

1. *Histoire contenant un abrégé de la vie, mœurs et vertus du roy tres chrestien et debonnaire Charles IX... amateur de bons esprits* (1574), dans Cimber et Danjou, *Archives curieuses*, 1ʳᵉ série, t. VIII, p. 300. — « Mᵉ Sorbin, recteur de Sainte Foy, predicateur du roy, » à 500 l. en 1572 (Arch. Nat., KK. 134). Il figure dans les comptes de 1576, pour des arrérages de 1572. (*Ibid.*) Ronsard lui adressa un sonnet sur la mort de Charles IX. — 2. Un témoignage analogue se rencontre dans les *Passetems* de J.-A. de Baïf (éd. 1573, fol. 63 v°) :
> Ronsard, qui es autant amy de la vertu,
> Comme vray ennemy de la méchanceté...

3. Sur ce personnage dont la « douce voix » a été mentionnée par Guy Le Fevre de la Boderie, voir la *Galliade*, 1578, fol. 126. Le même auteur a parlé d'Orlande, de Costeley. — 4. Orlande de Lassus, le grand maître belge, avec Philippe de Monte, l'élégiaque Flamand, le « divin Orlande » de Ronsard (VII, 20). Cf. *Melissi Schediasmata*, 1586, l. II, p. 88. — Les comptes de la maison du roi (Arch. Nat., KK. 128, 132) sont remplis de détails sur les chantres et les musiciens. Voir plus loin la note sur Guillaume Cherouvrier.

Charles IX que Ronsard reprit en vers de dix syllabes, le
vieux vers des épopées, le projet de son grand poème de la
Franciade, conçu pour Henri II, et dont il entretenait ses amis
depuis si longtemps. Ronsard le dira dans *l'Abbrégé de l'art
poétique* en 1565 : « Si je n'ay commencé ma *Franciade* en
vers alexandrins, lesquels j'ay mis (comme tu sçais[1]) en
vogue et en honneur, il s'en faut prendre à ceux qui ont puissance de me commander et non à ma volonté : car cela est
fait contre mon gré, esperant un jour la faire marcher à la
cadence alexandrine; mais pour cette fois, il faut obeyr[2] ».
C'est la seule concession qu'ait jamais faite le hautain et
hargneux poète; mais il la fit à Charles IX.

Il travaillera, un peu comme à un pensum, entre 1565 et
1572 à cette *Franciade*, dont il attendait la commande depuis
si longtemps; car il avait rêvé de doter son pays d'un monument épique. Mais pour écrire ce poème, Ronsard voulait
ses abbayes :

> Doncq, s'il vous plaist, Sire, n'attendez plus
> Que je sois vieil, impotent et perclus,
> Fascheux, hargneux...

Ainsi Ronsard s'était décidé à reprendre le thème des *Illus-
trations de Gaule* de Jean Le Maire, qu'il voulait enrichir de
toute la poésie d'Homère et de Virgile; il chantait ce Francus, promis jadis à Henri II[3]; il écrivait, enfin, cette *Franciade* dont le symbole était déjà sculpté au fronton du Louvre.

---

1. Ronsard s'adresse à Alphonse Delbene, abbé de Hautecombe. — Voici les
membres de cette famille, qui ont eu des charges à la cour : Albisse Delbene, depuis
1551 conseiller du roi, général et superintendant de ses finances hors du royaume
(Arch. Nat., KK. 112); Julien Delbene est gentilhomme ordinaire de la maison de
Mme la duchesse de Savoie en 1563 (Arch. Nat., KK. 132); Bernard Delbene, évêque
de Nîmes, envoyé au concile de Trente en 1563 (Arch. Nat., KK. 132); Pierre Delbene,
abbé de Belleville, est parmi les aumôniers du roi en 1572 (Arch. Nat., KK. 134).

2. VII, 59. — 3. Sur les deux projets de la *Franciade*, voir les notes de M. P.
Laumonier, dans le commentaire historique et critique de Cl. Binet, *Vie de Ronsard*,
p. 143, 158-159. Le premier projet remontait à 1550. Guillaume des Autels fait allusion à la *Franciade* dans son *Amoureux repos*, 1553 (Sonnet xxi). *La Remonstrance
a la royne* (1563) raille cette *Franciade* promise depuis si longtemps. Melissus traduit
l'attente générale (P. de Nolhac, *Un poète Rhénan*, p. 16).

Que de talent gâché ! Quel grand ennui se dégage de ces quatre livres (sur les vingt-quatre qu'il avait annoncés), de ce laborieux ouvrage où Ronsard, à la façon des anciens, du divin Homère, de Virgile et d'Apollonius de Rhodes, développe la légende de Francion, les gestes « vicieux ou magnanimes » de nos anciens rois (il s'arrêta à Pépin) ! Mais on trouve aussi des beautés supérieures dans le détail de l'exécution de cette commande (il n'y a pas d'autre mot). Et Ronsard en livrait les livres, dès qu'il les avait écrits, au roi Charles IX. Ainsi nous possédons encore l'exemplaire que transcrivit Amadis Jamyn, relié de vélin aux armes royales [1].

Besogne énorme, on peut le dire, mais que Ronsard interrompt souvent. Car les jours deviennent tragiques. Les huguenots vont renouveler le coup de main d'Amboise : Condé et Coligny, en septembre 1567, ont projeté de s'emparer de Charles IX et de l'enlever du château de Monceaux [2]. Michel de l'Hospital, qui a refusé de croire au complot, dans son optimisme, perd sa charge [3]. En quatre ou cinq jours, les chemins se couvrent d'hommes armés. Et la cour n'a que le temps d'appeler à son aide un corps de six mille Suisses. On fait monter les dames en carrosses ; les bagages sont chargés dans des chariots ; la cour s'enfuit à Meaux, où elle rejoint les Suisses. Ils forment un carré, au milieu duquel est le petit roi, furieux, qui veut livrer bataille. Ainsi on bat en retraite sur Paris. Les bons Suisses, que La Noue a vus à

1. Sur la question de la *Franciade*, dont le livre II, de la main d'Amadis Jamyn, est conservé à la Bibliothèque nationale (ms. fr. 19141), voir Edm. Faral, *Revue d'histoire littéraire*, XVII, 1910 ; XX, 1913. — Un curieux témoignage de Nicolas Ellain (*Les Sonnets*, 1561, fol. 21) indique l'impatience du public. Les premiers vers de la *Franciade* sont commentés par Denys Lambin, dans la seconde édition de ses *Horatii opera*, en 1567. Voir en 1568 l'*Avertissement* de Jean Lebon, médecin du cardinal de Guise.

2. M. Pierre de Nolhac a signalé un récit de ces événements, signé par Monluc dont le roi Charles IX regrettait tant l'absence (Bibl. Nat., n. acq. fr. 1472 ; P. de Nolhac, *Bulletin du bibliophile*, septembre-octobre 1923, p. 412, n. 2).

3. Disgrâce qu'il supporta avec philosophie, au milieu de ses livres, à la campagne. Voir la belle gravure de la collection Hennin (t. VII, fol. 56) représentant l'Hospital devant sa table chargée de livres.

l'œuvre, sont là, prêts à faire tête, fermes, en rangs serrés, comme de furieux sangliers[1]. Condé, qui s'est avancé vers Paris, ravage les environs, coupe les routes, cantonne à Saint-Denis, attendant la noblesse calviniste du midi de la France et l'armée allemande du fils de l'Électeur palatin. Une lutte indécise, mais farouche, s'engage où le connétable de Montmorency est tué, où tant de braves ont mordu la poussière.

Ronsard est témoin de ces événements (novembre 1567)[2] :

> Je me trouvay deux fois à sa royale suite
> Lorsque ses ennemis luy donnerent la fuite,
> Quant il se pensa voir par trahison surpris
> Avant qu'il peust gaigner sa cité de Paris.

Ronsard, qui n'était pas un combattant, est rentré dans la ville[3] ; il écrit à « son oncle ». Car il a reçu des nouvelles du camp, et il sait « qu'il y a eu quelque batterie, cette nuit, et entreprise sur l'artillerie[4] ». Ronsard se met à sa disposition, pour servir.

Une paix précaire, un court repos ; la cour pense un instant se servir de Tavannes pour retourner contre Condé le coup de main de Monceaux. Des mesures, à la fois ambigues et coercitives, sont prises envers les réformés, maîtres du midi de la France, du Poitou, de la Saintonge, de la Rochelle, la ville des corsaires où s'accumulent les secours anglais. Cette fois, c'est la grande guerre, avec de lourdes armées.

1. *Mémoires de la Noue* p. 612. (*Nouvelle collection des Mémoires*, pp. Michaud et Poujoulat, 1838.)

2. **V**, 257.

3. L'attestation donnée à Paris par Ronsard, en faveur de Nicolas Goulu (15 septembre 1567), n'implique pas sa présence à Paris, à cette date. Ronsard n'a signé cette pièce que le troisième, et il se peut que sa signature n'ait été recueillie que plus tard. Dans tous les cas, l'attestation est transcrite par Jamyn (Pierre Champion, *Ronsard et Amadis Jamyn. Leurs autographes*, Paris, 1924).

4. Bibl. Nat., n.acq. fr. 1472, pièce n° 1397. Lettre publiée par Pierre de Nolhac, dans le *Bulletin du bibliophile*, septembre-octobre 1923, p. 413. (Le texte de la lettre est de la main d'Amadis Jamyn et Ronsard n'a fait qu'ajouter une souscription et sa signature.)

est « assis sur le haut de la poupe[1], » prudent, mesuré,
pacifique, apaisant les querelles, si obligeant aussi ; car il a
certainement aidé le pauvre Ronsard de ses deniers[2], encore
qu'il fût rond et homme d'affaire fort honnête, la sagesse
même, mais pas du tout humaniste ; il a recueilli seulement
le *Livre de la Chasse*[3] du roi Charles IX, qui le nommait « son
secretaire ». Ronsard l'aime, comme l'aimèrent Charles IX,
Catherine et Henri III[4].

C'est à Nicolas de Villeroy que Ronsard fera plus tard sa
confidence[5] :

> J'ai vescu, Villeroy, si bien que nulle envye
> En partant je ne porte aux plaisirs de la vie...

Au temps des guerres, Villeroy et les seigneurs de sa
compagnie viennent voir Ronsard. Avec eux, il médite sur le
temps passé, le présent et le futur[6]. Le présent n'est pas clair ;
obscur est le futur, le passé ne nous intéresse plus :

> Donques, seigneur, jouissons du present,
> Incontinent il deviendroit absent :
> Boivons ensemble, emplisson ce grand verre.
> Pendant que l'heure en donne le loisir,
> Avec le vin, l'amour et le plaisir,
> Charmon le temps, les soucis et la guerre.

1. VI, 382 (éd. 1571). — Cf. I, 350. Il s'agit bien de Villeroy, et non de
Nicolas Moreau, comme l'a dit M. Laumonier, VIII, p. 81. Car si tous deux figurent
sur la liste des secrétaires de la chambre (Arch. Nat., KK. 134), Nicolas de Neuville
est toujours le premier nommé. Et c'est lui qui signe, le plus souvent, les payements
faits aux pensionnaires, aux aumôniers dont est Ronsard. (*Ibid.*, fol. 91 r⁰, 93 r⁰.)
2. Ronsard, qui lui laisse son livre en gage, sait bien qu'il lui faudra « déloger »
de la vie avant de s'être acquitté (I, 347-348). Voir la dédicace des *Amours diverses*.
Il lui a offert aussi sa *Franciade* (I, 349). Scévole de Sainte-Marthe lui adressa son
Pygmalion (*Les Œuvres*, 1579, fol. 9 v⁰). Voir aussi les *Passetems* de J.-A. de Baïf,
1573, fol. 3. Desportes lui dédia la « Mort de Rodomont », imitation de l'Arioste.
Cf. J. Dorat, *Pœmatia*, 1586, p. 111 ; *Epigrammata*, p. 32. Vatel fut l'un de ses
poètes (ms. de Chantilly, 532). — 3. III, 177□
4. La correspondance d'Henri III, si libre et souvent caustique, est pleine d'affec-
tueux témoignages pour Villeroy. Henri le nomme cordialement Bidon, Bidonet :
« Adieu, Bidon, je t'aime, car tu me sers selon ma volonté. » Villeroy est d'une
activité étonnante, d'une sûreté admirable ; il est rempli d'adresse et de respect ;
c'est un homme de bon conseil, etc. — 5. I, 343-348.
6. II, 30 (éd. 1571) : *Sonnet en faveur de Villeroy et de sa compagnie.*

Et Jean Belot étant mort, le *Septième livre des poèmes* de
Ronsard revient à Villeroy[1] :

> Pren donc, amy, ces vers que je te donne,
> En attendant qu'Euterpe me façonne
> Un œuvre entier plus digne de ton nom,
> Car cettuy-cy, Nicolas, n'est sinon
> Un avant-jeu d'une chanson plus grande,
> Qui hautement tes louanges respande,
> De tous costez, chantant le nom veinqueur
> Qui a donté les peuples et leur cœur.

Ronsard l'adore, ce Villeroy[2], secrétaire d'État à l'âge de
vingt-quatre ans, comme lui un serviteur si dévoué de la
reine Catherine, du roi Charles IX[3]. Cet homme simple et
sûr, le seigneur Nicolas, l'unique secrétaire[4], si zélé, le type
de l'ancien commis de la monarchie, qui travaillait le jour
et la nuit, usant ses pauvres yeux « accoutumés à veiller »,
était l'époux, depuis 1561, de la charmante Madeleine de
Laubespine, la fille de M. de Laubespine, lui aussi ministre
d'État depuis Henri II, sœur du jeune ambassadeur d'Espagne, Claude, l'enfant terrible de la famille. M. de Laubes-
pinc, le père, était mort au Louvre[5], en 1567 ; Claude, paré de
tous les dons, grand chasseur, joueur, ami des poètes, devait

1. VI, 377. — 2. VI, 379 (éd. 1571). « Ton Ronsard », dira de lui Jamyn
(*Œuvres pœtiques*, 1575, fol. 222) qui a laissé un témoignage fort important sur le
protecteur des lettrés. Voir l'ode, au fol. 220 v°. — Un beau portrait du musée du
Louvre (n° 4025) nous le montre, dans les premières années de Henri III. Figure
mince, ronde et pâle, avec des yeux doux et des lèvres fines, indiquant une personnalité discrète. L'homme paraît grave et élégant, sous sa toque noire, dans son
vêtement noir.
3. Les documents dus à l'activité de Villeroy sont innombrables. On consultera
sur ce personnage les *Lettres de Catherine de Médicis*, et surtout une inestimable correspondance familière avec Henri III dont les originaux sont à l'Hermitage et les copies
à la Bibl. Nat., ms. fr. 1244-1247. Villeroy a laissé des *Mémoires d'Estat* publiés
entre autres dans la collection Michaud et Poujoulat. On doit au P. Mathieu des
Remarques d'Estat... sur la vie et les services de M. de Villeroy, Lyon, 1618 ; à M. J.
Nouaillac, un livre important et documenté sur *Villeroy secrétaire d'État et ministre
de Charles IX, Henri III et Henri IV* (1543-1610), Paris, 1919. (Bibliothèque de la
Fondation Thiers.) — 4. VI, 381. — 5. On le voit signer la plupart des rôles de
faveurs commandés par le roi au Conseil (Arch. Nat , KK. 133 *bis*.)

Madeleine de Laubespine

(Bibl. Nat.)

mourir à vingt ans, un peu avant 1573. Ronsard les avait
tous pleurés[1] :

> Passant, trois cœurs en deux sont enterrez icy ;
> Les deux sont desja morts, l'autre vit en soucy.

Il aimait Madeleine, sa Rhodanthe[2], qui sera la Callianthe
de Desportes[3]. Elle était si belle et si sage[4], savante aussi,
aimant le beau latin et son cher Ovide :

> Magdeleine, ostez moy ce nom de l'aubespine,
> Et prenez en sa place et palmes et lauriers...

Quel brave homme est Nicolas de Neuville, son mari, qui
n'a qu'un défaut, celui de travailler par trop la nuit à la
bougie[5], de se battre « avec des mains de papier, des coups de
canivet, des traits de plumes... des sceaux et de la cire[6] » !
Ronsard est heureux dans leur maison de Conflans, à la rencontre de la Marne et de la Seine, où l'on est si bien reçu,
dans un bel édifice, parmi les jardins d'orangers, dans la
belle « librairie » que M. de Villeroy lui ouvre[7],

> Où logent sans parler tant d'hostes estrangers.....
> Reçoy donc mon present[8], s'il te plaist, et le garde

1. Il y a lieu de rappeler que Philippe Desportes a travaillé parmi les secrétaires de
la chambre, aux côtés de François et de Claude de Laubespine (Arch. Nat., KK. 134).

2. Cette équivoque se présentait naturellement à l'esprit. J.-Antoine de Baïf a
nommé M. de Laubespine « aubespin florissant » (*Les Passetems*, 1573, fol. 21 v°).

3. V, 302 (Sizain pour les cœurs de messieurs de l'Aubespine, 1578) ; Épitaphe
de Claude de l'Aubespine, éd. 1571 (V, 297). Desportes (*Premières œuvres*, 1573,
fol. 93, 95) le pleurait encore six mois après sa mort. Voir aussi les *Passetems* de
J.-Antoine de Baïf (1573, fol. 64 v°) sur les cœurs de Laubespine.

4. Voir E. Frémy, *l'Académie des derniers Valois*, p. 174-176 ; J. Nouaillac,
Villeroy, p. 26-28. — Un admirable crayon du cabinet des Estampes représente
Mme de Villeroy femme du secretaire d'Estat. L'église de Magny-en-Vexin conserve sa
tombe et sa statue. Madeleine de Laubespine a été chantée par Desportes (un sonnet
signé de ses initiales est en tête des *Premières œuvres*) et aussi par Bertaut. L'ignoble
pasquin des noces de Joyeuse naturellement la déchire (Bibl. Nat., ms. fr. 15 990
fol. 157). Mais il faut avouer que Jamyn lui en conta de vertes : Pour une Magde-
leine (*Œuvres*, 1575, fol. 268). — 5. I, 340.

6. Cette petite caricature est de Sully, *Économies royales*, I, 369. — 7. I, 348.

8. I, 347-348. — La pièce a été écrite en 1580. Il s'agit de la dédicace des *Amours
diverses*.

En ta belle maison de Conflant, qui regarde
Paris, sejour des roys, dont le front spacieux
Ne voit rien de pareil sous la voute des cieux ;
Attendant qu'Apollon m'eschauffe le courage
De chanter tes jardins, ton clos et ton bocage,
Ton bel air, ta riviere et les champs alentours
Qui sont toute l'année eschauffez d'un beau jour,
Ta forest d'orangers, dont la perruque verte
De cheveux eternels en tout temps est couverte,
Et tousjours son fruit d'or de ses feuilles defend
Comme une mere fait de ses bras son enfant.

Il y avait, à Conflans, de larges promenades sablées, des arbres, des vergers, des pelouses, des fleurs, et aussi un bassin circulaire, analogue aux piscines antiques où les anciens empereurs romains donnaient des combats navals ; un jardin en contrebas, en forme de *cella*, une forte belle fontaine, des chalets d'été sur la façade desquels on avait placé des statues de Tibère et de Germanicus ; et, tout autour, des treilles, des haies de lauriers, de cyprès, des plantes toujours vertes et odorantes [1].

A Conflans, on allait se promener en bateau sur le fleuve [2],

Pour aborder une isle plantureuse,
L'honneur de Seine et de vostre maison...

M. de Villeroy a pris en main l'aviron,

de si gente façon
Que l'on a veu la grace et la raison
D'un corps adroict, d'une ame genereuse.

Mais en rentrant dans sa belle maison, il s'est piqué aux orties :

Ainsi, Monsieur, vostre exemple rameine
Quoy que bien grand, qu'il fault se donner peine
Pour la vertu et la vye meilleure [3].

---

1. Description de Paris par Arnold van Buchel, d'Utrecht, dans les *Mémoires de la Soc. de l'histoire de Paris*, 1899, t. XXVI.
2. VI, 489 (Seulement dans le ms. fr. 1663, fol. 14 v°).
3. La pièce est datée : *A Conflans, le 8 septembre 1570.*

C'était la paix. L'ère des fêtes, après tant de secousses, allait se rouvrir. Ronsard, qui avait publié, en 1569, le sixième et le septième livre de ses *Poèmes*, recevait une récompense honorifique. Au mois de novembre 1570, Charles IX écrivit au cardinal Enrique, infant de Portugal, demandant pour Ronsard l'ordre de la Croix du Christ en raison des services signalés que le poète lui avait rendus, ainsi qu'à « la République françoise[1] ».

L'an 1570, Charles IX, qui vient d'avoir vingt ans, se décide à aimer[2] : il s'adresse à la « chère âme » de Mlle de Brissac, l'amie d'Hélène de Surgères, Anne d'Atri d'Aquaviva, fille d'honneur de la reine mère[3].

Pierre de Ronsard écrit pour Charles IX « les vers d'Eurymédon et de Callirée ». Vers de circonstance, que Claude Binet disait « forgés sur le commandement des grans[4] ».

Ce fut un événement à la cour, car, jusque là, le roi avait montré une pudeur de fille ; la conversation des femmes le faisait rougir[5]. Mélancolique, maigre et long, courbé sur ses jambes grêles, il n'aimait que sa forge où il ciselait des écus à tromper les plus experts, et il s'adonnait surtout à la chasse aux cerfs ; par ailleurs, on l'avait vu très jaloux des talents et des succès de son frère Henri. Ce n'est pas lui qui gouverne, mais sa mère[6].

Ainsi Ronsard parle pour lui, Eurymédon, accumulant toutes les pointes italiennes des stances d'Ange Politien,

1. VIII, 280. — Sur la paix, J. Dorat, *Epigrammata*, 1586, p. 41 ; J. de la Jessée, p. 429. — 2. I, 229.

3. Sur Anne d'Aquaviva, voir les comptes publiés au t. X des *Lettres de Catherine de Médicis* ; Brantôme, éd. Lalanne, II, 28, 232 ; VII, 394, IX, 49. — Amadis Jamyn, très jeune alors, est fort utile à consulter pour connaître ce petit groupe de jeunes filles entourant la Callirée : Torigny, Mlle Lucrèce de Baine, Baqueville. Sur ce milieu, voir aussi l'illuminé Pontus de Tyard (Epitaphe de la comtesse de Beine).

4. I, 229-244. — Éd. Paul Laumonier, p. 25. Cf. Philippe Desportes (*Premières Œuvres*, 1573, fol. 85) ; J. Dorat, *Pœmatia*, 1586, p. 112, a reçu la même commande, ainsi qu'Amadis Jamyn (*Œuvres*, 1575, fol. 116).

5. Les anecdotes recueillies par Bassompierre sur les rares amours de Charles IX le montrent extrêmement gauche et brutal. (Bibl. Nat., ms. fr. n. acq. 1 208, p. 118.)

6. Correro (*Relations des ambassadeurs Vénitiens*, t. II p. 161) le tient cependant pour un homme bon et affable.

tous les termes de la *Vénerie* de Jean du Fouilloux qu'affectionnait Charles IX. Quand il nous conte la fable de Méléagre et d'Actéon, il dira du roi :

> C'estoit un Meleagre au mestier de chasser,
> Il sçavoit par sur tous laisser courre et lancer,
> Bien demesler d'un cerf les ruses et la feinte,
> Le bon temps, le vieil temps, l'essuy, le rembuscher,
> Les gangnages, la nuict, le lict et le coucher...

Or Diane, se transformant en image de l'Amour, avait fait passer devant ses yeux, au lieu d'un cerf, une belle Napolitaine, Anne d'Aquaviva.

Mais le jeune Desportes tourne aussi des stances précieuses où il s'affirme comme le rival de Ronsard : il fait ainsi parler le roi[1] :

> J'ay mille jours entiers, au chaud, à la gelée,
> Erré la trompe au col par mont et par valée,
> Ardant, impatient, crié, couru, brossé ;
> Mais en courant le cerf emplumé de vitesse,
> Tandis moy povre serf d'une belle maistresse,
> J'estoy d'amour cruel plus rudement chassé...
> O ma seule deesse, ô belle Callyrhée...
> Pardonner et sauver, c'est l'office des dieux.

Le mardi 6 mars 1571, à l'occasion de la triomphante entrée de Charles IX à Paris[2], et du couronnement de Madame Élisabeth d'Autriche, son épouse, Ronsard rédigeait des inscriptions pour les arcs de triomphe, et la décoration de la fontaine des Innocents ; pour l'arc de triomphe du Pont Notre-Dame, il décrivait les Dioscures et le blason de la ville de Paris[3].

Comme tout le monde, Ronsard peut bien se réjouir de la venue de la petite reine, si jeune et innocente, au joli teint clair, qui parle toujours son espagnol, paraît fagotée à

---

1. *Premières Œuvres*, 1573, fol. 86. Cf. J. Dorat, *Pœmatia*, 1586, p. 112.
2. *Bref et sommaire recueil de ce qui a esté fait...* Opuscule publié par les soins de l'échevin parisien, Simon Bouquet, chez Denis du Pré (Bibl. Nat., Rés. Lb[23] 297 [a] et [b]). J. Dorat, *Pœmatia*, 1586, p. 320 ; J. de la Jessée, *Les Premières Œuvres*, 1583, p. 423. Sur l'entrée de Charles IX à Paris, voir collection Hennin, t. VII, fol. 36.
3. VI, 424. — Ronsard est porté sur une liste de « dépenses faites à l'entrée du

la Castillane, rit de ses bévues ; c'est la jeune reine emperlée
qui se macèrera dévotement, battant sa poitrine quand les
rideaux de son lit sont tirés[1]. Du premier regard on l'aime ;
ainsi elle aima son mari, sans le comprendre, et toujours l'ex-
cusant. Élisabeth est mentionnée dans la « chanson récitée
par les chantres » sur le chariot de Sa Majesté, où Charles IX
est dit un « clair soleil[2] ». — « Un soleil ! » répondent deux
joueurs de lyre[3]. Et Charles IX porte le costume du soleil
dans le cartel de cette fête[4]. Ces pauvretés sont chantées en
l'hôtel de Lorraine, le dimanche gras de l'année 1571[5].

Il semblait que l'on entrât dans une véritable ère de pacification (les fêtes, les unions étaient destinées autant à
amollir les cœurs qu'à rapprocher les opinions divisées).
Charles IX, qui faisait un époux possible, avait même
engrossé sa femme. L'héritage était sauvé. Catherine, la Junon
française et la mère pacificatrice, avait réalisé ses fins. La
monarchie catholique doit triompher dans l'union de tous.

Il reste cependant un grand chef à abattre, celui qui a
remplacé Condé : Coligny, l'ami des princes allemands, un
homme droit, un réformé convaincu. Henri de Navarre,
huguenot, le futur Henri IV, on va l'unir à Marguerite, la fille
de Catherine, une princesse catholique. Ce qui subsiste de
discorde est bien plutôt dans la famille royale, résulte de l'influence grandissante du duc d'Anjou que Charles IX ne peut
plus souffrir. Car le roi se montre, en ce temps-là, meilleur
ami de Coligny que de son frère[6]. Cela, tout le monde

roy et de la reyne à Paris en 1571 » pour une somme de 270 l. (Cimber et Danjou,
Archives curieuses, 1re série, VIII, p. 355-369). Amadis Jamyn, comme son maître,
écrit des vers de circonstance (*Œuvres*, 1575, fol. 54 v°). Voir les documents
intéressants publiés sur ces entrées dans les *Registres du Bureau de la Ville*, t. VI,
p. 233, 267, 271, 272, 274, 275-277, 301 note. — Ronsard, chargé de préparer les
inscriptions, adresse un sonnet à l'échevin Bouquet. (*Ibid.*, VI, 263.)

  1. Brantôme, éd. Lalanne, t. IV, p. 393-394. — Voir l'admirable portrait du
Louvre et les crayons publiés par E. Moreau-Nélaton, *les Clouet et leurs émules*,
fig. 97, 105, 106.

  2. III, 480. — 3. III, 481. — 4. III, 484. — 5. VIII, 403.

  6. Sur cette mésentente, au moment où va éclater la Saint-Barthélemy, voir les
Mémoires de Marguerite de Valois, éd. F. Guessard, p. 16-20.

l'ignore. Ronsard, qui peut bien en ces jours corriger les épreuves de *la Franciade*, est tout entier aux fêtes qui précédèrent le mariage de Marguerite de Valois avec le futur Henri IV, prince ondoyant alors, et si coureur.

Ronsard assiste au bal donné en l'honneur de Marguerite de Valois et il écrit, à cette occasion, « la Charite[1] ». Car Marguerite est la perle unique. Il admire cette spirituelle et belle Margot, la garçonne de la cour, petite, grassouillette et blonde comme l'or[2], souriante, dont le visage charmant est un peu déparé par le lourd menton des Médicis. Elle a lié partie avec son frère, le duc d'Anjou; mais elle tremble encore devant la reine mère; et surtout elle ne peut souffrir son futur époux, le Béarnais, dont l'haleine est, paraît-il, si mal odorante.

Quel charmant portrait Ronsard trace de Margot, précis comme un crayon![3]

> En ses yeux bruns toute delicatesse...
> Son nez sembloit hautement relevé,
> Un petit tertre enclos en deux vallées.
> Sa tendre, ronde et delicate oreille,
> Blanche, polie, au bout s'enrichissoit
> D'un beau ruby, qui clair embellissoit
> De ses rayons son visage à merveille.
> De vif cinabre estoit faicte sa joüe,
> Pareille au teint d'un rougissant œillet,
> Ou d'une fraize alors que dans du laict
> Dessus le hault de la cresme se joüe...
> Sa bouche estoit de mille roses pleine,
> De lis, d'œillets, où blanchissoyent dedans
> A doubles rangs des perles pour des dents,
> Qui embasmoient le ciel de leur haleine...
> Un rond menton finissoit son visage
> Un peu fendu, d'assez bonne espesseur,
> Gras, en-bon-poinct, dont la blanche espesseur

1. II, 61. — 2. Marguerite était brune. Mais les dames de ce temps saupoudraient leurs cheveux de poudre d'or, comme les Vénitiennes.

3. II, 60 (éd. 1578). — Voir M. Étienne Moreau-Nélaton, *les Clouet et leurs émules*, fig. 60, 100, 219, 265, 428, 448, 465. « Mas hermosa es la pequeña », avait déjà dit don Carlos aux fêtes de Bayonne (Brantôme, éd. Lalanne, t. VIII, p. 26. Cf. J. Dorat, *Pœmatia*, 1586, p. 144; A. Jamin, *Les Œuvres*, 1575, fol. 22-25).

> De l'autre enfleure est certain tesmoignage...
> Deux monts de laict qu'un vent presse et represse,
> Qui sur le sein sans bouger s'esbranloient
> Comme deux coings, enflez se pommeloient
> En deux tetins, messagers de jeunesse.
> Du reste, helas! de parler je n'ay garde...

Margot arrive, comme une nymphe, au palais de Charles, dans la salle où se faisait la danse ; elle disparaît un moment, et tout semble obscur[1] :

> Il estoit nuict, et les humides voiles
> L'air espoissy de toutes parts avoient,
> Quand pour baller les dames arrivoient,
> Qui de clarté paroissoient des estoilles.
> Robes d'argent et d'or laborieuses
> Comme à l'envy flambantes esclattoient :
> Vives en l'air les lumieres montoient
> A traicts brillans des pierres precieuses.

Car Margot était vraiment la déesse du bal. On respirait le musc et l'ambre. La Charite illuminait tout comme un éclair. Le roi Charles IX la prend par la main[2] :

> Comme une femme elle ne marchoit pas,
> Mais en roulant divinement le pas,
> D'un pied glissant couloit à la cadance...
> Le Roy dansant la volte provençalle
> Faisoit sauter la Charite sa sœur :
> Elle suivant d'une grave douceur,
> A bonds legers voloit parmy la salle.

Ce feu follet de la fête, semblable à celui que l'on voit dans les « grasses nuits d'automne », Ronsard l'a contemplé avec son ami Brantôme ; souvenir que, plus tard, rappela le vieil égrillard, le Gascon malgracieux, quand il compulsait ses souvenirs et ouvrait le tiroir de ses imaginations[3] : « M. de Ronsard eut grande raison de composer ceste riche élégie, qu'on void parmy ses œuvres, à l'honneur de ceste

---

1. II, 65. — 2. II, 66. Sur la « Charité », cf. J. de la Jessée, 1583, p. 426.
3. Éd. Lalanne, t. VIII, p. 29.

belle princesse Marguerite de France, non encor mariée, où
il a introduict et faict la déesse Vénus demander à son fils,
après s'estre bien pourmené icy bas, et veu les dames de la
court de France, s'il n'y avoit point apperceu quelque beauté
qui surpassast la sienne : « Ouy, dist-il, ma mère, j'en ay veu
une, en qui tout le bonheur du plus beau ciel se versa dès
qu'il vint en enfance. » Vénus en rougit, et ne l'en voulut
croire, ains despescha l'une de ses Charites pour descendre en
terre la recognoistre, et luy en faire après le rapport. Sur ce,
vous voyez dans cette élégie une très belle et riche description
des beautez de cette acomplie princesse, soubz le nom et le
corps de la belle charite Pasithée. »

Mais les bruits les plus sinistres courent, en ce temps-là, à
Paris. On disait qu'écrasés militairement, mais indomptables,
les huguenots allaient se venger et renouveler le coup d'Amboise et de Monceaux[1]. Le duc d'Anjou est entré en rapport
avec un stipendié bon à faire de la sale besogne. D'un coup
d'arquebuse, quand il sortira de son hôtel de la rue Béthisy,
Maurevert, l'homme du duc de Guise, est payé pour descendre
l'amiral. Le maladroit assassin lui casse, de ses deux balles,
l'index de la main droite et le coude du bras gauche. Et
voilà un grand embarras pour tout le monde.

Car les huguenots, qui grondent, s'installent en armes dans
le fief de Béthisy que les catholiques doivent évacuer. La
cour est dans l'angoisse ; Catherine, affolée, se rend immédiatement, avec le roi son fils, auprès du blessé, parmi la foule
armée de ses partisans. Elle qui n'a jamais eu peur de rien,
elle tremble. Coligny, qui veut entraîner le roi dans l'affaire

---

1. Le problème de la maladie du royaume, de la question religieuse, a été curieusement posé par Alvise Contarini, l'ambassadeur de Venise, en 1572, avant les événements tragiques. Quel remède pour le guérir : l'un est la force et le feu pour
supprimer le membre infect; l'autre réside dans la douceur pour rendre au pays la
santé (Eug. Alberi, *Le Relazioni*, série 1, vol. IV, p. 240. Cf. Machiavel, *le Prince*,
ch. XV). C'était ce deuxième remède que Catherine appliquait, et que Ronsard a
toujours préconisé. La reine mère et Charles IX étaient même accusés par le peuple
catholique de favoriser les huguenots (Cl. Hatton, *Mémoires*, passim).

Marguerite de Valois, reine de Navarre
(Collection Bonnat)

des Flandres, affirme qu'il se vengera. La terreur est au
Louvre. La garde royale va être enlevée, croit-on, et le roi
sera fait prisonnier. Quelle impasse ! On arrête une bataille[1],
une forte exécution de police, sous l'impulsion des Italiens de
Gondi et du duc d'Anjou. Si Charles IX, irrésolu et colérique,
ne sait que faire[2], M. de Guise a obtenu l'autorisation d'achever
l'amiral. Le dimanche 24 août 1572, à deux heures du matin,
le tocsin sonne à Saint-Germain-l'Auxerrois. Et la populace
enrégimentée par le prévôt des marchands, Marcel, la canaille
de Paris, une ville surpeuplée, suivant le plan des Guises
vieux de dix ans, court à l'assassinat, et surtout au vol[3]. Le
mouvement fut irrésistible : aucune armée n'aurait pu s'y
opposer. On tue froidement, pendant trois jours ; le Louvre

1. Pour retracer l'affreuse journée du 24 août, j'ai surtout utilisé le récit fait
par le roi Henri III que l'on trouve à la suite des *Mémoires de Villeroy* dont H. Bordier
a voulu démontrer, faiblement à mon sens, l'inauthenticité ; les nouvelles importantes, mais qui paraissent tendancieuses, en ce qui concerne Catherine et la prémé-
ditation, données par l'ambassadeur de Venise, G. Michel, le 11 novembre 1572 (Eug.
Alberi, *Le Relazioni degli ambasciatori Veneti*, série 1, vol. IV, p. 277) ; les informations adressées à la reine Élisabeth, recueillies dans les *Calendars of state papers*,
n° 583-584, ad. a. 1572. — Aux yeux de Brantôme, le maréchal Gaspard de Saulx,
Tavannes et Retz, la reine mère portent la responsibilité du massacre (éd. Lalanne,
t. V, p. 255-270 ; VII, 363-364). Voir aussi l'abbé A. Cabos, *Guy du Faur de Pibrac*,
1912, et l'*Apologie de la Saint-Barthélemy*, Paris 1922, où l'on trouve la critique de la
Lettre à Elvidus. — Tout ceci vient d'être mis au point dans la magistrale étude de
M. Félix Rocquain, *la France et Rome pendant les guerres de religion*, Paris, 1924,
p. 121-137.

2. Les documents publiés dans les *Registres du Bureau de la ville*, t. VI, nous font
revivre cette journée pleine d'incertitude et de désarroi. Il faut tenir compte d'une
information importante des *Nouveaux Mémoires* de Bassompierre, p. 107. « Le roy
Charles neuvieme, prince bouillant et qui se laissoit emporter aux premiers mou-
vements de sa colère, étoit aussi fort sujet à changer de resolution et estre détourné de
celles qu'il avoit premièrement prises ; celle d'attraper les Huguenots fut conclue
plusieurs mois avant la Saint-Barthélemy ; mais après qu'il eut vu l'amiral, il le
gagna tellement qu'il lui fit changer ce dessein en celui de les occuper à la conquête
de Flandre contre l'Espagne... » (Je cite le texte du ms. fr. n. acq. 1 208, p. 122.)
Bassompierre rapporte encore que le lendemain des noces du roi de Navarre, Guise
était résolu à tuer d'un coup de lance, pendant le jeu des bagues, Coligny alors tout
à fait en faveur. Le roi l'apprend, appelle Guise, « lui dit mille menaces et injures,
puis le fit partir de là ». — Ces notes de Bassompierre, parfaitement authentiques,
proviennent des papiers du comte de Tillières.

3. Giovanni Michiel estime le sac à 2 millions. Depuis l'édit de pacification les
huguenots les plus riches vivaient à Paris.

même est ensanglanté. Il s'agit bien, maintenant, de supprimer les chefs factieux! Tous y passeront. Plus de quatre mille personnes disparaissent dans les trois jours sanglants, et près de deux mille cadavres furent tirés de la Seine, à Chaillot et à Saint-Cloud seulement. L'ordre de massacre est parti en province ; il est arrêté aussitôt. Mais à Paris, puisqu'on saigne, autant en finir. Tavannes, comme les autres, crie dans la rue : « Saignez ! les médecins disent la saignée aussi bonne en août comme mai [1] ! » Et le capitaine Le Guast répand « beaucoup de sang innocent [2] ». Le crime accompli, on le fera glorifier, sans conviction. Le Parlement fanatique, qui a causé déjà tant de chagrin à Catherine, est là pour cette besogne [3].

Jours horribles, dont le rouge cauchemar va hanter l'esprit du jeune roi, colérique comme le « Roland Furieux » que lui dédia en ces jours Philippe Desportes [4] ; crime qui dégoûte à tout jamais du Louvre la reine mère, qui fait que, pendant des années, un Français ne pourra paraître à l'étranger sans être insulté [5] ! Philippe II peut seul s'en réjouir, puisque les Français ne marcheront plus contre lui dans les Flandres. Le

1. Il y a un article sur Tavannes dans *le Correspondant* du 10 novembre 1924 qui atténue le rôle odieux que lui donne Brantôme.

2. Pierre de l'Estoile, *Mémoires journaux*, éd. G. Brunet, I, 93.

3. Voir l'étonnante série des cinq médailles frappées à l'occasion de la Saint-Barthélemy dans la collection Hennin, t. VII, fol. 50 : PIETAS EXCITAVIT JUSTICIAM. P. Blanchemain a attribué, sans preuve, à Ronsard la paraphrase de cette devise transcrite sur la dernière page d'un livre d'Heures manuscrit ayant appartenu à Catherine de Médicis et à Charles IX, qui se trouve à la bibliothèque de la Haye (VIII, 129) :

> Sire, la Piété est aussy la justice,
> Ce sont les deux appuys de vostre Majesté :
> La justice punit des iniques le vice,
> La Piété de Dieu maintient l'autorité.

Mais la devise : MAJOR ERIT HERCULE est intéressante à rapprocher de l' « Hydre défaict ».

4. *Premières Œuvres*, 1573. — Le succès de Desportes fut étonnant. Scévole de Sainte-Marthe (*Œuvres*, 1579, fol. 148) a dit de l'Arioste :

> Il parle cent fois mieux sa langue maternelle
> Qu'oncques il n'a parlé ce langage estranger.

Voir aussi le passage, fol. 165, où Desportes est célébré, avec enthousiasme, comme un Virgile renaissant.

5. La planche éloquente attribuée à Tortorel a été très répandue avec une légende en allemand (collection Hennin, t. VII).

cœur de tous les honnêtes gens, de tous les étrangers, est soulevé au seul nom de la boucherie de la populace du Paris des paroisses.

Ronsard ne fera jamais allusion à ces mauvais jours, dont un Jean Dorat a chanté le carnage[1]. Dans l'Hymne des Estoilles[2], écrit après la Saint-Barthélemy, Ronsard a dit la fatalité des choses et développé une idée qui lui était très chère sur le changement des situations. Il y a peu de raison

---

1. J. Aurati, *Pœmatia*, Lut. Parisiorum, 1586, p. 92. (Bibl. Nat., Rés. p. Y^c 1025.) — Outre sa pension ordinaire, « Me Jehan Daurat, poette et interprette dudit sieur en langue grecque et latine », reçut deux cent cinquante livres, en récompense des « services et bon debvoir qu'il luy a faictz cy devant en son dict estat, faict, continue encores chascun jour en ce qu'il plaist à sa Majesté de luy commander et pour luy donner plus de moyen et occasion de s'i entretenir... » (27 oct. 1572. Arch. Nat., KK. 133^a). Le même registre mentionne qu'Etienne Jodelle, sieur de Limodyn, « l'ung des poetes dud. seigneur », reçoit cinq cents livres en raison de ses services anciens et des dépenses qu'il supporte pour « se faire penser et guarir d'une malladie de laquelle il est à present detenu » (29 oct. 1572). Jean Vatel, poète, reçoit deux cent cinquante livres pour avoir présenté à S. M. quelques œuvres de sa composition (26 octobre 1572). Me Jean-Antoine de Baïf, « poette dudit sieur », reçoit trois cents livres pour ce « qu'il plaist à Sa Majesté l'employer, et pour luy donner toujours meilleur moyen de s'entretenir » (2 décembre 1572).

2. IV, 255-260. — Publié à part en 1575, à Paris, chez Gabriel Buon : *Les Estoiles à Monsieur de Pibrac* (Bibl. Nat., Rés. Y^e 1117). — Voir une curieuse image populaire représentant la comète et ses influences : *De magnitudine, inflammatione, situ, motuque stelle prodigiose* (nov. 1562-déc. 1573). (Bibl. Nat., Estampes, Q^b 21.) Pontus de Tyard, homme bien paisible, qui poussait à la folie le culte de l'idée, goûta particulièrement ce poème. Lui aussi fit son poème astronomique de circonstance. Mais ce fut surtout pour lui l'occasion de placer au ciel de la poésie, près d'Uranie, Ronsard, « son cher amour ». (*Les Œuvres poétiques*, 1573 : *ad Petrum Ronsardum de cœlestibus asterismis*.) L'ouvrage a été composé pendant que Charles IX se mourait. Voir Pierre de Nolhac, *Ronsard et l'Humanisme*, p. 200-202. — Guy du Faur de Pibrac, jurisconsulte, juge mage de Toulouse et mainteneur des jeux floraux, poète, grand propagandiste, ami de Michel de l'Hospital, parlementaire d'un esprit tout à fait libre, député aux États d'Orléans, porte-parole éloquent de la France au concile de Trente, avocat général au Parlement de Paris en 1565, chancelier du duc d'Anjou qu'il accompagna en Pologne (1573). Guy du Faur de Pibrac était considéré comme une lumière et tenu pour un fort brave homme, l'honneur du Parlement, par le très honnête Scévole de Sainte-Marthe (*Œuvres*, 1579, fol. 32) :

O toy qui est si grand entre les mieux appris.

Sainte-Marthe l'a imité dans *le Palingene*. J.-A. de Thou a fait de lui un grand éloge dans son *Historia sui temporis* (ad. a. 1584) et Scévole de Sainte-Marthe lui a donné une louange spéciale dans ses *Elogia* (1606, p. 137). Guy du Faur de Pibrac n'était pas un fanatique ; il chercha à exposer à l'Europe la thèse royaliste et française sur la Saint-Barthélemy.

de voir quelque ironie dans les vers qui rapportent l'affreux destin de l'amiral Gaspard de Coligny, décapité et suspendu au gibet de Montfaucon. Car tous les Coligny, Ronsard les porta dans son cœur[1]; et jamais il ne fut homme de sang ni fanatique[2] :

> Ce guerrier qui tantost
> Terre et mer d'un grand ost
> Couvroit de tant de voiles,
> Court de teste et de nom
> Pendille à Mont-faucon :
> Ainsi vous plaist, estoiles[3] !

Dans ces jours malheureux, Ronsard doit être surtout occupé à corriger les épreuves des *Quatre premiers livres de la Franciade, au Roy tres-chrestien, Charles, neufieme de ce nom*, qui parurent au mois de septembre 1572[4]. Enfin, le voici délivré, de ces « soixante et trois rois » dont Ronsard a, depuis si longtemps, le faix « sur les bras[5] »! Le 28 octobre 1572, prenant le titre de « poete du roy », Pierre de Ronsard donnait quittance au trésorier de l'Épargne, Claude Garault, de la somme de 600 livres[6].

Des fêtes, pour chasser le souvenir de l'atroce chose! Des fêtes, non plus au Louvre, sur la paroisse de Saint-Barthélemy, mais aux Tuileries dont le pavillon central vient

---

1. Voir dans le même sens l'Epitaphe de l'Admiral par Pierre le Loyer, angevin, ami de Ronsard (*Les Œuvres*, 1579, fol. 249) et J. Dorat, *Pœmatia*, 1586, p. 291 293. C'est bien après la Saint-Barthélemy, en 1578, que Ronsard supprima dans son œuvre le *Temple de Messeigneurs le connestable et de Chastillons*, dédié à Odet de Coligny, mort à Londres en 1571, ainsi que la *Prière à la Fortune* (VI, 259, 267.) La quatrième édition collective des *Œuvres* a paru, le t. I en décembre 1572, et les cinq autres en janvier 1573 (P. Laumonier, *Tableau chronologique*, p. 50).

2. Ce que n'était pas Antoine de Baïf (*Jeux*, éd. 1573, fol. 8) : *Sur le corps de Gaspar de Coligny gisant sur le pavé :*

> Gaspar tu dors icy qui voulois en ta vie
> Veiller pour endormir de tes ruses mon roy;
> Mais lui, non endormy, t'a pris en dessarroy
> Prevenant ton dessein et ta maudite envie...

3. IV, p. 258. — Cette pièce de circonstance fut suggérée à Ronsard par le spectacle de l' « étoile nouvelle » qui brilla après la Saint-Barthélemy, de novembre 1572 à mars 1574. — 4. Paris, chez Gabriel Buon (Bibl. Nat., Rés. Ye 506). Réimpression en 1573. — 5. VII, 67. — 6. Bibl. Nat., P. orig. 2540 (sign. autogr.).

d'être terminé par Du Cerceau, dans ces jardins paisibles, le long de la Seine tranquille, parmi les grands arbres, là où les cavaliers de l'Écurie peuvent lancer leurs chevaux, où la reine mère fait sa promenade quotidienne, où si souvent vague Ronsard parmi les quinconces et les fontaines ! Aux Tuileries, on est hors des murs, hors de la souricière du Louvre, de l'horrible Paris ; on regarde vers les champs.

Le 1ᵉʳ janvier de l'année 1573, Pierre de Ronsard présentait comme étrennes à Charles IX, un Léon l'Hébreu : *Philosophie d'amour*[1]. C'est un livre juif, qu'il déteste d'ailleurs (il l'a dit dans un sonnet pour Hélène que conserva Galland[2]) :

> Leon Hebrieu, qui donne aux dame congnoissance
> D'un amour fabuleux, la mesme fiction :
> Faux, trompeur, mensonger, plein de fraude et d'astuce,
> Je croy qu'en lui coupant la peau de son prepuce
> On luy coupa le cœur et toute affection !

Mais surtout Ronsard assiste, près de Brantôme, au festin des Tuileries donné aux ambassadeurs polonais qui sont venus, au mois de mai, chercher le duc d'Anjou pour en faire leur roi : un bon débarras pour son frère Charles !

La fête est décrite tout au long par Brantôme[3]. Car après le festin il y eut bal, dans la grande salle faite exprès, aux lumières d'une infinité de flambeaux, où fut représenté le plus beau ballet du monde, sur la plus mélodieuse des musiques dont Orlande est vraisemblablement l'auteur. Seize des dames et demoiselles de Catherine, représentant les seize provinces de France, sont assises dans des niches en forme de nuées. Elles descendent, se groupent en petit bataillon ; les trente violons sonnent un air de guerre sur lequel elles marchent en cadence en s'approchant de Leurs Majestés. Et durant une heure, on vit, ce qu'on n'avait jamais vu, les évolutions d'un ballet, sans la moindre confusion : tours, détours, entre-

1. II, 412 : *Au roy Charles, luy donnant un Leon Hebrieu.*
2. VI, 60.
3. Éd. Lalanne, t. VII, p. 371-372.

lacs, qui faisaient beaucoup d'honneur à la mémoire des demoiselles de la reine. Puis toutes ces dames présentent au roi, à la reine, au roi de Pologne, à Monsieur, au roi et à la reine de Navarre, aux grands de France et de Pologne, une plaque d'or émaillée, large comme la paume de la main, où étaient gravés les fruits de chaque province : les citrons et les oranges de la Provence, les blés de la Champagne, les vins de la Bourgogne ; les gens de guerre symbolisaient les produits de la Guyenne, ce qui fut tenu à grand honneur pour cette province.

Ronsard y fit parler la nymphe France[1], et Amadis Jamyn, la nymphe Angers[2].

Mais Brantôme et Ronsard, tous deux barbons et chenus, détaillent surtout leur petite amie, la jeune femme aux yeux noirs dont les ailes du nez tremblent, Margot, celle-là que Desportes chantera dans son *Hippolyte royale*, voulant comme Icare, s'élever aux nues[3]. Elle tourne le dos à son mari, ce « meschant », et porte ce jour-là robe de velours incarnadin d'Espagne, fort chargée de clinquant, avec bonnet de même couleur « dressé » de plumes et de pierreries. Et tous lui disaient combien elle était belle ainsi, si bien qu'elle porta souvent ce costume dans lequel elle se fit peindre.

Brantôme, qui était à côté de Pierre de Ronsard, l'interpella : « Dites le vray, Monsieur, ne vous semble-t-il pas voir ceste belle royne en tel appareil parestre comme la belle Aurore, quand elle vient à naistre avant le jour avec sa belle face blanche, et entourée de sa vermeille et incarnate cou-

---

1. La paix de la Rochelle venait d'être signée avec les protestants. — Sur la fête donnée aux ambassadeurs polonais, en 1573, voir Brantôme, § dez dames : Marguerite de France et de Navarre ; les *Mémoires* d'Hurault de Cheverny, dans la collection Michaud, t. X, et surtout la vie de Catherine de Médicis par Brantôme et ses *Lettres*, IV, p. 250. Jean Dorat en a donné une relation latine : *Magnificentissimi spectaculi... relatio* (Bibl. Nat., Y^c, 1205, vignettes) Cf. Paul Laumonier, *Ronsard lyrique*, p. 244, pièces justificatives, p. 755. La tapisserie du musée des Offices a été publiée par H. Prunières, *Ronsard et les fêtes de cour*, dans la *Revue musicale*, 1er mai 1924. — 2. *OEuvres*, 1575, fol. 30.

3. *Les Premières OEuvres*, 1573, fol. 97.

leur? Car leur face et leur accoustrement ont beaucoup de simpathie et de ressemblance. » M. de Ronsard en convint. Sur cette comparaison, qu'il trouva fort belle, il fit un sonnet qu'il donna à M. de Brantôme qui le perdit. Ainsi nous ne le possédons plus[1].

Mais voici Charles IX bien malade ; il ne prend plus de plaisir qu'à entendre la lecture des discours désabusés de l'Ecclésiaste que lui fait Remy Belleau[2]. Et Ronsard prie pour son roi, invoquant Apollon guérisseur[3] :

> C'est la raison qu'un Dieu
> Un autre Dieu guarisse...
> Vien, Prince aux beaux cheveux,
> Guarir son mal fievreux...

Ne serait-ce pas juste qu'Apollon intervînt en faveur de celui qui avait tant honoré les vers et chéri la musique ?

> A ses membres peu forts
> Rens la vigueur premiere...

C'est un fait que si Ronsard fit une prière païenne pour Charles IX, la nourrice huguenote du roi, et lui-même, invoquèrent le Dieu des chrétiens[4]. « Comme elle se fust mise sur un coffre et commençoit à sommeiller, ayant entendu le roy se plaindre, pleurer et soupirer, s'approche tout doucement du lit, et tirant son rideau, le roy commence à luy dire : « Ah ! ma nourrice, ma mie, ma nourrice, que de sang et que de meurtres ! Ah ! que j'ai eu un meschant conseil ! O mon Dieu, pardonne les moy, et me faict misericorde, s'il te plaist[5] !... »

---

1. Éd. Lalanne, t. VIII p. 34.
2. *Œuvres*, éd. A. Gouverneur, III, p. 163 (Le 30 juillet 1576, l'ouvrage est adressé à François duc d'Anjou ; mais Remy Belleau donne la date de la lecture à Fontainebleau : « il y a trois ans passez »). — 3. II, 408.
4. V, 240. — Plaquette publiée à Paris, vers juillet 1574, chez Frédéric Morel (Bibl. Nat., Réserve p. X, 99.) Amadis Jamyn et Robert Garnier y collaborèrent.
5. Brantôme (V, 255-257), très attaché à Charles IX, a déjà rapporté que le roi a

C'était la fin d'un pauvre roi de vingt-quatre ans (31 mai 1574). Et comme Ronsard est quelque peu entrepreneur d'épitaphes, il écrit : *Le Tombeau de feu Roy Tres-Chrestien Charles IX, prince tres-debonnaire, tres-vertueux et tres-elo-quent*[1]. Certes Ronsard n'ignorait aucun de ses défauts ; il savait bien que son roi était « entre doux et colère ». Le mois de mai 1574 est pour lui tout rempli de l'amour d'Hélène. Son enthousiasme nous paraît donc assez convenu ; mais il peut aussi être sincère[2]. Ronsard était de la maison du roi depuis tant d'années, son serviteur :

> Hà Charles tu es mort ! et maugré moy je vy !
> Je maudis le destin que je ne t'ay suivy,
> Comme les plus loyaux suivoient les rois de Perse...
> Ny la Religion sainctement observée,
> Qu'il avoit dès Clovis en la France trouvée,
> Ny sa douce eloquence et sa force de Mars,
> Son esprit, magazin de toutes sortes d'arts,
> Ny l'amour de vertu, ni son âge premiere
> Qui commençoit encore à gouster la lumiere,
> Ny les cris de François, ny les vœus maternels,
> Ny les pleurs de sa femme au milieu des autels
> N'ont sceu flechir la mort que sa fiere rudesse
> N'ait tranché sans pitié le fil de sa jeunesse.

Car la France, disait Ronsard, n'était pas digne de posséder un tel roi. Elle lui fut une terre marâtre où il n'avait connu que les fureurs civiles et les trahisons[3] :

> Il eut le cœur si ferme et si digne d'un Roy
> Que combattant pour Dieu, pour l'Eglise et la Foy,
> Pour autels, pour fouyers, contre les heretiques,
> Et rompant par conseil leurs secrettes pratiques,
> Telle langueur extreme en son corps il en prist
> Qu'il mourut en sa fleur martyr de Jesu-Christ.

fait le geste de tirer de son arbalète sur les fuyards ; la visite qu'il rendit à Montfau-con, où il plaisanta devant le corps de Coligny. C'est là sans doute l'origine du beau vers, légendaire et vengeur, d'Agrippa sur le roi : « Giboyant aux passants trop tardifs à passer. » Agrippa, jeune, rencontrait cependant Brantôme et Ronsard chez l'un des massacreurs, le capitaine des gardes Louis Bérenger Du Guast.

1. V, 240-245. Bibl. Nat., Rés. Y⁶ 509 (s. d., Frédéric Morel, 1574). — 2. Dans son *Adonis, ou le trespas du roi Charles IX*, Claude Binet met Ronsard en scène sous le nom du berger Perrot (Paris, 1575. Réserve Z, Fontanieu, t. 103). — 3. V, 241.

Ronsard maudissait le vieux château de Vincennes, « parc et bois malheureux », où le jeune roi avait fermé ses yeux, laissant autour de lui tant de regrets [1] :

> Les choüans, les corbeaux de sinistre presage
> Volent toujours sur toy : ta court et ton bocage
> Soyent tousjours sans verdeur, et d'un horrible effroy
> Le silence eternel loge toujours chez toy !

Le poète évoquait les pleurs de sa mère qui écrivait, en ce temps-là, qu'elle priait Dieu de lui envoyer la mort. Si longtemps Catherine avait couché dans la chambre de son petit Charles, dont la dernière parole avait été : « Et ma mère ? »

Ronsard disait aussi la tragique douleur de l'épouse qui pleura la Saint-Barthélemy, la pieuse Espagnole qui devait finir dans un couvent et dont les dames, au Louvre, apercevaient la nuit, sur les courtines tirées de son lit, l'ombre agenouillée et inclinée que dessinait sa veilleuse [2].

Mais nous, nous pensons à l'autre tombeau que Pierre de l'Estoile recueillit en ces jours [3] :

> Plus cruel que Néron, plus rusé que Tibère ;
> Hay de ses sujets, moqué de l'estranger...
> Tout son règne ne fut qu'un horrible carnage,
> Et mourut enfermé comme un chien qui enrage.

La même année mourut à Turin, le 18 septembre, cette Marguerite de France, duchesse de Savoie, la protectrice de la Pléiade, pour laquelle Ronsard écrivit un magnifique Tombeau [4] ; il est semblable à ceux qu'on élevait alors à Saint-Denis, avec leurs effigies majestueuses et véridiques, leurs belles et fleuries architectures, et qui groupaient les membres de la famille royale. Autour de Marguerite, Ronsard rassemble « la mémoire » très auguste et sainte de François Ier et de tous ses enfants ; il dresse le tombeau des Valois où

---

1. V, 243. Cf. A. Jamyn, Elegie à la royne mere du roy (Les Œuvres, 1575, fol. 14 v°) ; J. Dorat, Epigrammata, 1586, fol. 149 ; J.-A. de Baïf, Complainte, Paris, 1574 ; Les Poemes de Pierre de Brach, [1576, p. 215. — 2. Brantôme, éd. Lalanne, t. IX p. 594-596. — 3. Mémoires-journaux, éd. G. Brunet, I, p. 7. Signée E. P.

4. V, 248. — Plaquette publiée à Paris, en 1575, chez G. Buon, sous le titre : Le Tombeau de tres illustre princesse Marguerite de France... (Bibl. Nat., Ye 4262).

il marque sa place, à leurs pieds. Il y parle, tout naturellement, de lui-même, nous contant ses propres aventures. En
ces jours, le poète élevait son propre tombeau et celui des
Valois[1] :

> Je diray que le ciel me porte trop d'envie
> De me faire trainer une si longue vie,
> Et de me reserver en chef demy-fleury,
> Pour pleurer les tombeaux des Rois qui m'ont nourry.

Alors Pierre de Ronsard eut beaucoup de paroles amères,
le sentiment très juste aussi que la race des Valois allait
finir ; il était trop intelligent pour être un obstiné louangeur.
Pierre de l'Estoile a précisément signalé qu'en l'an 1573 furent
divulgués des vers du poète sur Charles IX. Il s'agit, sans
aucun doute, d'une ode satirique qui dut circuler manus-
crite, sous le manteau, et que l'on a précisément retrouvée
parmi les papiers de Pierre de l'Estoile[2] :

> Roy, le meilleur des Rois...

Dans de petits vers de complainte populaire, Ronsard
déclarait que, depuis dix ans, il avait cent fois souhaité
la mort :

> J'ay voulu m'en aller
> Du lieu de ma naissance,
> Pour n'ouir plus parler
> Des affaires de France.
>
> Des grandz jusqu'aux petis
> Tout a perdu la honte,
> Tout va de pis en pis
> Et si n'en faites conte.

Ronsard disait qu'il avait vu le sceptre à bas, les grands

---

1. V, 261. — 2. VI, 480 (Bibl. Nat., ms. fr. 10304, p. 356 : *Ronsard au roi
Charles IX*). *Mémoires-journaux*, éd. G. Brunet, t. XII, appendice. — La pièce est
parfaitement authentique et Cl. Binet y a fait allusion. Elle est du même ton que
le poème adressé *au Trésorier de l'Épargne* (VI, 51). La pensée de Ronsard paraît
avoir été connue de Pierre le Loyer, Angevin (*Les Œuvres*, 1579, fol. 101) :

> L'autre voudroit la paix, l'autre la guerre avoir
> Et si divers François de mœurs et de sçavoir
> Qu'espères-tu, Ronsard, qu'une ruine de France ?

états du roi honnis, son ordre « valleté[1] ». Les poltrons
obtiennent les offices et les meilleurs bénéfices sont donnés
aux femmes. Il dénonçait :

> Un conseil divisé
> Bigarré de menée,
> Le prince mesprisé
> Par la tourbe effrenée.

D'avares Italiens[2] s'engraissaient chez nous, et quatre ou
cinq d'entre eux avaient mangé le meilleur de l'épargne. On
parlait de meutes et de chasse[3], tandis que les Rochellois nous
menaçaient[4] :

> J'ai veu trop de massons
> Bastir les Tuilleries,
> Et en trop de façons,
> Faire les mommeries.
>
> Dames et cardinaux
> Menent trop de bagages :
> Ilz ont trop de chevaux
> Qui mangent les villages.
>
> Ilz ne font qu'empescher :
> La cour en est trop pleine ;
> L'un deust aller prescher,
> L'autre filer sa laine...

Ronsard exhortait son roi à sortir de son sommeil, à se
rendre lui-même au conseil[5], sans y déléguer un procureur,

---

1. C'est-à-dire donné à des valets. — Les gentilshommes ordinaires de la chambre
étaient en général chevaliers de l'ordre : Albert de Gondi, le maréchal ; Louis de
Saint-Gelais ; Charles de Gondi ; les Villequier, etc. Il y a surtout parmi eux beaucoup
de jeunes gens. (Arch. Nat., KK. 134.)

2. Allusion aux Delbene, originaires de Florence, aux Gondi, aux Birague.

3. Les comptes de la maison justifient parfaitement ce jugement de Ronsard. On
y voit tellement de descriptions de costumes, d'armes de chasse (Arch. Nat., KK. 131).
Il y a un gouverneur des grands lévriers, un lieutenant de vénerie avec sa meute de
chiens gris ; un autre a la charge des petits chiens de la chambre ; on trouve des
valets pour les lévriers, pour les limiers, pour les levrettes ; un gentilhomme à la fauconnerie, des valets pour la bande de chiens blancs, un veneur pour les petits chiens
blancs, etc. (Arch. Nat., KK. 127).

4. Henri d'Anjou avait déjà assiégé, en 1573, la ville de la Rochelle sans pouvoir
la prendre.

5. Le registre des Arch. Nat., KK. 133 bis (année 1566) montre que le roi y allait
presque journellement. Il signe les rôles avec Laubespine et G. Bourdin.

à écouter ce qu'on disait, à devenir le père de chacun, du pauvre comme du riche :

> Le roy est un estat
> Que le peuple conseille :
> Ne soyez donc ingrat
> De luy prester l'oreille...

Les offices royaux ne doivent pas se vendre ; il ne faut pas piller le patrimoine du Christ :

> De vostre cour le train
> Rongnez et les bombances,
> Et serrez bien le frain
> A vos courtes finances[1].

> Payez ce qui est deu :
> Que le sceptre on degaige ;
> Vivez apres de peu,
> Bon pere de mesnage.

> Chassez moy tant de chiens
> Qui sans proffit dependent,
> Et ces Italiens
> Qui la France gourmandent...

Lisez l'histoire ; écrivez de votre propre main vos dépêches ; payez les soldats ; honorez Dieu et votre mère :

> Je ne veux par escrit
> Vous estre plus moleste ;
> Vostre royal esprit
> Comprendra bien le reste.

> Le Romain nompareil
> Veit perdre ses provinces
> Par le mauvais conseil
> De deux ou de trois princes...

Note bien intéressante, on l'avouera, et qui donne la vraie pensée de Ronsard, celle que nous rencontrons plus rarement

---

1. A la vérité, les comptes sont remplis de dépenses extravagantes et somptuaires, de frais de costumes follement riches. Charles IX n'est pas toujours vêtu de buffleterie. Il paraît, en ce temps là, en pourpoint, cape et chausses de soie de couleurs tendres : satin colombin, orangé, etc. (Arch. Nat., KK. 131, année 1570).

dans les longues pièces de commande qu'il ne faisait que
pour plaire à autrui et pour gagner sa vie[1].

Un autre poème, de forme plus soignée, adressée au trésorier de l'Épargne, Moreau[2], développe les mêmes plaintes[3].
Entendons-le cette fois gourmander sa reine, la « mère
ardente » qu'il avait tant de fois louangée cependant :

> Il ne faut plus que la royne batisse
> Ny que sa chaux nos tresors appetisse,
> Molins suffit sans en bastir ailleurs,
> Peintres, maçons, engraveurs, entailleurs,
> Succent l'espargne avec leurs piperies :
> Mais que nous sert son lieu des Thuilleries ?
> De rien, Moreau, ce n'est que vanité :
> Devant cent ans sera deshabité,
> Et n'y aura ny fenestre ny salle,
> Leton entier, corniches ny ovalle[4].
> « Son plus certain, son palais le plus beau,
> « C'est Sainct Denis, quand aupres du tombeau

1, VI, 23. — Cf. *Les Premières Œuvres* de J. de la Gessée (1583) importantes pour
la critique de ce temps.

2. Raoul Moreau, d'une famille parisienne de praticiens, que l'on trouve conseiller du roi et trésorier de son Épargne, dès 1550 (Bibl. Nat., P. orig. 2044).
Un assez important dossier permet de suivre son activité administrative, entre 1557
et 1577 (Bibl. Nat., orig. 2045. Voir aussi Arch. Nat., KK. 126, 127, 128, 134, 135,
136). Le 23 novembre 1568, on voit qu'il soutint un procès à propos de la terre
d'Auteuil, près Montfort-l'Amaury (Arch. Nat., X^ia 5020). A partir de 1572, c'est
Claude Garrault qui rend les comptes de l'Épargne (Arch. Nat., KK. 133^a). Moreau
était en relations avec le monde des argentiers et des receveurs généraux. Son écriture est belle, d'un esprit clair et lettré. A partir de 1566, il prend parfois le titre de
seigneur de Grosbois, qui pouvait bien être sa maison de plaisance, au-dessus d'une
boucle de la Marne, non loin de Paris. Une petite pièce de J.-Antoine de Baïf (*Les
Passetems*, 1573, fol. 6vo) donne une indication utile sur son caractère :

> Monsieur, vous promettez
> D'un parler tout humain,
> Et tousjours remettez
> De demain en demain...

Il faut dire qu'il n'y avait pas souvent d'argent dans les caisses du trésorier de
l'Épargne.

3. VI, 51-56 : *Au Tresorier de l'Espargne*. (Publié seulement en 1604 dans les
Œuvres.)

4. La partie la plus intéressante du livre de H. Bouchot sur *Catherine de Médicis*
est celle qu'il a consacrée à ses travaux de construction : Catherine artiste, p. 161-
177. — La prévision de Ronsard est tout à fait exacte. Cf. Delaborde, *les Comptes des
bâtiments du roi, passim*.

« De son mary dormira trespassée,
« A joinctes mains, à clos yeux renversée[1]. »

Mais si Ronsard demandait des économies pour tous, lui, le pauvre, il tendait la main :

M'en départir si peu que tu voudras :
Plus indigent le Roy n'en sera pas ;
Et desormais de promesses n'abuses
Ton vieil amy[2], ton Ronsard, et ses Muses.

---

1. Ce vers, magnifique, est comme une préfiguration des admirables gisants de Germain Pilon au tombeau des Valois. La figure du roi était déjà en place.

2. Ces termes montrent bien qu'il s'agit de Raoul Moreau, et non pas de Nicolas Moreau, le seigneur d'Auteuil, son fils, également trésorier de l'Epargne, qui faisait payer la pension de Jean Dorat (*Poematia*, 1586, p. 204, 221). Dorat qui mentionne sa famille, en parlant de Nicolas, a fait allusion à son père, vieux parlementaire, serviteur de Henri II et de Charles IX. Sur Nicolas, le bibliophile, voir Alexandre Vidier, dans les *Mélanges Picot*, II, 371.

CHAPITRE VII

LES FILLES D'HONNEUR DE LA REINE[1]

ISABEAU DE LIMEUIL, FRANÇOISE D'ESTRÉES
HÉLÈNE DE SURGÈRES

Brantôme, qui nous a donné tant de précieux renseignements sur la vie de cour et les filles d'honneur de la reine
Catherine, a beaucoup contribué à accréditer de fâcheuses
légendes à leur sujet. Son témoignage demeure cependant
du plus haut intérêt pour nous faire comprendre ce qu'ont
été les amours de Ronsard. Car la situation de Pierre de Ronsard à la cour (il convient d'ajouter le prestige de la gloire
du poète) pouvait bien être analogue à celle de Brantôme,
son grand ami. Brantôme accabla de plaintes et de vers
Renée de Rieux, demoiselle de Chasteauneuf, qui le dédaigna
pour le duc d'Anjou[2]; et il aima, lui aussi, cette Isabeau de

1. Pour rédiger ce chapitre, je me suis surtout servi des comptes de la maison de
Catherine de Médicis (Bibl. Nat., ms. fr. 7854 ; n. acq. fr. 9175) et de l' « estat des
gaiges », de 1547 à 1569 ; de la liste des officiers domestiques publiée et annotée
par Baguenault de Puchesse, *Lettres de Catherine de Médicis*, t. X, p. 504. J'ai utilisé
abondamment, et critiqué aussi, les renseignements donnés par Brantôme dans la
Vie de Catherine de Médicis, éd. Lalanne, VII, 332-403. — M. H. Bouchot, *les Femmes
de Brantôme*, a paraphrasé, d'une manière un peu dangereuse, ce que le mémorialiste
nous dit à ce sujet.

2. Ronsard a écrit d'elle, avant 1578 (I, 351-352) :

> Ce chasteau-neuf, ce nouvel édifice...
> C'est un chasteau féé de telle sorte
> Que nul ne peut approcher de la porte
> Si des grands Rois il n'a tiré sa race...

Jean-Antoine de Baïf lui dédia l' « Hymne de Venus », au VIe livre de ses Poèmes
(*Œuvres*, 1573, fol. 165). Voir aussi les vers de Ph. Desportes à son propos.

la Tour-Limeuil, la passion du poète[1]. Il a dansé la pavane avec Marguerite de Valois, qu'admira Ronsard. C'est tout ce que nous savons d'ailleurs des bonnes fortunes du Gascon avantageux, laid, égrillard, hâbleur si naturellement[2].

Il nous faut connaître cette maison de Catherine de Médicis et la suite de ses dames. Nous allons y retrouver presque toutes les femmes dont parla Ronsard en son âge mûr.

La reine Catherine est devenue une femme majestueuse et forte[3] (les huguenots nommeront Catherine la plus grosse pièce de leur artillerie); mais elle est toujours séduisante, avec sa gorge blanche qu'elle cache, les plus jolies mains du monde; elle demeure infatigable, libre et gaie. On peut apercevoir encore sa belle jambe quand elle monte à cheval; elle cause, intarissablement, avec son drôle d'accent, aimant à dire le mot. Mais c'est une femme très sérieuse[4], toujours de noir vêtue, qui ne danse plus, se plaît à la lecture, à ses ballets à l'italienne, aux représentations de tragédies et aussi de comédies où elle rit tout son saoûl. Après dîner, elle prend son ouvrage de soie où elle excelle. On peut s'amuser parfois du patois de Canaan[5] : mais Catherine est vraiment sans fanatisme. Elle entend la messe tous les jours, en écoutant les chantres de la chapelle et la musique qu'elle

---

1. Un recueil de poésies, formé par Brantôme, et contenant des pièces de sa main, nous fait connaître plusieurs poésies en l'honneur d'Isabeau de Limeuil (Bibl. Nat., n. acq. fr. 11688 ; Brantôme, *Poésies inédites publiées par* M. le docteur E. Gaty, au t. X des *Œuvres complètes*, éd. Lalanne, p. 457-472).

2. H. Bouchot a publié son portrait d'après le recueil de Gaignières et esquissé, d'une manière savoureuse, la psychologie de Brantôme (*les Femmes de Brantôme*).

3. Voir H. Bouchot, *Catherine de Médicis*, qui a suivi un peu servilement le discours de Brantôme. M. Romier (*le Royaume de Catherine de Médicis*) qui s'est beaucoup servi des rapports des ambassadeurs étrangers et les *Lettres*, publiées par Hector de la Ferrière et Baguenault de Puchesse, en donnent une autre idée.

4. Scévole de Sainte-Marthe, qui n'est pas un flatteur et demeura si honnête, a écrit d'elle :

> La douceur et la chasteté
> Qui luist au front de Catherine

(*Œuvres*, 1579, fol. 9).

5. Agrippa d'Aubigné.

adore. Catherine connaît tout son personnel; c'est elle qui
présente à son fils les gentilshommes, disant : « Un tel a faict
service au roy vostre grand père, en tels et tels endroicts;
un tel à vostre père. »

Sa chambre est vraiment la cour, une maison à la française, ouverte et non fermée à la façon d'Espagne. Elle y
maintient la tradition du roi François Ier, qu'elle adorait,
celle aussi d'Henri, son « grand » époux, « sans en rien inno-
ver ni réformer...; aussi sa chambre estoit tout le plaisir de
la cour ». Catherine a du plaisir à y régner, maternellement,
quand elle n'est pas trop absorbée par les affaires (dans une
après-dînée, Brantôme la vit écrire de sa main « vingt paires
de lettres », et longues); elle y fait observer la discipline, corrigeant elle-même les filles d'honneur. Comme la reine, les
filles d'honneur portent des collerettes montantes, de chastes
voiles, des carcans, des robes longues, épaisses et raides, qui
les dissimulent complètement et cachent leurs jambes (c'était
un événement, à la cour, d'apercevoir un de ces mollets qui
excitaient les propos gaillards de ce vieux barbon de Brantôme). Et les modes de ce temps étaient bien les plus propres
à dérober un corps.

Madame Philippe de Montespedon, princesse de la Roche-
sur-Yon, sa dame, qui était une très grande dame, se tenait,
près de la reine, comme une simple servante. Mais elle
savait aussi remettre à sa place un prince de Condé, quand
il le lui faisait remarquer. Car Philippe lui répondait qu'en
cela elle ne faisait pas plus de tort aux siens que lui-même,
qui avait été colonel de « sa belle infanterie et pieds puants
de gens de pieds [1] ! » C'est cette vigilante dame qui régnait sur
les filles d'honneur et les surveillait [2]. Elle avait de bons
yeux et, on le voit, de fortes répliques. Catherine, qui avait

1. Brantôme, éd. Lalanne, t. IV, p. 338. — La princesse de La Roche-sur-Yon,
obtint, en 1566, une grâce en faveur du fils naturel de feu Mgr le prince, « dernier
pasteur de Langres » (Arch. Nat., KK. 133 bis).

2. Voir son portrait dans E. Moreau-Nélaton, les Clouet et leurs émules, t. II,
fig. 193. La dame paraît plutôt sérieuse et semble avoir une quarantaine d'années.

supporté avec tant de chagrin et de patience Diane de Poitiers, n'aimait pas les « putains », surtout royales. Ses « esca-
drons de filles » ne nourrissaient généralement pas d'intrigues
amoureuses ni politiques (la reine a quelquefois fermé les
yeux quand il s'agissait de ses fils). Et Condé ayant poussé
trop loin les choses avec Isabeau de la Tour, cousine de
Catherine, il dut garder la demoiselle qui fut chassée.
Une demoiselle de Rohan, du vivant du roi Henri II, fut
visitée par un médecin et renvoyée chez ses parents. Catherine fonçait sur les coupables qu'elle exécutait de son mot
cruel : « Mon amy ! » On savait ce que cela voulait dire.

Certes, la cour n'était pas un couvent, comme au temps de
la reine Anne[1]. Les demoiselles ne se tenaient plus sur des
banquettes comme des pensionnaires. Elles brodent, vont
aux offices et dansent, puisque l'on danse ; elles lisent beaucoup Pétrarque et ses imitateurs. On fait de la musique, on
chante sur le luth, on porte des devises à l'imitation des
héroïnes de romans ; quand la reine donne de grandes fêtes,
comme à Fontainebleau, où Catherine poursuit des fins politiques ou diplomatiques, les filles sortent alors de cette
réserve, se costument comme des figurantes, doivent apprendre les rôles de la comédie, danser les ballets. Mais elles
vivent en commun, au dortoir, comme les enfants de France ;
il y a là des veilleuses et des courtines. Et ces filles, qui
appartiennent aux premières maisons du royaume, dont les
parents exercent à la cour les premières charges, après les fêtes
diplomatiques, redeviennent des pensionnaires qui attendent le mariage. Cet « Olympe » est souvent pareil à un couvent. La même discipline y provoque les mêmes hypocrisies,
les mêmes vices, témoin Mlle de Baqueville, la fausse Lucrèce
de la cour et de Ronsard[2].

C'est Brantôme, lui-même, qui l'a dit de la reine Çathe-

---

1. A l'usage des domestiques et des petits officiers, on trouve mentionnée, en 1560,
« Jehanne Lignere, damme des filles de joye suivant la cour » (Arch. Nat., KK. 127).
2. VI, 389.

rine [1] : « Elle avoit ordinairement de fort belles et honnestes
filles, avec lesquelles tous les jours en son antichambre on
conversoit, on discouroit et devisoit, tant sagement et tant
modestement que l'on n'eust osé faire autrement; car le gentilhomme qu'y failloit en estoit banny et menacé, et crainte
d'avoir pis, jusqu'à ce qu'elle lui pardonnoit et faisoit grace,
ainsi qu'elle y estoit propre et toute bonne de soy. Pour fin,
sa compaignie et sa court estoit un vray paradis du monde et
escolle de toute honneteté, de vertu, l'ornement de la France,
ainsy que le sçavoient bien dire les estrangiers quand ils y
venoient, car ils y estoient très bien receus, et commandement exprès à ses dames et filles de se parer, lors de leur
venue, qu'elles paroissoient déesses, et les entretenir sans
s'amuser ailleurs ; autrement elles estoient bien tancées d'elle,
et en avoient bien la réprimande. »

Beaucoup de gentilhommes l'avaient éprouvé, brûlés
cependant du feu de tant de jolis yeux. Et, comme il arrive,
plusieurs de ces filles ont pu leur être « douces, aimables, et
favorables, et courtoises. » Mais l'aventure était rare et l'intrigue devait être menée fort secrètement. Il y eut beaucoup
d'amours de tête, de déclarations, de parties dans les jardins
d'alors, peignés, mosaïqués comme des reliures, où l'on
s'embrassait discrètement, des envois de fleurs, des échanges
de vers. La chose était réglée comme par-devant notaire.
C'est le duc de Bouillon qui le dira en ces jours : « L'on
avoit, de ce temps là, une coustume, qu'il estoit messeant aux
jeunes gens de bonne maison s'ils n'avoient une maistresse,
laquelle ne se choisissait par eux et moins par leur affection,
mais ou elles estoient données par quelques parents ou supé-
rieurs, ou elles mesmes choisissoient ceux de qui elles vou-
loient estre servies. » Ainsi, le duc de Bouillon servit Mlle de
Chasteauneuf. L'*Amadis* et Pétrarque régnaient [2]. Tout est
masqué, comme le visage des jolies filles d'alors qui craignent

1. Ed. Lalanne, t. VII, p. 377.
2. La première collection de l'*Amadis*, l. I-XII, date de 1560.

le hâle. Le langage des galants est tout aussi conventionnel, avec devises, noms renversés, anagrammes, noms traduits en grec (Sinope, Rhodanthe, Callirée). Un Ronsard, au tempérament vigoureux, peut bien en souffrir. Mais nous ne devons jamais l'oublier quand nous lisons ses vers d'amour.

Enfin « l'escadron volant » n'était pas du tout ce qu'a dit Brantôme, qui compte trois cents dames ou demoiselles, brouillant au moins trois ou quatre générations, et tant d'autres choses. Les comptes de Catherine de Médicis[1], pour l'année 1568, mentionnant la dame d'honneur (princesse de La Roche-sur-Yon) à 1.200 l; 10 dames à 800 l.; 34 dames à 400 l.; 5 filles de chambre; une gouvernante et une sous-gouvernante des filles; 10 filles demoiselles; 11 femmes de chambre subalternes, plus quelques lavandières et femmes de filles. La reine Catherine, dans une de ses lettres, parle des vingt « cornettes de satin noir » qui l'accompagnèrent dans un de ses voyages[2]. On est d'ailleurs toujours en route ; on chevauche et on roule dans ces coches qui ne pouvaient guère avoir d'autre confort que celui des fourgons de guerre.

C'est dans ce petit monde des filles de la reine que nous allons trouver la plupart des héroïnes de Ronsard.

L'une d'elles mérite vraiment de retenir notre attention. C'est Isabeau de la Tour, demoiselle de Limeuil[3], à qui Ronsard, en 1564, dédia le premier livre du *Recueil des Nou-*

1. *Lettres*, t. X, p. 504.

2. *Ibid.*

3. Isabeau était fille de Gilles de la Tour, seigneur de Limeuil, en Périgord, des vicomtes de Turenne, et de Marguerite de la Cropte, mariée en 1531. Née la cinquième, d'une famille de neuf enfants, elle a pu naître vers 1544. Voir la généalogie donnée au t. IV du P. Anselme, p. 536-537. — Cf. Brantôme, éd. Lalanne, t. IX, 484, 509-512; X, 457; le recueil poétique formé par Brantôme, Bibl. Nat., n. acq. fr. 11688; le recueil de Rasse de Neus, Bibl. Nat., ms. fr. 22560; Louis Paris, *Négociations et pièces diverses relatives au règne de Henri II*, 1841, p. xxvi-xxvii; *Papiers d'État du cardinal de Granvelle*, éd. Weiss, t. VIII, p. 305; H. de la Ferrière, *Revue des Deux Mondes*, 1er décembre 1883; H. Bouchot, *les Femmes de Brantôme*, Paris, 1890, p. 186-192.

velles Poesies[1]. Et c'est là vraiment un magnifique bouquet
qu'il déposa aux pieds de sa dame, apaisé et reconnaissant[2] :

> Moy qui ne puis vous donner davantage
> Que ce livret qui vous est dédié,
> Non sur le chef en fin or délié,
> Mais à vos piedz je l'apen pour homage...
>
> Recevez donc, ô divine beauté,
> Non le present mais bien la volonté.
> Prenant mon corps et mon esprit, Madame,
>
> L'un pour servir, l'autre pour honorer :
> Ainsi Dieu veult qu'on le vienne adorer
> Quand pour offrande on donne corps et ame.

Rien ne semble plus clair. Elle est bien pour Isabeau la
chanson que nous lisons, au milieu de tant de souvenirs
des fêtes de Fontainebleau, tandis que Ronsard, rempli de
l'Arioste, faisait dialoguer les pasteurs, chantait les saisons,
Adonis et Orphée : alors le poète connut toute la joie, et
dans sa plénitude[3] :

> Douce maistresse, touche
> Pour soulager mon mal
> Mes levres de ta bouche
> Plus rouge que coral :
> D'un doux lien pressé
> Tiens mon col embrassé...
>
> C'est une douce rage
> Qui nous poingt doucement,
> Quand d'un mesme courage
> On s'ayme incessamment :
> Heureux sera le jour
> Que je mourray d'amour !

La même note, ardente et voluptueuse, se retrouve dans la
chanson dédiée à Isabeau[4] :

> Quant ce beau printemps je voy,
>   J'apperçoy

---

1. 2° édition 1564. Mes citations sont faites d'après le seul exemplaire connu conservé à la Bibliothèque de l'Institut, 4° Q 116^A5 Réserve. — 2. VI, 344. *Sonnet à
Isabeau de la Tour, demoiselle de Limeuil.* — 3. I, 201. — 4. I, 196 : *Chanson en
faveur de Mademoiselle de Limeuil.*

> Rajeunir la terre et l'onde,
> Et me semble que le jour,
>   Et l'amour,
> Comme enfans naissent au monde.

Admirable morceau, où Ronsard vivifie Pétrarque, Sannazar, Second, Marulle, Lucrèce même, où il se montre gracieux comme Bernard de Ventadour. Ce fut le miracle de Mademoiselle de Limeuil :

> Je voudrois au bruit de l'eau
>   D'un ruisseau
> Desplier ses tresses blondes,
> Frizant en autant de neuds
>   Ses cheveux
> Que je verrois frizer d'ondes.
>
> Je voudrois pour la tenir,
>   Devenir
> Dieu de ces forests desertes,
> La baisant autant de fois
>   Qu'en un bois
> Il y a de feuilles vertes...
>
> Et voy ces deux colombelles
> Qui font naturellement
>   Doucement
> L'amour du bec et des aisles...
> Les oyseaux sont plus heureux
>   Amoureux
> Qui font l'amour sans contrainte...
>
> Mais si tu m'en crois vivons,
>   Et suivons
> Ces collombes amoureuses.
> Pour effacer mon esmoy,
>   Baise moy,
> Rebaise moy ma Déesse :
> Ne laissons passer en vein
>   Si soudain
> Les ans de nostre jeunesse.

Tels étaient les discours véritables que Pierre avait pu tenir à Mademoiselle de Limeuil, quand ils se rencontrèrent, en ce printemps que l'on doit situer à Fontainebleau. C'est ce que laisse entendre la belle Elégie[1] :

1. IV, 8.

L'autre jour que j'estois assis aupres de vous
Prisonnier de vos yeux si cruels et si doux,
Dont Amour fit le trait qui me rend fantastique,
Vous demandiez pourquoy j'estois melancolique...
Lisez ces vers icy, et vous verrez comment
Et pourquoy je me deuls d'amour incessamment...

Car la tristesse du poète lui venait de la beauté de cette dame, de sa bouche souriante, de ses cheveux blonds et frisés :

J'ay peur que vostre amour par le temps ne s'efface,
Je doute qu'un plus grand ne gaigne vostre grace,
J'ay peur que quelque Dieu ne vous emporte aux cieux,
Je suis jaloux de moy, de mon cueur, de mes yeux,
De mes pas, de mon ombre, et mon ame est esprise
De frayeur, si quelqu'un avecques vous devise :
Je ressemble aux serpens, qui gardent les vergers
Ou sont les pommes d'or...

Et c'est vrai que Ronsard délirait alors, qu'il entendait gagner la bataille, que la belle image de la demoiselle l'empêchait de dormir. Il lui disait : Si vous compreniez ma souffrance,

Seriés melancolique et cognoistriés combien
Amour donne de maux pour l'attente d'un bien [1].

Ce « bien qui n'est rien [2] », et qui était tout pour lui, Mademoiselle de Limeuil lui avait laissé entendre qu'elle le lui accorderait. Dans une missive, Ronsard le lui rappelait, comme il lui reprochait son « ennuyeux depart ». Et Ronsard décrivait sa solitude, la solitude de sa campagne, ou peut-être même le paysage de Fontainebleau [3] :

O quantes fois depuis vostre ennuieux depart,
Solitaire et pensif, ay-je seul à l'escart
Erré par les rochers? et quantes fois aux pleines
Et aux sablons desers ay-je conté mes peines?
Et l'ennuieux regret que j'ay de ne revoir
Vostre face qui peut les rochers emouvoir?...

м. IV, 43 (texte de 1564). — 2. J'utilise une variante. — 3. Texte de 1564.

En cette court facheuse, odieuse et remplie
D'erreurs, d'opinions, de troubles et d'envie,
Ou rien ne m'est plaisant, car cela qui me plaist
Ainsi comme il estoit, en cette heure n'y est,
J'entends vostre beauté...
Et recevés en gré cette epistre qui volle
Vers vous, pour un adieu, en lieu de la parolle
Qui ne vous peut, helas ! en partant de ce lieu
Ainsi qu'elle devoit, dire humblement adieu.
Hà que je suis mary que mon corps n'a des æsles
Pour voller comme vent ou sont vos damoiselles...
Mais puis que hautement dans le ciel je ne volle,
Seulement du penser absent je me console,
Et par le souvenir qui est le seul secours
Des amans élongnés, je vous voy tous les jours :
Car l'absence des lieux ne peut rendre effacée
L'amour qui se nourrist du bien de la pensée.

Mademoiselle de Limeuil avait pu lui faire des scènes de jalousie ; elle lui reprocha d'aimer une autre femme[1] (ce qui était vrai, on le verra, encore qu'il ne l'aimât pas de la même façon). Ronsard se faisait davantage humble, soupirant devant la beauté et toutes les perfections de sa dame :

Malheureux est qui ne veut s'enflammer
D'un beau visage, et qui ne l'ose aymer...
Vous aymant donq comme chose tres belle
Je veux souffrir toute peine cruelle,
Et pour loyer je ne veux autre bien
Sinon l'honneur que de n'estre plus mien...
Car quand je voy le lieu que vous avés,
Ce que je puis et ce que vous pouvés,
Et en quel rang estes icy tenue,
Ma petitesse et vostre grand value,
Et que mon sort au vostre n'est égal,
Amour adonq qui redouble mon mal,
Me desespere, et la bride retire,
A mon penser qui vainement desire...

C'est vous seule que j'aime. Vous, qui êtes si aimable[2], ayez pitié, lui disait-il :

---

1. IV, 98 (texte de 1564). — 2. Ce mot est à rapprocher de la prose latine citée par Lalanne (Brantôme, X, 457).

Isabeau de la Tour
(Madame de Sardini)
(Musée du Louvre)

Vostre beauté qui toujours fleurira
De vos vertus tout ce monde emplira,
Ainsi serés par un bon œuvre faite,
Tant en vertu comme en beauté parfaite.

C'est encore à Mademoiselle de Limeuil que Ronsard parlait dans le beau sonnet [1] :

Chere maistresse à qui je dois la vie,
Le cœur, le corps et le sang et l'esprit,
Voyant tes yeux Amour mesme m'apprit
Toute vertu que depuis j'ay suivie...

Mais la dédicace du *Recueil des nouvelles poésies* (1564)
laisse entendre que Ronsard a reçu la récompense due à son
génie et à sa patience. Et ce que nous savons de la demoiselle
montre qu'elle pouvait être accessible à la pitié et lui avoir
accordé « ce bien qui n'est rien ».

« Isabeau de la Tour, demoiselle en 1560, hors en 1564,
remise en 1567, hors en 1569 », tel est le résumé de ses
services curiaux[2]. Nous en savons davantage.

Isabeau de Limeuil, de la maison de la Tour-d'Auvergne,
enfant exubérante, aimable, spirituelle et rieuse, était la
propre cousine de la reine. On comprend donc que Ronsard
ait parlé « de sa petitesse » à la noble fille. Elle était fort
jeune (elle a pu naître vers 1544) si c'est bien elle qui fit, en
1559, une déclaration en vers au prince de Condé, par plaisanterie peut-être. Le petit homme huguenot répondit que,
bien que l'amour de Dieu ait pris toute place en son cœur,
il pouvait encore donner de l'amitié[3]. Elle a été recherchée
par Florimond Robertet[4], un vantard, capable de scandaliser

---

1. I, 40. (Dans les *Élégies* de 1565 : *Sonet a M. de Llimeul.*)
2. *Lettres de Catherine de Médicis*, t. X, p. 515.
3. Bibl. Nat., ms fr. 22560, p. 102 (Recueil de Rasse de Neus). — Mais la dame
inconnue est-elle Isabeau ? Rien ne l'indique dans la rubrique : *L. D. B. D. C. estant
en liberté, le 9 mars 1559 à Fontaine Belleau, fut sollicité d'amour par une dame
incongneu qui luy envoya quelque rythme. A la quelle il respondit ainsi :*
       J'ay plus que vous de raison de me plaindre...
4. Florimond Robertet, secrétaire de la chambre en 1559 (Arch. Nat., KK. 129),

la troupe des filles, et qui laissa entendre, indiscrètement,
devant Condé, qu'il aurait pu être son amant. C'était aux
noces de Claude de Beauvillier[1], qui épousa, en septembre 1560, Marie Babou de la Bourdaisière, fille d'honneur de
Marie Stuart, dont la réputation n'était pas excellente. Au
lendemain de la noce il y eut des quolibets. Florimond Robertet s'enquit de ce qui ne le regardait pas : « La chasse n'était
pas suffisante pour un veneur de qualité ! » — « Ha ! mort-
dieu, répliqua Condé, il vous faudrait des perdreaux, à
vous ! » — « Pourquoi non? s'écria Robertet : pardieu, j'en ay
pris une douzaine en vingt-quatre heures dans la plus belle
chasse qui soit ici à l'entour, ny qui soit possible en France ! »
Isabeau put rougir. Par ironie, sans doute, ce brutal de
Montmorency la nomma « sa maistresse[2] ». Il apparaît donc
que la piquante demoiselle de Limeuil provoquait les
hommes qu'elle rabrouait d'ailleurs aussitôt. Elle s'attaqua
au prince de La Roche-sur-Yon lui-même, toujours pour rire.
Condé revint à la cour, on l'a vu, à l'époque des fêtes de Fontainebleau, au temps où Ronsard tomba dans les filets de
l'enjôleuse Limeuil. Car, sans doute, c'est du prince dont
Ronsard est jaloux[3] ; et il en souffre. Cette fois la chose
alla loin avec Condé. Tandis qu'elle suivait la reine, qui
faisait faire son tour de France à Charles IX, en arrivant à
Dijon, dans la garde-robe de Catherine, Isabeau de la Tour-
d'Auvergne, enceinte, laissa tomber on ne sait quoi. Ce fut
un beau scandale, qu'a enregistré la note officielle « mise
hors en 1564[4] ». Isabeau avait été envoyée aux religieuses

secrétaire d'État et des finances en 1563, remplissait des missions (Arch. Nat.,
KK. 132).
1. Brantôme, éd. Lalanne, IX, 503.
2. Id., ibid., t. III, 299.
3. « Je doute qu'un plus grand ne gaigne vostre grace » (IV, 9).
4. C'est alors qu'a pu être fait le pasquin cité par Lalanne (Brantôme, X, 457) :
Puella illa nobilis
Que erat tam amabilis...
Cette prose est à comparer à la prose latine contre Ronsard, citée au chapitre V.

d'Auxonne, quand Condé se décida à enlever la demoiselle,
à Tournon[1]. En ce temps-là, elle lui écrit : « Mon cœur[2] ! »
Mais Condé l'oublia ; il lui fit réclamer ses portraits, ses
joyaux et ses livres quand il épousa Françoise d'Orléans
(novembre 1565). Isabeau rendit le portrait, mais décoré, d'un
trait de plume, d'une paire de grandes cornes au beau milieu
du front[3]. Et voici Ronsard vengé du joli petit homme, du
petit bossu chétif et vif, à la barbiche en pointe, aux cheveux
en brosse[4].

Mademoiselle de Limeuil, dépitée, épouse Scipion Sardini,
riche banquier ; elle habite le beau château de Beaumont-
sur-Loire et rentre à la cour. La bonne Catherine voulut bien
oublier les frasques de sa cousine.

Ce fut au tour de Ronsard d'être dépité. Car le « Discours » recueilli beaucoup plus tard, en 1584[5] :

> Doncques voici le jour qu'en triomphe est menée
> Madame sous la loy du nopcier Hymenée,

s'adresse bien à une dame qui le tenait en « l'amoureux
servage » depuis quatre ans, ce qui donne exactement la date
du mariage d'Isabeau de Limeuil (1567), puisque nous admet-
tons que Ronsard a chanté et aimé Isabeau en 1563. Si le
« Discours » reproduit beaucoup de traits de Jean Second,
le tableau de la noce, à laquelle Ronsard a pu assister[6],
est fait d'après nature, et beaucoup de réflexions appartiennent à Ronsard ; sur les petits cheveux de sa dame, que
le vent frappait, il avait dit, jadis, « cent et cent mignardises », ces cheveux aujourd'hui couronnés de roses :

1. Mai 1564.
2. Alava écrivait alors à Philippe II : « Je crois qu'il suffirait que votre Majesté
donnât au prince quelque bonne assurance pour le cas où il se séparerait de Chastillon
surtout maintenant qu'il vit publiquement avec Mlle de Limeuil. » (Arch. de Simancas,
texte cité par Hector de la Ferrière, introduction aux *Lettres de Catherine*, II, p. LXVI.
Avant juillet 1563).
3. Brantôme, éd. Lalanne, t. IX, p. 509-511.
4. Voir son vivant médaillon dans la collection Hennin, t. VII, fol. 10.
5. IV, 134 (éd. 1584, p. 647). — 6. Un hôtel des Babou est à Tours.

> ...cheveux que d'amour fol
> J'ay baisez et liez mille fois à mon col.

Et Ronsard disait encore :

> Faut-il qu'un estranger me ravisse Madame ?
> Faut-il qu'un autre corps jouysse de mon ame ?

Il accusait sa dame de l'avoir trompé en donnant sa main, qu'elle devait lui réserver, à l' « estranger, son maistre », oui, à l'étranger Sardini[1]. Le poète rappelait la promesse qu'elle lui avait faite d'aller, loin du vulgaire, cueillir avec lui les fleurs de la vallée :

> ...toy marchant la premiere,
> Ou moy marchant devant, eussions de cent couleurs
> Cueilli de main soigneuse une moisson de fleurs.

Ronsard imaginait le bonheur de les trier, en plein midi, dans la caverne ou à l'ombre d'un vieux chêne, pour les rapporter le soir, dans leur ermitage tapissé de lierre et de vigne; abri qui lui semblait plus précieux que les palais aux solives dorées :

> Mais tu ne l'as voulu, desmentant ta promesse,
> Aimant mieux un mary, qu'estre faite Deesse !

Il maudissait la « vieille » qui avait « brassé » le mariage de l'Italien, et qui peut bien être Catherine de Médicis. Alors Ronsard célébrait l'amour libre :

> Que j'aime la saison, où le mari de Rhée
> Gouvernoit sous sa faux la terre bien-heurée !
> Lors Hymen n'estoit Dieu, et encores le doy
> Ne cognoissoit l'anneau, le prestre, ny la loy.
> Le plaisir estoit libre, et l'ardeur necessaire
> De Venus la germeuse estoit partout vulgaire,
> Sous un arbre, en un antre, en un chemin fourché,
> Et la honte pour lors n'estoit encor peché.

1. Quand Ronsard parle des « étrangers », il s'agit toujours des Italiens.

> Encores s'ignoroit l'amour acquise à force,
> Dots, anneaux et contracts, la plainte et le divorce,
> Et le nom de mari, qui semble si cruel,
> Et pour un petit mot un mal perpetuel...

Et Ronsard lui déclarait, dans son orgueil et dans sa rage :

> Je t'eusse plus celebre et plus noble rendue,

bien que Mlle de Limeuil fût née La Tour, des Turenne. Non, cet étranger ne l'avait pas épousée, mais son double ; ainsi le rêvait Ronsard. Et cependant il disait :

> J'oy le peuple amassé qui bruit devant l'église ;
> J'oy les hault-bois sōnner, et la pompe devant :
> Je voy ses beaux cheveux esparpillez au vent.
> C'est elle, je la voy, je congnoy son visage,
> Qui m'a tenu quatre ans en l'amoureux servage :
> Je recongnoy ses yeux, je voy comme dedans
> Amour forge ses traits et ses flambeaux ardans [1]...

Alors Ronsard la maudissait, comme il maudissait son riche mari, lui souhaitant d'être stérile :

> A fin qu'elle cognoisse, abhorrant sa malice,
> Qu'un bon cœur ne vend point l'amour pour l'avarice [2].

Le poète voyait en imagination les vieilles, les sorcières ; il les conviait autour du lit des époux, faisant chanter la Parque et les Furies, souhaitant à ce ménage des querelles sans fin, l'absence de plaisir, tous les maléfices provoqués par les plantes puantes et maudites[3]. La dernière des vieilles

---

1. Brantôme, dans ses poésies (éd. Lalanne, t. X, p. 460), a fait allusion à son noble front, à son teint éclatant, à ses beaux yeux qui étaient ceux de Cypris elle-même. Voir aussi, p. 462 : *A ses yeux.* Il a montré cette douce Isabeau qui chantait si bien, abandonnant « une main molle » à qui l'entretenait (*Ibid.*, p. 464) :

> Doulce Limeuil et douces vos façons...
> Douce la bouche et douce la beauté ;
> Doux le maintien, douce la cruauté...

Et Brantôme l'avait regardée, au bal, tenant un flambeau à la main, comme l' « amoureuse déesse » (*ibid.*, p. 469). Elle brillait, à la cour, comme une aurore aux premiers rayons du jour (p. 472).

2. Allusion à la richesse de Sardini.

3. *Les Vieilles* (IV, 139 ; éd. 1584, p. 649).

radoteuses, le poëte l'attrapait par les cheveux, lui demandant la racine qui lui permettrait désormais de vivre libre
et franc, le pavot qui endort. Et la vieille lui répondait qu'il
n'y avait là que recettes mensongères ou poétiques. Le vrai
remède était de voyager, d'attacher son esprit à quelque
entreprise « hautaine », de chasser un amour par un autre
amour. — Oublie, lui disait-elle, oublie ces jours où tu la vis
si belle ; fréquente des amis ; ne reste pas seul ; fuis-la comme
la peste ; détruis ses lettres, ses portraits, ses chiffons, ses
cheveux. La vieille lui rappelait l'affreux remède qu'il avait
pratiqué en sa jeunesse[1] :

> Va où le cours de Seine en deux bras se divise,
> Baignant ce grand Paris ; cherche Jeanne la grise,
> De Venus courratiere, et entre le troupeau
> Des filles qu'elle garde au logis le plus beau,
> Eslis d'un œil accort celle qui plus ressemble
> A ta Dame, et soudain en te saoulant assemble,
> Ton flanc contre le sien, et de gaillards efforts
> L'humeur pris en ses yeux rejette dans son corps...

La maison publique de Jeanne la Grise était dans l'Ile
Saint-Paul, près de l'Arsenal[2].

Mais Mme de Sardini n'oublia jamais la conduite de Condé.
Un jour, sur le chemin du château de Chaumont, où son
mari l'attendait, les voitures d'Isabeau se heurtèrent aux
avant-postes des combattants de Jarnac. Sur une civière, il y
avait un cadavre que des hommes portaient. Et le jeune vainqueur, le duc d'Anjou, qui pouvait bien connaître les aventures de Mlle de Limeuil, la pria de lui dire si elle savait qui
était cet homme. Elle descendit de son coche, s'agenouilla et
cria : « Enfin ! » Isabeau de Limeuil avait reconnu son ancien
amant, le prince de Condé.

---

1. IV, 143 (texte de 1584).
2. Sur ce milieu, voir la *Déploration et complainte de la mère Cardine*, de 1570, qui
ne peut pas être de Flaminio de Birague qui avait vingt ans en 1584. Mais je n'y ai
pas trouvé mention de Jeanne la Grise.

On ne saurait parler absolument d'un amour de Ronsard à propos de Françoise d'Estrées, qui est bien cependant son « Astrée[1] ». Françoise, qui finit en aventurière, est donnée par Brantôme comme demoiselle de Catherine de Médicis. Elle ne figure cependant pas sur les listes officielles des filles d'honneur.

C'est en 1564 que Ronsard lui fit la cour, pendant trois mois. C'est à peu près le temps que durèrent les fêtes de Fontainebleau (de la fin du mois de janvier à la seconde partie de mars). Dans le costume d'apparat de ces fêtes, dans un rôle qu'elle y tint, Françoise d'Estrées apparut à Ronsard, ce que n'ont pas remarqué ceux qui ont parlé de son Astrée. C'est de Françoise, certainement, que Ronsard parla à Isabeau de Limeuil, qui fut jalouse[2]. Car Pierre ne savait pas très bien, en ce temps-là, laquelle des deux dames il aimait. Entendons qu'il les courtisait toutes les deux, à la manière admise à la cour de Henri II et de Catherine. Ainsi Pierre servit Françoise d'un « désir volontaire », poursuivant qui madrigalise toutefois en son propre nom ; car il ne parle pas en celui d'un grand seigneur, comme l'a dit plus tard le jeune Claude Binet[3].

Avec Ronsard, c'est toujours la même aventure ; il prend feu au spectacle de la beauté, à l'idée de l'amour. Françoise d'Estrées s'était montrée pour lui gracieuse. Au cours de quelque réception, elle lui avait donné des dragées et des confitures. Quel plaisir prenait Pierre à la regarder, ainsi que sa sœur Isabelle, qui lui ressemblait comme un lys ressemble

---

1. Cette identification avait été indiquée déjà par Binet, Colletet et Blanchemain ; un intéressant dossier a été réuni sur Françoise d'Estrées par M. Gustave Charlier, *un Amour de Ronsard, Astrée*, Paris, 1920 ; il est à compléter par les renseignements donnés, sur les Babou, par Desclozeaux, *Gabrielle d'Estrées*, Paris, 1889, et par H. Bouchot, *les Femmes de Brantôme* ; voir aussi Pierre de Vaissière, *Récits du temps des troubles, une famille : les d'Alègre*, Paris, 1913. — Nous avons surtout utilisé le récit des *Nouveaux mémoires* de Bassompierre, Paris, 1803 (Bibl. Nat., ms. fr. n. acq. 1208, fol. 104-105).

2. IV, 98. — 3. *Vie de Ronsard*, éd. Paul Laumonier, p. 25.

à un autre lys, enfant qu'il aurait donnée pour épouse au Printemps !

Et Ronsard esquissait de Françoise d'Estrées un portrait
d'apparat qui fait penser à quelque modèle de Véronèse. Car
il la regardait, couverte de perles, dans le costume de son
allégorie ; et Françoise nous apparaît comme sur l'un de ces
portraits de princesses, où les femmes semblent porter des
carcans de verroterie, des chaînes de perles, et tant de cailloux
étincelants [1] :

> De quoy te sert mainte agathe gravée.
> Maint beau ruby, maint riche diamant ?
> Ta beauté seule est ton seul ornement,
> Beauté qu'Amour en son sein a couvée.
>
> Cache ta perle en l'Orient trouvée,
> Tes graces soyent tes bagues seulement...

Mais surtout Ronsard contemplait Françoise d'Estrées au
cours du cartel qui fut représenté à Fontainebleau, quand
la dame armait un chevalier errant, casqué et cuirassé comme
un Hector (on reconnaît le cartel décrit par Castelnau de
Mauvissière [2]) ; la dame le baisait en l'armant. Alors l'écrivain pouvait bien être jaloux du gentilhomme jouteur, car
il a dit [3] :

> Heureux, cent fois, toy chevalier errant,
> Que ma Déesse alloit hier parant...
> Que pleust à Dieu pour avoir ce bonheur
> Avoir changé mes plumes à ta lance !

Mais la lointaine Françoise, qui était avenante cependant,
dont le visage lui semblait encore plus beau quand elle
n'avait pas de fard [4], passait près du poète, sans même
remarquer sa tristesse, dans la pompe de son habit de
déesse, au cours de ces fêtes où revivaient l'antiquité et la
mythologie :

> Belle pour plaire aux delices d'un roy.

---

1. I, 248 (éd. 1578). — 2. *Mémoires*. Collection Michaud et Poujoulat, IX, p. 499.
3. I, 249 : Jamais Hector aux guerres n'estoit lâche... (A. D., 1578).
4. I, 250.

Catherine de Bourbon, f.e de Jean d'Estrées y.e en 1571. elle étoit fille de Jacques de Bourbon batard de Vendome, et de Jeanne de Rubempre.

Françoise d'Estrée
(Bibl. Nat.)

Et Ronsard la comparait à Europe, estimant toutefois qu'une coiffure moins pompeuse, un simple habit, lui siéraient mieux encore[1]. Quelle figure d'animal sauvage il porte en ce temps-là, le pauvre, qui gémit et sanglote toute la nuit! Car Ronsard est incorrigible, dans son orgueil d'homme et de grand poète. Il veut décrocher les étoiles. Mais au bout de trois mois de cour, ce furent les adieux[2] :

> Adieu cheveux, liens ambitieux,
> Dont l'or frizé ne retint en service,
> Cheveux plus beaux que ceux que Berenice
> Loin de son chef envoya dans les cieux...
>
> Comme je vins, je m'en revais, maistresse.

Et Françoise, qui, en l'honneur de Ronsard, avait porté un soir sur sa tête un rameau de laurier, lui offrit, quand elle le quitta, un brin de romarin.

Car Ronsard ne reçut jamais d'elle qu'un froid baiser, celui qu'une fille eût donné à sa grand'mère. Il fut admis seulement à la regarder, tandis qu'elle peignait ses beaux cheveux. Il conserva le peigne qu'il lui avait dérobé dans ses longs cheveux d'or, la demoiselle lui ayant enlevé les fils qu'il avait déjà dans les doigts. Mlle de Limeuil embrassait mieux[3].

Ainsi disparut Françoise ; et Ronsard se consola comme il put. « Astrée » est d'ailleurs entourée d'adorateurs. Mais Pierre ne l'oublia jamais, puisque, après tant d'années, il publia les vers qu'il avait écrits pour elle ; ils parurent pour la première fois en 1578 :

> C'est mon trophée, et n'en suis ennuyeux [4].

Telle est la « chaste » rencontre de Ronsard avec « Astrée »[5], qui eut depuis bien d'autres aventures.

---

1. I, 250. — 2. I, 252 (éd. 1578). — 3. On pense à l'aventure de cet'e grande dame, en escapade dans le jardin de la reine, dont Brantôme a conté le dépit : « O le sot, ô le couard, ô Monsieur le respectueux! », s'écria-t-elle. — 4. I, 255 (éd. 1578).—5. Sur les goûts littéraires de cette famille, cf. Jean de la Jessée, *Premières Œuvres*, 1583, p. 199, 325, 418.

Françoise, qui avait épousé, en 1559, Antoine d'Estrées, marquis de Cœuvres, était la fille de Jean Babou[1], seigneur de la Bourdaisière, et de Françoise Robertet. Jean Babou, d'une famille peu ancienne de Touraine, mais où les femmes étaient belles, fut l'homme illustre de la famille. Seigneur de la Bourdaisière, de Sagonne et de Thuisseau, chevalier de l'ordre du roi, grand maître de l'artillerie en 1567, ambassadeur à Rome. intendant de la maison du duc d'Alençon, gouverneur et bailli de Gien, d'Amboise, de Touraine et de Brest, il avait épousé la fille de Florimond Robertet, ministre d'État d'Henri II. Quatre garçons et sept filles naquirent de cette union. Les filles étaient Marie, qui épousa le comte de Saint-Aignan, en 1560 ; Françoise, l'héroïne de Ronsard, mariée à Antoine d'Estrées, marquis de Cœuvres, le 15 février 1559 ; Isabeau, le petit lys de Ronsard, chantant si bien à l'épinette, qui épousa le marquis de Sourdis, gouverneur de Chartres, premier écuyer ; Madeleine, qui épousa le marquis d'Ervault, gouverneur de Blaye ; Diane, mariée au comte de Turpin ; deux autres furent religieuses, abbesses de Beaumont, près de Tours. Mais toutes avaient une réputation galante dont la tradition se conservait encore au temps de Saint-Simon[2]. Françoise est la mère de Gabrielle d'Estrées, duchesse de Beaufort, maîtresse d'Henri IV. Et sa mère, à cinquante ans, veuve, plus belle encore que ses cinq filles, fit un mariage d'amour et épousa le duc d'Aumont.

Quant à Antoine d'Estrées, l'époux de notre « Astrée », fils

---

1. On voit que cette famille participa largement aux faveurs royales. Mme de La Bourdaisière reçoit une robe en 1559 (Arch. Nat., KK. 125). Le sieur de La Bourdaisière, Jean Babou, son mari, est gentilhomme ordinaire de la chambre du roi et maître de sa garde-robe. La même année, il reçoit 10 000 l. t. (Arch. Nat., KK, 127, 129) ; la capitainerie de Brest, en 1566 (Arch. Nat., KK. 133 *bis*).

2. « Mme d'Estrée était aimée par Legas, mestre (de camp) du régiment (des gardes) que Marguerite haïssait mortellement. Elle entrait un jour au cabinet de la reine mère, et la reine Marguerite dit assez haut : « Voici la garce du capitaine » ; à qui elle répondit : « Madame, j'aime mieux l'être du capitaine que du général ! » Recueil d'anecdotes scandaleuses, en tête des *Mémoires* de Bassompierre (Bibl. Nat., fr. n. acq. 1208, fol. 2). Saint-Simon. éd. de Boislisle, XXV, p. 166 : « Les sept péchés mortels ».

du grand maître de l'artillerie, il lui succéda dans sa charge
et fut longtemps gouverneur de la Fère. Il paraît avoir été
un homme assez insouciant et, lui aussi, ami du plaisir ;
moins que sa femme, tout de même, qui devint la maîtresse
de Le Guast, capitaine des gardes de Henri III, le grand ami
de Ronsard. Elle le vit tomber, cruellement, sous les coups
du baron de Vitteaux, soudoyé peut-être par Monsieur et par
Marguerite de Navarre, le 31 octobre 1575. Françoise, après
lui avoir donné neuf enfants, dont huit vécurent, quitta
Antoine, âgée d'environ quarante-huit ans, et vécut avec le
marquis de Tourzel d'Alègre, gentilhomme d'Auvergne, gouverneur pour le roi de la ville d'Issoire, qui l'avait vengée de
l'assassinat de son amant[1]. Longtemps Françoise d'Estrées
régna sur Issoire, la petite ville sombre, orgueilleuse, tyrannique, dans un luxe insolent. Le 8 juin 1592, une bande armée
força le palais du gouverneur, résolue à tuer « le chien et la

---

1. « Cet Allegre [tué en duel par Vitteaux] laissa un fils à l'âge de douze ans, lequel
étant devenu en âge d'apprendre les exercices, on envoya en Italie où, ayant bien réussi,
il s'en revint en résolution de venger la mort de son père, non pas lâchement et en
trahison, mais en se battant contre le baron de Vitteaux. Et le soir même qu'Allegre
arriva dans Paris à son retour d'Italie, il le fit appeler. Quelque instinct naturel faisoit appréhender à Vitteaux ce jeune homme, ou bien le remords de son forfait. Il lui
offrit toutes les satisfactions qu'il pouvoit désirer... Il mena pour son second Lacurée,
jeune homme dispos et adroit. Et Allegre tua Vitteaux franc, sans être blessé, et se
retira au faubourg Saint-Germain. La nouvelle de ce combat fut bientôt épandue partout et vint aux oreilles de Mme d'Estrées, qui, vaine de joie, fit diligence de trouver
le lieu où Allegre s'étoit retiré ; y vint le soir, lui porta une bague de prix qu'elle lui
donna et lui offrit mille escus dans une bourse, et outre cela, sa propre personne, s'il
la trouvoit à son gré. Ce jeune homme, heureux de trouver une si bonne fortune,
car elle étoit extrêmement belle, rejeta ses dons et accepta sa personne à l'heure
même, et en devint ensuite si passionnément amoureux, et elle de lui, qu'elle abandonna son mari pour le suivre en ses maisons d'Auvergne, où elle demeura jusqu'aux
guerres de la Ligue que le marquis d'Allegre se saisit d'Issoire, où il se tenoit. Et
vers la fin desdites guerres, cette femme violente ayant maltraité et fait battre de
certains marchands et bouchers qui fournissoient la maison du marquis d'Allegre, qui
lui demandoient de l'argent, les bourgeois, indignés de ce traitement, conspirerent
contre lui et elle ; vinrent une nuit forcer sa maison à Issoire, les trouverent couchés
ensemble, les tuerent, et puis les jetterent par la fenêtre. Ils épargnerent une fille
de M. d'Estrées et d'elle, nommée Juliette, qui étoit couchée dans la chambre, qui est
Mme de Villars, comme aussi une autre fille du marquis et de Mme d'Estrées, qui
étoit au berceau, qui a esté depuis la comtesse de Sansay » (Bibl. Nat., ms. fr. n.
acq. 1208, fol. 104). Cf. Pierre de Vaissière, *Une famille. Les d'Alègre*, Paris, 1914.

chienne ». Il y a là des bouchers, des fournisseurs impayés,
des gens en révolte peut-être. D'Alègre est abattu d'un coup
de poignard. Françoise, arrachée de sa ruelle, tombe sous le
couteau. Et quand on lui ôta sa chemise, ornée de dentelles,
on aperçut, au lieu secret, des tresses soigneusement
nouées avec des rubans de diverses couleurs.

Ainsi finit l'Astrée de Ronsard qui, au temps des fêtes de
Fontainebleau, avait seulement la coquetterie de sa belle
chevelure ornée de perles :

RONSARD VOULANT AUX ASTRES S'ÉLEVER
FUT FOUDROYÉ PAR UNE BELLE ASTRÉE.

C'est dans les rangs des filles d'honneur de la reine mère
que nous rencontrons Hélène, dès 1566 : Hélène, la dernière
aventure du poète, et pour tout dire le dernier de ses amours [1].

« Hélène de Fonsèque, demoiselle de Surgères, en 1566,
hors en 1567 », à 200 livres de gages, telle est la mention des
comptes qui la concerne parmi les « filles damoiselles ». On
la retrouve, un peu plus tard, parmi les « filles de chambre »
à 400 livres, entre Renée de Rieux, demoiselle de Chasteau-

1. Mon étude sur Hélène de Surgères est basée sur les mentions de comptes publiées
au t. X des Lettres de Catherine de Médicis. Mon récit est fait d'après l'édition des
Œuvres de 1578, qui contient pour la première fois les Sonets pour Helene (Bibl.
Nat., Rés. Ye 356-360 ter). Il n'y a rien sur Hélène dans l'édition des Œuvres de
1572. Comme nous le rappellerons au chapitre IX, Ronsard, en 1584, a donné à
Hélène les pièces des Amours diverses qui lui appartenaient bien. — Des renseignements, fort intéressants, sont donnés sur Hélène et ses amies par Amadis Jamyn,
Œuvres, 1575, (Bibl. Nat., Ye 1045). Desportes, dans ses Premières œuvres, 1573,
(Bibl. Nat., Rés. Ye 580) a chanté la même Hélène de Surgères, ainsi qu'Antoine
de Baïf, les Jeux, 1573 (Bibl. Nat., Rés. Ye 1990), Remy Belleau, les Amours et nouveaux eschanges de pierres précieuses, 1576 (Bibl. Nat., Ye 583), Passerat et Jodelle. —
On doit à M. Pierre de Nolhac une notice importante sur Hélène ; mais il faut
en changer, quelque peu, la chronologie (le Dernier amour de Ronsard, Hélène de Surgères, Paris, 1882 ; réimpression en 1914). Le même auteur a publié dans le Bulletin du bibliophile, 1923, p. 140, un document capital, d'après la collection James de
Rothschild (Bibl. Nat., n. acq fr. 22938, fol. 117). M. Roger Sorg a réimprimé,
en 1921, les Sonnets pour Hélène d'après l'édition de 1587, donnée par Binet et
Galland après la mort de Ronsard, texte relu et complété par le poète qui y avait
introduit des corrections, à mon sentiment assez malheureuses. Un récent portrait
d'Hélène vient d'être tracé par M. Sorg, Hélène ou le dernier amour de Ronsard (Revue
hebdomadaire, 3 mai 1924).

neuf, et Élisabeth Babou, demoiselle de la Bourdaisière.
Hélène était née dans les dernières années du règne de
Henri II, de René de Fonsèque, descendant d'un seigneur de
Saintonge, baron de Surgères, et d'Anne de Cossé-Brissac,
la sœur du maréchal[1]. Elle avait passé son enfance dans le
Piémont, puis toujours vécu à la cour, près de ses cousines,
Jeanne et Diane de Cossé-Brissac. Il faut connaître ces
jeunes filles, leur grande amie Mlle de Baqueville[2], et
Mlle d'Atri, Anne d'Aquaviva[3], la « chère ame » de Mlle de
Brissac[4], si nous voulons entendre les sonnets de Ronsard.

Elles étaient quatre jeunes filles dont on admirait la douceur, la sagesse et la science. Hélène était la moins jolie.
Mais elle était sans doute la plus savante, car à la cour elle
mérita le surnom de Minerve. On les voyait toujours un
livre à la main, lisant des œuvres en langue étrangère. Leur
parangon pouvait bien être Mme la maréchale de Retz[5], la
gouvernante des enfants de France, qui était docte en poésie,

1. Son oncle était Jean de Fonsèque, évêque de Tulle (Arch. Nat. Y 26, 1551). —
Le maréchal de Brissac en 1559, chevalier de l'Ordre, naguère lieutenant général en
Piémont, reçoit 1 260 l. pour services rendus à Henri II (Arch. Nat , KK. 127); il
est dit, la même année, lieutenant général en Picardie et reçoit 20 600 l. (*Ibid.*);
en 1563, lieutenant général au gouvernement de Normandie (Arch. Nat., KK. 132).
Sur les goûts littéraires du maréchal et de sa famille, voir [Du Mayne], *l'Épistre en
vers françois, envoyee de Rome sur la venue de Monseigneur le mareschal de Brissac.*
Paris, M. de Voscosan, 1556 (Bibl. Nat., Rés. Y^e 372)

2. On rencontre fréquemment le nom de cette famille dans les comptes royaux.
Baqueville le jeune figure parmi les gentilshommes de la chambre en 1559
(Arch. Nat., KK. 129); François Martel, sieur de Baqueville, l'aîné, est dit écuyer
de Monseigneur le duc d'Anjou en 1572 (Arch. Nat., KK. 133a).

3. Sur Anne d'Aquaviva, voir les notes accompagnant la liste des filles d'honneur
au t. X des *Lettres de Catherine de Médicis* et la note du chapitre VI ; Binet, éd. Laumonier, p. 161. — La « bouffonne Atri », a dit de Mesmes, dans ses *Mémoires*, indiquant
qu'elle aimait rire. Jamyn, qui s'est beaucoup étendu sur la *Callirée*, lui donne pour
compagnes (*Œuvres*, 1575, fol. 21) :

> Puis celles qu'Appollon a toujours bien aimé,
> Torigny, Baqueville, et Lucrece de Baine.

4. Jamyn, *Œuvres*, 1575, fol. 288.

5. Ce brave homme de Sainte-Marthe lui dédia ses *Œuvres*, en 1579 :

> L'honneur de nos forestz, Dictymme de la France,
> La seconde Phebé, lumiere de nos ans...

La même année, Et. Forcadel lui adresse son Chant héroïque sur la terre.
(*Œuvres*, p. 77).

en art oratoire, en philosophie, en mathématique, en histoire, et dont les discours enchantaient tout le monde. Car elle savait le grec, parlait latin, entendait quelque chose à l'hébreu. On la nommait la dixième Muse et la quatrième Grâce ; elle était galante et bonne mère de famille, encore que future académicienne[1]. On la voyait penchée sur un tome de Jean Chrysostome, d'Augustin, sur les extraits de Platon et de Plutarque, des deux Sénèques ; et même elle s' « égarait » en Virgile. C'était la *Pasithée* de Pontus de Tyard[2] et l'*Artémis* d'Amadis Jamyn ; et elle recevait, en son hôtel, tous les politiques, les érudits et les poètes de ce temps[3]. Ronsard y fréquenta. Elle aura sa petite cour de poètes, un album pour recueillir les vers de ses amis. Livre charmant, avec sa belle calligraphie, ses titres en lettres dorées et entrelacées, qu'on ne peut manquer de rapprocher de la célèbre couronne de Julie[4]. Et Ronsard connaissait fort bien Madeleine de Laubespine, dame d'honneur de Catherine de Médicis, femme de Nicolas de Neuville, secrétaire d'État, son ami ; et la dame, qui se dira sa fille[5], le nommera son Apollon[6]. Son surnom mondain est *Callianthe, Rhodanthe.* Voilà déjà le ton des précieuses[7]. Et ce sont bien des précieuses, ces filles sages et savantes, les sœurs Cossé-Brissac, Mlle de Baqueville, Hélène.

La dure guerre de 1569[8] venait d'attirer l'attention, et la pitié, sur elles. Car Timoléon de Cossé[9], le jeune frère de

---

1. Ed. Frémy, *l'Académie des derniers Valois*, 1887, p. 153-160. — 2. *Le Solitaire premier* lui est dédié, en 1575. — 3. M. Jacques Lavaud a bien voulu me communiquer le texte d'un article fort intéressant sur le salon de la Maréchale qui doit paraître prochainement. — 4. C'est M. Jacques Lavaud qui m'a fait l'amitié de me montrer ce curieux document qu'il doit publier. (Bibl. Nat., ms. fr. 25455.)

5. Roger Sorg, *une Fille de Ronsard, la bergère Rosette*, dans la *Revue des Deux Mondes*, 1er janvier 1923. — 6. Ronsard écrira une épitaphe à l'occasion de la mort de sa « barbiche, » sa petite chienne ; de même Passerat. Quant à Jamyn, il lui fit une cour fort galante : *Pour une Magdelaine* (Œuvres, 1575, fol. 268).

7. Voir le traité des Miroirs que lui adressa plus tard Jamyn (Œuvres, 1584).

8. Les *Premières œuvres* de Scévole de Sainte-Marthe, qui parurent en 1569, donnent une juste idée de cette époque.

9. Un magnifique tombeau lui fut élevé aux Célestins, une charmante colonne

Jeanne et de Diane, était tombé à vingt-six ans devant Musi-
dan, en Périgord ; et Jacques de La Rivière, le capitaine des
gardes[1], fiancé à Mlle Hélène de Surgères, avait été tué, lui
aussi, lors de la troisième guerre de religion.

Les poètes, d'un goût nouveau, jeunes comme les
jeunes filles qu'ils consolaient, composaient des épitaphes
pour les défunts[2] : Amadis Jamyn, le meilleur disciple de
Ronsard, Philippe Desportes, précieux musqué, fardé, amène
et souriant, au goût nouveau de l'Espagne et de l'Italie,
adaptateur de l'Arioste, le « mignon des Muses[3] ». Ronsard
était en ce temps-là sur ses terres, fiévreux et égrotant.
Alors Philippe Desportes célébrait Timoléon :

> O mort, contente toy, ton char est honoré[4]
> D'une riche dépouille et de trop belles armes...

Il disait, dans une autre épitaphe[5] :

> Brissac estoit sans peur, jeune vaillant, et fort,
> Il est mort toutesfois : Passant ne t'en estonne.
> Car Mars, le dieu guerrier, pour montrer son effort,
> Se prend aux plus vaillans, et aux lasches pardonne.

Antoine de Baïf, le si curieux poète, au verbe vigoureux, à

corinthienne, ornée des lettres TC et de la couronne de comte, supportant un cœur
ardent. Deux amours tiennent le blason des Cossé et des Brissac (Musée du Louvre).
Ce monument était une imitation de la colonne que Catherine fit élever pour le
cœur de François II (Bibl. Nat., Estampes, série historique, Q[b]. 21). — Voir les
Epitaphes et regrets sur le trespas de Monsieur Thimoleon de Cossé, comte de Brissac,
Paris, chez G. Buon, 1569 (Bibl. Nat., N., Y[e] 477 Rés.). Les collaborateurs poé-
tiques à ce tombeau sont : J.-A. de Baïf, J. Ballonfeau, L. de Bourg, H. Chandon,
François d'Amboise, Amadis Jamyn, Ch. de La Rivière, Nicolas Le Roy.

1. La Rivière et Baqueville avaient été ensemble pages du roi en 1559 (Arch.
Nat., KK. 125).

2. Timoléon avait eu comme précepteur Buchanan. Il avait été élevé dans une
grande tradition d'honneur. Voir Du Mayne : *Epistre en vers*, p. 3 (Bibl. Nat., Rés.
Y[e] 372).

3. Il faut attendre sur ce personnage l'étude que prépare M. Lavaud et qui sera
fort importante pour Ronsard. La notice, en tête de la réimpression donnée par
M. Alfred Michiels (*Œuvres de Desportes*, Paris, 1858), est tout à fait médiocre et
inexacte.

4. *Les Premières Œuvres*, 1573, fol. 91 v° (Bibl. Nat., Rés. Y[e] 580).

5. *Ibid.*, fol. 91 r° et v°.

l'inspiration toujours renouvelée, célébrait dans ses *Passe-tems* le jeune colonel, qui

> Ouvroit aux vieils soldats le chemin de bien faire
> Quand devant Musidan (Musidan l'execré)
> Après mille hazars encourus de son gré,
> Gaigna si beau loyer en perdant sa jeunesse [1].

Enfin, Amadis Jamyn, fier seulement de l'apparence d'être un Ronsard [2], consolait, de son mieux, Jeanne de Brissac dont les regards jetaient mille traits, comme ceux de Timoléon, son frère, lorsqu'il chargeait les ennemis à la tête de ses soudards. Ne sembait-elle pas, d'ailleurs, son vivant portrait? N'avait-elle pas la même voix, le même âge? Mais elle était plus cruelle que le guerrier. Ainsi Jamyn la faisait parler [3] :

> Mes deux yeux, deux ruisseaux de larmes ne s'epuisent
> Que pour mon frere en vain je respands à la mort...

En souvenir de celui qui avait péri pour la foi de ses aïeux, son prince et sa patrie, maudissant la guerre et les canons, elle avait pris pour devise : *dos ojos non bastan a llorar tan grave mal.* Jamyn parle d'elle comme d'une autre Antigone [4].

Et Jamyn se tournait aussi vers le fiancé d'Hélène, Jacques de La Rivière, le capitaine des gardes. Il disait à Mlle de Surgères que ses larmes et ses soupirs n'auraient pas le pouvoir de tirer son ami de la fosse où il dormait [5] :

> Lisant souvent, comme tu fais, contemple
> Mille guerriers, qui te servent d'exemple
> Que tout perist en ce bas Univers...

---

1. Ed. 1573, fol. 31ᵛº (Bibl. Nat., Rés. Yᵉ 1990). Voir aussi la pièce de Jodelle : *A l'esprit de M. le comte de Brissac, tué devant Mussidan* (II, 281) ; la pièce de Jean de la Jessée à Madame de Brissac (*Premières Œuvres*, 1583, p. 192).

2. Il répétait curieusement, en ce temps-là, pour Charles IX jusqu'aux odes pindariques de Ronsard pour Henri II. Voir *l'Ode des Estoiles* (*Œuvres*, 1575, fol. 48, fol. 50).

3. *Œuvres*, 1575, fol. 284 : *De Jacques de la Riviere, capitaine des Gardes du Roy, à Madamoiselle de Surgeres.* (Bibl. Nat., Yᵉ 1045). — 4. *Œuvres*, 1575, fol. 285 : *Regrets de ma Damoyselle de Brissac sur le trespas de son frere.* — 5. *Ibid*, fol. 299.

Il la consolait, comme on le fait en pareille circonstance, avec les mêmes mots :

> Ceux qui sont morts pour estre le support
> De leur païs, comme ton La Riviere,
> Ne vont es mains de la Parque meurdriere.

Mais Jamyn et Desportes n'ont pas, en ces jours, entretenu la sœur de Brissac, Hélène, Mlle de Baqueville, que de ce triste sujet. Desportes a chanté Diane (Diane de Brissac), belle comme la déesse quand elle apparaît parmi sa « chaste suitte », l'arc au poing et la trousse au côté[1] :

> Tout ainsi l'on vous voit à la court apparoistre,
> Et parmy les beautez vostre beauté s'accroistre,
> Et rien qu'on puisse voir ne vous peut égaler :
> Vos propos gracieux domtent le plus sauvage,
> Et vostre poil doré, c'est le plaisant feuillage,
> Où les petits Amours apprennent à voler...

Mais, belle comme la déesse, Diane en avait la froideur :

> Les hauts monts de Savoye[2] où vous printes naissance,
> De vos fieres beautez donnent bien congnoissance :
> Ils sont toujours remplis de neige et de froideur,
> Et vous avez un teint qui la neige surpasse :
> Mais, hélas ! vostre cueur est tout serré de glace
> Et si de vostre froid vous causez une ardeur...

Cette dame, qu'il aima, peut bien être celle qui changea « de courage » envers lui, avant 1570, alors qu'il était si triste de la mort de son protecteur, Claude de Laubespine, conseiller d'État, et si affreusement malade[3].

---

1. *Les Premières Œuvres*, Paris, Rob. Estienne 1573, fol. 68ᵛᵒ. (Bibl. Nat., Rés. Yᵉ 580.)

2. Son père, le maréchal, avait commandé longtemps en Savoie. On verra le portrait du « grand Brissac », d'après le crayon de Chantilly, dans E. Moreau-Nélaton, *les Clouet et leurs émules*, II, fig. 16. Brissac connut la Bastille, après la mort de Charles IX, et Pierre de l'Estoile affirme que le bon vin abrégea ses jours.

3. « Mᵉ Philippe Desportes » est porté, en ce temps-là, parmi les secrétaires de la chambre. Il travaille donc aux côtés de Nicolas de Neuville, de Claude de Laubespine, de François de Laubespine, de Raoul Moreau, de Pierre de Fictes, de Nicolas de Verdun, tous amis de Ronsard, et dispensateurs des faveurs et de l'argent de l'Épargne (Arch. Nat., KK. 134, fol. 24-25. Compte de 1572-1574).

Enfin Desportes a parlé en ces jours à Hélène (la pièce parut dans ses *Premieres Œuvres*[1], en 1573). L'album de vers de Mme de Retz, que Ronsard connaissait bien, contient une pièce à sa louange :

> Et Surgieres est si saige et d'un sçavoir si grand...

Quant à Jamyn, il célébra, avant 1575,

> Surgeres à qui Pallas a donné son olive
> Et tous ses arts afin qu'immortelle tu vive.

Il lui parlait de ses amours.

On pouvait donc parler d'amour à ces sages demoiselles? Nul doute en ce qui concerne Diane de Brissac, dont Desportes a célébré toutes les perfections ; mais à la condition de tenir sa place, d'alléguer leur grandeur et sa propre qualité, d'adopter un certain ton ; car tout cela n'était, le plus souvent, qu'un jeu de société :

> Vous n'avez rien d'humain, vostre grace est celeste,
> Vos discours, vostre teint, vostre ris, vostre geste...
> Et Amour de vos yeux allume le flambeau...
> De vous aimer, Ma Dame, on ne m'en peut reprendre :
> Le peché faict par force est toujours pardonné.

Ainsi Jamyn a parlé à Hélène[2] :

> Le Ciel a sur tes yeux tant de grace laissé,
> Tant d'humble gravité, tant de beauté parfaite,
> Qu'elle pourroit lasser le plus divin Poëte...
> En ce siecle maudit, de vices insensé,
> Tu parois entre nous ainsi qu'une planette...
> Tu ris et tes regards sont des amours secrets.

Hélène, enfin, est l'antique Hélène[3] :

> D'un poinct vous differez : elle fut vicieuse,
> Cause de tant de sang respandu par les Grecs :
> Tu es sçavante, sage, et douce, et vertueuse.

---

1. Fol. 89 v°, j'ai cité cette pièce plus loin, p. 297.
2. *Œuvres pœtiques*, 1575, fol. 284 : *A Mademoyselle de Surgeres.* — 3. *Ibid.*

Sur ce ton, on pouvait leur parler d'amour, d'un amour platonique, à ces platoniciennes, comme l'a fait Pontus de Tyard[1].

Les mythes de Platon ne formaient-ils pas l'atmosphère dans laquelle ont respiré les hommes et les femmes de ce temps-là? En 1568, à l'époque dont nous parlons, parut un bien curieux livre, de petit format, chez Jean Ruelle le jeune, rue Saint-Jacques[2]. Sous ce titre : *Le Mespris de Court avec la Vie Rustique*, il nous donne *la Parfaicte amye* d'Héroet, la plupart des pièces de controverse qui se rapportent à cet opuscule : *l'Amye de Court* du seigneur de La Borderie, *la Contre amye* de Ch. Fontaine, *l'Androgyne* de Platon d'Antoine Héroet et *le Nouvel amour* d'Almanque Papillon, avec ses images que nous retrouverons toujours chez les jeunes poètes qui entourent Mlles de Brissac, de Surgères ou Madeleine de Laubespine.

Ainsi *la Parfaicte amye* d'Antoine Héroet dit de la Maisonneuve, dont la première édition a été donnée à Lyon en 1542[3], renouvela toute la fable platonicienne, au goût du jour. Ces

---

1. Scévole de Sainte-Marthe a écrit (*les Œuvres*, 1579, fol. 120vo) :

> J'aime ce corps des beautez le sejour,
> J'aime ceste ame aussi de vertus pleine,
> Mais par sus tout, j'aime de mon Heleine
> La chasteté qui commande à l'amour.

Pour recréer le milieu intellectuel où il convient de situer Hélène, j'ai beaucoup utilisé Léon l'Hébreu, *Dialogi di amore*, dont la première édition parut en 1541 à Venise — elle fut suivie de beaucoup d'autres, et il en existe deux traductions en français datant du seizième siècle, par Denis Sauvage, Lyon, 1551 (*la Sainte philosophie d'amour*) ; une autre, de la même année, due à Pontus de Tyard ; — François de Billon, *le Fort inexpugnable de l'honneur du sexe féminin* (Bibl. Nat., Rés. Z. 872, 1558), et aussi l'extraordinaire et extravagant Pontus de Tyard, dont l'influence mondaine me paraît avoir été assez considérable. Il faut rappeler que Ronsard a loué dans un sonnet préface ses *Erreurs amoureuses* (*Les Œuvres poetiques*, 1573). — Ed. Frémy a bien parlé des femmes savantes, dans son *Académie des derniers Valois*, 1887, p. 141 et suiv. ; mais il convient toutefois d'humaniser quelque peu ce qu'il a dit à l'aide des historiettes de Tallemant, assez souvent véridiques. — Voir les indications excellentes données par M. Frédéric Lachèvre, *Bibliographie des recueils collectifs de poésies du seizième siècle*, 1922, p. 151 : *Les partisans et les adversaires du platonisme*. — 2. Bibl. Nat., Z. 32348.

3. Mes citations de *la Parfaicte Amye* d'Antoine Héroet sont données d'après l'édition de Lyon, 1542 (Bibl. Nat., Rés. Y[e] 1612).

mythes, qui avaient enchanté François Ier et ses contemporains, demeuraient actuels. Les amants sont de célestes
esprits exilés du ciel où ils contemplèrent la Beauté; ils se
retrouvent sur la terre. Leur union est toute divine. Le corps
et l'esprit doivent demeurer sans rapports. Car la Beauté
platonicienne est le souvenir de la contemplation céleste,
de l'harmonie divine; elle émane de lui. Illumination qui
vaut bien quelque peine, comme le marque *la Parfaicte
amye* :

> Je liray tant, et tant je marqueray,
> Tant de sagesse es livres je verray,
> Qu'il m'adviendra, comme à la femme advient
> Portant ennuy, que son amy ne vient...

L'amie décrivait l' « Ile des biens », pleine de fruits, sur
laquelle règne un éternel printemps, où l'on vit dans la
communauté[1]. Raison y domine; une reine, savante et belle,
gouverne l'île, où vivent, à l'exclusion de tous autres, ceux
qui ont contemplé la Beauté, rêvé d'elle. C'est le paradis des
amants; il l'est aussi de ceux qui savent[2] :

> Le plus grief mal qui advienne à personne,
> C'est cestuy la que l'ignorance donne.

Car l'Amour est le grand précepteur qui éveille les esprits,
le grand maître enfin. Et la femme savante est donnée pour
l'amoureuse parfaite, celle qui, d'un sourire, d'un signe, d'un
baiser, vous apaise, ineffablement :

> Certes ouy, croyez que vraye amante
> N'est jamais dicte à bon droict ignorante,
> Car l'ignorante ou sotte n'aime point...

Une femme « mal née » ne sait pas aimer; la laideur est
signe de vice. Voilà pourquoi les femmes aimées sont, de

---

1. Ce sont les îles fortunées de Ronsard, où il placera les héros anciens et les héroïnes de l'amour, parmi les orangers.
2. Fol. 57.

droit, belles et de bonne naissance, même quand elles ne le
sont pas :

> Femme qui est aymée et amoureuse,
> Oncques ne fut layde et malicieuse.
> Qui n'ayme point ne sçauroit estre belle;
> Qui ayme bien pour le moins devient belle
> Qu'on ne la peult tenir pour ignorante,
> Et du péché de laydeur est exempte...

Ainsi Hélène était belle, sans l'être[1]. Comme la « parfaicte
amye » d'Héroet, elle pouvait bien penser que c'est l'amour
qui tue l'amour. Car la jouissance nous laisse toujours insa-
tisfaits, nous fait pleurer, nous attriste. Et l'amour, sur le
plan des idées platoniciennes, des similitudes de complexion,
ne doit être que joie et santé spirituelle. Ainsi la « parfaicte
amye » se rit de Pétrarque, de ses imitateurs pleurni-
chards,

> Qui de soupirs et de froydes querelles
> Remplissent l'air en parlant aux estoilles.
> Ne facent point soupeçonner qu'aymer
> Entre les doulx il y ait de l'amer.

Evitez, comme les mauvaises odeurs, ces sots et ces lourds
personnages qui ne savent que conter les maux d'amour
et « forger » des complaintes. Oui, un tel amour, spirituel et
souriant, n'est que joie pure; il doit être accepté de toutes
les dames :

> Un vray amant, en comptant ses desirs,
> Proposera mille nouveaulx plaisirs,
> Aura tant d'ayse, d'heur à sçavoir dire
> Comme il osa penser ce qu'il desire,
> Montrera tant de joye, en bien disant,
> Ce qui luy est necessaire et duisant,
> Qu'impossible est que dame ne s'en offense...

Car c'est là tout le plaisir d'amour.

---

1. Brantôme laisse entendre clairement que Ronsard embellissait ses maîtresses.
(IX, 257). Ronsard le savait bien d'Hélène, lui qui a écrit le sonnet : « Chascun me
dit : Ronsard, ta maistresse n'est telle » (I, 359).

Un autre livre qu'Hélène pouvait aimer, et que Ronsard
détestait, est « Léon Hébrieu de l'Amour », dont une traduction française a paru à Lyon, en 1551 : *Dialogi di amore*[1].
Livre de cabale, d'un juif italianisé, livre du rayonnant
amour, où tout flamboie, où tout aime, mais où tout se dilue
dans la contemplation, aboutit à l'idée de l'amour et de Dieu,
se fond aux lumières des vertus intellectuelles[2]. Sur ce thème,
sans fin, follement, Philon et Sophie conversaient du divin
amour. C'était le fin des fins de répéter alors ces mots
enflammés qui fondent en un éther glacé.

Les sages jeunes filles, cousines, les « nymphes » de
Brissac et de Surgères (Baïf le notera) étaient de grandes
liseuses[3] :

> Quand du vray sçavoir curieuses
> Je vous voy touejours studieuses
> Tenir quelque livre en la main,
> En langue nostre ou étrangere,
> Ninfes de Brissac et Surgeres
> Que vous ne feuilletez en vain...

Et tout ce que nous savons de la petite Hélène de
Surgères, lectrice de Platon, « nourrie aux écoles des
Grecs », qui raisonnait astronomie, la situe parmi le groupe
dont nous avons esquissé les idées. Elle y représentait

> L'honneur, la chasteté, la vertu, la sagesse[4],

par quoi elle surpassait toutes les dames de son temps.

Elle laissait adorer sa jeunesse[5], sa douceur, une beauté
faite surtout du rayonnement de sa vertu. Elle demeurait une
Pallas, une Minerve suivant son surnom, le portrait de la
vertu même. Elle adorait la philosophie et les lois. Mais si ses
yeux étaient de feu, Hélène n'était que glace. Elle se montrait

---

1. Bibl. Nat., Z. 16907-16908.

2. Antoine du Moulin a adressé sa traduction « aux doctes, honnestes et vertueuses dames Françoises ».

3. « A mesdamoiselles, Jane de Brissac, et Hélène de Surgère ». Jean-Antoine de
Baïf, IXe livre des *Pœmes* (*Œuvres*, 1573, fol. 261 v°).

4. « Ton siècle doit en toy ta vertu reconnaistre », a dit Jodelle, II, 182.

5. J'ai fait ce portrait d'Hélène avec les mots seuls des *Sonnets* de Ronsard.

femme, dans la mesure seulement où elle laissait voir son peu de résolution et son orgueil. Mais surtout Hélène demeurait préoccupée de sa réputation, craintive de mal faire, faussée en somme par la vie de cour, qui était toute sa vie. Elle appréciait assez les lettres, encore qu'elle n'eût pas assez de goût pour sacrer celui qui l'aimait « son écrivain ». Hélène était plutôt triste, naturellement accordée aux plaintes et à la douleur.

Au physique, cette « accorte Ibérienne[1] » avait une voix charmante; c'était une brune, entre noir et châtain, avec de grands cheveux qui lui coulaient jusqu'aux talons et qu'elle ne teignait pas. Elle laissait entrevoir une chaste poitrine, de petits seins marbrés de veines; mais son corps, « nonchalant et revêche », répugnait à l'amour. Elle aimait l'esprit et non le corps. De petite santé d'ailleurs, pâle et souvent malade, Hélène demeurait toujours gelée, comme les montagnes de Piémont où elle avait passé son enfance; sa plus grande hardiesse était d'abandonner sa main. Elle aimait les fleurs, mais surtout pour en connaître les noms et les classer dans son herbier. Le mois d'août la trouvait pâle et gelée, « la belle Espagnole », dans la robe grise qu'elle portait depuis le jour où elle avait perdu son fiancé, le capitaine des gardes.

Quand le poète, toujours ardent, toujours fiévreux, tourmenté dans sa chair, rencontra Hélène, il venait de passer deux ans sur sa terre (1568-1570), en proie à la maladie; il pouvait avoir quarante-huit ans au moins, mais son sang bouillonnait encore; son « septembre » était chaud.

Beaucoup d'événements s'étaient passés à la cour où le goût avait changé. Ronsard était pour ainsi dire supplanté par les jeunes, par Amadis Jamyn[2], par J.-Antoine de Baïf

1. Elle descendait des Fonseca.
2. J'ai montré que Jamyn, poète déjà très goûté de Charles IX, fut surtout le poète d'Henri III, le chantre des mignons. Ce qu'a dit à ce sujet Léon Dorez est inexact (*Revue d'Histoire littéraire*, t. II, 1895). Cf. Pierre Champion, *Ronsard et Amadis Jamyn*, Paris, 1924.

dont le talent était toujours en recherches, et surtout par
Philippe Desportes, traducteur et adaptateur de l'Arioste,
représentant du nouveau goût italien, l'homme des Laubespine et du duc d'Anjou.

On n'aimait plus les grandes compositions; au torrent
déchaîné qu'était le génie de Ronsard, on préférait ce petit
ruisseau poétique, Philippe Desportes[1]. Il venait de célébrer
deux dames, en une suite de sonnets, comme impersson-
nels, mais d'une forme nouvelle et rare, où il avait placé
tous ses souvenirs d'Italie. L'une, sous le nom de Diane, est
précisément Diane de Cossé-Brissac, la belle enfant froide
et blonde, l'amie d'Hélène; et l'autre, sous le nom d'Hippolyte, était cette jeune Marguerite de Valois, l'enchantement
espiègle de la cour[2].

Ces pièces, dans lesquelles Philippe Desportes avait dit
l'amour, sa propre audace, comparable à celle d'Icare,
circulaient déjà en manuscrit; elles allaient être publiées,
en 1573, sous le titre d'*Amours*[3], dans ses *Premieres OEuvres*,
adressées au roi de Pologne. Madeleine de Laubespine,
qui l'aima, dira, en parlant de son poète[4] :

> Qu'eusses tu faict, Amour, ta flamme estoit esteinte[5],
> Ton arc, vaincu du tans, s'en alloit tout usé,
> Et ton doré carquois, de flesches espuisé,
> Nous faisoit desormais moins de mal que de crainte...
> Si l'on monstroit d'aimer, ce n'estoit que par fainte...

1. Voir la pièce liminaire de J.-Antoine de Baïf, dans l'édition des *Premières
OEuvres*, 1579 (Bibl. Nat. Rés. Y⁰584). — On a l'impression que le culte et le goût de
Ronsard sont alors quelque chose de provincial. Voir à cet égard un recueil bien
typique : *Poesies amoureuses reduites en forme d'un discours de la nature d'Amour*,
par Filber Bretin, Bourgongnon Aussunois. Lyon, 1576 (Bibl. Nat., Rés. Y⁰ 1670). Le
« style Cassandre » est amplifié par l'Auvergnat Jean de Boyssières, le Savoyard
Claude de Buttet, le Breton Charles d'Espinay, l'Angevin Pierre Le Loyer, le Dijon-
nais Claude Turrin, le Bordelais Pierre de Brach, Jean de la Jessée le Gascon.
2. « La royale Hippolyte » dira Ronsard. — 3. Bibl. Nat., Rés. Y⁰ 580.
4. Sur les modifications du genre des Amours, M. Joseph Vianey a fait des
remarques très fines et exactes dans son excellent travail, *le Pétrarquisme en France
au XVIᵉ siècle*, Paris, 1909. — Je signale l'importance de la préface dédiée au duc
d'Anjou en 1572, par Antoine de Baïf, dans ses *Amours* et le Prologue de la Sylvie
de Jean de Boyssières, *Les Premières OEuvres amoureuses*, 1578, fol. 13. — 5. La pièce
se lit en tête des *Premières OEuvres*, en 1573, signée C. M.; en 1579, C. M. D. L.

On n'en saurait douter : quand Ronsard rencontra Hélène, elle avait été courtisée par Desportes, et Jamyn avait fait des vers pour elle. Car Desportes avait écrit le sonnet à Mlle de Surgères, après son retour de Pologne où il avait accompagné le duc d'Anjou[1] :

> Comme on voit au printemps le bouton rougissant,
> Amoureux du soleil, languir en son absence :
> Puis en le revoyant, changer de contenance,
> D'odeurs et de beautez, le ciel resjouissant.
>
> Tout ainsi mon esprit, tristement languissant,
> Durant l'obscure nuict, des miseres de France,
> Voyant de vos beautez l'agreable presence,
> S'esgaye et veut encore se montrer florissant.
>
> Or' si la sainte ardeur qui vient de vous l'enflame,
> Je vous nomme à bon droit le soleil de mon ame,
> M'efforçant de montrer sa divine clarté :
>
> Que si selon mon cœur j'y pourroy satisfaire,
> Le vice deviendroit de soy mesme adversaire,
> Voyant de vos vertus l'admirable beauté.

Il y a même lieu de croire que c'est dernier qui attira l'attention de Ronsard sur elle, à moins que ce ne soit Jamyn. C'est ce que je crois comprendre d'une pièce ambigüe que nous lisons dans les *Amours diverses* de Ronsard[2] :

> Est-ce le bien que tu me rends d'avoir
> Prins dessous moy ta docte nourriture,
> Ingrat disciple, et d'estrange nature ?
> Pour mon loyer me viens-tu decevoir ?
>
> Tu me devois garder à ton pouvoir
> De n'avaller l'amoureuse pasture,
> Et tu m'as fait, souz douce couverture,
> Dedans le cœur la poison recevoir.
>
> Tu me parlas le premier de ma Dame,
> Tu mis premier le soulfre dans ma flame,
> Et le premier en prison tu m'as mis.

---

1. *Les Premières Œuvres*, 1573, fol. 89ᵛᵒ.
2. I, 253. (Ed. 1578, p. 613.) — J'incline pour la présentation par Jamyn.

> Je suis veincu : que veux tu que je face,
> Puisque celuy qui doit garder la place,
> Du premier coup la rend aux ennemis?

Quoi qu'il en soit, Ronsard a juré de faire coup double, d'arracher cette petite à ses petits poètes, de l'immortaliser de son génie, de lui mettre au front, comme il l'a dit, « ses Iliades ». Il lui donnera la gloire, à celle-là qui porte le nom d'Hélène, de la fille d'Homère, mais qui, en dépit du sonnet de Desportes, demeurait une enfant, connue seulement par sa sagesse, sa science, son deuil éternel.

Car il est certain qu'en 1572, quand Jean-Antoine de Baïf, le compagnon de Ronsard, publia ses *Amours*, dédiés à Mgr d'Anjou, le futur Henri III, Hélène était peu connue; et Ronsard n'avait encore rien écrit pour elle. Par contre l'*Hippolyte* de Desportes était célèbre. Car Antoine de Baïf, en republiant les vers qu'il avait écrits à Orléans et à Paris sur sa vingtième année, alors qu'il ne portait nulle barbe au menton, pour sa Méline, puis à Poitiers pour sa Francine (une dame savante et sage ressemblant à Cassandre, comme Antoine veut, en ce temps-là, ressembler à Ronsard qu'il plagie) a cru devoir nous faire un historique des *Amours* (1572)[1] :

> Bellay chanta, soit ou feinte ou naïve,
> Sa prime ardeur sous le doux nom d'*Olive*[2],
> Le choisissant de Petrarque à l'envy...
> Tiard vagant d'amoureuses erreurs,
> Va celebrer du nom de *Pasithée*[3]
> Celle beauté, dont son âme agitée
> Vint decouvrir en solitude, apres
> Le grand Platon, les plus divins segrets.
> Ronsard depuis, dés sa jeunesse tendre
> Portant gravé le beau nom de Cassandre[4]

1. Bibl. Nat., Ré,. Y[e] 1989.

2. La première édition est de 1549 (commencement du Bembisme et commencement du règne du sonnet).

3. Les *Erreurs amoureuses de Pontus de Tyard* (1549). Continuation en 1551. La même année, Pontus traduit les *Dialogues de l'amour* de Léon l'Hébreu.

4. 1552. — La même année voit paraître les *Treize sonnets de l'amour honneste* de Du Bellay, les *Rimes* de Pernette du Guillet, les *Amours* de Baïf pour Méline.

Dans sa memoire, en a sonné des vers
Hauts et bruyans : puis en stile divers,
(Possible outré d'une flechade vraye
D'Amour non feint) pour soulager sa playe
Va moderer en plus douce chanson
Son brave cœur sous un moins grave son [1],
Combien qu'adonque il ust dans sa pensée
Sa *Franciade*, une fleche élancée
Par l'archerot, qui maistrise les Dieux,
Luy fit quitter son stile audacieux.
Belleau gentil, qui d'esquise peinture
Soigneusement imites la nature,
Tu consacras de tes vers la plus part
De Cytheree au petit fils mignard [2].
Et maintenant d'une chanson d'élite
Des-Portes dit les graces d'Hippolite [3],
Apres avoir en la fleur de ses jours
D'une Diane honoré les amours [4]...

Peu après 1572, précisément, Ronsard qui venait de repa-
raître à la cour, allait rentrer dans l'arène poétique avec des
Amours, compositions toujours appréciées des courtisans,
des femmes et des jeunes filles. La rencontre d'Hélène de
Surgères devait lui fournir le sujet d'une suite de sonnets,
forme la plus en vogue alors parmi les poètes.

Ronsard fondit sur Hélène comme un lion dévorant. Voulant l'immortaliser par ses sonnets, il aima la jeune fille ; il
entendit, avec ses cheveux gris, lui révéler la femme et
l'amour ; et Ronsard semble bien avoir réservé une condition
expresse, c'est qu'elle abandonnât la fréquentation des jeunes
gens, des jeunes poètes qui tournaient autour d'elle [5]. Car il

1. Allusion aux amours de Marie (*Continuation des Amours* de 1555). — En 1553 a
paru l'Ode de Du Bellay contre les Pétrarquistes, l'*Amoureux repos* de Guillaume des
Autels et les *Amours* de Magny. En 1555, les *Œuvres* de Louise Labbé et les *Amoureuses ocupations* de Guillaume de La Tayssonière ; en 1559, les *Sonnets amoureux*
de Charles d'Espinay. — 2. La première édition de la *Bergerie* est de 1565.
3. La première édition des *Œuvres* de Desportes date de 1573.
4. J.-Antoine de Baïf devait connaître en manuscrit les sonnets pour l'*Hippolyte* de
Desportes. Si Ronsard, à cette date, avait composé des sonnets pour Hélène, ils
eussent été certainement mentionnés ici par son ami (*Les Amours de Jan Antoine de
Baïf*. Paris, pour Lucas Breyer, 1572, préface dédicace à Monseigneur le duc
d'Anjou.) Le privilège est du 26 Juillet 1571. — 5. I, 289 :
L'amant non plus qu'un roy de rival ne demande...

était horriblement jaloux de tous, jaloux même de son ombre à lui, et tyrannique. Il mit à ses pieds ce qu'il nomme sa « rude poésie », si différente en effet des mignardises des nouveaux italianisants. Ronsard voulut faire d'Hélène son Parnasse, illustrer son surnom curial de Minerve; et l'enfant, touchée, lui mit au front la couronne de myrthe et de laurier.

Car c'est là toute l'histoire des amours d'Hélène, qui fut aussi un rapt de Ronsard sur ceux qui avaient pris sa place poétique en son absence. Mais l'amant n'arriva pas à se faire aimer; le poète réussit, seulement, à donner de la gloire à sa Minerve qui tremblait toujours pour sa réputation mondaine. C'est un fait que les sonnets que Ronsard composa pour elle, dont les copies manuscrites circulaient de main en main, dès qu'ils étaient produits, sonnets d'un goût tout nouveau, qui n'ont rien à voir, comme on le répète, avec ceux que Laure inspira à Pétrarque, avec ceux qu'il avait écrits pour Cassandre ou Marie, d'un sentiment à la fois italien et espagnol, pleins de mignardises, de traits nets et simples, par où le vieux poète rivalise avec Desportes, rendirent Hélène fort célèbre. C'est Amadis Jamyn qui l'a dit[1] :

> Ronsard adorant ta vertu non vulgaire
> T'a mise en avant parmy tous les endroits
> Qu'on ne vante qu'Helene...

Et si Dorat la chanta en vers latins[2] :

> Nomen habes Helenes, et habes pro nomine formam
> Et nisi casta fores jamquoque rapta fores,

Antoine de Baïf a fait sur elle une simple chanson[3] :

> Chanton l'Helene Françoise,
> Digne de plus grand renom
> Que celle Helene Gregeoise
> Dont elle porte le nom.

1. Avant 1575. — 2. Imprimé par Ronsard en tête des *Sonnets*.
3. Avant 1573 (*Les Passetems*, 1573, fol. 23ro).

Celle la nourrit la guerre
Semant discords et debats,
Dont Grecs et Troyens par terre
Morts tomberent aux combats.

Mais nostre gentille Helene,
Quand elle pousse dehors
Sa voix plaisante et sereine,
Feroit revivre les morts.

Mais nostre Helene benine,
Quand elle bouge ses yeux,
De son œillade divine
Chasse les nues des cieux.

De là s'enfuit la discorde,
O douce Helene, où tu es :
Là se trouve la concorde,
La courtoysie et la paix.

Quant à Remy Belleau, dans ses *Amours et eschanges de pierres precieuses*[1], l'étonnant coffret de bijoux allégorisés qu'il ouvre devant le roi Henri III, il dédie son « agathe » à Hélène. Beau bijou, sur lequel est gravé un Pégase, où l'on voit la sainte montagne de l'Hélicon et la brigade des neuf sœurs.

Alors Desportes peut bien être dépité, qui ne parla jamais de Ronsard[2] ; et Ronsard ne nomma qu'une fois Desportes, pour modérer sa verve[3]. Ainsi la nouvelle Hélène paraît bien avoir été le champ de la rivalité des deux poètes de ce temps, le jeune et le vieux.

Mais comment arrivons-nous à connaître la chronologie de l'histoire des amours d'Hélène ?

De la manière la plus simple, en suivant l'itinéraire de Catherine de Médicis, dont elle était la fille d'honneur[4]. C'est ainsi qu'en 1572, la reine, qui était demeurée près d'un an à

---

1. Avant 1576. (Bibl. Nat., Rés. Ye 583, fol. 39 : *L'AGATHE a Madamoyselle de de Surgeres.* — 2. Rien de lui au *Tombeau de Ronsard*, encore que son nom soit dans toutes les bouches et qu'il semble que la cérémonie funèbre en l'honneur de Ronsard ait été arrêtée, d'accord avec Galland, chez Desportes (Binet, éd. Laumonier, note p. 192). — 3. Voir le ch. X. — 4. On trouvera cet intéressant document au t. X des *Lettres de Catherine de Médicis*, p. 574-589.

Amboise, à Blois, à Chenonceaux, rentra à la fin de mai à Paris, où elle devait séjourner dès lors ; durant l'année 1573, sauf un court séjour en Lorraine[1], Catherine reste à Paris, jusqu'au mois d'août 1574, faisant quelques séjours à Saint-Germain et dans les environs, d'où Hélène put venir deux fois à Paris.

Charles IX meurt au mois de juillet 1574 (et l'année de la mort du roi, nous le savons par Ronsard, est celle où les sonnets jaillirent nombreux et pressés de son cœur ; mais ce n'est pas, à notre sentiment, l'année des derniers sonnets). Puis la reine part précipitamment, au mois d'août 1574, pour Lyon, où elle arrive le 16 (et nous vérifions qu'Hélène la suivit, mêlée à une petite intrigue qu'a rapportée Marguerite de Valois dans ses *Mémoires*[2]). La reine Catherine descend en Avignon (novembre), où elle devait passer trois mois (c'est le moment où Hélène écrit ses premières lettres qui transportèrent Ronsard, où elle adresse à son poète des oranges et des citrons, c'est-à-dire les fruits de la Provence). L'année 1575 revoit à Paris la reine Catherine au mois de mars ; mais cette année est marquée par des déplacements continuels. Il en est de même des années 1576 et 1577. Catherine résidera à Paris, à partir de novembre 1577, et pendant six mois. Ce peut être l'époque des allusions à l'hiver dans les *Sonnets* et, dans tous les cas, c'est la mort de l'amour. Hélène s'éloigne de la pensée de Ronsard. Il y a eu entre eux tant de brouilles, de malentendus[3] !

1. On sait que c'est un événement remarquable qu'un séjour prolongé de la reine Catherine.

2. Ed. E. Guessard, p. 45.

3. Ainsi les amours durèrent, et traînèrent six ans, comme l'a dit Ronsard (I, 337, Cf. I, 313). Il n'est pas question d'Hélène dans les *OEuvres* publiées en 1572. Les « Sonets pour Helene » paraissent pour la première fois dans l'édition des *OEuvres* de 1578 ; et la grande Élégie, indiquant la septième année de l'amour, n'a été recueillie que dans l'édition de 1584. Tel est, dans ses grandes lignes, le cadre chronologique rigide de l'intrigue que nous allons rapporter dans ses détails. Recoupement qui, on le voit, concorde bien avec l'itinéraire de Catherine de Médicis. — Je sais que ce n'est pas l'idée de M. Paul Laumonier, qui interprète trop rigoureusement les « Ja dix lustres passez » que se donne le poète (I, 339). Voir la note de *Ron-*

C'est donc au mois de mai, en 1572, que Ronsard commença
à faire la cour à Hélène. Il approchait de la cinquantaine,
des dix lustres dont il a parlé[1] ; il était sans doute assez
fatigué du labeur de sa *Franciade*, de beaucoup de veilles,
de plaisirs de toutes sortes goûtés en cette époque frénétique.
Mais Ronsard grisonnant, demeurait véhément, ardent et
fort.

La jeune fille s'imposa d'abord à son attention, comme à
celle de bien d'autres, « sujet divin » pour sa Muse. Ronsard
ignorait alors que pendant six ans, Hélène, la grecque
Hélène, allait devenir vraiment pour lui un sujet de souffrance ; mais sa peine lui était plus douce qu'il ne l'a dit,
puisque l'amour était la condition même de son inspiration.
Auprès d'Hélène, en son automne, son génie donna des fleurs
nouvelles. Ronsard comprit bientôt le parti littéraire qu'il
pouvait tirer des sonnets spontanément composés pour Hélène.
Leur série formerait un complément naturel à ses *Amours*.
Dans cette suite, sa Cassandre, qui nous apparaît comme la
figure du printemps de Botticelli, Ronsard l'avait chantée
suivant le style de Pétrarque, et surtout de Bembo. Puis Marie
lui était apparue ; et, pour dire la simple Marie, il avait fondu
la pastourelle médiévale et l'idylle de Théocrite, usant d'une
« bassesse de ton » qui surprit de la part du « mache laurier ».
Car les mijaurées de la cour avaient souri de la quenouille
envoyée à Marie. Remy Belleau, dans son commentaire, avait
dû les reprendre : « Si toutes les dames qui se sont moquées
du simple et peu riche présent du poete à une belle et simple
fille, bien apprise, estoient aussi preudes femmes qu'elle,
nostre siecle en vaudroit mieux. »

Belle aventure que la rencontre d'Hélène, sa dernière aventure, par la faute de Ronsard une mésaventure ; car le poète
allait pouvoir traduire d'une manière si simple, parfois sur

---

sard et sa province, p. 259. Cf. Roger Sorg, *Sonnets pour Hélène*, Paris, 1921
(introduction).
1. I, 339.

le ton de la conversation, les incidents d'une pensée amoureuse, les mettre au goût du moment, italien et espagnol,
avec les concetti, les mots précieux chers à ces précieuses,
les termes de guerre de ce temps où Vénus « mignardait » les
moustaches de Mars[1]; enfin Ronsard allait protester contre ce
platonisme à l'usage des mondains, dont il avait horreur.

Claude Binet, disciple de Ronsard, mais qui ne l'a connu
que sur le tard, assure qu'il composa ses sonnets à la
demande de Catherine de Médicis, grande admiratrice de
Pétrarque, encore qu'elle ne parlât jamais son italien; et
Ronsard aurait choisi, sur ses indications, comme dame de
ses pensées, Hélène, fille de sa chambre[2]. Rien n'est aussi peu
croyable. Ronsard, courtisan de métier et poète, n'aurait pas
manqué de faire allusion à cette royale désignation. Il ne
nous a rien dit de tel.

Ce fut dans un jardin que Pierre, au mois de mai, avait
rencontré Hélène pensive[3]. Dans le jardin des Tuileries, ce
beau jardin où les arbres et les plantes étaient distribués dans
un ordre admirable, où l'on trouvait des labyrinthes, des
bosquets, des ruisseaux et des fontaines, où les saisons de
l'année et les signes du Zodiaque étaient reproduits[4], près
d'une de ces fontaines majoliquées, dans leur nouveauté,
Pierre revit Hélène et il vint s'asseoir près d'elle. On se
parla; Pierre rappela les circonstances de leur première rencontre. Et désormais le poète s'attacha à ses pas[5], la suivant
partout, lui faisant une cour qui, après des discussions sur

1. Certes, la grande guerre date de 1569. Mais faut-il rappeler que le soulèvement
de la Rochelle est de la fin de décembre 1574 ; la défaite des reîtres par le duc de
Guise, de 1575 ; qu'on fortifia Saint-Denis et Paris en 1577 ?

2. Ed. P. Laumonier, p. 25-26.

3. Sans doute en 1573. —Tous les mots et les détails qui suivent sont tirés des
Sonnets.

4. Voir la description des Tuilleries donnée dans les *Relations des ambassadeurs
Vénitiens*, t. II, p. 593, et aussi la description de Paris d'Arnold van Buchel, dans les
Mémoires de la Société de l'histoire de Paris, 1899, t. XXVI.

5. I, 300 :

         Si je suis sans vous voir deux heures à sejour...

les doctrines de Platon, se fit de plus en plus ardente. Il lui jura de n'aimer qu'elle, qu'elle était seule à lui plaire ; ainsi il prêta serment sur la table tapissée de lauriers[1].

Oui, Ronsard immortalisera Hélène par ses sonnets, qui bientôt circuleront. Ils étaient tendres, respectueux, passionnés ; ils jaillirent spontanément, et nombreux, de son cœur. Mais il arriva que Pierre s'attacha à Hélène au point de ne savoir se passer de sa présence, de se montrer même très jaloux (il l'était de son naturel). Car Pierre était partout où se trouvait Hélène, même le soir, au bal de la cour, où elle dansait avec tant de légèreté ; il la montrait à ce bal, qui peut bien être celui du mois d'août 1573, donné à la réception des ambassadeurs polonais[2] :

> Le soir qu'Amour vous fist en la salle descendre
> Pour danser d'artifice un beau ballet d'Amour...
>
> Le ballet fut divin, qui se souloit reprendre,
> Se rompre, se refaire, et tour dessus retour
> Se mesler, s'escarter, se tourner à l'entour,
> Contre-imitant le cours du fleuve de Meandre...
>
> Je faux, tu ne dansois, mais ton pied voletoit
> Sur le haut de la terre : aussi ton corps s'estoit
> Transformé pour ce soir en divine nature.

Mais tandis qu'Hélène danse, Ronsard qui ne devait plus danser, s'aperçut que son cœur était masqué, comme son visage. Hélène fête le carnaval tandis qu'il pleure. Le lendemain, c'est la coutume de recevoir des cendres sur le front : Hélène pourra bien prendre des cendres dans le cœur consumé de Pierre.

Ainsi Ronsard, en tous lieux, accablait Hélène de ses compliments ; il lui disait que, seule, dans l'escadron des filles d'honneur, elle retenait son attention[3] :

---

1. I, 286. — « Symbole d'éternité pour remarquer la mutuelle liaison de leur amitié procédant de la vertu qui est immortelle », a glosé Richelet, qui tenait de Claude Binet ce détail.

2. I, 319 (je cite toujours l'édition de 1578).

3. I, 320.

> Je voy mille beautez, et si n'en voy pas une
> Qui contente mes yeux : seule vous me plaisez...
> Ma Vénus, mon Amour, ma Charite, ma brune...

Et quand Hélène devait suivre la reine mère, dans un de ces brusques départs de nuit, par où elle dépistait les espions et déroutait les intrigues des partisans qui l'entouraient (Hélène ayant pris ce prétexte pour ne pas lui envoyer son portrait), Pierre lui disait (1574)[1] :

> Menteuse contre Amour, qui vengeur te poursuit,
> Tu as levé ton camp pour t'enfüyr de nuict,
> Accompagnant ta Royne (ô vaine couverture !)

> Trompant pour la faveur ta promesse et ta foy.
> Comment pourroy-je avoir quelque faveur de toy,
> Quand tu ne peux souffrir que je t'aime en peinture ?

C'est un fait qu'Hélène ayant suivi la reine mère en Provence, dans ce voyage qu'elle fit avec une très petite suite au mois de novembre 1574 (on ne parlait à la cour que de ce Diable d'argent, et la plupart des pages étaient sans manteaux)[2], elle lui écrivait de chères lettres, plus douces que ses discours, et qui le ravissaient. Hélène lui envoyait des citrons, des oranges qu'il couvrait de baisers, une grenade où il comptait autant de grains qu'il avait de douleurs, les brins de cyprès et d'orangers verts où il voyait le présage de sa mort et la « gentille odeur » qui sortirait de ses vers.

Car si la cour de Ronsard fut agréée et rendit Hélène immédiatement célèbre, Pierre ne devait jamais rien obtenir de la jeune fille ; il eut seulement la permission de lui écrire, de l'accompagner dans ses promenades, de monter dans sa chambre au Louvre qui, depuis la mort de Charles IX, avait repris son aspect de vieille forteresse ; au mois de juin 1574, on en avait muré toutes les portes et les entrées, et le gui-

---

1. I, 330. — On sait que la cour partit de nuit le 8 août 1574. « Je me suis acheminée a nuit pour aler trover ledit roy mon fils à Lyon. » Mais *anuit* peut aussi vouloir dire aujourd'hui (*Lettres de Catherine de Médicis*, V, p. 72).

2. Pierre de l'Estoile, *Mémoires-journaux*, éd. Brunet, I, p. 33, 34, 46.

chet seul de la grande porte demeurait ouvert, avec sa garde
de Suisses[1]. Ronsard se représentait assis près d'Hélène, les
genoux tremblants quand il la voyait, sa « chère et douce
peine ». Car c'était son destin de chanter et d'aimer. Un jour,
comme l'ardent soleil, à travers la verrière d'une chambre
du vieux Louvre, était venu, entre eux, se poser sur elle,
puis avait disparu, Ronsard récitait à Hélène un madrigal où
il affirmait sa gloire d'avoir vaincu le dieu Apollon. Mais un
mortel de « plus fresche jeunesse » étant survenu, Hélène
l'avait planté là.

Et le poète la regardait, quand elle était assise auprès de
sa cousine, la comtesse de Mansfeld, la fille aînée du maréchal
de Brissac[2] :

> Belle comme une Aurore, et toy comme un soleil,
> Je pensay voir deux fleurs d'un mesme teint pareil...

Alors Pierre souffrait du silence d'Hélène, de ses yeux
qu'elle tenait baissés :

> Toy, comme paresseuse, et pleine de sommeil,
> D'un seul petit regard tu ne m'estimas digne.
> Tu t'entretenois seule au visage abaissé,
> Pensive toute à toy, n'aimant rien que toymesme,
> Desdaignant un chascun d'un sourcil ramassé,
> Comme une qui ne veut qu'on la cherche ou qu'on l'aime.
> J'euz peur de ton silence, et m'en allay tout blesme,
> Craignant que mon salut n'eust ton œil offensé.

La sagesse d'Hélène la gardait partout, même dans ces
grandes salles du Louvre où se glissaient des gens de tout
acabit[3] :

> Seule sans compaignie en une grande salle
> Tu logeois l'autre jour, pleine de majesté...

Que de fois, au vieux Louvre, Pierre est monté dans cette
chambre haute, sous les combles, d'où l'on découvrait la

---

1. Pierre de l'Estoile, *Mémoires-journaux*, éd. Ch. Brunet, I, p. 4-5. — C'est une
époque de terreur. On fait le procès du comte de Montgomery (*Ibid.*, p. 5); il est exé-
cuté le 26 (*Ibid.*, p. 10). Le maréchal de Cossé est à la Bastille.
2. I, 268. — 3. I, 324.

campagne et Montmartre! que de fois le cœur lui battit, tandis qu'il gravissait les degrés, à en perdre haleine, pour entendre seulement un refus[1]!

> Je ne serois marry, si tu comptois ma peine
> De compter tes degréz recomptez tant de fois :
> Tu loges au sommet du Palais de noz Rois :
> Olympe n'avoit pas la cyme si hauteine.
>
> Je pers à chaque marche et le pouls et l'haleine :
> J'ay la sueur au front, j'ay l'estomac penthois,
> Pour ouyr un nenny, un refus, une vois
> De desdain, de froideur et d'orgueil toute pleine...

Car le cœur d'Hélène était froid comme son corps. Ronsard la trouvait vêtue de cette robe grise, celle de son deuil, assise auprès du feu, au mois d'août. Pour la séduire et l'animer, il usa envers elle des ruses et des ressources d'un homme de son génie. Il la flatta comme la reine méconnue de son siècle; car, sans être une inconnue, Hélène n'avait pas la renommée de ses cousines de Brissac; il l'adora comme une divinité, sa Vénus de Saintonge, plus véritable que la Cyprienne. Il lui demanda de l'aimer, non pour lui-même, mais en faveur du laurier qui devait l'immortaliser. Il fut humble, conforma ses propres goûts au sentiment de sa dame qui, lors d'une promenade, lui avait dit qu'elle appréciait surtout les plaintes des tristes amoureux. Et lui, fort et rogneux, devint tendre et doux, à l'encontre de son tempérament :

> Je choisis vos sonnets qui sont plus douloureux.

Il prit même plaisir à l'entendre exposer, de sa voix charmante il est vrai, des doctrines platoniciennes qu'il ne partageait pas. Car Hélène avait dompté, momentanément, la brute qui était en lui[2] :

> J'errois à la volée, et sans respect des lois,
> Ma chair, dure à donter, me combatoit à force,

1. I, 327. — 2. I, 287.

Quand tes sages propos despouillerent l'escorce
De tant opinions que frivoles j'avois...

Quelle tendresse vraiment, et douloureusement passionnée,
Ronsard montrait dans un madrigal[1]!

> Si c'est aimer, Madame, et de jour et de nuict,
> Resver, songer, penser le moyen de vous plaire,
> Oublier toute chose, et ne vouloir rien faire
> Qu'adorer et servir la beauté qui me nuit...
>
> Si c'est aimer de vivre en vous plus qu'en moymesme...
> Si cela c'est aimer, furieux je vous aime :
> Je vous aime, et scay bien que mon mal est fatal :
> Le cœur le dit assez, mais la langue est muette...

De quels vers, charmants, Pierre savait accompagner le
bouquet qu'il accrochait au-dessus de la porte d'Hélène, afin
qu'il tombât sur sa tête quand elle la pousserait, à la mode
ancienne des amoureux qui attachaient des festons d'olives et
de lierre, des chapeaux de fleurs aux portes de leur maîtresse, qui encouronnaient leur image[2]!

> J'attachay des bouquets de cent mille couleurs,
> De mes pleurs arrosez harsoir dessus ta porte :
> Les larmes sont les fruicts que l'Amour nous apporte,
> Les souspirs en la bouche, et au cœur les douleurs.
>
> Les pendant, je leur dy : Ne perdez point voz fleurs
> Que jusques à demain que la cruelle sorte :
> Quand elle passera, tombez de telle sorte
> Que son chef soit mouillé de l'humeur de mes pleurs.
>
> Je reviendray demain...

Et Pierre revenait le lendemain ; car Hélène était devenue
pour lui l'éternelle absente, la femme que l'on cherche toujours, en tous lieux, à tous les instants de la vie, celle qu'on
ne possèdera que dans les erreurs d'un songe[3] :

> Mon sang chaut en est cause. Or comme on voit souvent
> L'Esté moins bouilloner que l'Automne suivant,

1. I, 288.
2. I, 291. — Ce détail est emprunté au commentaire de Richelet.
3. I, 304.

> Mon Septembre est plus chaut que mon Juin de fortune.
> Helas ! pour vivre trop, j'ay trop d'impression...

Quelle femme, autre qu'Hélène, n'eût pas été attendrie par un amour si plein de dévotion, l'envoi de tant de fleurs, le cadeau de la belle agate qui fut bientôt connu[1] ?

> Helas, pardonnez moy : j'ay peur de vous fascher[2],
> Comme un serviteur craint de fascher à son maistre...
> Aimer ce qui fait mal, et revoir ce qu'on craint,
> Est le gage certain d'un service fidele.

Certes, Hélène n'avait pas toujours les yeux baissés ; elle faisait un signe à Pierre, un jour qu'il la rencontrait sur le haut d'un escalier et qu'il portait, ébloui, son image dans ses yeux. Elle lui abandonnait son bras qu'il liait d'un fil de soie cramoisie, tandis qu'elle lui parlait. Il lui avait demandé de ses cheveux, entre noir et châtain, qui étaient si longs, pour les porter en collier à son cou ; mais si Hélène lui abandonnait sa main, c'était pour la retirer aussitôt. Parfois, il y eut sur ses lèvres glacées comme le commencement d'un aveu : « Je vous aime, Ronsard » ; et surtout dans ses lettres, elle montra quelque tendresse. Alors Ronsard comptait sur ses vers enchantés, « sorciers » de l'amour, pour soumettre Hélène. Il se trompa, Hélène aima les vers, elle n'aima pas le poète. Ce fut pour lui un grand désappointement, et pour tout dire, une vraie douleur. Il s'écriait[3] :

> En choisissant l'esprit vous estes mal-apprise,
> Qui refusez le corps, à mon gré le meilleur...
> Vous aimez l'intellect, et moins je vous en prise :
> Aimer l'esprit, Madame, est aimer la sottise...
> Je n'aime point le faux, j'aime la vérité...

Ronsard méditait[4] :

> Mon ame soies plus fine : il nous faut tout ainsi
> Qu'elle nous paist de vent la paistre de fumée.

1. Remy Belleau attribuera l'agate à Hélène dans son *Échange de pierres précieuses* (1576). — 2. I, 303. — 3. VI, 388. — 4. I, 273.

Lui, qui aima tant Platon et ses mythes, il n'admettait plus que sa maîtresse fût une platonique :

> Vous dites que des corps les amours sont pollues
> Tel dire n'est sinon qu'imagination...
> Et c'est renouveller la fable d'Ixion
> Qui se paissoit de vent et n'aimoit que les nues.

Au printemps, Ronsard montrait à Hélène comment s'aiment les oiseaux[1] :

> Mon plaisir en ce mois c'est de voir les colombs
> S'emboucher bec à bec de baisers doux et longs,
> Des l'aube jusqu'au soir que le soleil se plonge...

Mais de la fenêtre de sa chambre haute, « regardant vers Montmartre et les champs d'alentour », Hélène lui disait que la vie solitaire et le désert sont préférables à la vie de cour, qu'elle passerait bien le reste de son existence dans un monastère, en jeûne et en oraison ; et l'on sait qu'Hélène de Fonseca avait en elle du sang espagnol.

Pierre lui répondait[2] :

> Vous trompez de penser
> Qu'un feu ne soit pas feu pour se couvrir de cendre :
> Sur les cloistres sacrez la flame on voit passer ;
> Amour dans les deserts comme aux villes s'engendre,
> Contre un dieu si puissant, qui les dieux peut forcer,
> Jeunes ni oraisons ne peuvent se defendre.

Alors le plus grand plaisir de Ronsard était de se promener avec Hélène, en coche, dans les environs de Paris, parmi ces jardins où il l'avait rencontrée, de revoir cette église où il avait pris la hardiesse de contempler ses yeux ; il raisonnait avec elle sur des sujets d'amour (on imagine leurs dialogues sur le type de ceux de Léon l'Hébreu que Ronsard détestait)[3] :

> J'appris en tes vertus n'avoir la bouche close,
> J'appris tous les secrets des Latins et des Grecs :
> Tu me fis un oracle en m'esveillant apres,
> Je devins un demon sçavant en toutes choses.

1. I, 278. — 2. I, 278. — 3. I, 272.

Aussi, apprenant qu'elle était allée en coche avec sa cousine voir Arcueil, les prés, les jardins, la source, voisine de l'antre, qu'il avait chantée dans la folie de sa jeunesse, Pierre disait à Hélène son chagrin de ne l'avoir accompagnée[1] :

> Dans ton coche porté je n'eusse fait grand presse :
> Car je ne suis plus rien qu'un fantaume sans corps.

Et lorsque vint la troisième année de son servage, solitaire et triste, avec son chef semé de cheveux gris, Pierre disait encore, douloureusement et tendrement, à Hélène :

> Tu es mon cœur, mon sang, ma vie et ma lumiere,
> Seule je te choisis, seule aussi tu me plais.

Car sa fièvre alla croissant avec les années. Hélène, qui n'admirait que son génie, devint plus froide encore, s'il se peut :

> Vous retenez le froid et me laissez le chaud.

Parfois Pierre se révolte, sous la voix « qui le gelle[2] » :

> Qu'est-ce parler d'amour, sans point faire l'amour,
> Sinon voir le soleil sans aimer sa lumiere ?

Il aimait la vérité et la joie; elle aimait la mélancolie, se penchait, en versant une moisson de fleurs, vers la tombe de celle que Ronsard a nommé sa moitié[3], puis Lucrèce[4], et qui était en réalité Mlle de Baqueville, jeune, belle, savante[5], qui mourut un peu avant 1575[6] :

> C'est acte de pitié d'honorer un cercueil,
> Mespriser les vivans est un signe d'orgueil
> Puisque ton naturel les fantosmes embrasse.

L'honnête Jamyn[7] avait célébré Madeleine Martel de Baqueville, trésor de vertus, vierge à la voix de sirène dont l'esprit innocent, pur et beau,

1. I, 280. — 2. I, 269. — 3. I, 325.
4. Édition de 1578. — 5. Édition de 1584.
6. « Des meilleures amies d'Hélène », a glosé Richelet.
7. Œuvres, 1575, fol. 303.

> Luisant comme un soleil s'est fait ange nouveau
> Et sa voix adoucit la celeste harmonie.

Amadis Jamyn parle encore de sa beauté, de sa race, de ses douces chansons. Quand Hélène jonchait cette tombe de fleurs, Mlle de Brissac lui offrait ses propres cheveux. La dixième Muse lui avait fermé les yeux, à son agonie :

> La sœur du grand Brissac met de ses belles mains
> Ses beaux cheveux tondus sur ta fosse pour gage.

Mais Ronsard, affreusement, tant il souffrait de ce milieu où vivait Hélène, de cette cour remplie de menteurs, avec leurs sentiments contre nature, a peint les yeux battus, le teint pâle de Lucrèce de Baqueville, et dit dans un sonnet retranché[1] ce qui lui donnait du plaisir :

> Il vaut mieux estre Phryne et Laïs tout à fait
> Que se feindre Portie avec un tel remede.

Ronsard n'aurait pas donné son approbation, comme Jamyn, à ces deux dames[2] dont l'amitié était fondée sur la louable vertu, les lettres et les Muses, l'adoration de Léon l'Hébreu[3].

Ainsi les relations de Pierre et d'Hélène furent coupées de fâcheries, de ruptures, de retours, de malentendus et de querelles, de tous les signes enfin du véritable amour. Hélène avait la cruauté de lui donner congé d'aimer une autre dame, quand Pierre ne pouvait aimer qu'elle. Ronsard savait sa propre sottise, encore qu'il n'eût la force de rompre ; mais il l'en menaçait[4] :

> Puisqu'elle est tout hyver, toute la mesme glace,
> Toute neige, et son cœur tout armé de glaçons,
> Qui ne m'aime sinon pour avoir mes chansons
> Pourquoy suis-je si fol que je ne m'en delace ?

1. VI, 389. — C'est Richelet qui a dénoncé Lucrèce de Baqueville.
2. Édition 1575, fol. 3o5. — Est-ce à la même aventure que se rapportent les vers de l'Élégie de Pontus de Tyard ?
3. Sonnet VII (1609). — 4. I, 271.

De quoy me sert son nom, sa grandeur et sa race,
Que d'honneste servage, et de belles prisons?
Maistresse, je n'ay pas les cheveux si grisons,
Qu'une autre de bon cœur ne prenne vostre place.

Amour, qui est enfant, ne cele verité :
Vous n'estes si superbe, ou si riche en beauté,
Qu'il faille desdaigner un bon cœur qui vous aime.

R'entrer en mon Avril desormais je ne puis :
Aimez moy, s'il vous plait, grison comme je suis,
Et je vous aimeray quand vous serez de mesme.

Il y a là de la rancune. Pierre avait vraiment souffert. Il
était tombé malade de langueur et on avait dû le saigner.
Hélène, savante et sage, ne paraît pas avoir eu plus d'esprit
que de cœur. Voyant son sang, elle lui dit, en souriant : « Qu'il
est noir ! » C'est tout ce qu'elle trouva. Et quand Pierre lui
demanda d'une manière précise les raisons de son refus, elle
lui répondit la chose la plus cruelle de toutes : « Puis, je ne
le veux pas ! » Car ce n'était, à ce qu'elle lui dit, ni la
crainte de la loi divine, ni la honte qui la retinrent : elle
n'aimait pas Vénus et n'éprouvait aucun plaisir près du poète.
Alors dans sa rogne, Pierre s'écriait :

O sublime défaite !
Ainsi parlent les rois défaillant de raison :
« Il me plait, je le veux, ma volonté soit faite. »

En ce temps-là on enterrait Charles IX, son maître (1574).
Ronsard pensait à son roi qu'il avait adoré, à son amour dont
il souffrait[1] :

La vivante et le mort tout malheur me propose :
L'une aime les regrets et l'autre aime les pleurs,
Car l'amour et la mort n'est qu'une même chose.

Pierre était devenu sombre. Il ne voyait plus guère Hélène
qui suivait toujours la reine dans ses déplacements continuels. Il avait fait un moment le rêve de vouloir Hélène

1. I, 340.

pour lui seul, dans sa solitude. Il lui avait demandé de
quitter la cour, sa reine qu'il nomme une Circé, comme
dans les pamphlets qu'a recueillis, en 1574 et en 1575,
Pierre de l'Estoile[1] :

> Laisse de Pharaon la terre Egyptienne,
> Terre de servitude, et vien sur le Jourdain :
> Laisse moy ceste cour, et tout ce fard mondain,
> Ta Circe, ta sirene, et ta magicienne.

Et puis, au milieu des soucis de cette époque de guerre,
des procès qu'il soutenait alors, Ronsard disait qu'il avait
honte de parler d'amour[2] :

> Je m'en vais au Palais : adieu, vieilles sorcieres,
> Muses, je prens mon sac, je seray plus heureux
> En gaignant mes procez qu'en suivant voz rivieres.

Et le poète demandait aussi à son page de lui verser du
vin[3] :

> Nud je vins en ce monde,
> Et nud je m'en iray. Que me servent les pleurs,
> Sinon de m'attrister d'une angoisse profonde?
> Chasson avec le vin le soin et les malheurs :
> Je combas les souciz, quand le vin me seconde.

Il disait encore[4] :

> J'ay honte de ma honte, il est temps de me taire,
> Sans faire l'amoureux en un chef si grison...
> Les roses pour l'hyver ne sont plus de saison :
> Voici le cinquiesme an de ma longue prison,
> Esclave entre les mains d'une belle corsaire.

Et la sixième année de sa liaison, Ronsard avait la certi-
tude que c'était folie de chercher à conquérir par des larmes et
des soupirs un cœur aussi froid que celui d'Hélène. Il voulait
s'échapper ; mais un sourire d'Hélène le reprenait encore. Il
lui dit des choses dures et fortes, car elle n'avait voulu le

1. I, 315. — *Mémoires-journaux*, éd. Ch. Brunet, I, p. 18, 19, 81.
2. I, 308. — 3. I, 308. — 4. I, 313.

suivre dans le chemin qu'il lui avait indiqué ; elle n'avait
pas entendu le sens de la méditation [1] :

> Quand vous serez bien vieille, au soir à la chandelle,
> Assise aupres du feu, devidant et filant,
> Direz, chantant mes vers, en vous esmerveillant,
> Ronsard me celebroit du temps que j'estois belle,...

Ronsard maudissait Hélène [2] :

> Mais, Amour, pour vanger
> Mes larmes de six ans, fay ces cheveux changer,
> Et seme bien épais des neiges sur sa teste...

La septième année, il se rendit libre et fut guéri.

Mais Ronsard avait tenu sa parole. Hélène était devenue
aussi célèbre que la « Royalle Hippolyte » de Desportes, c'est-
à-dire Marguerite de Valois. Car l'amour de Ronsard avait
imposé à la froide Hélène une figure d'amoureuse.

Alors Ronsard quitta la cour et vécut dans ses prieurés.
Dans la belle Elégie (composée peu après 1578), il dit son
bonheur d'avoir retrouvé sa liberté [3] :

> Et franc de tout soucy qui les ames devore,
> Je dormois dés le soir jusqu'au point de l'aurore.
> Car seul, maistre de moy, j'allois plein de loisir,
> Où le pied me portoit, conduit de mon desir,
> Ayant toujours és mains pour me servir de guide
> Aristote ou Platon, ou le docte Euripide,
> Mes bons hostes muets, qui ne faschent jamais :
> Ainsi que je les prens, ainsi je les remais.
> O douce compaignie et utile et honneste !
> Un autre en caquetant m'estourdiroit la teste.
> Puis du livre ennuyé, je regardois les fleurs,
> Feuilles, tiges, rameaux, especes et couleurs,
> Et l'entrecoupement de leurs formes diverses
> Peintes de cent façons, jaunes, rouges et perses,
> Ne me pouvant saouler, ainsi qu'en un tableau,
> D'admirer la Nature, et ce qu'elle a de beau...
> Tantost j'errois seulet par les forests sauvages...
> J'aimois le cours suivy d'une longue riviere...

1. I, 316. — 2. I, 392. — 3 I, 337 (texte de 1584).

Ronsard était aussi heureux de pêcher à la ligne qu'un prince peut l'être, quand il force un cerf à la chasse. La nuit, il regardait les astres où Dieu inscrit notre destin. Hélène n'était plus qu'un souvenir. Elle n'était plus qu'un nom, mais un nom encore cher, qu'il avait illustré[1] :

> J'ay dans l'azur du ciel ta loüange décrite.
> Je ne suis pas marry, toutefois je me deux
> Que tu ne m'aymes pas, qu'ingrate tu me veux
> Me payer que de ris, de lettres et d'œillades.
> Mon labeur ne se paye en semblables façons,
> Les autres pour parade ont cinq ou six chansons
> Au front de quelque livre, et toy des Iliades!

Car souvent on ne sait plus de quelle Hélène Ronsard parle. Est-ce de la fille d'Homère, la cruelle Hélène, celle qui passe si belle sur le rempart et qu'admirent les vieillards, dont la voix lamentable déçoit les Grecs autour du cheval? Car « affranchi du harnois » par son âge, voici cependant que « son colonel » avait envoyé Ronsard assiéger Ilion, « pour conquérir Hélène ». Ainsi Cassandre de Pray était devenue la « guerrière Cassandre ». Mais Ronsard savait bien qu'il avait donné l'immortalité à son Hélène,

> Au moins tant que vivront les plumes et les livres.

Aussi quand le souvenir de la véritable Hélène lui revient, de l'orgueilleuse et pudique jeune femme au pâle visage d'Espagnole, il va boire à la fontaine qu'il lui a consacrée[2] ; il visite, à Croixval, le pin qu'il a planté en son honneur. Parfois, il reçoit d'elle une lettre ou des fleurs, car Hélène est curieuse d'en savoir les noms pour son herbier. Un jour d'hiver qu'il errait dans son jardin, au bout d'une allée, Ronsard a vu boutonner un souci[3] :

---

1. La pièce a paru seulement en 1609 (VI, 59).
2. Dans le vallon de la Cendrine, la fontaine de Saint-Germain (Paul Laumonier, *Ronsard et sa province*, p. 260, note).
3. I, 323.

> Cette herbe et mon amour fleurissent tout ainsi ;
> La neige est sur ma teste, et la sienne est gelée...

Maintenant Pierre est apaisé. Il pense qu'Hélène va vieillir, que ses yeux n'inspireront plus l'amour, que ses cheveux seront bientôt des fils d'argent. Il s'est repu de ses songes. Mais il corrigera le méchant adieu qu'il avait adressé à Hélène, quand celle-ci lui avait déclaré qu'il l'ennuyait de ses assiduités. Car la jeune femme n'avait rien à voir avec son tempérament et son génie [1] :

> Adieu, cruelle, adieu, je te suis ennuyeux...

Du moins espérait-il qu'Hélène, jusque dans son vieil âge, aurait toujours son nom et ses écrits dans la bouche. Il ne le croyait pas trop, mais il se plaisait à l'espérer [2] :

> Je m'arreste et je dy, se pourroit il bien faire
> Qu'elle pensast, parlast, ou se souvint de moy ;
> Encor que je me trompe, abusé du contraire
> Pour me faire plaisir, Helene, je le croy.

Là une déception l'attendait encore ; car Hélène se montra moins soucieuse des vers de son poète que de sa réputation de femme, inaccessible et chaste, que l'imagination enflammée de Ronsard avait pu maculer.

C'est en 1578 que Ronsard publia, pour la première fois, ses *Sonets pour Helene*, dans la petite édition qu'il donna de ses *œuvres*, et qui tient dans le creux de la main [3]. C'était sur la sixième année d'un amour à son déclin. Et Ronsard n'avait pas encore composé la grande Élégie, datant de la septième année, qui fut recueillie seulement en 1584.

Feuillets passionnants vraiment, et que nous entendons si mal. Car il s'agit bien d'une suite de ses *Amours*, comme l'indique, en dépit du titre, la rubrique finale : *fin du second livre des amours d'Helene*. Par symétrie, par analogie avec

---

1. I, 336. — 2. I, 273. — 3. Bibl. Nat., p. Y[e] 356.

les deux premiers livres de ses *Amours*, les *Sonets* sont
groupés en deux livres, composés avec beaucoup d'art, l'un
comprenant cinquante-sept sonnets et l'autre cinquante-neuf.
N'y cherchons pas une chronologie que Ronsard méprise :
la disposition des deux livres répond aux soucis d'un artiste.
Ronsard ne raconte pas son histoire comme les « historiographes, qui escrivent tout de fil en eguille[1] ». Et les *Sonets*
sont suivis des *Amours diverses*, consacrées à Astrée et à
d'autres dames.

Mais on n'a pas remarqué que, si les deux livres de 1578
représentent le portrait idéal d'Hélène, autorisé par elle (il
n'est parlé que de sa vertu et de sa dignité), la plupart des
sonnets des *Amours diverses* appartiennent cependant à
Hélène. Elle n'y est pas nommée d'ailleurs, mais dépeinte
tant de fois[2]. Là nous trouvons les pièces les plus familières,
les plus charmantes, qu'Hélène, toujours tremblante et pleine
de scrupules, demanda au poète de dissimuler. Les *Amours
diverses* forment le coffret secret de Pierre de Ronsard. Nous
pouvons l'ouvrir et utiliser ces pièces pour faire le récit de
leurs relations[3]. Ce sont elles qui contiennent les requêtes les
plus pressantes, les appels à l'amour, les scènes familières où
Hélène apparaît liée du fil de soie cramoisie, répandant sa
poudre sur le chef et la barbe de son poète; là nous lisons
ses demi-aveux[4] :

> Je vous aime, Ronsard, par seule destinée,
> Le ciel à vous aimer force ma volonté.

Par elles nous connaissons la scène de la rencontre dans
le jardin des Tuileries, celle de la piqûre de cousin au bras

---

1. C'est une doctrine chez Ronsard, qui la développera dans la préface posthume
de la *Franciade*, reprenant cette expression même (VII, 81).

2. Il dit au sonnet des *Amours diverses*, p. 599 : « Cythère entroit au bain », qu'il
ne fait pas la cour à sa dame pour devenir un savant. Voir aussi les allusions à la
cinquième année de sa « longue prison » (I, 313) ; à l'envoi de la grenade (I, 325,
éd. 1578, p. 609).

3. C'est ce qu'a fait justement Pierre de Nolhac.

4. I, 301.

d'Hélène, les allusions à son froid tempérament, le don de
la couronne de lierre, l'enchantement du verre où burent,
tour à tour, le poète et son amie, la saignée de Ronsard,
l'esquisse du portrait d'Hélène la pédante :

> Je ne vous fais la cour, comme un homme ocieux,
> Pour apprendre de vous le mouvement des cieux,
> Que peut la grande eclipse, ou que peut la petite. .

Et ces pièces nous font connaître la réponse au don de la
grenade, à l'envoi du bouquet. Aussi, lorsqu'en 1584, Ronsard
donna une seconde édition des *Sonnets* pour Hélène, il reprit
son bien, publiant ces pièces des *Amours diverses* dans le livre
d'Hélène. Elles lui appartenaient en effet. Mais Ronsard les
modifia quelque peu. Hélène, qui était loin de lui, dut connaître son projet. Et c'est sans doute à cette occasion que
Ronsard écrit à ce brave homme, Scévole de Sainte-Marthe,
son vieil ami[1], de son prieuré de Croixval, au mois de juillet,
une lettre fort cruelle, qui pouvait être mise au besoin sous
les yeux d'Hélène[2] :

*Monsieur mon antien amy, c'est (disoit Aristophane) une
faix insuportable de servir un maistre qui radoute. Parodizant
la dessus, c'est un grand malheur de servir une maistresse
qui n'a jugement ny raison en nostre poesie, qui ne sçait pas
que les poettes, principallement en petits et menus fatras
comme elegies, epigrames et sonnetz, ne gardent ny ordre ny*

1. Voir la notice charmante, et si informée, que vient de lui consacrer M. Jean
Plattard : *la Vie et l'œuvre de Scévole de Sainte-Marthe, officier de finances et humaniste* (1536-1623). Paris, 1924. — Claude Binet, écrivant à Sainte-Marthe pour lui
demander des vers pour le *Tombeau* de Ronsard, lui dira : « Monsieur, l'amitié que
j'ay reçue de Monsieur de Ronsard et qu'il vous a departie lorsqu'il vivoit pour les
vertus rares qu'il reconnoissoit en vous... Vous estes l'un de ceux qu'il a le plus
estimé, comme il m'a dit maintes fois... » (Bibl. de l'Institut, ms. 290, fol. 39;
Cf. Pierre de Nolhac, *Ronsard et l'Humanisme*, p. 194, 241.)

2. Bibl. Nat., n. acq. fr. n. acq. 22938, fol. 117. Publiée par Pierre de Nolhac, dans
le *Bulletin du Bibliophile*, 1923, p. 416-417. — Pierre de Nolhac a proposé deux dates
pour ce document : juillet 1577 ou l'année 1584. J'incline pour l'année 1583, sans
rien affirmer. Il n'y a pas à faire grand état de l'itinéraire d'Henri III et de la venue
de la cour à Blois : ce n'est qu'un bruit. — On trouvera le fac-similé de cette pièce
dans Pierre Champion, *Ronsard et Amadis Jamyn, leurs autographes*, 1924, pl. XI.

temps. C'est affaire aux historiographes qui escrivent tout de fil en eguille. Je vous suplie, Monsieur, ne vouloir croire en cela madamoiselle de Surgeres et n'ajouter ny diminuer rien de mes sonnetz, s'il vous plaist[1]. *Si elle ne les trouve bons, qu'elle les laisse, je n'ay la teste rompue d'autre chose. On dit que le roy vient a Blois et a Tours, et pour cela je m'enfuy a Paris et y seray en bref, car je hay la court comme la mort. Si elle veut faire quelque dessaing de marbre sur la fonteine, elle le pourra faire, mais ce sont deliberations de femmes, qui ne durent qu'un jour, qui de leur nature sont si avares qu'elles ne voudroyent pas despendre un escu pour un beau fait. Faittes luy voir cette lettre si vous le trouvez bon. Je vous baize les mains de toute affection. De nostre Croixval, ce V*[esme] *de juillet.*

Vostre humble et antien amy a vous servir. RONSARD [2].

N'attachons pas trop d'importance à ce rude mouvement d'humeur d'un homme qui souffre, d'un vieil homme devenu misogyne. Car Ronsard a relu, avant de mourir, l'édition des *Sonnets* de 1584, et il l'a parfois assez malheureusement corrigée [3].

Hélène, en dépit de ce que Ronsard a écrit de cruel à son sujet, demeurait toujours dans sa pensée ; et le poète a augmenté ses sonnets de quelques pièces, entre 1584 et 1585, où, tel le cygne, il annonce sa mort si proche [4] :

> Vous ruisseaux, vous rochers, vous antres solitaires,
> Vous chesnes, heritiers du silence des bois,

---

1. C'était là une idée fixe chez Ronsard qui a écrit, en 1565, dans l'*Abbrégé de l'Art poëtique francois* : « Il faut bien souvent ployer sous le jugement d'une damoyselle ou d'un jeune courtizan, encores qu'ils se connoissent d'autant moins en la bonne et vraye poësie qu'ils font exercice des armes et autres plus honorables mestiers » (VII, p. 49). Ronsard proteste contre le langage de « Damoyselles et jeunes gentilshommes » (*Ibid.*, p. 48).

2. Au dos : « A Monsieur et antien amy, Monsieur de Sainte Marthe, logé au pilier verd, rue de la Harpe, a Paris. »

3. C'est l'édition que ses héritiers spirituels publieront en 1587, à Paris, chez G. Buon (10 tomes in-12. Bibl. Nat., Rés., p. Y^e 168 à 172).

4. VI, 10.

Entendez les soupirs de ma derniere vois,
Et de mon testament soyez presents notaires...
Je meurs pour la rigueur d'une fiere beauté,
Qui vit sans foy, sans loy, amour ne loyauté,
Qui me succe le sang comme un tygre sauvage.
Adieu forests, adieu ! Adieu le verd sejour
De vos arbres, heureux pour ne congnoistre Amour,
Ny sa mere qui tourne en fureur le plus sage.

Vers pathétiques de celui qui, tant de fois, avait imaginé son propre tombeau, celui de l'amant vendômois ! Car sa vraie tombe allait bientôt être creusée ; et, jusqu'à sa fin, Ronsard pensa à Hélène, à son amour[1] :

Est-ce tant que la Mort ? Est-ce un si grand mal-heur
Que le vulgaire croit ! Comme l'heure premiere
Nous faict naistre sans peine, ainsi l'heure derniere
Qui acheve la trame, arrive sans douleur...
               Venus qui nous appelle
Aux plaisirs te fuira ! Je n'auray soucy d'elle,
« Qui ne desire plus, n'a plus d'affection ».

Et d'autres sonnets encore (quelques-uns datent des dernières années de Ronsard) sont restés entre les mains de ses amis ; ils parurent en 1609 et en 1617. C'est Jean Galland qui conserva ceux qui tombèrent entre les mains de Pierre de l'Estoile, en 1607 et furent publiés en 1609. L'un d'eux est vraiment un appel brûlant qui aurait bien pu compromettre cette sage demoiselle[2] :

Maistresse, embrasse moy, baize moy, serre moy,
Haleine contre haleine, échauffe moy la vie...

Hélène avait donc bien raison de trembler pour sa réputation ; au mois de décembre 1587, elle fut même déchirée dans le *Manifeste des dames de la court*, recueilli par Pierre de l'Estoile, au temps des fureurs [de la Ligue[3]. Dans le

---

1. VI, 10-11. — « Dialogue de l'autheur et du mondain », analogue aux dialogues avec la Mort de la fin du quinzième siècle.
2. VI, 57. — 3. Ed. Brunet, III, 95.

commentaire que Richelet donnera des *Sonets*, en 1597 [1],
il semble bien que c'est à la requête d'Hélène qu'il insistera
tant sur ces « deux grandes natures, quasi divines, et de
l'esprit du grand Ronsard, et de l'honneur et la perfection
de Mademoiselle de Surgeres, germe bien heureux de ces
pures amours ». Et Richelet ajoute : « Il (Ronsard) s'est
proposé un subject chaste, vertueux, pour immortaliser à la
façon de Pétrarque les saintes et belles perfections de sa
dame. » Ainsi s'explique encore le commentaire du sonnet XX
du livre premier : « Ce qui monstre bien qu'Helene n'a
point d'amour, c'est qu'elle permit à l'autheur d'aimer qui
bon luy semble [2]. »

On trouve déjà la même version dans la *Vie de Ronsard* [3]
qu'écrivit Claude Binet, information dont la source est sans
doute Ronsard, mais revue par Hélène. « Quant à Heleine
de Surgeres, il s'est aidé de son nom, de ses vertus, de sa
beauté, pour embellir ses vers ; et luy a ceste gentille damoi-
selle servy de blanc, pour viser et non pour tirer ou attaindre,
l'ayant aimée chastement, et principalement pour son gentil
esprit en la poësie et autres bonnes parties. Il me l'a tesmoigné
souvent, et le monstre assez en ce sonnet : *Tout ce qui est de
sainct.* Il luy consacra une fonteine qui est en Vendomois, et
qui encor aujourd'huy garde son nom... » Dans tous les cas,
Ronsard s'est bien gardé de parler à Claude Binet de sa lettre
à Scévole de Sainte-Marthe. Seulement dans la troisième
édition de la « Vie » de Binet [4], nous trouvons pour la première
fois, l'anecdote de la reine, demandant au poète d'écrire, dans
le style de Pétrarque, à propos d'une fille d'honneur qu'elle
lui désignait, Hélène de Surgères.

---

1. *Les Œuvres*, Paris, veuve Gabriel Buon, 10 tomes in-12. Bibl. Nat., Rés. Yᵉ
1894 à 1899 (t. I).
2. Voir aussi sonnet XXIII ; la glose du sonnet XXIX, livre II, au sujet du lierre,
symbole de « l'amitié terminée en la vertu, suivant les philosophes ».
3. Edition de 1587 (éd. P. Laumonier, p. 25, variante B).
4. Publiée en 1597, à la même date que l'édition des poésies commentées par
Richelet (éd. P. Laumonier, p. 25, variante C).

Mlle de Surgères, qui survécut de beaucoup à son poète,
demeura toujours préoccupée de son honneur. Rencontrant
le caustique cardinal Du Perron, chez le maréchal de Retz,
alors qu'une édition de Ronsard devait paraître[1], Hélène lui
aurait demandé de bien vouloir y mettre « une épistre
devant .. pour montrer qu'il (Ronsard) ne l'aymoit d'amour
impudique ». Et le cardinal lui répondit : « Au lieu de cest
epistre, il y fault seulement mettre vostre portrait[2]. » Cela
ne veut pas dire absolument que Mlle de Surgères fût laide.
Ronsard savait bien que sa maîtresse n'était pas telle qu'il
l'avait décrite. Chacun le lui avait dit[3]. Mais puisqu'elle était
sa folie, il ne pouvait plus distinguer la laide de la belle. Il
répondait :

> Je suis aveugle et fol : un jour m'est une nuict,
> Et la fleur d'un chardon m'est une belle rose.

Ainsi Hélène demeura hautaine ; et surtout, elle pouvait
bien porter sur son visage le signe qu'elle était de celles
auxquelles un homme ne doit pas faire la cour.

Mlle de Surgères mourut fille.

Pauvre Ronsard, amoureux de ses rêves, amoureux d'aimer,
cavalier servant d'inaccessibles dames, qui soupira auprès
d'elles comme un Amadis, qui prêta sa voix aux rois quand
ils parlaient d'amour, amoureux des reines et des princesses,
mais qui connut surtout le plaisir auprès de leurs cham-
brières et avec les garces de son pays ! Il avait oublié la
sagesse pratique de l'ode de sa jeunesse :

> L'amour des riches princesses
> Est un masque de tristesse.

---

1. Ce peut être celle de 1597.
2. *Perroniana*, Genève, 1669, fol. 161 : article GOURNAY.
3. I, 271 ; *Amours diverses*, 1578, p. 600 :
> Chascun me dit : Ronsard, ta maistresse n'est telle
> Comme tu la descris...

(I, 359).

> Qui veut avoir ses esbas,
> Il faut aimer en lieu bas.
> Quant à moy je laisse dire
> Ceux qui sont prompts à mesdire ;
> Je ne veux laisser pour eux
> En bas lieu d'estre amoureux.

Il n'avait pas été plus heureux, ni plus adroit, auprès de Cassandre et, s'il fallait l'en croire, auprès de sa petite Marie [1], encore que le genre des *Amours* comportât la note désespérée ; car vraiment, il n'aurait pas été admis que l'on chantât ses bonnes fortunes. Mais auprès d'Hélène, Ronsard avait davantage, et vraiment, souffert. Son immense orgueil avait été humilié devant tant d'esprit, déployé en vain, pour séduire une femme. Toutefois de sa souffrance, de sa poésie, il avait tiré un passe-temps agréable, dont il pouvait bien parfois sourire au milieu des transes de sa rude époque [2] :

> Je faisois ces sonets en l'antre Pieride
> Quand on vit les François sous les armes suer,
> Quand on vit tout le peuple en fureur se ruer,
> Quand Bellonne sanglante alloit devant pour guide,
>
> Quand en lieu de la Loy le vice, l'homicide,
> L'impudence, le meurtre, et se sçavoir muer
> En Glauque et en Prothée, et l'estat remuer,
> Estoient tiltre d'honneur, nouvelle Thebaide.
>
> Pour tromper les soucis d'un temps si vicieux,
> J'escrivois dans ces vers ma complainte inutile.
> Mars aussi bien qu'Amour de larmes est joyeux.
>
> L'autre guerre est cruelle, et la mienne est gentille :
> La mienne finiroit par un combat de deux,
> Et l'autre ne pourroit par un camp de cent mille.

Relisons la belle pièce, grave et éloquente, que Ronsard écrivit, en 1580, pour Nicolas de Neuville, seigneur de Villeroy [3] ;

1. Mais, comme nous croyons l'avoir montré, le livre de Marie est un vrai livre d'amour heureux.
2. I, 292 (éd. 1578). — 3. I, 343-348 (éd. 1584).

> J'ay vescu (Villeroy) si bien que nulle envie
> En partant je ne porte aux plaisirs de la vie,
> Je les ay tous goustez, et me les suis permis
> Autant que la raison me les rendoit amis,
> Sur l'eschaffaut mondain joüant mon personnage
> D'un habit convenable au temps et à mon âge.
> J'ay veu lever le jour, j'ay veu coucher le soir,
> J'ay veu greller, tonner, esclairer et pluvoir,
> J'ay veu peuples et rois, et depuis vingt annees
> J'ay veu presque la France au bout de ses journees,
> J'ay veu guerres, debats, tantost tréves et paix,
> Tantost accords promis, redefais et refais,
> Puis defais et refais. J'ay veu que sous la lune
> Tout n'estoit que hazard, et pendoit de fortune.
> Pour neant la prudence est guide des humains :
> L'invincible destin luy enchesne les mains,
> La tenant prisonniere, et tout ce qu'on propose
> Sagement, la fortune autrement en dispose.
> Je m'en vais soul du monde ainsi qu'un convié
> S'en va soul du banquet de quelque marié...

Ainsi Ronsard évoquait son époque pleine de frénésie, sa propre existence, remplie de la vision des peuples et des rois, quand la France semblait arrivée à ses derniers jours, tant de guerres, de débats, d'accords conclus et rompus. Et nous pensons à la belle estampe de Théodore Bernard, qui nous met sous les yeux toute cette époque : la table chargée de vins et de mets, autour de laquelle de beaux seigneurs cajolent, au son du luth, leurs dames, tandis qu'au travers de la fenêtre de la salle on aperçoit l'incendie et les massacres :

> Je m'en vais soul du monde ainsi qu'un convié
> S'en va soul du banquet de quelque marié.

Orgie de dames et seigneurs

Estampe allégorique d'après Téodor Bernard,
gravée par Jean Sadeler.

(Bibl. Nat.)

CHAPITRE VIII

RONSARD A LA COUR ET A L'ACADÉMIE D'HENRI III

La mort de Charles IX, que Ronsard pleura sincèrement, modifia un certain nombre de ses projets littéraires. D'abord il renonça à donner une suite à sa *Franciade*, et c'est là, pour lui et pour nous, un événement heureux[1] :

> Si le roy Charles eust vescu,
> J'eusse achevé ce long ouvrage :
> Si tost que la mort l'eut veincu,
> Sa mort me veinquit le courage.

Et puis, en ce temps-là, Ronsard chante passionnément Hélène. Mais sa situation à la cour demeure la même. Dans les comptes de la maison d'Henri III, Ronsard figurera parmi les aumôniers, aux côtés de Jacques Amyot, à 100 écus de gages par trimestre, jusqu'à sa mort[2]. C'était là comme une charge dans sa famille, puisque Charles de Ronsard est nommé, de 1557 à 1574, parmi les aumôniers[3]. Henri III est d'ailleurs un jeune homme capable de comprendre les poètes. Mais de jeunes poètes surtout entourèrent Henri III et lui plurent. Le nouveau roi a vingt-trois ans : son poète est le jeune Philippe Desportes[4].

---

1. III, 176 (éd. 1578). — Mais la *Franciade* eut plusieues éditions (1572, 1573, 1574) Cl. Turrin la porte aux nues en 1572 (Elégie 3). Un jeune admirateur de Ronsard, Jean de la Jessée, en demanda la suite dans sa *Grasinde*, en 1578.

2. Voir entre autres, Arch. Nat., KK. 134, en 1574 : « Maistre Pierre de Ronsard, archidiacre de Chasteau-sur-Loir ». Parmi les aumôniers, on trouve des amis de Ronsard : Me Pierre Lescot, abbé de Clermont; Me Christophe de Choiseul. (*Ibid.*)

3. Bibl. Nat., ms. fr. 7854, p. 5, 19, 61, 2187, 2243.; Arch. Nat., KK. 134.

4. Bibl. Nat., n. acq. fr. 1244, p. 109. Henri III écrit à Villeroy, à propos d'une abbaye : « Je seray bien aise que Desportes l'aye. » Nous n'avons pas rencontré le nom

Bien avant qu'il fût roi, Ronsard s'était tourné vers le
futur Henri III ; il avait salué en lui le « seigneur du monde »
qui devait fermer le Temple de la Guerre[1]. Que seraient les
hauts faits de son héros, s'il ne rencontrait un Homère, ce
que Ronsard se proposait d'être[2] ? Henri demeurait à ses
yeux le roi guerrier ; il lui mettait au front,

> Perles, rubis et pierres precieuses.

Car si Henri avait vaincu des hommes à la guerre, lui, Ronsard, avait vaincu un Dieu, « son seigneur et le mien ». Que
son souverain lui demandât des vers d'amour, certes, le poète
en écrirait encore, comme il avait fait autrefois, quand tout
son sang bouillonnait de jeunesse[3] :

> Maintenant que je suis sur l'automne et grison,
> Les amours pour Ronsard ne sont plus de saison :
> Je ne veux toutefois m'excuser dessus l'âge.
> Vostre commandement de jeunesse me sert,
> Lequel, maugré mes ans, m'allume le courage,
> D'autant que le bois sec brusle mieux que le vert.

Mais c'est un fait que Ronsard songeait à d'autres, plus
jeunes que lui, à Jamyn ou à Desportes peut-être, pour traduire de royales amours :

> Un plus jeune escrivain que l'Amour favorise[4],
> Chantera la beauté, la grace et les attraits,
> Les arcs, les feux, les nœuds, les liens et les traits,
> Les larmes, les souspirs, l'embusche et la surprise...

Ronsard se réservait de réveiller, « par les champs », les
armes de France[5] :

> Et sonner les vertus de ces braves guerriers,
> Qui loin dedans l'Asie aux terres Idumées
> Du sang royal de France ont planté les lauriers.

Et les vers, si beaux, du chant des Parques, c'est encore

---

de Ronsard dans les lettres d'Henri III que nous avons lues. Cf. J. Dorat, *Pœmatia*,
1586, p. 17 : *Ad Phillipum Portœum* ; J. de la Jessée, *Œuvres*, 1583, fol. 195.
    1. II, 1. — 2. II, 2. — 3. II, 3 (éd. 1578). — 4. Variante de 1583 : que l'âge
favorise. — 5. II, 4 (éd. 1578).

Henri III qui les recevra, sur le chemin du retour de la Pologne[1] :

> De là passant Vienne, et le fleuve qui baigne
> D'un cours large et profond la plus haute Allemaigne,
> Tu voirras l'Italie, et Venise en la mer,
> Qui ne veult d'autres murs que des flots s'enfermer ;
> Et traversant le Pó, tu dois voir dans les nues
> Les rempars monstrueux des grands Alpes chenues,
> Dont les cheveux toujours de neige sont vestus,
> Et les pieds de torrents ravagez et battus...

Le vieux serviteur conseillait son jeune souverain[2] :

> Estime tes sujets, corrige ta justice :
> Fay que les armes soient des nobles l'exercice :
> Honore la science, honore les guerriers :
> Les vieillards au conseil soient tousjours les premiers,
> Revere leur vieillesse, et tes peres les nomme...

De tous les fils de Catherine[3], Henri semblait le plus intelligent, le plus doué, le plus ambitieux ; mais il était aussi le

1. VI, 16. — 2. VI, 18 (*Les Parques.* — Cette pièce parut seulement en 1587).

3. On n'écrit pas l'histoire de Marie-Antoinette avec les ignobles pamphlets sur Mme de Polignac. C'est cependant ce qui a été fait, le plus généralement, à propos de Henri III, où toutes les ordures de la Ligue catholique et les calomnies armées des réformés, collectionnés par le curieux Pierre de l'Estoile, et qui suscitèrent l'assassinat de Saint-Cloud, ont été soigneusement retenues. Il faut leur préférer, de beaucoup, les *Nouveaux Mémoires* de Bassompierre, Paris, 1804, document parfaitement authentique, dont la Bibliothèque Nationale possède une copie provenant des papiers du comte de Tillières (Fr. n. acq. 1208). A cet égard, le plus grand poète du seizième siècle, après Ronsard, Agrippa d'Aubigné, est bien le plus dangereux des informateurs (*Œuvres complètes*, éd. Méaume et de Caussade, vol. IV, où d'Aubigné parle des « passe temps énormes » du roi ; les *Tragiques, chant des Princes ;* Agrippa a parlé du Louvre, p. 101, des mignons, p. 105, du cabinet, p. 109 ; voir aussi les anecdotes abominables de Sancy, t. II, ch. VII : *des reliques et devotions du roy.* C'est là où est l'histoire de Saint-Luc et du coffre).

Je me suis naturellement beaucoup servi de Pierre de l'Estoile dont les *Mémoires-journaux*, publiés par G. Brunet (1875), forment la plus merveilleuse collection de pièces volantes, de potins, recueillie par un bourgeois de Páris, parlementaire, c'est-à-dire dans l'opposition, et à demi huguenot. Dans le même sentiment a été formé le recueil de Rasse de Neus, d'une famille de chirurgiens du roi, passée à la Réforme (Bibl. Nat., ms. fr. 22563-22565). — Les préfaces particulières de Hector de la Ferrière aux t. IV-VI des *Lettres de Catherine de Médicis* m'ont été très utiles ; mais elles sont souvent tendancieuses, en ce qui concerne la reine mère. Le ton juste, les

plus pourri de gâteries. Adolescent, il demeurait l'enfant
charmant qui avait émerveillé Amyot. Il rappelait beaucoup
son grand-père, qui semblait revivre en lui, mais avec une
patience à écouter, à lire, à écrire que François Ier ne posséda jamais. Comme sa petite sœur, Marguerite, Henri séduit
vraiment tous ceux qui l'approchent; car il s'exprime avec
grâce et éloquence. Il n'est pas toujours dans ses papiers et
dans ses livres; Henri est habile à la danse et aux armes. Tant
de dons le perdent; et sa mère, dans son amour, a bien contribué à ses malheurs. Correro, l'ambassadeur vénitien, le
montre en 1569, sur ses dix-sept ans, tandis que le roi
Charles IX s'exténue à la chasse, courant surtout au Palais
les femmes, qui sont sa folie. Mais Henri paraît ferme alors;
et il commande. Quel inquiétant portrait cependant trace
déjà de lui Philippe Desportes, quand il le montre, en 1567,
écoutant *Le Brave*, la comédie qu'Antoine de Baïf a fait
représenter en l'hôtel de Guise[1] :

> Lors que le preux Achile estoit entre les dames,
> D'un habit feminin desguisé finement,
> Sa douceur agréable en cet accoutrement
> Allumoît dans les cueurs mille amoureuses flames...

portraits à mon sentiment exacts sont donnés par ces beaux psychologues, si intelli-
gents et désintéressés, que furent les ambassadeurs Vénitiens : Jean Michel, Barbaro,
Correro surtout, et par cet observateur précis qu'est Jérome Lippomano (*Relations des
ambassadeurs Vénitiens recueillies* par M. N. Tomaseo, Paris, 1838, 2 vol.; Eug.
Alberi, *Le Relazioni degli ambasciatori Veneti*, XVI° secolo). Les correspondants de Florence sont bien intéressants aussi, mais nous n'avons guère le moyen de les vérifier. Il
semble qu'il y ait là beaucoup d'informations empruntées à des officiers subalternes,
des racontars (*Négociations avec la Toscane*, éd. A. Desjardins, t. IV). Le document
le plus important à consulter sur le caractère d'Henri III est la correspondance intime
et particulière qu'il entretint journellement avec son secrétaire d'État, l'ami de Ronsard,
Nicolas de Neuville, sieur de Villeroy, dont les originaux sont conservés à l'Ermitage
à Saint-Pétersbourg et dont la Bibliothèque Nationale possède des copies (Nouv. acq.
fr. 1244-1247. — Voir aussi le précieux volume de lettres autographes, ms. fr. 3385).
1. Bibl. Nat., Rés. Y f. 3902. Ronsard a écrit le chant du roi, Baïf celui de la
reine. — Ce témoignage est à rapprocher de la note, à mon sens, très juste de Bassompierre : «Le roi Henri III, dès sa première jeunesse, a eu des affections particulières
pour un de ses serviteurs qu'il cherissoit par dessus les autres, et il y en a toujours
eu qui ont succédé à ceux que leur mauvaise conduite, ou son humeur volage, ont
fait décheoir de cette privauté. » (Bibl. Nat., ms. fr. n. acq. 1208, fol. 100.)

Mais bien que vous ayez une douceur naïve,
Et que rien de si beau n'apparoisse que vous,
Que vos yeux soyent rians, vostre visage doux,
Vous avez au dedans une ame ardante et vive...
Vous, qui estes guerrier, aymé et amoureux,
Nous faites veoir encor Mars et Vénus ensemble.

Henri est bien cette « ame ardente et vive », Achille et Cypris, l'androgyne[1] que son siècle platonicien a préparé. Il est bien un homme tout en excès, passant de l'extrême joie au désespoir, tout en contradictions, qu'il s'agisse de religion, d'amour, de politique, de lettres. C'est un velléitaire qui voit juste, mais qui ne sait pas agir. Il est parfaitement bon et pitoyable. « Le cœur m'en saigne que de mon temps il se fasse en mon obeyssance de telles meschancetez », écrira-t-il à propos de paysans rançonnés[2]. Henri aime ses serviteurs, les gens auxquels il est habitué, et qui font son travail. Mais il voit tout. Il a cette sensibilité qui déconcerte chez tant de mauvais artistes, et que les maîtres ne connaissent pas. Henri est oblique comme son regard, inquiétant et bizarre comme sa grande écriture, si artiste. Il aimera passionnément les femmes et se donnera le tort d'apparaître lui-même comme une femme, d'aimer les hommes, tel un de ces hermaphrodites que le pamphlet, où son entourage est visé, a dépeints[3]. Mais son tréfonds demeure sombre, mystique, comme celui d'un personnage du Greco; et la fête païenne exerce aussi sa séduction sur son esprit. Il y a beaucoup de naïveté et d'enfantillage chez cet être complexe, troublant, qui n'est qu'épiderme et qui, comme ses frères, demeura un grand enfant, mais spirituel et charmant.

Esprit agile, prompt, doué d'une grande mémoire et d'une éloquence naturelle, brave à coup sûr, très influençable, mystique et débauché, affreusement jaloux, Catherine, qui

1. On pourrait en tracer une esquisse curieuse depuis le règne de François Ier. Voir J. Dorat : *Androgyni interpretatio ad regem (Carolum IX)* dans les *Pœmatia*, 1586, p. 28. — 2. Bibl. Nat., n. acq. fr. 1244, p. 151. — 3. *Descriptiou de l'isle des Hermaphrodites nouvellement découverte.* Cologne, 1724 (Bibl. Nat., L34b. 807).

l'aima tant[1], a tout fait pour lui dicter son devoir, l'arracher aux mauvais garçons qui l'entourent. Mais Henri est un démon vraiment, dont il a la figure allongée ; un séduisant démon, efféminé et parfumé, avec son grand front, ses yeux bridés et doux, tristement cyniques et noirs, nez courbé, barbiche tondue ; il tient de sa mère les lèvres et le menton pendants, ses belles mains qui jouent avec l'extraordinaire dentelle du mouchoir, et qui sont chargées de bagues et de bracelets[2]. Henri se croit le plus grand capitaine de l'Europe parce qu'à Jarnac, au passage de la Charente, ses reîtres et ses lances irrésistibles avaient écrasé l'arrière-garde de l'armée de Condé et que, pour la première fois depuis longtemps, on a chanté le *Te Deum*[3]. A Moncontour, Henri avait chargé hardiment et culbuté le carré des lansquenets, hérissés de piques, fait cette guerre de sièges, fertile en combats singuliers, devant Saint-Jean-d'Angély[4], la Rochelle, où la maladie surtout causait de lourdes pertes. Ainsi est née la légende du grand homme, du jeune héros, brave et efféminé comme Achille. Et pour Henri, « des armes la merveille », Ronsard fera le projet d'un poème sur la milice françoise[5]. Alors le roi Charles IX avait demandé à ses poètes, à Dorat, de réserver désormais à Henri leurs louanges : « Ha ! n'escrivez point rien desormais pour moy, car ce ne sont que toutes flateries et menteries de moy. Mais réservez tous ces beaux escrits, et tous vous autres, messieurs les poètes, à mon

1. A la mort de son frère, elle écrivait : « Si je venois à vous perdre... je me ferois enterrer avec vous toute en vie. »

2. Voir le grand portrait du Louvre dans la salle du seizième siècle. Le portrait du Tintoret, fait à Venise, ne donne pas la même impression.

3. Un témoignage fort intéressant sur l'enthousiasme que suscita cette affaire se rencontre dans les *Œuvres* de Scévole de Sainte-Marthe (1579, fol. 141). Scévole écrit alors le *Cartel* du vieux chevalier de la Table Ronde, où il dénonce déjà, pour leur faire honte,

> Ces jeunes gens frisez, goldronnez, parfumez,
> (Fards qui de nostre temps n'estoyent accoustumez)
> Nous feroyent bien mesprendre à discerner les dames
> D'entre les chevaliers qui ressemblent aux femmes.

4. Voir la planche de la tranchée devant Saint-Jean-d'Angély (Collection Hennin, t. VII, fol. 25.) — 5. VI, 236.

frère, qui ne vous faict que tous les jours tailler de bonne
besongne[1]. » Mais en réalité, Henri n'est pas un guerrier ; il n'a
jamais eu d'argent, ni aucun moyen de faire la guerre ; il
n'aime que la paix et les arts. Il est généreux au delà de toute
expression ; et ses libéralités furent la source de beaucoup de
ses malheurs, de tant de jalousies. Henri s'amuse à garder, dans
ses appartements, des chiens, des oiseaux et des nains. Dans
ses cabinets, il occupe des ouvriers et des alchimistes qui font
pour lui de beaux engins mécaniques. Mais dès que le roi
Henri ouvre la bouche, il séduit et convainc (il parle si bien),
émerveillant des gens comme Henri Estienne, et même le
farouche Agrippa d'Aubigné. Un contemporain a noté
qu'aucun portrait, et Janet lui-même, n'auraient su rendre
le charme qui émanait de lui, mais que nous trouvons tout
de même diabolique et sombre.

Et voici Henri, duc d'Anjou, homme de gouvernement,
pensant terminer, par l'assentiment donné à l'assassinat
de Coligny, la série de ses victoires[2]. Deviendra-t-il le gendre
du roi d'Espagne, maintenant qu'il ne peut plus songer
à devenir l'époux de la reine d'Angleterre? Non, puisque
en Pologne, innocenté par ses « orateurs », son nom est
sorti au scrutin de la diète. Victoire diplomatique pour la
reine, qui pleure de joie.

Mais la Pologne, quel exil! Le duc d'Anjou eût préféré
demeurer prisonnier en France que libre en ce pays[3]. Henri
est-il jamais à ce qu'il fait? Quand il assiège la Rochelle, en
1572, Desportes lui fait dire[4] :

1. Brantôme, éd. Lalanne, t. V, p. 251.
2. Dans cette mesure, il porte vraiment la responsabilité de la Saint-Barthélemy,
de la « sonaria » arrachée à Charles IX par les agents provocateurs des Guises.
Il a raconté, avec simplicité, l'événement plus tard, en Pologne, souffrant de
l'impopularité qui s'attachait à cette odieuse journée. Pourquoi ne pas le croire?
Mais par la suite les Guises n'auront pas de plus grand ennemi que lui, car il entend
demeurer roi.
3. Voir la curieuse gravure qui le représente chevauchant alors (Collection Hennin,
t. VII, fol. 60).
4. Les Premières Œuvres, 1575, fol. 94 v°, 95.

Je pars pour captiver une ville adversaire,
Moy qu'Amour tient au joug sans relasche arresté...
J'aymerois beaucoup mieux que le ciel m'eust fait naistre
Sans nom, et sans honneur, pourveu que je peusse estre
Toujours aupres de vous doucement langoureux,
Baiser vos blonds cheveux, et vostre beau visage,
Et n'avoir autre loy que vostre dous langage.

Partant pour la Pologne, si nous en croyons toujours
Desportes, Henri aurait préféré mourir pour celle qu'il
aimait que vivre séparé d'elle[1] :

Miserable grandeur, source de tous malheurs,
La butte des soucis, du soing et des douleurs,
Hélas ! pourquoy si fort t'allons nous adorant
Pour un songe d'honneur nos esprits martyrant...

Car le roi est fou, mais fou, de la princesse de Condé,
Marie de Clèves[2]. Il lui écrivait avec son propre sang où il
trempait sa plume. Et Desportes rimait alors ses plaintes
amoureuses[3] :

De pleurs en pleurs, de complainte en complainte,
Je passe, hélas ! mes languissantes nuicts...
Douce maîtresse, ardeur de mon courage,
Mon cher desir, ma peine et mon tourment...
O douces nuits, ô gracieuses veilles,
De cent plaisirs ma vie entretenant !
O jours si courts, las ! si longs maintenant !
O chauds regards ! ô beautez nompareilles...

Or un beau matin qu'il sommeillait, fatigué de la nuit
passée au bal de l'infante, les messagers de Catherine étaient
venus lui apporter la nouvelle de la mort de son frère,
Charles IX. Vêtu d'un manteau de deuil, Henri trompe le
Sénat par son calme, ses familiers par l'apparente régularité
de son existence. Dans la nuit, le voici parlementant à la
petite porte du faubourg Kasimir avec le gardien : « J'ai un

---

1. *Les Premières Œuvres*, 1575, fol. 84 v°.
2. Voir le beau portrait au crayon de la Bibliothèque Nationale, Cabinet des
Estampes, Nᵃ 21ᵃ, fol. 10. — 3. *Les Premières Œuvres*, 1579, fol. 214. — *Les Pre-
miéres Œuvres* de Jean de la Jessée (Anvers, 1583) sont fort importantes pour les
affaires de Pologne (Bibl. Nat., Rés. Yᵉ 483-487).

rendez-vous, dans le faubourg, avec une grande dame ; par
grâce, donne-moi la clé ! » Il sort du palais. En selle, et au
galop jusqu'à la Vistule ! Un bûcheron lui sert de guide dans
la forêt, tandis que le tocsin sonne à Cracovie. Douze heures
de course ont mené le roi de Pologne hors de sa Pologne,
poursuivi par Tencynski et ses Tartares.

> Adieu, Pologne, adieu, plaines desertes,
> Tousjours de neige ou de glace couvertes,
> Adieu, païs, d'un eternel adieu !
> Ton air, tes mœurs, m'ont si fort sceu desplaire
> Qu'il faudra bien que tout me soit contraire
> Si jamais plus je retourne en ce lieu,

avait dit Desportes[1], maudissant son peuple barbare, van-
teur, bavard, qui se tient enfermé le jour et la nuit dans un
poêle, ronfle à table et s'endort sur la terre. Comme son
poète, Henri abandonne joyeusement les guerriers aux
grandes lances, couverts de peaux de loup, qui portent des
bonnets à plumes, les lourds et pauvres Polonais !

Maximilien vient à sa rencontre devant Vienne où il fait
avec lui une entrée triomphale. Mais Henri rêve déjà du
Bucentaure et de Pantalon. Car Henri, roi de France, est tout
pareil au duc d'Anjou. Il pénètre en carrosse dans les États
vénitiens[2], est hébergé chez les hôtes les plus riches du
Frioul, où il se laisse admirer. Le triomphe commence à
Trieste. Mais c'est Venise que veut Henri. Il part, de grand
matin, vers elle, impatient, comme il irait au rendez-vous
d'une maîtresse. On aperçoit son carrosse à la limite de la

---

1. *Les Premières Œuvres*, 1579, p. 224. « Cette pièce est très bonne », a écrit
Malherbe sur son exemplaire (Bibl. Nat., Rés. Yᵉ 2067) dont les notes sur Desportes
sont cruelles : *bourre excellente s'il en fut jamais, galimathias, drôlerie, inepte,
sottise, chimère, bouffonnerie,* etc. — Tous les Polonais ne méritent pas ce méprisant
portrait. Il faut rappeler la part prise par Jan Kochanowski, élève de Muret, qui
visita notre pays et admira tant Ronsard, à la naissance de la « Muse slave ».
Kochanowski défendit, contre Desportes, l'honneur et les mérites de son pays ; et il
garde assurément le beau rôle. Cf. Pierre de Nolhac, *Ronsard et l'Humanisme*,
p. 207-209. — 2. Pierre de Nolhac et Angelo Solerti ont publié un intéressant
*Viaggio in Italia di Enrico III re di Francia e le feste a Venezia, Ferrara, Mantova
e Torino*, Turin et Rome, 1890, que j'ai utilisé abondamment.

terre ferme; une immense ovation s'élève. Le doyen des ambassadeurs, vêtu de son manteau de drap d'or, les ambassadeurs, l'attendent. Henri s'embarque en gondole pour aborder à Murano, parcourt les lagunes : la reine de l'Adriatique, Venise, flotte à l'horizon. Le lendemain, Henri entre dans le canal, monté sur la galère capitane qu'escorte le *Bucentaure*, tout doré à neuf ; les galères de guerre, des centaines de gondoles armoriées appartenant aux nobles vénitiens le suivent. Ainsi Henri aborde au ponton, devant le magnifique arc de triomphe, rappelant celui de Septime Sévère, orné de peintures par le Tintoret, tandis que tonnent les canons des galères et des forts[1].

Et ce sont les nuits claires de l'illumination des palais, les régates, les fleurs qui tombent, les mouchoirs agités aux mains des Vénitiennes. La ville est en feu, le long du canal : fleurs de lys, pyramides et colonnes flamboient ; et, sur les deux heures de la nuit, grésille la sérénade. La fête, plus intime, se prolonge par la visite nocturne aux belles courtisanes de Venise, tarifées, lettrées, décrites au fameux *Catalogo*, les belles amies et les modèles des peintres. Veronica Franco, l'amie du Titien, lui donne son portrait en émail et en couleurs. Et tandis qu'Henri se tient au balcon, les verriers de Murano fondent sous ses yeux les verres dont ils lui font hommage ; Henri leur octroie des titres de noblesse. Vient le grand triomphe, quand, à travers la foule qui l'acclame, le doge est venu le chercher sur le *Bucentaure* pour entendre le *Te Deum* de Saint-Marc. La solennelle réception se déroule au Palais ducal, avec le banquet dans la grande salle où Titien a peint la gloire de Venise, et qui contient trois mille convives. Le roi ne mange pas ; il admire, passe dans la chambre du Conseil. Or la salle du banquet, comme par un coup de baguette magique, devient salle de spectacle

---

1. Voir le tableau du Palais ducal attribué à Andrea de Micheli et la reproduction d'un autre tableau de la galerie de Leitmeritz donné par P. de Nolhac et Solerti, *op. cit.* p. 89-90. Voir aussi la Collection Hennin, t. VII, fol. 74.

où le roi assiste à la tragédie lyrique de Cornelio Frangipani, jouée par les *Gelosi*, mise en musique par Claudio Merulo, et qui contient tant d'allusions à sa louange, d'un si « haut style ».

Que peuvent bien lui faire les nouvelles de France, quand Henri visite le musée des antiques du patriarche d'Aquilée, Giovanni Grimani, où, par surprise, apparaissent trente jeunes Vénitiennes, parées de leurs plus belles robes, avec leurs cheveux surchargés de perles, et qui sourient, vivantes rivalisant en beauté avec les marbres ? Quel plaisir d'aller de boutique en boutique, d'acheter du musc, des chaînes d'or et des colliers de perles ; de retrouver le vieux Titien, de poser chez le Tintoret qui, déguisé en écuyer du doge, avait déjà pris, d'après Henri, un croquis au pastel sur le *Bucentaure*[1] ! Vient le grand bal, où les magnifiques danseuses, si heureuses d'être délivrées de la contrainte des lois somptuaires en faveur du noble étranger, se montrent vêtues de taffetas blanc, portent leurs colliers de grosses perles, leurs collets de crêpe sous lesquels apparaissaient leurs seins blancs comme de l'albâtre, de grosses ceintures d'or ornées de diamants d'où pendaient des croix. Celles-là dont les cheveux sont liés en pelotons, et saupoudrés de poudre d'or, sans voile, les belles Vénitiennes immortalisées par le Giorgione, Titien, Véronèse et le Tintoret, défilent devant Henri, suivies de leur longue traîne ; elles vont danser d'interminables gaillardes. Dans la salle du festin, sur la table couverte de friandises en sucre rosat représentant les dieux et les déesses, il y a une femme, également en sucre, qui tient le double écusson de France et de Pologne.

Mais voici, hélas ! le départ ; Henri envoie, par Villequier, un diamant au doge, qui baise la bague offerte et la porte à son doigt. Alliance, on peut le dire, symbolique.

Car si nous avons rapporté ces fêtes, ces splendeurs et ces

---

1. Voir la reproduction du portrait du Palais ducal, en tête du *Viaggio* publié par P. de Nolhac et Solerti.

mignardises, c'est parce qu'Henri III a bu vraiment le poison
de Venise [1] ; et le goût nouveau que ses poètes, Desportes,
Belleau, Baïf, ont propagé autour de lui, est celui de l'Italie
de Venise [2]. Tout ce faux goût, étranger, baroque, surpren-
dra Ronsard qui n'a jamais été en Italie et déteste les Italiens. Il demeure, en ce temps-là, un « vieux Gaulois », hési-
tant parfois dans son art, inquiété par le succès des jeunes
gens qu'il cherchera à surpasser. Il écrira, courtisan, la chronique somptuaire de la cour, faisant parfois une concession
à ce goût nouveau. Mais, misanthrope et terrien, Ronsard
n'approuvera pas ces fadaises, ces sucreries, ces mignardises,
ce néo-italianisme, cet académisme florentin, cet esthétisme
platonicien, et enfin les mœurs contre nature.

Car Ronsard appartenait bien à la génération de Henri II,
à celle d'Olivier de Magny qui suivit d'Avanson en Italie et
en rapporta des satires ; à celle de Joachim du Bellay qui vit
dans Rome un vaste décombre, languit loin de son Liré, se
gaussa de Venise, de ses « coyons magnifiques », des Vénitiens au parler grossier :

> Il fait bon voir de tout leur Senat balotter,
> Leurs femmes, leurs festins, leur vivre solitaire.
> Mais ce que l'on en doit le meilleur estimer
> C'est quand ces vieux cocus vont espouser la mer
> Dont ils sont les maris et le Turc l'adultere !

Le roi Henri a pris tout cela fort sérieusement, verbal
comme il était, artiste romantique déjà.

Alors la reine mère demeure préoccupée de son inquiétant
garçon, qui s'attarde aux plaisirs vénitiens, les prolongera
à Mantoue, à Turin et jusque dans la descente de la Saône,

---

1. Le Tasse a fait à ce sujet une observation pleine de sens (*Discorso intorno alla
sedizione nata nel regno di Francia l'anno* 1585, citée par P. de Nolhac et Solerti,
op. cit., p. 119).Voir une intéressante protestation contre ces mœurs des étrangers
dans les vers de Jean de la Jessée, de Pierre de Brach, de Guillaume du Buys, admi-
rateurs et disciples de Ronsard.

2. Remy Belleau ouvrira pour Henri III, dans ses *Nouveaux échanges de pierres précieuses*, 1576, le coffret de ses bijoux, de ses perles, de la toilette de Vénus, pour lui
plaire, et aussi pour l'affection particulière qu'il porte aux vertus.

où il monte sur un bateau qui peut bien lui rappeler le *Bucentaure*. Elle l'exhorte à rentrer dans son royaume, lui rappelle cette gravité que Dieu lui a donnée, l'engage à se montrer maître, et non plus compagnon, à rompre avec les menteurs. Voilà tout un programme, que lui dictent son expérience et sa sagesse, mais que « Monsieur » écoutera si mal. La reine mère va au devant de lui, à Lyon, au mois d'août 1574 (Hélène l'a suivie). Henri III entre dans la ville, dans son coche de velours noir accordé à sa mélancolie. De Thou le regarde de la fenêtre de la maison de l'imprimeur Jean de Tournes, et il demande à Dubois, lieutenant général de Limoges : « Qu'augurez-vous du nouveau roi? » — « Rien de bon. » Les événements devaient lui donner raison.

Ronsard ne s'est pas rendu à Lyon. Mais il a eu le temps de faire imprimer son *Discours au Roy*[1], plaquette que lui remit sa sœur Marguerite, la jeune reine de Navarre.

C'est le temps où Mlle de Chasteauneuf[2] essaya peut-être de reprendre le roi Henri. Mais c'est le temps aussi où la douleur l'accable au point qu'il doit garder le lit trois jours, en proie à la fièvre ; car la princesse de Condé, Marie de Clèves, sa passion, est morte subitement, nouvelle que Catherine elle-même n'osait lui annoncer[3]. Alors Henri se montre en public avec des vêtements chargés d'emblèmes funèbres : têtes de mort sur ses aiguillettes, sur les parements de son pourpoint, sur les rubans de ses souliers. Il porte la croix de la défunte à son cou ; aux oreilles, les pen-

---

1. III, 97. A Lyon, chez Michel Jove et Jean Pillehotte. Réimpression à Paris. Cette dernière à la Bibl. Nat., Rés., Y⁰ 1117. — Cf. J.-A. de Baïf, *Espitre au roy sous le nom de la royne sa mere pour l'instruction d'un bon roy* (Bibl. Nat., Rés. m. Y⁰ 945).

2. La belle Chasteauneuf, Mlle de Rieux, dont nous conservons un si joli crayon (Moreau-Nélaton, *les Clouet et leurs émules*, II, fig. 263). Ronsard la connaissait bien qui a écrit pour elle un sonnet dans *les Amours diverses* de 1578 (I, 351). Une intéressante pièce de J.-Antoine de Baïf (*les Passetems*, 1573, fol. 23ᵛᵒ) nous montre que Mlle de Chasteauneuf savait inciter les poètes à décrire sa beauté :

> Car tu sçais d'un traict d'œil gaigner les escrivans
> Qui a mille ans d'icy laisseront survivans
> Les traicts de tes beautez par les beaux traicts qu'ils tirent.

3. *Lettres de Catherine de Médicis*, t. V, p. XLI-XLII.

dants qui venaient d'elle. Et le roi distribue autour de lui les pendants à tête de mort que Desportes a si curieusement décrits.

On monte sur un bateau armé de canons pour descendre le Rhône jusqu'à Avignon où Catherine va s'efforcer pendant trois mois (novembre 1574-janvier 1575) de soumettre et de pacifier le Languedoc. Henri n'est qu'à sa douleur, comme il n'était, à Venise, qu'à sa volupté. Il s'est affilié aux pénitents, de la manière la plus sincère et la plus mystique[1] ; le corps dans un sac qui ne laisse voir que ses yeux, il parcourt nuitamment la ville à la lueur des torches, accompagne les processions des flagellants, les « battus d'Avignon ».

C'est en suivant l'une de ces processions, la tête et les pieds nus, que le cardinal de Lorraine prit le refroidissement dont il mourut. Il passe au cours d'un orage, où les huguenots crurent voir les diables venus le chercher pour leur sabbat[2]. Ronsard n'a point parlé de son ancien, et toujours élégant, patron. Mais Brantôme, souvent l'écho des conversations de Ronsard, peut bien penser comme son ami ; il le « tenait pour fort caché et hypocrite en religion, laquelle il s'aidoit pour sa grandeur ». Quant à Catherine, elle le haïssait, disant, par derrière, que « ce jour-là estoit mort le plus meschant des hommes » ; elle le revoyait dans ses songes.

Quelles illusions pouvait bien nourrir Pierre de Ronsard envers son jeune souverain, lui qui, par tradition, n'est qu'un serviteur ! Dans le *Discours*[3], remis au roi par la petite reine de Navarre, non sans adresse, Ronsard lui avait rappelé comment, dans une « saison » si douteuse, quand cha-

---

1. C'est à Venise qu'il rencontra saint Borromée qui paraît bien lui avoir exposé ses idées de réforme morale pour apaiser l'ire de Dieu « procédante des péchés des hommes » (Édouard Frémy, *Henri III pénitent*, Paris, 1885, p. 8.) Voir plus tard sa correspondance avec du Ferrier.

2. Pierre de l'Estoile, I, p. 40-41, 42-46 ; les vers latins de La Roche-Chandieu, qui polémiqua avec Ronsard (*Ibid.*, p. 42-43). — Un beau portrait du cardinal est dans la collection Hennin, t. VII, fol. 69. — Son tombeau, d'un goût très simple et pur, fut élevé à la cathédrale de Reims (Bibl. Nat., Cabinet des Estampes. Q[b]. 21).

3. III, 197 (1575) : Si l'honneur de porter deux spectres en la main...

cun craignait pour sa vie, bravement, il avait célébré ses
belles victoires dans l'hymne :

Tel qu'un petit aigle fort [1],

chanson qui lui avait été si agréable que le prince l'avait
apprise par cœur[2]. Il disait le carnage de Moncontour, rappelait le mot de Charles IX à Dorat :

N'escrivez point de moy,
Escrivez de mon frere, escrivez de sa foy,
Et comme sa vertu, prodigue de prouesse,
S'immolant en mon lieu le sceptre me redresse.

Enfin, Ronsard déclarait à Henri que le peuple avait mis
en lui tout son espoir, lui conseillant aussi de faire, comme
Ulysse, son profit des peuples qu'il avait visités. Ainsi Ronsard se mettait à sa disposition :

S'il vous plaist l'appeler, sans farder une excuse,
Il vous ira trouver avec la mesme Muse
Dont il chanta Henry [3]...

Au mois de décembre de la même année, Ronsard adressait
au roi Henri III des *Estrennes* [4], d'un tour vraiment
savoureux, où il disait :

Je ne suis courtizan ny vendeur de fumées...
Je n'ay d'ambition les veines allumées,
Je ne sçaurois mentir, je ne puis embrasser
Genoux, ny baiser mains, ny suivre, ny presser,
Adorer, bonneter ; je suis trop fantastique :
Mon humeur d'escolier, ma liberté rustique,
Me devroyent excuser...

Mais, comme on était dans ce mois où le peuple romain
donnait licence aux serviteurs de raconter ce qu'ils voulaient,
Ronsard demandait au roi Henri III pareil congé :

J'ay la langue de rongne et le palais enflé.

C'est trop chanté d'amour ; Ronsard veut devenir un

---

1. IV, 252.— 2. Ed. 1569 : *Chant triomphal pour jouer sur la lyre.*— 3. Henri II.
4. III, 204. *Estrennes au roy Henry III, envoyées à Sa Majesté au mois de décembre*
[1574]. Cf. Léon Dorez, *Rev. d'Hist. littéraire*, 1895, p. 83.

satirique, comme jadis il l'avait proposé à Charles IX. Ainsi
il contribuera à la réforme du royaume. Il sera tel un
ours mordant tout le monde, s'attaquant à ceux qui font les
courtisans, aux prélats de cour qui ne résident pas dans leurs
églises, aux trafiquants qui veulent gouverner l'État, aux
quémandeurs alléguant qu'ils se sont dépouillés pendant le
voyage de Pologne, aux « vieux corbeaux » qui « gour-
mandent » les finances royales, à ceux qui se ruinent en
habits et en dépenses. Il y a là une vue originale et forte de
ce temps, qui convenait bien au tempérament batailleur de
Ronsard. Mais c'est aussi un fait que le poète a supprimé,
plus tard, les vers de sa version originale où le roi aurait pu
trouver une leçon trop rude[1] :

> Si quelque dameret se farde ou se desguise[2],
> S'il porte une putain au lieu d'une chemise,
> Atifé, gaudronné, au collet empoizé,
> La cape retroussée et le cheveul frizé :
> Si plus je voy porter ces larges verdugades,
> La coiffure ehontée et ces ratepenades,
> Ces cheveux empruntez d'un page ou d'un garson,
> Si plus des estrangers quelqu'un suit la façon
> Qu'il craigne ma fureur[3]...

Les plus beaux vers courtisans de Ronsard, Henri III les
a reçus avec le *Bocage Royal*[4]. Que de soins prend le vieux
Ronsard pour rappeler au César, qui portait deux sceptres
dans sa main, son nouveau maître, tout ce qu'il avait fait
déjà pour sa gloire ! Il le disait avec beaucoup de dignité,
avec le sentiment de sa gloire à lui. Car le poète n'avait ni
gagné l'Italie, sur un cheval poussif, pour venir saluer
Henri, ni vendu son bien

> Pour vous baiser les mains, embrasser vos genous,
> Prosterner, adorer : il ne le sçauroit faire,

---

1. VII, 357. Ce projet de satire allarma fort le jeune disciple de Ronsard, Jean de
la Jessée : voir sa Remonstrance dans la *Grasinde* de 1578 (Bibl. Nat., Rés. Yᵉ 464),
un peu modifiée dans les *Premières Œuvres*, en 1583. Cl. Binet, très spirituel, avait
fait le même projet. — 2. Les portraits de Saint-Maigrin et de Louis de Balzac au
Louvre (nᵒˢ 1372, 1373) commentent ces vers. — 3. III, 188-97 (*Le Panégyrique de
la Renommée*, 1579), 204. — 4. Section nouvelle de l'édition 1584. (III, 203).

> Son humeur fantastique est aux autres contraire :
> Ceux qui n'ont que le corps sont nez pour tels mestiers,
> Ceux qui n'ont que l'esprit ne les font volontiers...
> L'honneur aime l'honneur, la vertu, la vertu.

Ronsard restera pauvre, si le roi ne veut l'employer :

> Ou si vostre disgrace à ce coup il essaye,
> Il sera cazanier comme un vieil morte-paye
> Qui renferme sa vie en quelque vieil chasteau,
> Paresseux, accrochant ses armes au rasteau,
> Au païs inutile, et veincu de paresse
> Pres de son vieil harnois confine sa vieillesse.

Tel est le vieux serviteur, noble et digne. Serviteur, mais pas courtisan ; car Ronsard ne sait ni mentir, ni embrasser les genoux et les mains à la mode italienne. Et cependant, le pauvre, il a grand besoin d'argent! Car le *Songe*[1], que Ronsard adressera au roi Henri III, ce fantastique tableau qu'il trace des bons chiens attaquant la bête, au plus épais des halliers, l'allusion au sanglier qu'il ne peut forcer que par le miracle du roi frappant de sa houssine les chiens qui deviennent d'argent, symbolise la puissance royale.

En attendant mieux, Ronsard offrait au roi Henri son beau « Discours de l'équité des vieux Gaulois[2] », qui prend tout son sens quand on le rapproche du *Reveille matin des François* de François Hotman, imprimé précisément en 1574. Car la « Gaule Franque » est l'utopie du passé opposée à la royauté présente et oppressive. Nos vieux pères Gaulois, vaincus par César, mais asservis aujourd'hui par une femme et des Italiens, descendants dégénérés des Romains, sont un thème fréquent de déclamation pour les huguenots, le sujet d'une suite de sonnets que recueillit Pierre de l'Estoile[3] et que Ronsard connaissait bien ; car il a pris là plusieurs traits satiriques, et certainement le nom de Circé donné à Catherine.

Telle apparaît la vieille reine mère qui cherche encore

---

1. III, 209. — 2. III, 215 (éd. 1584). — 3. Ed. G. Brunet, I, 73-81.

à gouverner, demeure toujours active, vivante, mais porte le poids de la haine qui s'attache à l'administration. On la rend responsable de tout, des impôts que les Français ne veulent plus payer, de Birague, son chancelier d'origine italienne, qui la conseille et travaille seul. Les Français l'accusent, l'étrangère, la vieille souveraine, d'avoir trompé tout le monde, de vouloir rester toujours la maîtresse, comme si jamais elle ne devait mourir[1]. On prévoit déjà le morcellement du royaume. Et Ronsard, qui avait été le serviteur si dévoué de Catherine, la nommera des noms que tous lui donnent, la Circé, la Magicienne[2].

Le roi Henri, qui vient d'apprendre les échecs de ses troupes devant Livron, en Dauphiné, et devant Aigues-Mortes, remonte à Lyon, gagne Reims, où son sacre a lieu le 15 février. Il ajuste, le matin de la cérémonie, des pierreries sur ses vêtements et sur la robe de sa fiancée, Mlle de Vaudémont, qui est la vertu même, et qu'il aime, ayant espérance « que Dieu me fera la grâce d'en avoir des enfants[3] ». Ce sont les mots qu'il écrivait à son ambassadeur à Venise et qui contiennent une grande partie du secret de ce personnage vraiment ambigu et énigmatique que fut Henri III. Car cette Louise de Lorraine, au teint blafard, délicate, si chaste et sage, maigre et blonde aux yeux verts[4], l'aima de tout son amour. Elle ne le quittait pas du regard, lui passant à table la serviette. Indulgente à toutes ses fantaisies, elle suivit avec lui tant de pèlerinages, fit tant de dévotions pour obtenir un héritier que le roi, épuisé, était incapable de lui donner. Et dans la suite, on la vit visiter les hôpitaux, soigner les malades, ensevelir les morts, comme « les reines

---

1. Henri III eut toujours une certaine crainte de sa mère, « maman », comme il dit quelquefois. Mais Catherine n'écrivait aucune lettre qu'il ne vît. Par la suite, Henri fit beaucoup pour l'écarter des affaires. Elle correspondait alors avec Villeroy pour être renseignée, et elle s'en plaignait. — 2. Son talisman égyptien (?) sera l'objet d'estampes satiriques répandues par les Ligueurs. — 3. *Relations des ambassadeurs Vénitiens*, t. II, p. 141. — 4. Voir l'intéressant portrait du Louvre, et un crayon publié par E. Moreau-Nélaton, *les Clouet et leurs émules*, II, fig. 440.

du temps passé de la primitive Église », dépensant tous ses
revenus en aumône [1]. Mais les Français ne la comprennent
pas, ne l'aiment pas, à cause de son origine lorraine, trop
proche des Guises factieux, pas plus qu'ils n'aiment son
mari, inerte et sans vie, qui ne sait pas commander, qui
demeure toujours sans moyens financiers.

Au mois de février 1575, après son sacre, Henri III fait son
entrée à Paris [2]; et Ronsard écrit à cette occasion quelques
sonnets et des mascarades. Car le roi n'a pas répondu
à son projet de satire. Pauvres compositions que Desportes
peut faire aussi bien que Ronsard ; et Desportes sera le grand
fournisseur de cartels, de mascarades royales, tiendra à la
cour de Henri III exactement le rôle que Ronsard avait tenu
aux fêtes de Fontainebleau, il y avait un peu plus de dix ans.
Ainsi Philippe Desportes [3] a rimé les Chevaliers du Phœnix,
poème renouvelé de l'antique vœu du Paon, les ballets des
filles de la reine, le cartel pour le duc du Maine et sa troupe
sur le thème de la mort d'Adonis, la mascarade des visions,
de l'hydre d'amour, des chasseurs, des chevaliers agités où
Echo répond en rime, des chevaliers fidèles, et tant d'autres
puérilités, des choses pour la musique que scandent les
allègres violons d'Italie, qu'un eunuque tel Buvet, chantre
excellent, haï des femmes comme Orphée, excelle à rendre.
Dans ces scénarios, Desportes rencontrera d'ailleurs partout
comme émule Ronsard. Mais il traduit le goût du roi, son
goût italien ; et Ronsard, déçu, part l'été de 1575 pour son
prieuré de Croixval où il passera l'hiver [4].

L'année qui suivit son retour d'Italie, on trouve le roi
Henri enforci, moins blême et mélancolique ; s'il est toujours
pâle, il semble plus animé. Il a même pris un peu d'embon-

1. Brantôme, éd. Lalanne, t. IX, p. 638-643. Cf. Jean de la Jessée, *les Premières
Œuvres*, 1583, p. 105, 187, 444. — 2. *Registre des délibérations du bureau de la
ville*, t. VII, p. 231. — 3. *Les Premières Œuvres*, 1573, 1575, 1576, 1577, 1579,
1585. — 4. Jean Martellière, *Pierre de Ronsard, gentilhomme vendômois*, p. 87-88 ;
Paul Laumonier, *Ronsard et sa province*, p. xxvi.

point; mais tout le monde est persuadé qu'il ne vivra pas longtemps, avec ses indispositions graves, secrètes, ses mauvaises digestions. Il boit un peu de vin, ce qu'il n'avait pas fait depuis sa jeunesse. Sur ses vingt-quatre ans, comme il est différent des Français qui l'entourent, dont la santé et l'appétit sont un étonnement constant pour les ambassadeurs italiens! Car Henri III n'aime ni la chasse, ni la paume, ni le manège; il n'aime que la paix, la vie intérieure, les discussions verbales. Il se montre d'abord distant avec les Français, habitués à tant de familiarités avec un souverain qui est de leur maison, de leur sang, simple et rude comme eux[1]. Et il ne tolère pas que l'on entre dans son cabinet dans une tenue incorrecte, même à ses familiers.

Mais quel changement peut noter, un an après, l'ambassadeur vénitien, Giovanni Michieli : « Tous les instincts de bravoure et de graves desseins (du roi) dont on parlait ont entièrement disparu; il s'abandonne à une telle oisiveté[2], les voluptés dominent tellement sa vie, il s'éloigne tant de tous exercices que chacun s'en étonne. Il se tient, la plupart du temps, chez les dames, se couvrant de parfums, faisant friser ses cheveux, portant aux oreilles des pendants et des anneaux de plusieurs sortes. On n'a pas l'idée de la dépense qu'il fait pour la beauté et l'élégance de ses chemises, de ses habits[3]; il charme les dames en mille façons, mais surtout en leur donnant des joyaux qui lui coûtent des sommes énormes, de manière qu'il obtient d'elles ce qu'il veut. » Ce rapport ne nous paraît pas exact; Henri III était alors vrai-

---

1. *Relations des ambassadeurs Vénitiens*, II, p. 235-237.

2. Ceci nous paraît très exagéré. Le secrétaire d'État lui résumait toutes les affaires qu'il annotait de sa main (Voir le ms. fr. 3385). Les lettres du roi sont toujours précises et brèves, sur un ton de persiflage souvent. Son état de santé ne lui permet pas grand travail. Il a des migraines. D'O a fait beaucoup de courrier pour lui. (Voir la correspondance d'Henri III avec Villeroy et aussi les fragments qui nous restent des registres du Conseil, Bibl. Nat., ms. fr..10840, 16226).

3. C'est vrai sans doute au début de son règne; mais le plus souvent, dans sa correspondance, Henri se montre désespéré « de tant de dépenses ». Ses réformes somptuaires sont très nombreuses.

ment un séducteur, ignorant même le nombre de ses con-
quêtes.

Ce ne sont pas les poètes qui intéressent cet immoraliste ;
ce sont les moralistes, les philosophes, Platon et ses disciples.
A Davy du Perron, son lecteur, il commande le *Recueil de
mille traits*, tirés de Cicéron et Sénèque. Avec ses Florentins,
Henri III lit Polybe, Tacite, et surtout le *Prince* de Machiavel
« dont la lecture le rendoit plus amoureux de son secret[1] ».
Il a même voulu apprendre le latin, à son retour de
Pologne. Assez ignorant, mais bien doué, Henri III se montrait curieux de tout[2]. Il voulait pour la France des cicéro-
niens ; et c'est à sa requête qu'Estienne entreprit sa *Précel-
lence du langage françois*, dont Henri III fut le propre censeur. Pontus de Tyard, l'Hermès du seizième siècle, l'orienta
vers les sciences naturelles. Ronsard le savait bien qui a
écrit du roi[3] :

> Il a voulu sçavoir ce que peult la Nature
> Et de quel pas marchoit la premiere closture
> Du ciel, qui tournoyant se ressuit en son cours,
> Et du soleil qui faict le sien tout au rebours...

Car Henri III avait tout voulu savoir et connaître. Il
faisait même des vers, rimant une chanson d'Horace et ses
propres gestes. A Vauquelin de la Fresnaye, il avait demandé
un *Art poétique*. Mais surtout il aimait la controverse, les
joutes oratoires. Du Louvre, déjà consacré aux Muses,
Henri III entendait, pour l'honneur du pays, faire une autre
académie florentine.

L'établissement de la première académie remontait à
l'année 1570 et Jean-Antoine de Baïf en fut le fondateur.

1. Une image satirique, répandue par la Ligue catholique, faite après la mort
d'Henri III, le représente sous la forme d'un dragon, avec le mufle d'un lion, les cheveux et les seins d'une femme, tenant à la main un médaillon de Machiavel (Bibl.
Nat., Cabinet des Estampes, Qb. 22).
2. C'est lui vraiment l'homme brillant et artiste des Valois, et non pas Charles IX,
qui ne fut qu'un enfant colérique. Cf. A. Jamin, « Hercule défenseur des Muses »
(*Les Œuvres*, 1575, fol. 16 v°). — 3. III, 193.

C'était une académie de poésie et de musique, « dressée à la manière des anciens », dont le roi Charles IX s'était déclaré le protecteur, dans des lettres patentes données au mois de novembre [1]. Le siège était dans la maison même de Baïf de la rue des Fossés-Saint-Victor, décorée de « belles inscriptions grecques, tirées du poète Anacréon, de Pindare, d'Homère et de plusieurs autres, qui attiroient les yeux des doctes passants ». Plaisante demeure, où les plus habiles musiciens du monde venaient en troupe « accorder le son mélodieux de leurs instruments à ceste nouvelle cadence des vers mesurez ». Et parfois le roi Charles IX, qui avait imposé sa fondation à l'Université et au Parlement protestataires, venait à l'Académie, avec les princes de la cour, entendre les musiciens, parmi leurs auditeurs. Les réunions pouvaient aussi se tenir au collège de Boncourt, la maison de Jean Galland, principal, le grand ami de Ronsard. Car il y avait là une vaste salle, isolée, fort claire, toute peinte de grotesques. Parmi les « académiques » on comptait Dorat, Ronsard, Amadis Jamyn, Jodelle, Belleau et Pontus de Tyard. Aux séances, on donnait des lectures, des représentations. Jean-Antoine de Baïf en lisait les comptes rendus au roi, à sa table. Les grognements confus des chiens de Charles IX l'interrompant :

> Vous, gaillard et dispos,
> Avecque le baston qu'entre les mains vous pristes
> Du maistre qui servoit, cesser à l'heure fistes
> Le gronder de ces chiens qui, sans plus rechigner,
> En repos et en paix vous laisserent disner.

Sur quoi Baïf demandait à Sa Majesté de faire taire, de ce même bâton, l'Ignorance, l'Envie et l'Erreur. Mais l'époque

---

1. Ce que nous avons dit de l'Académie du Palais n'est qu'un résumé d'Édouard Frémy, *l'Académie des Valois, d'après des documents inédits*, Paris, 1887. Voir aussi l'excellent livre de l'abbé A. Cabos, *Guy du Faur de Pibrac*, 1922. — Quelques procès-verbaux ont été conservés à la bibliothèque de Copenhague et dans le volume du fonds Dupuy 559, à la Bibliothèque Nationale, où se trouve un discours sur l'Envie portant l'orgueilleuse signature de Ronsard. Voir aussi la minute d'un discours autographe de Ronsard dans la collection Henri de Rothschild.

est mauvaise. La tragédie du 24 août 1572 a tué la tragédie :
c'est Baïf qui l'a déclaré[1] :

> On me dira mondain si je fay l'amoureux ;
> Chacun se piquera, si j'écri la satyre ;
> Des tragiques méchefs on n'ose plus escrire
> Pour n'ofenser les grans, qui les sentent sur eux ;
> Les devis pastoraux et les rustiques jeux
> Sont frivoles sujets, qu'on ne daigneroit lire,
> La Comédie, aussi, ne se peut recevoir
> En langage françois...

Amadis Jamyn termine la traduction de l'*Iliade*[2], et la jeune
académie meurt avec le roi Charles IX.

Il appartenait à Henri III, sur qui l'on fondait alors tant
d'espoirs, le « père de la Patrie », de la relever. Les académiques avaient fait le rêve, qu'Antoine de Baïf a si élo-
quemment traduit, de le conseiller, de l'instruire, de le
mettre en garde contre les flatteurs. Baïf faisait parler
la reine Catherine de Médicis, la vieille reine instruite et
prudente :

> Les lettres et les lettrez, ô mon fils, favorise ;
> Les lettres et le sçavoir sous ton regne autorise...

Et Ronsard laissait entendre au roi qu'il allait, lui,
devenir satirique[3] :

> J'ay trop long temps suyvi le mestier heroique,
> Lyrique, elegiaq' : je seray satyrique,
> Disoy-je à vostre frere, à Charles mon seigneur,
> Charles qui fut mon tout, mon bien et mon honneur.
> Ce bon prince, en m'oyant, se prenoit à sourire,
> Me prioit, m'enhortoit, me commandoit d'escrire,
> D'estre tout satyrique instamment me pressoit :
> Lors tout enflé d'espoir qui de vent me paissoit,
> Armé de sa faveur, je promettois de l'estre :
> Ce-pendant j'ay perdu ma satyre et mon maistre.
> Adieu, Charles ! adieu ! sommeilles en repos !

1. E. Frémy, *op. clt.*, p. 73. — Ce n'est pas tout à fait exact. L'*Hippolyte* de Garnier parut chez Robert Estienne en 1573 et Ronsard lui consacra un sonnet (VI,
434. Voir l'intéressant sonnet de Nicolas de Ronsard, sieur des Roches) ; il fit de
même à propos de sa *Cornélie*. — 2. Voir l'ode de Ronsard à ce propos faisant allusion
aux troubles de la guerre civile (VI, 435). — 3. III, 207. (*Estrennes* de 1574.) Voir
à ce propos la *Remonstrance* de J. de la Gessée (La *Grasinde* de 1578).

L'éloquent avocat Guy Faur de Pibrac, un esprit hardi, libre, qui avait rendu tant de services à Henri III et à la propagande française en Pologne, devait diriger l'Académie dans le sillage de l'Académie platonicienne de Florence, vers la discussion philosophique. Elle passa au Palais, siégea dans l'antichambre du cabinet du roi[1], le protecteur désigné de la nouvelle compagnie. Le roi Henri prend plaisir à la présider, quand il est à Paris, qu'il aime, près de la Seine qu'il nomma sa « bonne mère » ; alors il se donne « campos » avec les Muses[2].

Nous ne possédons plus le *Livre d'Institution* de l'Académie du Palais que rédigea, sur beau vélin, Desportes et que signèrent le roi, les seigneurs et tous les savants de son temps. Mais nous savons que l'Académie se tenait deux fois par semaine en son cabinet, « pour ouir les plus doctes hommes qu'il pouvoit » : Ronsard, Pibrac l'initiateur, Tyard, Baïf, Desportes, Du Perron, Amadis Jamyn, Dorat. Les principaux favoris du roi en étaient les protecteurs : le maréchal de Retz, le duc et le cardinal de Guise, MM. d'O, de Villequier, de Schomberg, de Caylus, de Maugiron, de Saint-Luc, les enrichis que Ronsard appelait les *Chrysophiles* et Marguerite de Valois les *potirons*. On y retrouvait les académiciennes, comme Mme de Retz qui écrivait purement le grec, le latin et l'italien, la dixième Muse et la quatrième Grâce ; car Henri III n'était pas misogyne, loin de là. On le vit trois heures de suite, chez Mme de Senecterre, se tenir debout, la main appuyée au manteau de la cheminée, ne parlant qu'à elle[3]. Chez Mme de Boullancourt, qu'il appelait sa mère, une pieuse et charitable dame, Henri III avait même sa chambre.

1. Dans la pièce qui est avant la salle des sept cheminées.
2. Ces mots sont ceux d'Henri III dans sa correspondance avec Villeroy.
3. Il aimait « plus l'esprit de cette dame que le corps et faisoit grand estat de ses discours jusques à l'entretenir par toutes les compagnies où il la rencontroit, laissant là toutes les autres pour deviser avec cette dame », au témoignage de Pierre de l'Estoile (éd. G. Brunet, II, p. 398).

C'est en 1576, suivant d'Aubigné[1], que commencèrent les disputes académiques sur des sujets de morale surtout ; et c'est Ronsard qui prononça le discours d'inauguration.

La question, proposée par le roi lui-même, était la comparaison entre les vertus intellectuelles et les vertus morales : quelles sont les plus excellentes et les plus nécessaires ? Peut-être une femme savante parla la première et conclut à la supériorité des vertus intellectuelles. Mais Ronsard, en présence du roi, devait prononcer le discours, qui commence, comme tant d'autres, par un exorde annonçant la brièveté[2] : « Encores, Sire, que je ne me sois jamais exercé à longuement discourir, et que ma principalle vaccation a esté plus d'escrire que de parler, si est ce que, obeissant à vostre commandement, je m'en acquiteray le mieulx que je pourray et seray d'aultant plus digne de pardon que j'essaye ung chemin tout nouveau et que je fais tout ce que je puis pour vous obeir et servir.

« Il me semble que la question que Vostre Majesté nous proposa l'autre jour, nous commandant de nous en aprester, est à sçavoir si les vertus moralles sont plus louables, plus necessaires et plus excellentes que les intellectuelles.

« Quand à moy, j'en diray mon advis le plus briefement que je pourray, laissant le surplus à ceste docte compaignie, plus exercée que moy en la philosophie et en l'art de bien dire, car mon principal mestier a toujours esté la poësie. »

Il est beau, Ronsard, parlant de son métier devant le jeune roi, exerçant le sien, ce jour-là ; il est curieux de l'entendre, lui, le Grec, scolastiquement ratiociner des deux facultés de l'âme, dessiner l'imagerie des Vertus, comme médiévale.

---

1. *Histoire universelle*, éd. de Ruble, V, p. 3. « Une assemblée que le roy faisoit deux fois la semaine en son cabinet, pour ouïr les plus doctes hommes qu'il pouvoit, et mesme quelques dames qui avoient estudié, sur un problème toujours proposé par celuy qui avoit le mieux fait la dernière dispute. » — 2. VII, 100-107. — Cl. Binet (éd. Laumonier, p. 40) a rapporté ce mot de Ronsard « que la prose estoit le langage des hommes, mais la poësie estoit le langage des Dieux ».

Mais les sources de Ronsard demeurent Platon ; les exemples qu'il propose, Périclès, Thémistocle, Aristote, les hommes qui ont su et agi.

Car Ronsard entend préférer à la spéculation, aux vertus intellectuelles, les vertus morales. Le poète se montra d'ailleurs toujours homme d'action. Que de belles images dans cette prose de Ronsard, si simple ! Écoutons-le parler :

« Il fault entendre, Sire, que l'ame est divisée en deux parties et facultez : l'une raisonnable et l'autre irraisonnable. La partie raisonnable est celle où est l'intellect, qui, comme un grand cappitaine du hault d'un rempart, commande à ses soudars... » L'éloge du courage, de la libéralité était bien capable de toucher un roi libéral à l'excès et courageux. Ronsard montrait le conflit de la raison et nos passions :

« Et la raison est au hault de la tour et au sommet de la teste comme ung roy en son trosne, ou le senat en son pallais, corrigeant, amendant et faisant venir à obeissance telles passions et perturbations, et les contenant en leur debvoir.

« Les antiens poëtes, affin que j'honore mon mestier, ne pouvant montrer aux yeulx corporels combien le vice venant de passion estoit monstrueux, feirent peindre une chimere qui estoit divisée en lyon, en dragon et en chevre, et un chevalier dessus nommé Bélorophon, qui la tuoit. Ce Bélorophon estoit un philosophe moderé, bien rassis et bien apris aux vertus moralles, qui tuoit, subjugoit, domptoit ses propres passions et propres affections. Encores ont ils fainct qu'il y avoit des hommes qui estoient centaures, bestes par la partie inferieure, à cause de la sensualité, et homme par la haulte, à cause de la raison.

« Or, quand les passions sont debordées et hors de mediocrité, elles ne sont pas seullement vicieuses, mais elles engendrent les vices. Mais quand elles sont bien moderées et guidées par le frain de la raison, elles ne sont pas vicieuses ; au contraire, elles sont principes et matieres de la vertu ; car de voulloir du tout, comme les Stoïciens, derraciner hors de l'homme les passions, cela est impossible. Tant que nous aurons foye et cœur, veines, arteres et sang, nous aurons des perturbations[1]. Or, de les sçavoir bien moderer et attremper, c'est le faict et vray office des vertus moralles. »

Ronsard rappelait ce Socrate qui, le premier entre les sages, fit descendre des nues la philosophie, « comme on dict que les sorcieres de Thessalie tirent la lune et la font venir en terre » ; ainsi il la communiqua aux hommes, « la logea dedans les citez, tournant la contemplacion en l'action. » Anaxagore, Thalès et Démocrite se sont amusés à la « contemplative », sans aucun profit pour leur république.

« On ne laisse pas d'estre homme d'honneur et de vertu, et de vivre bien et sainctement sans sçavoir telles curieuses vanitez, qui nous estonnent du nom seullement, et dont l'effect n'est que vent. » Et Ronsard disait dans l'antichambre du Louvre : « Voyez vous pas nos laboureurs qui n'ont jamais apris que l'art de la charue ? Touttesfois, ils vivent en gens de bien et d'honneur. S'il y a quelque probité, vertu, foy, simplicité, preudhommie au monde, elle est parfaictement entre les laboureurs. Ceux des terres nouvellement trouvées, en Canada, Perou, Calicuth, n'ont point de sciences ; touttesfois ils sçavent garder, de nature, une amitié et société et ung bon commerce les ungs avec les autres... »

Ce beau discours annonce enfin l'auteur de la préface à *la Franciade*[2] où Ronsard soutiendra qu'Homère, Platon, Virgile, Lucrèce et mille autres parlaient même langage « que les laboureurs, valets et chambrieres ». Le poète aimait la langue des gens de métier, les vieux mots d'*Artus*, de *Lancelot*, de *Gauvain*, le bon bourgeois citoyen qui commente le *Roman de la Rose* « plutôt que de s'amuser à je ne sais quelle grammaire latine, qui a passé son temps ». Les imitateurs de Sadolet, de Bembo, qui ont « recousu ou rabobiné, je ne sçay

---

1. Voir les vers adressés à Bérenger du Guast (IV, 101-102).
2. VII, 75.

quelles vieilles rapetasseries de Virgile et de Ciceron », ne
lui semblaient avoir plus de valeur que le cri d'une oie « au
prix du chant de ces vieils cygnes, oiseaux dediez à Phebus
Apollon[1]. »

Était-ce l'heure de contempler quand il y avait tant à faire
pour policer, gouverner, modérer les tempéraments des
hommes, les uns colériques, les autres flegmatiques, mélancoliques, ambitieux, arrogants, simples ou modestes ?

« Caton le Censeur disoit que Rome se perdroit quant on
introduiroit tant de sciences. Quant à moy, si ce n'estoit peur
de honte, je dirois que je ne congnois point tant de vertus
intellectuelles, qui sont propres aux endormis et agravez de
longue paresse, comme les hermites et autres telles gens
fantastiques et contemplatifs, me retirant du tout du costé
de l'action. Car que sert la contemplation sans l'action ? De
rien, non plus qu'une espée qui est toujours dans un four-
reau ou ung cousteau qui ne peult coupper ! Je conclus
doncq, puisque les vertus moralles nous font plus chari-
tables, pitoyables, justiciers, attrampez, fors aux perils, plus
compaignables, et plus obeissans à nos superieurs, qu'elles
sont à préférer aux intellectuelles. »

C'est Philippe Desportes qui répondit à Ronsard[2]. Comme
Ronsard, Desportes s'excusait de parler en poète, quand il
avait pour « compagnons » tant de philosophes de profession. Mais il y a lieu de remarquer que, dans les deux
discours qu'il prononça, il soutint la thèse opposée à celle de
Ronsard. Car Desportes défendit la doctrine de la connaissance pure, contemplative, qui était certainement celle du
roi[3], curieux de toutes choses, faisant voir l'avantage des
vertus intellectuelles sur les morales. On entendit encore

---

1. VII, p. 98.
2. Ed. Frémy, *L'Académie des derniers Valois*, p. 231.
3. Quand on lit la correspondance d'Henri III, on voit assurément qu'il est nourri
de la doctrine contemplative. La spéculation est tout chez lui, comme chez l'artiste.
Mais Ronsard, grand poète et surtout si intelligent, est un homme d'action.

parler sur ce sujet, et dans le même sens, Jamyn. Tous deux soutenaient la thèse des jeunes platoniciens.

On discourut par la suite à l'Académie sur la colère[1] et les moyens de la modérer, sur l'ambition, sur l'honneur, sur l'envie, sur la crainte; Davy du Perron parla de la vérité et du mensonge, de la connaissance, de l'âme à laquelle pouvait bien ne pas croire le sceptique cardinal.

Et Ronsard parla encore de l'envie[2], sujet stérile, qu'il développera de son mieux, sur le commandement exprès du roi. N'est-ce pas le plus vilain de tous les vices? « Tous ceulx qui sont d'ung mesme mestier, mesme condition et mesme proffession, de mesme classe et de mesme parenté, de mesme renom, richesse, beauté, agilité de corps, gloyre, estat, royauté, dignité, excellence ou faveur, sont tous envyeux les ungs des autres, car les hommes veullent tousjours, de nature, vaincre et surpasser en dignitez, honneurs, renom et credit leurs pareils et compaignons. » Tels furent Marius et Sylla, César et Pompée; ainsi Platon a voulu faire brûler les livres de Démocrite dont il avait tiré ses plus beaux écrits!

Un Alexandre[3] échappe cependant à l'envie, « comme le soleil du midy qui ne faict guere d'umbre ». En poète, toujours, Ronsard décrivait l'hydre que tua Hercule, l'envieux au visage plombé, aux dents rouillées, maigre de tout le corps et qui ne dort jamais. « Et comme on void que les guespes et les frelons ne s'assisent et ne mengent jamais qu'es plus belles fleurs, ainssy l'envye a pour subject de sa malice les plus belles vertus qu'elle ronge en son cueur, et se ronge elle mesmes voullant ronger et menger autruy... » Le remède à l'envie, c'est de penser qu'il y a des hommes plus misérables que nous, de nous réjouir de n'être pas dans une telle extrémité.

1. Il y a un mot, dans une lettre d'Henri III, qui peut donner une idée de son esprit poli à ces disputes : « La passion à la fin blessée se tourne en fureur; qu'ilz ne m'y mettent pas ! » (Bibl. Nat., n. acq. fr. 1246, fol. 21.) — 2. VII, 108-115.

3. On sait qu'Henri III portait aussi ce prénom. Amadis Jamyn a fait une comparaison entre Alexandre le Grand et Henri III (Œuvres, 1575, fol. 38ʳᵒ).

« Voila [ce] que j'avois à dire de ce cruel monstre dont Dieu nous veille garder par sa divine grace, et l'envoyer aux Tartares, Scithes et Turcs pour trescruele punition et tourment extreme de toute leur meschansseté[1]. »

Et Ronsard, dans le discours « de la Joie et de la Tristesse[2] », disait encore à « la docte compaignie » qu'il arrivait, tel le dernier convive à la fin du banquet, n'apportant qu'un « peu de dragée » qu'il présentait au roi, comme pour le dessert. En peu de paroles il ne rechercherait que la vérité. Il réfutait les opinions des Pythagoriciens, des Platoniciens, des Stoïciens : car « passion est autre chose que raison ».

On aime entendre Ronsard parler de la joie, « doux, gratieux et amiable mouvement, amy et familier de nature, qui agite, pousse et incite les sens », lui qui a si bien dit la volupté. Il évoque aussi le plaisir que le roi prenait à contempler les tableaux, ceux du Flamand[3] en particulier ; la joie qu'il avait éprouvée quand le roi Charles IX l'avait désigné comme lieutenant général et qu'il avait joui vraiment du plaisir de la guerre, de la victoire de Moncontour, dont il avait fait le récit à son frère et à sa mère. Et cependant, si nous nous en rapportons à nous-même, sans « parler à Aristote et à Platon », Ronsard le déclarait : il avait été plus ému et tourmenté par la tristesse que par la joie : « Car volupté, plaisir, rejouissance et joye sont totalement amies de nature, qui m'ont faict rire, saulter, dancer, jouer et tres-

---

1. Nous avons conservé l'orthographe bizarre du secrétaire de Ronsard, qui peut bien être l'ignorant qu'a connu Binet. Ce n'était plus alors Amadis Jamyn. Dans le ms. Dupuy, 559, cette dictée est suivie de l'orgueilleuse et grande signature de Ronsard. — Voir le fac-similé de cette pièce dans Pierre Champion, *Ronsard et Amadis Jamyn*, 1924, pl. XIII. — 2. M. A. Frémy, *L'Académie des derniers Valois*, p. 252-257, a publié ce document en l'attribuant à l'un des médecins lettrés de l'entourage d'Henri III. M. André Pascal (baron Henri de Rothschild) en possède la minute originale de la main de Ronsard. Voir le t. I des *Lettres, autographes et manuscrits de la collection Henri de Rothschild*, 1924, in-4°, p. 211-217. Ce beau document provient de la collection Morrisson. — 3. Pontus de Tyard (*Les Œuvres poetiques*, 1573, p. 49) parle du portrait de sa maîtresse par le « Flamand », comme Ronsard a parlé du portrait de son amie par Janet. Buekler, « excellent peintre Flamand », est mentionné par Pierre de Brach, *Poèmes*, 1576, p. 175.

saillir d'aize. Au contraire, la tristesse, ennemye de nature, m'a toujours rendu chagrin, despit, hagard, farouche et refrongné. » Et il concluait que la joie n'est pas si violente que la tristesse, « qui nous apporte une grande perturbation et tout soudain et tout à coup nous presse, nous serre et nous estouffe le cueur ».

Ces passes d'armes oratoires ne devaient pas se prolonger bien longtemps. Certains « académiques », comme Passerat, entendirent, dans leurs discours, faire des remontrances au roi. Et Pasquier écrivit une satire latine sur Henri III, le roi qui, au milieu de la guerre civile, devient un grammairien, à tous égards « déclinant » :

> Declinare cupit : vere declinat et ille :
> Rex bis qui fuerat fit modo grammaticus...

Aux pointes acérées des satiristes, allaient succéder les coups d'épée mortels portés par les serviteurs des maisons et des personnes rivales. Les querelles, les rixes de rues, les rencontres de ceux qu'on a appelés les « mignons » sont en réalité les combats des gardes des maisons princières devançant la guerre civile. Aussi perfides sont les attaques par la plume et par la parole des hommes de Monsieur, des huguenots, des parlementaires, des athéistes ou des simples cyniques, des ligueurs vomissant leurs ordures. Tandis que s'engagent les épées, les pasquins, répandus dans les rues de Paris, affichés sur les portes des maisons, sont autant d'armes empoisonnées. Tous les moyens sont bons à la guerre.

Que sait-on du roi en ces jours, et qui peut le comprendre ? Un Pierre de l'Estoile, qui juge les choses en robin du Parlement, en badaud de Paris, le montre, au mois de novembre 1575, faisant rétablir les oratoires dans les églises parisiennes, les « paradis », pour y aller tous les jours prier, en grande dévotion[1]. Il a délaissé ses chemises à grands godrons, pre-

---

1. *Mémoires-journaux*, éd. G. Brunet, I, 93-95.

nant le collet renversé à l'italienne. Il va en coche, avec la reine
son épouse, par les rues de la ville, recueillant les petits
chiens damerets qui viennent vers lui. Il aime tant, en ces
jours, envoyer chiens et perroquets à ses bons amis[1]! Il en
fait la quête jusque dans les monastères de femmes, au grand
déplaisir des religieuses à qui appartiennent ces petits chiens.
On commente fâcheusement les séances de l'Académie du
Palais, en disant que le roi se fait lire la grammaire, qu'il
apprend à décliner. Ne décline-t-il pas lui-même le verbe
amo? C'est tout ce que l'on sait de lui[2].

Des sonnets terribles circulent, annonçant l'ébranlement
de l'État, montrant la France malheureuse, le roi jouant sa
couronne aux dés; et l'on y évoque, comme Ronsard l'a fait
dans sa *Franciade*, Clovis et Chilpéric, l'âge de fer. La France
est foulée par les Espagnols, les Flamands, les Wallons, les
Italiens, les Suisses et les Allemands; les Français meurent
sous les coups de leurs propres armes[3].

Tout cela doit être assez exact et concorde avec l'inquiétude
que marque l'ambassadeur vénitien, Jean Michel[4], hébergé
dans la splendide chambre dorée de M. de Guise, au temps
de la guerre des mécontents que mena, comme au temps de
Louis XI, le frère du roi, Monsieur (1575). C'était un petit
homme, fort, carré, obstiné, exactement l'opposé du roi
Henri, et qui aimait la guerre[5]. Henri III l'appelait le Magot[6].
Les deux frères se haïssaient; et Monsieur répétait: « Mordieu,
vous autres rois... vous mériteriez d'être trestous pendus! »
Guise, Montmorency, huguenots et catholiques, sous couleur
de religion, mais à des fins politiques, veulent s'emparer du
gouvernement. Comment trouver une diversion? Il y a là un
« péril très grave, et qui donne beaucoup à penser[7] ». Les

---

1. Baguenault de Puchesse, *Vingt-quatre lettres inédites de Henri III à Gilles de
Souvré* (*Annuaire bulletin de la Société de l'Histoire de France*, t. LVI, 1919).
2. Pierre de l'Estoile, I, 94. — 3. *Ibid.*, I, p. 100-109. — 4. *Relations des ambassadeurs Vénitiens recueillies* par M. N. Tommaseo, II, p. 233. — 5. Voir les *Premières
Œuvres* de Jean de Boyssières, 1578, et celles de Jean de la Jessée fort intéressantes
pour connaître « Monsieur ». Il est l'Hercule gaulois. — 6. Et la reine Elisabeth, sa

routes ne sont pas sûres ; il faut voyager en caravane ; tout est hors de prix, jusqu'au bois à brûler. Crise passagère, mais très violente, dont Jérôme Lippomano, en 1577, ne trouvera que des traces, puisqu'il dira la France le plus beau et le plus riche royaume de l'Europe[1].

Il paraît surtout qu'à travers les « mignons » et Sodome, les forces en présence ont voulu atteindre et perdre Henri III.

Certes, le roi ambigu prêtait assez à l'attaque. Dans le « sonnet courtizan » qu'a recueilli Pierre de l'Estoile, en 1575, Henri III est déjà accusé de traiter le jeune La Bourdaisière comme une femme[2]. Mais enfin les « mignons » n'appartenaient pas qu'au roi. C'étaient des soldats bons à tout, formant une petite garde redoutable, indispensable depuis que la garde suisse avait été fort diminuée. Chaque parti avait ses « mignons[3] », en un temps où l'assassinat et le meurtre se commettaient en plein jour, jusqu'au Louvre et à Blois. Ceux du roi, enfants des meilleures familles, étaient toujours en intrigues de femmes ; ils se feront démolir à la Fère, très courageusement. Ils ne connaissaient que le roi, ne saluaient même pas Monsieur, son frère, qu'ils auraient aussi bien tué, s'ils en avaient reçu l'ordre, comme ils le feront du duc de Guise. Le roi les aimait, comme il aimait toutes choses, avec un sentiment d'une rare affectation[4].

grenouille. — On conserve de lui des lettres d'une grande écriture d'enfant, têtu et obstiné. — 7. Jean Michel (*Relations des ambassadeurs Vénitiens* II, 235)

1. *Relations des ambassadeurs Vénitiens*, publiées par N. Tommaseo, II, 475.

2. Pierre de l'Estoile, I, 60.

3. Bassompierre a donné toute la chronologie des mignons du roi et il apparaît seulement qu'il y a là une suite de favoris, à la fois secrétaires et ministres, agents d'exécution travaillant directement avec lui. « Charge jalouse que celle de gouverner son maître », ajoute-t-il. Ils se succédèrent dans l'ordre suivant : Lignerolles, La Guierche, Titus de Mauvissière, Saint-Luc, d'O, Souvré, Entraguet, Le Guast et Caylus.

4. Rien n'est plus instructif à cet égard que la correspondance qu'a publiée M. Baguenault de Puchesse entre Henri III et Gilles de Souvré. C'est sa *gode*, sa vieille brebis. Il souffre de le voir malade ; il l'aime plus qu'un père, etc. (*Annuaire-bulletin de la Société de l'Histoire de France*, t. LVI, 1919). Les *Nouveaux mémoires* de Bassompierre en donnent une autre idée que l'éditeur des lettres, et ils nous disent quelle était sa maladie. Voir l'Epitre que lui adressa l'honnête J. de la Jessée (*Premières Œuvres*, 1583, p. 261). Forcadel lui adressa le *Chant triste de Médée*.

Mais il savait aussi les chasser si leur « mauvaise conduite » les faisait déchoir de « sa privauté[1] ».

Parmi eux on nommait, par exemple, le capitaine des gardes, Le Guast, dauphinois, que Ronsard connaissait depuis longtemps, qui était son ami ; car il l'a rendu le confident de son besoin d'aimer, du « chaud de ses arteres[2] » :

> Le Gast, je suis brulé d'une double chaleur...
> Mais je ne puis chasser le chaud de mes arteres
> Ny l'oster de mon sang, tant un amour nouveau
> Fait son nid en mon cœur et le change en oiseau.

Le Guast, « souci de Mars et de Cypris[3] », c'est Louis Bérenger Le Guast, « qui sous Brissac avoit pris nourriture[4] », un homme vraiment représentatif de ce temps. Brave, terriblement batailleur, très aimé du roi qui l'avait vu monter à l'assaut du bastion de l'Ange, à la Rochelle, où il avait été blessé, ce magnifique capitaine des gardes recevait admirablement dans son hôtel d'Anjou. Ronsard y fréquentait, retrouvant là les beaux esprits d'alors : Brantôme, grand ami de Le Guast, qui lui faisait la lecture des auteurs italiens ; M. de Beaujoyeux, le premier violoniste de la chrétienté, le musicien de la reine mère, homme plaisant et spirituel[5]; Baïf[6], Desportes ; Charles d'Epinay, évêque de Dol[7] ; le jeune Agrippa

---

1. Bassompierre, *Nouveaux mémoires*, p. 150.

2. IV, 101-102 (1569).

3. IV, 260. — Et mieux Louis Bérenger, seigneur du Gua. J'ai conservé la forme du nom habituelle à Ronsard et à Brantôme.

4. Desportes, *Premières Œuvres*, 1573, fol. 327.

5. Baltazarini Beaujoyeux, valet de chambre ordinaire de la reine, qui reçoit, en 1559, un secours pour lui « aider à trouver convenable party de mariage » (Arch. Nat., KK. 127). Toujours parmi les valets de chambre à réduire, à deux cent quarante livres, en 1572 (Arch. Nat., KK. 134).

6. On voit par les *Passetems* de Baïf (1573, fol. 16ᵛᵒ), que Le Guast avait vraiment un salon littéraire : Baïf lui dit :

> Et bien que sont-ils devenus
> Ces vers à la façon nouvelle ?...
> Par entre les singes il faut
> Estre singe et faire la mouë !

7. L'auteur des *Sonets amoureux* parus en 1559 (Bibl. Nat., Rés. Yᵉ 1669 ; autre

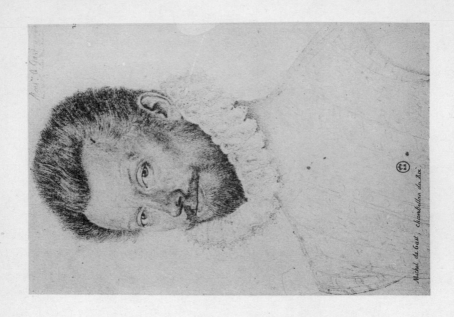

d'Aubigné. Un soir Dorat y lut la *Matrone d'Ephèse*. Ce conte réjouit fort Louis Bérenger Le Guast, cynique et jovial, qui en trouva une application immédiate ; car rencontrant dans la chambre de la reine une jeune veuve éplorée, avec son voile noir sur le nez, « piteuse et marmiteuse », il la salua du nom de la matrone d'Ephèse. Aux dîners de Le Guast, on parlait surtout de l'amour, des plaisirs et des déplaisirs qu'il nous donne [1].

Comme on posait un soir la question, savoir où était le souverain bien en amour, Le Guast, cruel, qui passait pour s'être chargé de beaucoup de sang innocent à la Saint-Barthélemy [2], affirma que la jouissance suprême résidait dans la vengeance. Sur ce beau sujet, il pria chaque assistant de faire un quatrain impromptu. C'est M. de Dol qui emporta le prix. Le Guast l'avait bien éprouvé, ayant aimé deux femmes très belles par haine de deux grands seigneurs. Ainsi il avait tiré double plaisir : vengeance et satisfaction. Un jour que Brantôme l'entretenait d'un mariage pour lui, Le Guast lui dit froidement que jusqu'à ce jour il l'avait cru de ses amis, et il lui demanda s'il voulait le faire cocu, « au lieu qu'il faisoit les autres ». Le Guast nommait le mariage un « putanisme secret ». Très écouté du roi Henri III, qu'il ne flattait cependant pas (il était trop brutal pour cela), Le Guast devait encourir la haine de Marguerite de Valois ; elle le nommait un « potiron de ce temps », un parvenu, un méchant homme, car il avait dénoncé Entraguet comme son amant [3];

édition chez Robert Estienne en 1560 : *Les Sonets de Charles d'Espinay Breton* (Bibl. Nat., Rés. 371), dont Ronsard faisait si grand cas (II, 18, Cf. III, 450 : *Le Cyclope amoureux*, de 1560). Charles d'Espinay était un ami de Remy Belleau, de Marc Claude de Buttet, de Des Autels, de Grévin, de Goullaines, de Plessis. Cf. l'étude de H. Busson. — 1. Ronsard pouvait bien y briller. Il était mordant, spirituel et libre. Voir, par exemple, l'épigramme qu'il écrivit à propos de la *Nephelococugie* de Pierre Le Loyer, en 1579. — Un mot sur Le Gast, contre les « chats fourrés », est rapporté par Jean de la Jessée (*Premières Œuvres*, 1583, p. 407). — 2. Pierre de l'Estoile, *Mémoires-journaux*, éd. G. Brunet, I, 93. — 3. « Le Gast avertit le roy qui ne pouvait souffrir que l'on fist l'amour à ses sœurs, ni dans sa maison ». Bassompierre, *Nouveaux mémoires*, 1803.

et Le Guast appelait Marguerite « la reine des putains ». Il
était dur et insolent envers tous, envers Monsieur lui-même,
sauf envers son roi[1].

Il était arrivé à Bérenger Le Guast de tuer en duel Antoine
d'Alègre, le cousin d'un gentilhomme professionnel de
l'assassinat nommé le baron de Vitteaux[2]. Or un soir que
Le Guast était rentré seul chez lui, après avoir placé la garde
du Louvre (on le voyait d'habitude marcher insolemment
entre ses quarante arquebusiers, la mèche sur le serpentin,
ce qui irritait tant Monsieur), il se mit au lit. Le baron de
Vitteaux le guettait depuis longtemps, caché dans une cellule
des Augustins d'où il sortait seulement pendant la nuit. Or, il
se glissa parmi les arquebusiers qui l'avaient accompagné et
montaient la faction devant la maison voisine de son logis, où
Le Guast recevait madame d'Estrée, l'Astrée de Ronsard,
quand il couchait avec elle. La garde se retirait à onze
heures. Vitteaux entra dans la maison, avec ses deux lévriers,
les Boucicaut, qui feignirent d'avoir oublié leur fourniment.
Le portier les prit pour des soldats. Ils mettent leurs masques
et montent dans la chambre de Le Guast, qui se faisait faire
les ongles des pieds par son valet. Vitteaux fonce sur lui et
lui dit : « Le Guast, il faut mourir ! » lui donnant deux coups
d'épée dans le corps. Le Guast saute sur un épieu qui se
trouvait au chevet du lit ; et Boucicaut l'aîné lui porte tant
de coups qu'il mourut, empêtré dans la ruelle, paralysé par
sa blessure, disant seulement ces mots : « Ah ! Barbe grise, tu

1. *Négociations avec la Toscane*, IV, 5o.
2. Voici ce que rapporte Bassompierre à ce sujet (Bibl. Nat., n. acq. fr. 1208,
p. 101) : « M. d'Allençon, qui a tousjours uniquement aimé la reine de Navarre, sa
sœur, s'intéressa dans l'offense qu'elle prétendait avoir reçue du Gast d'avoir decelé
cette visite [à Entraguet malade], qui l'avait décriée et discredité son galant vers le
roi ; et commanda au baron de Vitteaux, qui était un brave, ou plutôt un assassina-
teur, qu'elle faisait executeur de sa passion, de se battre contre Le Gast. Vitteaux le fit
appeler par deux fois ; et l'autre ayant été empeché de se porter sur le champ par les
soins que le roi eust de sa conservation, Vitteaux lui fit dire qu'il l'assassinerait,
comme il fit. » — Cette anecdote concorde parfaitement avec ce que rapporte Brantôme qui rencontra son ami Le Guast dans la cour du Louvre et lui fit voir son épée ;
elle lui sembla belle, mais trop légère (Ed. Lalanne, t. V, p. 357).

m'as trahi ! » Le jeune Boucicaut tient un poignard à la gorge
de l'homme de chambre. Ayant enfermé le valet dans la
garde-robe, tous sortent sans bruit ni alarme de Paris, « laissant madame d'Estrée forcenée d'avoir perdu son amant[1] ».

Ainsi finit Bérenger Le Guast, grand ennemi de Monsieur,
que Ronsard entretenait de ses ardeurs et de ses amours
(31 octobre 1575)[2]. Et le roi Henri le fait enterrer solennellement, à côté du grand autel de Saint-Germain-l'Auxerrois,
payant toutes ses dettes qui se montaient à 100 000 francs,
se rendant dans la chambre de sa sœur pour y trouver les
coupables présumés[3].

Le roi mystique prie, visite les monastères, erre la nuit par
les fanges et le mauvais temps ; un soir même que son coche
s'est rompu, il fait plus d'une lieue à pied et il rentre à
minuit au Louvre[4].

C'est le temps des pasquins diffamatoires et scandaleux où
l'on démasque la canaille des parvenus qui ont acheté les
offices, et qui n'épargnent même pas le Prévôt des marchands.
Le roi veut la paix[5] et il prie ; les huguenots veulent vivre
de la guerre. Il n'y a plus rien dans les coffres et personne ne
veut payer l'impôt. Quand la paix est publiée, au mois de
mai, les chanoines de Notre-Dame refusent de se rendre au
Te Deum.

C'est en 1576 que le mot de mignons commença à « trotter »

1. Pierre de l'Estoile, I, p. 92.
2. Bibl. Nat., n. acq. fr. 1208, fol. 104. Voir la belle épitaphe de Ph. Desportes (Les Premières Œuvres, 1579, fol. 232). — 3. Ces détails sur Bérenger Le
Guast sont tirés de Brantôme (V, 188-189, 354-358), qui a si souvent parlé de
ce personnage. Mais il y a lieu de les compléter par ce que dit Bassompierre, qui
paraît avoir connu parfaitement son histoire. Marguerite de Valois (Mémoires, éd.
F. Guessard, p. 79), rapportant sa mort, assure qu'elle fut un « jugement de Dieu ».
Elle parle de la pourriture « qui des longtemps le possedoit », le nomme « fusil de
haine et de division » (p. 80). Sa mort est rapportée par Cheverny, qui accuse même
Marguerite de l'avoir fait supprimer ; et longuement par Pierre de l'Estoile (Mémoires-
journaux, éd. G. Brunet, I, p. 92-93). Baïf, Belleau, Desportes, ont chanté Le Guast,
comme Ronsard. — Sur ce drame, voir Pierre de Vaissière, Une famille : les d'Alègre,
Paris, 1924, p. 173-183. — 4. Pierre de l'Estoile, I, p. 111.
5. Cette idée est très souvent exprimée dans ses lettres.

par la bouche du peuple, qui les haïssait, eux et leurs façons badines et hautaines, leurs fards, leurs accoutrements efféminés et impudiques ; les libéralités que leur faisait le roi les rendaient surtout odieux[1]. Alors ils portaient cheveux « longuets, frisés et refrisés par artifices, par dessus leurs petis bonnets de velours, comme font les putains du bordeau », et des fraises à leur chemise de toile d'atour empesée, longue de demi-pied, de façon qu'à voir leur figure dessus leur fraise, « il sembloit que ce fust le chef saint Jean dans un plat ».

Un pasquin datant du mois de juillet courut à leur sujet[2] :

> Nostre roy doit cent millions,
> Et fault, pour aquitter ses dettes,
> Que messieurs les mignons ont faites,
> Rechercher les inventions
> D'un nouveau tiran de Florence...
> Leur poil est tondu par compas,
> Et non d'une façon pareille :
> Car en avant, depuis l'oreille,
> Il est long, et derrière bas...

Le roi qui jeûne, au pain et à l'eau, le peuple de Paris l'appelle concierge du Louvre[3], marguillier de Saint-Germain-l'Auxerrois et de toutes les églises de Paris, gendre de Colas, gaudronneur de collets de femmes et friseur de ses cheveux, mercier du Palais, visiteur des étuves, gardien des Quatre Mendiants[4], père conscrit des Blancs battus et protecteur des Caputiers[5] ! Des rixes entre catholiques et huguenots éclatent, à la sortie des prêches, comme en 1562 : la maison de Lorraine, comme en 1562, rappelle qu'elle descend de Charlemagne. On apprend à Paris le sac d'Anvers par les Espagnols. Une Ligue catholique, une contre-ligue, sont organisées. Sur

---

1. Pierre de l'Estoile, I, p. 142. — L'histoire d'Angleterre et d'Espagne, à la même époque, présente ce même aspect des ministres favoris.

2. Pierre de l'Estoile, I, 144-145.

3. Le roi, imbu de philosophie, prenait facilement la chose, disant « qu'il avoit reconnu l'inconstance et la légèreté des François en diverses actions, mais principalement en lui-même, qui étoit tellement aimé et estimé d'eux, tant qu'il fut lieutenant général sous le roi son frère » (Bibl. Nat., ms. fr. n. acq. 1208, fol. 118).

4. Les quatre ordres mendiants. — 5. Les capucins.

la porte de la salle du Conseil, à Blois, on trouve un jour affichés les beaux alexandrins[1] :

> Je ne suis huguenot et ne le voudrois estre...

un vibrant appel à la concorde, assez dans la manière de Pierre de Ronsard[2].

Mais c'est un fait que, lorsque l'édit de paix fut publié à Paris, au son du canon (octobre 1577), personne ne se réjouit. Ce sont tous les jours de nouvelles querelles, excitées par les curés de Paris, et aussi par les jeunes gardes du roi et de son frère d'Alençon, du duc de Lorraine, de tous ces favoris « qu'en langue française on appelle mignons ». Ceux du roi attaquent Bussy[3], l'homme de Monsieur. Frisés et gaudronnés, aromatisant les rues, tous brûlent de se surpasser par leurs bravades et leurs provocations.

Le roi, au milieu de sa vingtaine de « coupe-jarrets », est rentré, « désespérément brave », au Louvre. Le 10 janvier, au sortir du bal, au milieu de la fête des rois, Henri a peine à retenir les siens ; car Grammont et ses amis vont chercher Bussy, le « grand mignon » de Monsieur, en son logis de la rue des Prouvaires. Le maréchal de Cossé et Strozzi, colonel de l'infanterie française, doivent le protéger. Henri prononce une grave remontrance sur les querelles journalières, provoque même une ordonnance pour les réprimer. La querelle reprend, le 1er février, quand le jeune seigneur de Caylus, d'une noble famille de serviteurs du roi, accompagné de Saint-Luc[4],

---

1. Pierre de l'Estoile, I, 181-183. — 2. Cette grande et belle pièce est datée de février 1577.—3. Sur ce personnage, cf. Léo Mouton, *Bussy d'Amboise*, Paris, 1912.

4. Le fiancé de Jeanne de Cossé-Brissac, demoiselle de la pieuse Louise de Lorraine, l'amie d'Hélène. La faveur de d'Épinay, seigneur de Saint-Luc, d'une bonne famille de Lorraine, fut assez traversée. Il connut une première disgrâce, n'ayant pas voulu suivre le duc d'Anjou en Pologne, « pays froid et fascheux ». C'est D'O qui le remplaça. Mais Saint-Luc sut se remettre en la faveur du roi à son retour en France. Il avait alors la seconde place dans les affaires, M. Le Guast ayant la première. Il reçut le gouvernement de Péronne, Roye et Montdidier, et Henri lui fit épouser « Jeanne de Brissac, déjà vieille fille, qui l'aimait ». Saint-Luc connut un retour de la mauvaise fortune quand le roi prit pour compagnon Arques et Caumont, « jeunes hommes que le roi aimait si ardemment que Saint-Luc était tous les soirs resté dans

d'O[1], d'Arques et de Saint-Mesgrin[2], chargent, à la porte Saint-Honoré, Bussy, l'homme de Monsieur qui, monté sur une jument bragarde, venait de courir dans le passage des Tuileries. Bussy est blessé dangereusement.

C'était un brave soldat, mais l'homme à tout faire de Monsieur, conspirateur que le roi et la reine faisaient surveiller[3]. Henri III danse aux noces de Saint-Luc avec Mlle de Brissac, qui n'était ni jeune ni jolie[4]; et Monsieur saute la muraille

un cabinet, tandis que le roi dans son cabinet d'en haut passait une grande partie de la nuit avec ses deux nouveaux favoris, ce qui affligeait fort Saint-Luc ». C'est alors qu'il aurait essayé d'incliner le roi vers la dévotion. (Voir l'étonnante historiette de la grotte du diable rapportée par Bassompierre, Bibl. Nat., ms. fr. n. acq. 1208, p. 135.) Saint-Luc paraît avoir été un Lorrain ayant l'oreille des Guises. Il dut, peu de temps après, se réfugier à Brouage et sa femme fut même arrêtée.

1. D'O, qui succéda à Saint-Luc, s'occupait à la fois de la correspondance du roi et de la gestion des deniers. Il était joueur et « peu sujet auprès du roi » qui tenait cependant à l'avoir près de lui. Henri III, dans sa correspondance, plaisante « le grand Économique, M. Francoys d'O; car pour moy, je ne sais que dependre, et lui a même rhabillé les fautes dans ce qui est tresté d'Aristote » (Bibl. Nat., n. acq. fr. 1244, p. 85). — « Je suis seul secretaire d'Estat issy, car d'O est allé à Fresne » (*Ibid.*, p. 70). « D'O n'est. J'ai asté le prestre Martin » [celui qui fait les demandes et les réponses] (Bibl. Nat., fr. n. acq. 1246, fol. 50).

2. Paul d'Estuert de Caussade, baron de Saint-Mesgrin, gentilhomme gascon, spirituel, adroit, « passablement versé aux bonnes lettres, laid de visage, mais d'une très belle taille, qui s'habillait bien et superbement, et qui avait un magnifique train... » La princesse de Condé, la reine de Navarre, Mme de Guise lui faisaient les doux yeux : il portait les couleurs de cette dernière. Suivant Bassompierre, il fut assassiné par des « Basques brutaux », soudoyés par un rival jaloux, tandis qu'il sortait nuitamment du Louvre (Bibl. Nat., ms. fr. n. acq. 1208, fol. 102-103). — Son portrait est à la Bibl. Nat., Cabinet des Estampes, N^a 21^a, fol. 42. Voir aussi la miniature du Musée du Louvre provenant de la Collection Sauvageot (n° 1373).

3. Le roi détestait son frère François, qui préparait alors son expédition en Flandres. Aux noces de Saint-Luc, les « jeunes gens » d'Henri III, profitant de la liberté des jours gras, l'attaquèrent « de sa laideur et de sa petite taille » (Marguerite de Valois, *Mémoires*, éd. Guessard, p. 134). Dans sa correspondance avec Villeroy, le roi le nommait le « Magot ». Il dit : « Je seray le roy ceste fois... je ne crains jamais tant que nostre bon Dyeu me donnera des enfants qui voyent les desportements de ce Magot ». Il écrit encore au sujet de sa mère : « Je luy ai fays une responce qui lui fera bien souvenir que je suis Henry, et non Francoys. Car je fais bien et veux bien faire... Nous nous connaissons bien. Se que j'aime, c'est avec extrémité... Mais quand à mon ordre, je trouve bon que le faciez imprimer... » (Bibl. Nat., n. acq. fr. 1244, p. 105 ; 1245, p. 160). — Il faut recoonaître que François représentait le sentiment national, dans une France qui n'était plus la France, au dire de J. de la Gessée.

4. Voir l'étonnant récit des noces fait par Marguerite de Navarre (*Mémoires*, éd. Guessard, p. 133). Ce jour-là, avec son frère, elle alla se promener à Saint-Maur ; elle ne parut qu'au bal, et très tard.

de la ville et s'enfuit[1]. Les gens de sa maison et ses officiers le suivent : Monsieur gagne Angers où, défiant, il accueillera Catherine venue pour apaiser la querelle de ses enfants ; dans le fort château, on introduisit la reine par un petit guichet.

Le 2 avril, la bataille entre les mignons recommence sous le prétexte d'une querelle « pour l'amour des dames ». Au lieu de les punir, le roi, impuissant, pardonne. Le 27 avril, dans la cour du Louvre, une autre querelle éclate entre le seigneur de Caylus et Charles de Balzac d'Entraguet, qu'on appelait le bel Entraguet, homme de la maison de Guise[2]. Caylus et Louis de Maugiron vident la querelle, le lendemain, au Marché aux chevaux, sur l'emplacement des Tournelles. Après un combat furieux, Maugiron[3] et Schomberg tombent morts, Livarot en réchappe, Entraguet prend une égratignure. Caylus, auteur de la noise, reçoit dix-sept coups, languit trente-trois jours ; il meurt, le 29 mai, en l'hôtel de Boissy[4].

Le roi, toujours excessif, se tient au chevet de ce Caylus qui a soutenu en fait sa querelle contre les Guises, responsables des désordres qui agitent depuis si longtemps le royaume ; il promet une généreuse récompense aux chirurgiens s'ils le tirent d'affaire. Mais Caylus meurt, soupirant : « Ah ! mon roy, mon roy ! » Henri, qui avait une grande amitié pour lui, l'embrassse mort ; et, comme il avait fait pour Louis de Maugiron, il le fait tondre, emporte ses blonds cheveux, les pendants de ses oreilles qu'il lui avait,

---

1. 14 février 1578 (Pierre de l'Estoile, I, p. 235 ; *Négociations avec la Toscane*, IV, p. 144). — 2. Voir le joli crayon publié par É. Moreau-Nélaton, *les Clouet et leurs émules*, t. II, fig. 227 : *M. de Dunes, dit le bel Entraguet*. — 3. Le fils du lieutenant général du Dauphiné, grand chef catholique, d'une bonne famille apparentée à Brantôme (éd. Lalanne, II, 423-424). Voir la généalogie donnée par M. H. de Terrebasse, *Histoire et généalogie de la famille de Maugiron en Viennois* (1257-1767). — Un portrait charmant de Maugiron, qui porte si crânement sa blessure de guerre, est à la Bibl. Nat., Cabinet des Estampes, Nª 21, fol. 142. — 4. L'affaire est rapportée en détail par Brantôme (éd. Lalanne, II, 312-313).

paraît-il, accrochés de sa propre main[1]. Ses « mignons », les
enfants batailleurs qui sont morts pour lui, Henri les fait
enterrer solennellement à l'église Saint-Paul, la paroisse
des rois, dans de beaux tombeaux. Sur les somptueuses cuves
de marbre, décorées d'inscriptions, on les voyait agenouillés,
lisant leurs Heures, ayant déposé le gantelet et l'armet[2].

Ce fut un beau scandale dont s'emparèrent les calomniateurs à gages de la maison de Guise, ceux de Monsieur, les
curés parisiens exaspérés à l'idée d'une intervention dans les
Flandres. Car telle est l'origine de la légende du « serrail
des mignons[3] ». Un grand nombre d'épitaphes, de tombeaux,
de « vaudevilles immondes », circulent sur le combat, sur
Caylus dont on fit Culus, sur le beau Maugiron, le borgne[4]
favori de Cypris et de Mars. On répandit, dans les rues, son
testament; et Me Poncet, du haut de la chaire, déclara qu'il le
fallait traîner à la voirie[5].

Guise soutenait Entraguet. C'est lui qui fait assassiner
Saint-Mesgrin (Pol de Caussade), un serviteur du roi, courageux, ami des arts, un bon soldat, qui avait la force et

1. Un très beau crayon représentant Jacques de Lévis, comte de Caylus, est conservé à la Bibl. Nat., Cabinet des Estampes, N[a] 21[a], fol. 46. Il est bien différent de
la gravure, à mon sens, satirique (c'est un vrai démon), conservée dans la Collection
Hennin, t. VIII, fol. 5; le titre l'indique d'ailleurs : *M. de Quélus, mignon du roy
Henry troisieme*.

2. Collection Hennin, t. VI, fol. 108 (d'après Corrozet et Rabel, *les Antiquitez et
singularitez de Paris*. 1586-1588). Voir aussi Alexandre Lenoir, *Musée des Monuments
français*, III, 96 (gravure d'après le dessin de Germain Pilon, suivant Lenoir).

3. Pierre de L'Estoile a recueilli ce dire : « Leurs corps à tous reposent à Saint-
Pol, serail des mignons. » Le même mot est dans le ms. fr. 1662 : « l'église Saint-
Pol, serail des mignons. » (Pierre de l'Estoile, I, 245-254.) — L'étude du ms. de la
Bibl. Nat., fr. 1662, est fort intéressante pour la légende des mignons. Ces pièces, inspirées par les curés de Paris, sont développées par les ministres et les poètes huguenots, à des fins politiques; elles sont matière d'édification, à leur façon. La légende,
ou la campagne, coïncide avec les projets du duc d'Anjou sur les Pays-Bas.

4. C'était une blessure de guerre reçue à la prise d'Issoire (*Relations des ambassadeurs Vénitiens*, II, 309).

5. Le 2 janvier 1589, le peuple, conduit par les curés de Paris ligueurs, abattit
« ces sepulchres et figures de marbre que le roy avait fait eriger aupres du grand
autel de l'Église Saint-Paul à Paris pour Saint-Megrin, Quélus et Maugiron, ses mignons » (Pierre de l'Estoile, t. III p. 231). — Brantôme a recueilli ce proverbe, en usage
à la cour : « Je le ferai tailler en marbre, comme les autres » (éd. Lalanne, VI, 481).

M. de Caylus

Tombeau de Caylus, à Saint-Pol
(Bibl. Nat.)

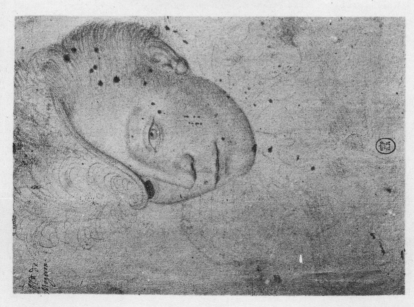

Maugiron

la grâce d'un César; il tombe, en sortant du Louvre, frappé par des inconnus à la solde de Guise qu'il avait, paraît-il, cocufié. Saint-Mesgrin, lui aussi, allait reposer à Saint-Paul[1]. Et Ronsard, comme le fit Desportes[2] (il s'agit d'une commande du roi[3]) écrivit, leur épitaphe. Suivant la forme littéraire mise à la mode par les *tumuli* de Pontano, le poète faisait dialoguer le Passant avec le Génie de Caylus[4] :

> LE P. — Est-ce ici tombe d'Amour ?
> LE G. — Non : car tu verrois à l'entour
> Sa trousse à terre renversée.

Devant cette tombe, Ronsard disait la beauté du printemps, la vertu de l'homme :

> LE P. — Quel pays de luy s'est vanté ?
> LE G. — Languedoc l'avoit enfanté,
> Issu de cette vieille race
> De Levi, que le temps n'efface.
> LE P. — Au reste dy son nom ? le G.-Quelus.
> Va, Passant, n'en demande plus.

Ce Maugiron, Ronsard le nommait le dernier enfant de la déesse Cypris à qui l'Amour, son fils, dans un accès de jalousie, avait crevé l'œil gauche. Il suppliait la Parque de lui donner le repos[5] :

> La Parque, comme Amour, en devint amoureuse.
> Ainsi Maugeron gist sous cette terre ombreuse
> Tout ensemble veincu d'Amour et de la Mort.

Alors Amadis Jamyn, « poète transcendant », disciple de

---

1. Voir le joli portrait d'Estuert de Caussade, comte de Saint-Mesgrin à la Bibl. Nat., Cabinet des Estampes, Nª 21ª, fol. 42. Une petite peinture est au Louvre, n° 1373.

2. *Premières Œuvres*, 1585, p. 312, 313, 314.

3. J.-Aug. de Thou le dit formellement dans *l'Historia sui temporis*.

4. V, 313 (Pièce recueillie en 1584). Cf. J. Dorat, *Epigrammata*, 1586, p. 13.

5. V 315. Cf. les *Procès verbaux de la commission du Vieux Paris*, 1910. Un fragment de l'inscription prouve que ces vers de Ronsard étaient gravés sur les tombeaux qui comportent, en effet, un très large cartouche. Voir le dessin des trois tombeaux dans la Collection Hennin, t. VI, fol. 108.

Ronsard, que chacun tenait pour un fort honnête homme,
écrit les « XXIV sonnets courtizans à la memoire de trois
Mignons » qu'a recueillis Pierre de l'Estoile[1]. Il a parlé vraiment avec émotion de l'amitié héroïque de Caylus et de Maugiron, du courage de Saint-Mesgrin, de ces beaux jeunes
gens, morts en leur printemps, aimés des dieux :

> Trois images taillées par la main de Phidie.

Le roi reçut les sonnets de Jamyn, le 10 août 1578, les
serra lui-même dans son cabinet[2].

Quelle époque de confusions et de mensonges ! Le roi
redoute la Ligue et il fait semblant d'y adhérer. Il combattra,
en sous-main, l'Espagne aux Pays-Bas ; il s'est rapproché de
son frère. Le malheureux roi cherche, en 1579, par l'institution de l'ordre des chevaliers du Saint-Esprit, à l'occasion
de la pompe des Augustins, à sortir de cette boue, à relever le

---

1. I, 281, 295.

2. Le rarissime second volume des *Œuvres* d'Amadis Jamyn, paru à Paris en
1584, contient une autre suite différente de vingt-six gracieux sonnets et de deux élégies « du deuil de Cleophon », c'est-à-dire de la douleur pathétique d'Henri III,
qui se rapportent au même sujet (Bibl. de l'Arsenal, Réserve 6565) :

> Le fer qui transpersa voz poitrines d'ivoire
> Persa des mesmes coups d'outre en outre mon cœur...
> Visitant l'autre jour voz tombes honorables
> J'avisé que l'Amour les parfumoit d'encens...
> Les beaux corps, les beaux yeux, les beaux cheveux dorez,
> Les visages divins ou se plaisoit ma veue...
> En leur mort est ma mort, en leur biere ma bierre.

Une rubrique du ms. fr. 1662, fol. 12, de la Bibliothèque Nationale, attribue à Philippe Desportes, « bien aimé et favori poete » du roi, la *Priere pour les trois mignons*
imprimée et mise à la fin de la priere pour les morts qui a esté inserée aux Heures du
roy...

> Donne que les esprits de ceux que je souspire
> N'esprouvent point, Seigneur, ta justice, et ton ire ;
> Fai leur port en ta gloire ainsi qu'a tes esleus
> Cancelle leurs pechez et leurs foles jeunesses,
> Et reçoi, s'il te plaist, ensuivant tes promesses
> En ton sein Maugeron, Saint-Mesgrin et Quélus..

à laquelle on a adjousté :

> Et que le meschant Entraguet,
> Face eternellement le guet
> Sur ce sepulcre venerable,
> De peur que les chats et les rats
> Ne mangent les jambes et les bras
> De ce trio tant honorable!

prestige du roi chrétien et de la France. Les huguenots
répandent que ce n'est que « le masque des amours du roy
et de ses mignons[1] ». Les chefs de la Ligue le harcèlent; au
jour de sa fête, ils font parler gravement Dieu[2] :

> Vous, princes de Sodome, escoutez le Seigneur :
> « Qu'ai-je affaire, dist-il, que me fassiez honneur
> Par la pluralité de vos vains sacrifices?
> Je suis saoul, plus qu'assez, de voir vos maléfices ! »

Henri se rend à la fête de la Chandeleur, à l'église de
Chartres, pour adresser ses prières à la « belle dame »; il y prend
deux chemises de Notre-Dame, une pour lui, l'autre pour sa
femme. Puis il revient à Paris coucher avec elle, en espérance
de lui faire un enfant, par la grâce de Dieu et de ses chemises. Car c'était bien là le pauvre secret du roi rhéteur, un
impulsif et un impuissant, qui consultera les médecins,
prendra leurs recettes pour s'envigorer, se baignera aux eaux
de Bourbon[3].

En 1579, Ronsard publiera le « Panégyrique de la Renommée[4] », un poème qui n'est pas aussi factice qu'on pense.
Car il se souvenait toujours de son prince, jeune et courageux, qui avait gagné les deux « grandes victoires » de son
temps, Jarnac et Moncontour. Alors Henri faisait respecter les
images saintes que les huguenots détruisaient, et il tenait en
accord son peuple divisé. Et quand Ronsard parle de sa
« bonne et juste vie », un exemple que son peuple chrétien
imitait par amour, il traduit le sentiment général et populaire des catholiques[5]; en tête du « Bocage royal » (1584),
Ronsard placera l'image de Henri III :

1. C'est l'idée que développera Agrippa : « Hypocrite bigot », etc.
2. Pierre de l'Estoile, I, p. 301.
3. Pierre de l'Estoile, les correspondants du duc de Toscane sont remplis de
détails, parfois répugnants, à ce sujet. — Mais Henri III écrira à Villeroy qu'il part à
Chartres sept jours « pour servir Dieu... Ayez l'œil ouvert en ceste ville [de Paris]
pendant mon absence et que rien n'arrive de mal. » Il demeure donc vigilant
(Bibl. Nat., n. acq. fr. 1246, fol. 367). — 4. III, 188.
5. Alamanni, dans les Négociations avec la Toscane, publiées par E. Desjardins,
IV, 33.

> Qui mesprisa sa vie, ennemis et dangers [1],
> Qui pratiqua les meurs des peuples estrangers,
> Prince tout bon, tout saint, tout vaillant et tout sage.

Mais alors il est si laid qu'il fait peur [2], avec son grand front migraineux et ses yeux bridés, sa barbiche tondue, des faux cheveux sous le bonnet polonais, hérissé d'un toquet de plumes, qu'il ne quitte plus jamais à cause de ses douleurs de tête, portant des perles à ses petites oreilles. N'empêche que Ronsard s'écrie [3] :

> Fuyez, peuple, fuyez : des Muses favory,
> J'entre, sacré poëte, au palais de Henry
> Pour chanter ses honneurs, afin que dès l'aurore
> De l'occident, de l'ourse et du rivage More
> Sa vertu soit congneüe, et qu'on congnoisse aussi
> Qu'un si grand prince avoit nos Muses en soucy !

Et Ronsard célèbre le roi dévot qui ne porte plus qu'un vêtement de laine, qui a rendu des édits somptuaires [4]; il a voulu tout savoir et il a conclu au renoncement. Henri est aujourd'hui le miroir de Dieu. Ainsi Ronsard maudit ceux qui le calomnieront.

---

1. Davy du Perron a rapporté un mot bien intéressant du médecin d'Henri III. « M. Miron, son medecin, disoit de luy qu'il estoit courageux de la teste et non pas du cœur, magnanime de jugement et de resolution plustot que d'inclination naturelle » (*Perroniana*, Genève, 1669, p. 167). Les mots de sa correspondance et de sa conversation le prouvent bien. Henri est spirituel d'ailleurs, détaché comme un philosophe. « C'est estrange pays de la douce France », dira-t-il à Gilles de Souvre, de son royaume.

2. Le magnifique croquis du livre des *Princes* (*Tragiques*, éd., Meaume et Caussade, IV, p. 94), tracé tardivement par Agrippa d'Aubigné, est une fantaisie de grand poète sectaire. Il n'est pas réel :
> Son visage de blanc et de rouge empasté,
> Son chef tout empoudré, nous montrerent ridée
> En la place du roy, une putain fardée...
> Ainsi bien emmanché, il porte tout le jour
> Cet habit monstrueux, pareil à son amour,
> Si qu'au premier abord, chascun estoit en peine
> S'il voioit un roy femme ou bien un homme royne.

Les textes et les portraits sont d'accord. Le roi étai aussi laid qu'un Médicis peut l'être ; mais il demeurait très simple. Il renonça de bonne heure aux parures de dentelles. Quant à la mode italienne des boucles d'oreilles, elle était très répandue en France ; Henri III les portait en souvenir de Marie de Clèves.

3. III, 187 (1579). — 4. Cf. J. Dorat, *Pœmatia*, 1586, p. 119.

Mais pouvait-on remonter un tel courant d'opinion, lorsque huguenots, catholiques, Guisards, gens du Parlement, étaient aussi intéressés à répandre tant d'ordures? Quand le roi paraît à la foire Saint-Germain, le 4 février 1579, avec ses courtisans si bien fraisés et gaudronnés, des écoliers crient : « A la fraize on cognoist le veau[1]! » Messieurs de Guise rentrent à Paris, accompagnés de six cents chevaux. Ce ne sont que querelles, vengeances privées, assassinats, alarmes de huguenots qui croyaient voir se lever une autre Saint-Barthélemy. Quand Bussy, l'homme de Monsieur, mourut assassiné, les faux bruits redoublent. Ces ramas satyriques, « impies et vilains », comme dit l'Estoile[2], sont dignes du feu ou de l'égout. Mais notre robin les collige avec tendresse ; et c'est avec cela que nous écrivons l'histoire : pièces sur les Ganymèdes sous un roi de paille, sur les mignons qui troussaient les huguenots et les malcontents, sur tous les Adonis de la « belle chambrée ». En ce temps-là, on parla beaucoup d'Héliogabale qui livra son corps aux barbiers inhumains afin de changer de sexe :

> Ainsi par la frizure
> Des crins blonds et dorés, par le fard et teinture,
> Qui veulent ressembler nos damoiseaux mondains.

Et c'est peut-être le temps où Thomas d'Embry publia sa curieuse *Isle des Hermaphrodites*[3], où le roi n'est pas mis en cause d'ailleurs. Parmi les pièces dénonçant Saint-Luc[4] (et son nom y prêtait) comme le mignon du roi, décrivant les effigies des mignons qu'Henri aurait fait peindre tout nus[5],

---

1. Pierre de l'Estoile, éd. G. Brunet, I, 309. Jean Dorat écrit des vers latins : *In tumulum D. Bussei (Epigrammata*, 1586, p. 151). — 2. *Ibid.*, I, 333, 336, 337, 338.
3. S. l. n. d. Bibl. Nat., L^{b34} 806. — 4. Agrippa d'Aubigné, dans son Sancy (*OEuvres*, éd. Meaume et Caussade, II, ch. vii). — J. de la Jessée, un homme propre, lui a dédié un récit de sa vie : *L'amoureus errant (OEuvres*, 1583, p. 1480).
5. Amadis Jamyn (éd. de 1584, sonnet XXV) parle d'un tableau des trois mignons « dont le sein blanchissant baigne dans un flot de sang », qu'Henri III aurait commandé à un peintre :
> Peignez moy tout aupres, et cachez mon visage
> D'un triste voile noir, pour donner tesmongnage,
> Que peindre ne se peut mon deuil ni mon amour...

une satire mérite de retenir notre attention[1]. Elle est adressée à un certain Nicolas, qui ne peut être que Simon Nicolas,
secrétaire du roi et des finances, un vieil ami de Ronsard[2]. Il
est alors bien curieux de la rapprocher de pièces de Ronsard,
dont on a mis en doute l'authenticité[3]. Car Henri III est
devenu si odieux, qu'entrant, au mois d'août 1579, au monastère de Poissy, il a pu lire, écrits de grosses lettres, sur la
porte, d'ignobles vers[4] :

> Quand je vien à baisser la teste...

Sous la pression de l'opinion publique, Saint-Luc dut être
disgracié. La Ligue de 1580 se déchaîne, stimulée par les orateurs populaires des Guises qui font tant rire à leurs ser-
mons, tel Poncet. L'année précédente, un humaniste avait
écrit des vers latins vengeurs : *De tribus Antinois Lutetiæ
in æde D. Pauli locatis*[5]; et l'on attribuait à Philippe Desportes la prière pour les trois mignons, imprimée et mise à
la fin de la prière des morts dans les Heures du roi[6].

L'an 1580, un de ses amis offrit à Ronsard une médaille
d'Antinoüs, mignon d'Adrien, à l'exemple duquel le roi
avait fait élever à ses mignons des statues[7]. A cet ami, Ronsard
adressa un discours « déguisé », dont il était seul à posséder le
sens caché sous l'écorce. Il imaginait qu'il contemplait un amas
de médailles que l'on venait de découvrir sous la terre. Il
admirait l'image vénérable de César, celle de l'infortuné
Pompée, du grand Auguste, de Tibère le monstre de nature,
de Néron qui fut neuf années bon et neuf ans méchant, de
Trajan au galbe espagnol, enfin d'Antinoüs :

> Des Graces l'ornement, de Venus la ceinture,
> Le compagnon d'Amour, le miroir de nature,

---

1. Pierre de l'Estoile, I, 337. — 2. Cf. J. Dorat, *Epigrammata*, 1586, p. 1.
3. Elles se rencontrent dans le manuscrit de la Bibl. Nat., fr. 1662.
4. Pierre de l'Estoile, I, 347.
5. Bibl. Nat., ms. fr. 1662, fol. 15 : *Aspicite, o cives, regis deliria vestri...*
6. *Ibid.*, fol. 12. — 7. VI, 484.

> Delice d'Adrian, vertueux empereur,
> S'il n'eut souillé son nom d'une si jeune erreur...

Car il avait aimé d'une amitié si forte cet enfant qu'il lui fit élever un temple, après sa mort, une statue en marbre de Paros, donnant son nom à une cité :

> Tu pourras voir, lecteur, en voiant cest escript,
> Que toute amour poignante aveugle notre esprit...

La pièce circula, sous le manteau, comme la terrible pièce, qui n'est peut-être qu'un caprice truculent du poète[1] :

> Le roi ne m'aime point pour estre trop barbu...
> Il tient du naturel de ceux de Medicis,
> Et prenant le devant il imite son pere.

Avec la Ligue, Ronsard répète donc qu'Henri est un Néron. Ce qui est seulement assuré, au témoignage du correspondant du duc de Toscane, c'est qu'en ce temps-là Henri III se fit lire Pétrarque par Jacques Corbellini, qu'il est soigné, dit-on, du mal français, que son visage amaigri apparaît couvert de boutons[2].

Le 7 septembre 1581, la vicomté de Joyeuse est érigée en duché pairie, en faveur de Monsieur Anne de Joyeuse, amiral de France, donné pour un mignon du roi ; Joyeuse est fiancé à Mademoiselle Marguerite de Lorraine, sœur de la reine[3]. Le dimanche 24, on les marie à Saint-Germain-l'Auxerrois. Le roi conduit au moutier la mariée, dans une robe somptueuse, et il se montre couvert de perles. Festins et mascarades se succèdent dont on estime les frais à douze cent mille écus. Et le populaire demeure ébahi par un tel luxe faisant contraste avec la misère de l'époque[4].

---

1. VI, 488.
2. Il est aussi question de la plus invraisemblable des opérations lui permettant de procréer (*Négociations avec la Toscane*, IV, 342).
3. C'est le maréchal de Retz qui poussa Joyeuse et d'Épernon au pouvoir ; ils le prirent non sans appréhensions. (Voir le discours rapporté par Bassompierre. Bibl. Nat., fr. n. acq. 1208, fol. 126-132.) Joyeuse et d'Épernon n'étaient pas sans mérite.
4. Pierre de l'Estoile, II, 21.

Un charmant tableau nous met sous les yeux la scène du
bal, donné au Louvre, dans la salle dallée de marbres de couleurs, au beau plafond de bois, que décorent des statues
dans leur niche. Tout y paraît bien simple, correct; le roi
se tient à sa place, sous le petit dais, assis au milieu des
siens [1].

On devait l'organisation de la fête à Ronsard et à Baïf; ils
avaient fait le programme des mascarades, auxquelles
Desportes collabora pour le scénario des Chevaliers fidèles,
composant les stances et le chœur des Flamines. Ronsard et
Baïf se partagent donc, avec les musiciens qui reçoivent
chacun une livrée en soie, les 2 000 écus qu'Henri III leur
alloue à l'occasion de cette magnificence :

> Joyeuse, suy ton nom, qui joyeux te convie,
> A jouir doucement d'une joyeuse vie...

Et Ronsard décrivait le lit de ce guerrier, éclairé des
lumières de la noce, autour duquel filles et garçons chantaient hyménée.

Pierre de l'Estoile a rapporté toute la cérémonie [2], les combats, les tournois dans les jardins du Louvre, la fête nautique
sur la Seine, peu réussie d'ailleurs, où les monstres marins
tiraient le bac qui passa la noce à Saint-Germain-des-Prés.

Le 15 octobre 1582, dans la grande salle de Bourbon, Baltazarini de Beaujoyeux [3], valet de chambre du roi et de la reine
sa mère, le violoniste venu d'Italie, a monté, avec la collaboration pour la poésie de La Chesnaye, aumônier du roi, de
Beaulieu et de M. Salmon pour la musique, de Jacques
Patin, peintre, la Circé qui fut publiée sous le titre de *Balet
comique de la royne* [4]. Beaujoyeux le dit dans sa dédicace au

---

1. Musée du Louvre. Reproduit, entre autres, dans H. Bouchot, *Catherine de
Médicis*, p. 126.

2. I, 32-33. Voir l'Epithalame de J. Dorat, *Pœmatia*, 1586, 263.

3. Sur ce personnage, brillant et spirituel, voir Brantôme, t. IV,82; IX, 663-664,
et la note p. 360.

4. Bibl. Nat., Rés. L²⁷ 10436. Cf. Agrippa d'Aubigné, *OEuvres*, I, p. 23.

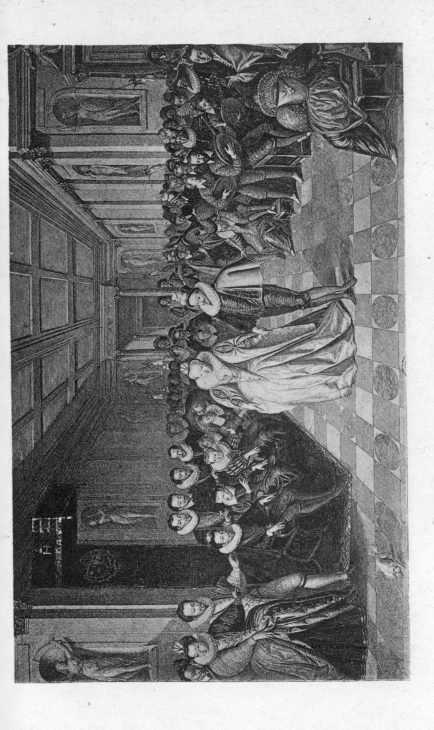

Bal de Joyeuse au Louvre

roi : la noblesse était lasse des luttes militaires. Un « beau
teint » allait revenir à la France, grâce à la reine mère, cette
Pallas « qui a veillé tant de nuits, employé tant de jours,
donné tant de sages conseils et appliqué tant de salutaires
remèdes ». Ce fut la dernière fête du règne de Henri III, la
dernière fête du royaume « si fertile », malgré les désordres,
en bonnes volontés et « gentils entendemens ».

Le sujet est bien choisi pour plaire à Henri, fondateur de
l'Académie du Palais, qui aimait à entendre disserter de
la vertu. Circé est l'enchanteresse, « laquelle avez vaincue
par vostre vertu, avec trop plus de louange qu'Ulysse ».
Beaujoyeux, au son de ses violons d'Italie, ressuscite le
ballet « des cendres de la Grèce ». Il y a, dans la grande salle,
un théâtre de verdure ; la cour se presse aux balcons ; le roi
est assis au parquet, entre sa femme et sa mère. Il doit être
bien heureux, comme il l'était à Venise, en sa jeunesse. Les
dieux et Saturne vont descendre, cette nuit, pour instaurer
un nouvel âge d'or en France. Mais voilà Circé qui chante sa
complainte, le défilé des sirènes et des tritons ; ils portent
sur leurs bras leur queue retroussée et font le tour de la
salle. Un char transporte la fontaine, qu'entourent les
néréides ; les nymphes sont figurées par les princesses et les
dames de la cour. Les tritons musiciens s'avancent, Glaucus
et Thétis ; vient le tableau des enchantements de Circé, l'in-
termède et le chant des satyres. Sur le char des nymphes et
des dryades on peut voir Mesdemoiselles de Vitry, Surgères,
Lavernay, Estavay la jeune. Le dieu Pan est représenté par
M. de Juvigny. Et d'autres filles de la reine, dans leur vêtement bleu, figurent les quatre Vertus. Le char de Minerve
s'avance, tandis que Circé défend l'entrée de son jardin aux
Nymphes.

Mais le grand ballet, aux quarante figures géométriques,
qu'on eût dit inventé par un autre Archimède, n'est qu'une
suite d'entrelacs où chaque assistant va tenir son rôle. La
reine l'ouvre, en tenant par la main la princesse de Lorraine.

Tous vont faire la révérence devant leurs Majestés qui distribuent, comme à un cotillon, des cadeaux avec des devises appropriées. La Minerve est destinée à la reine mère ; et Mademoiselle de Surgères présente à son partenaire, le comte de Saulx, le chevreuil : *Non teli secure usquam*, dit la devise. Ainsi sont dansés, jusqu'à trois heures du matin, les branles accoutumés aux festins.

Tout cela est d'un faste, d'une nouveauté, d'un platonisme académique, que les assistants découvrent, tel le sieur Gordon, Écossais, gentilhomme de la chambre du roi, qui a exposé le symbolisme du ballet. Car dans cette nuit brillante, pleine de musique et de chants, les naïades (comme cela convient à Hélène) exaltent les plaisirs et délices immortels de la vertu. Et les animaux, prisonniers au palais de Circé, symbolisent les serviteurs de la volupté, séduits par la beauté extérieure, les vices enfin qui mènent les hommes à leur perte.

Mais, sauf le roi Henri III, qui approuve ces allégories ? Ce ne sont, à coup sûr, ni Pierre de l'Estoile, ni Agrippa d'Aubigné. Et Ronsard peut bien en sourire aussi.

Il est évident qu'on ne tolère plus rien au roi, aux pâles mignons de son cabinet. Ces superbes noces de Joyeuse sont l'occasion de pasquins déchirant tout le monde, les hommes et les femmes[1].

Le roi et la reine se rendent à pied, au mois de janvier 1582, de Paris à Chartres, pèlerinant vers la « bonne dame » pour qu'elle intercède auprès de Jésus-Christ afin de leur obtenir un héritier. Le roi offre une Notre-Dame d'argent doré ; on prie dans toutes les églises du royaume[2]. Ce qui ne fait pas taire, dans sa chaire, Maurice Poncet, curé de Saint-

---

1. On conserve une méchante et plate revue de la cour, publiée à cette occasion (Bibl. Nat., ms. fr. 15590, fol. 157).
2. Pierre de l'Estoile, II, 56 : pour « faire des enfants sans mère », dira Agrippa, IV, 348.

Pierre des Arcis[1]. Le roi est repris par ses humeurs mélancoliques; il croit qu'il devient fou, qu'il va finir violemment sa vie[2]. Il a fait le vœu de coucher seulement avec sa femme. Il prie continuellement au milieu de ses capucins et de ses jésuites[3]. Il retourne à Chartres, au mois de juin, offrant encore une lampe d'argent. Et la reine, l'année suivante, se rendra à Notre-Dame de Liesse, implorant de devenir enceinte. C'est le temps où l'on cherche aussi à amadouer Rose, le fougueux prédicateur de la Ligue[4]. Mais au mois d'août 1583, Henri III, dans un sursaut de révolte, a chassé Marguerite de Valois et ses amies, Mesdames de Béthune et de Duras, faisant retourner leur litière, les traitant en criminelles; car il les rendait responsables des mauvais propos qui couraient sur lui et ses « mignons[5] ».

Et c'est un fait que l'année 1583 où Ronsard vint à Paris, à la fin de l'hiver, Henri III se réforme, fait fesser les pages dissolus; au mois d'avril, avec la reine, à pied, il se rend de nouveau de Paris à Chartres, et de là à Cléry, toujours priant pour avoir des enfants; ainsi il avait fait tant de chemin qu'il prit des ampoules. Il est bien fatigué et sa

---

1. « Le moine Poncet, grand prédicateur, avoit au careme de l'an 1583, la chaire de Notre-Dame de Paris, où il fit un sermon contre le roi Henri III et ses mignons, où il entremesla plusieurs traits plaisants qui lui firent rire les auditeurs. Le roi s'en estant fasché outre mesure, l'envoya querir et lui en fit une dure reprimande. A la fin de laquelle M. d'Espernon lui dit : « Monsieur nostre maistre, vous faites donc le plaisant en vostre sermon et y faites rire le monde ? »— « Monsieur, lui répondit-il, quelque peine que j'y puisse prendre, je n'en ferai jamais tant rire comme vous en faites pleurer ! » (Anecdote recueillie dans les papiers du comte du Tillières, Bibl. Nat., ms. fr. n. acq. 1208, fol. 14.)

2. Il écrit : « Je voudrois quelque fois estre à la fin de ma vye. » (Bibl. Nat., ms. fr. n. acq. fr. 1246, p. 170.)

3. *Négociations avec la Toscane*, IV, p. 443.

4. Pierre de l'Estoile, II, 71, 97, 106, 111, 133.

5. *Ibid.*, II, 130-131.—De nombreuses lettres d'Henri III, au sujet de sa sœur, nous montrent sa fureur : « Non qu'elle ne doyve sçavoir que l'on sçait sa vye... Car elle sera tousjours que trop superbe et maline » (Bibl. Nat., ms. fr. n. acq. 1245, p. 142). Il la fit interner à Usson et garder par les Suisses (*Ibid.*, n. acq. fr. 1246, fol. 5), ne lui laissant qu'une « honneste demoiselle et femme de chambre » (*Ibid.*, fol. 33); il chasse ses hommes et ses femmes.

figure est mauvaise. Les pénitences redoublent[1]; Henri va à Spa boire les eaux. Il a remis l'administration au duc d'Épernon, celui-là que Ronsard a chanté; et il envoie Joyeuse consulter le pape à Rome. Des environs de Paris surgissent des pèlerins vêtus de toile, portant de grands chapeaux de feutre, le cierge à la main, chantant des cantiques; ils demandent à la Vierge de les préserver de la peste. On emprisonne les demoiselles qui portent des affiquets et autres babioles[2]. Le roi, vieilli, avec ses cheveux blancs (il a trente-six ans), sa mauvaise figure, édenté, traverse une crise de neurasthénie aiguë, qui est vraiment une crise de folie. Il veut non seulement la réforme de sa maison, mais la réforme spirituelle du royaume[3]. Il prie continuellement, fait rechercher les ascètes qui se nourrissent d'herbes; il n'a plus personne autour de lui que ses capucins et ses coupe-jarrets[4]. Le roi chasse de sa présence ce Davy du Perron (celui-là qui prononcera l'oraison funèbre de Ronsard), grand discoureur et philosophe, que le roi entendait volontiers, en particulier à l'Académie du Palais; car il a prononcé devant lui un « brave » discours contre les athéistes, prouvant, par claires et évidentes raisons, qu'il y avait un Dieu. Et, comme on le félicitait, Davy du Perron avait osé proposer à sa Majesté de démontrer, le lendemain, par d'aussi bonnes raisons, qu'il n'y avait point de Dieu[5]. Le 13 décembre, le vent souffla bien fort, effroyablement, pendant deux heures; et la prédiction de malheur attribuée aux huguenots sur l'anagramme d'Henri de Valois : « Vilain Herodes », circule[6]. Une fois de plus, avec quarante-sept pénitents, le

---

1. Voir la magnifique planche représentant le roi parmi les pénitents (Bibl. Nat., Cabinet des Estampes, série historique, Q^b. 22).

2. Pierre de l'Estoile, II, 128, 133, 134. — Voir aussi les détails très intéressants donnés par les *Registres du Bureau de la Ville*, t. VIII.

3. Il écrit : « Dieu nous veut fort chastier, nous le meritons... » (Bibl. Nat., n. acq. fr. 1245, p. 59.)

4. Tous ces détails sont tirés du correspondant du grand duc de Toscane (*Négociations avec la Toscane*, VI, p. 443-467).

5. Pierre de l'Estoile, II, 140-141. — 6. *Ibid.*, II, 143.

roi part au printemps, à pied, à Notre-Dame de Cléry. Il ne
fait plus que visiter les églises. Le duc d'Épernon se rend
vers le roi de Navarre. Car on attend, d'un moment à l'autre,
la mort du duc d'Anjou[1]. Le roi de Navarre est invité à
venir à la cour, à y entendre la messe; c'est ce Bourbon qui
va devenir le légitime héritier.

Le 24 juin 1584, Henri III, vêtu d'un très long manteau de serge violette, va jeter, à Saint-Magloire, l'eau
bénite sur le corps de son frère; le lendemain, de la
fenêtre d'une maison faisant le coin du parvis Notre-Dame,
le roi, à visage découvert, regarde passer la pompe funèbre.
M. de Guise, le Balafré, est près de lui, fort triste et mélancolique, écoutant le dialogue de ses pensées, car demain
c'est la Ligue. Mais s'il entrevoit son destin, il ne prévoit guère
les coups de dague que derrière la tapisserie lui porteront, à
Blois, quarante-cinq gentilshommes, au pied du lit du roi[2].

Le *Caprice*[3] à Simon Nicolas[4], postérieur à la mort
de François, duc d'Anjou, c'est-à-dire au mois de juin 1584,
est une des belles pièces de Ronsard désabusé :

1. Il avait conservé beaucoup de sympathie dans le monde de l'opposition parlementaire. « La mort de François duc d'Anjou, frere unique du roi, qui arriva ceste
année [1585] consterna de Thou et tous les bons François; elle fit esperer aux Espagnols de recouvrer les Pays-Bas, par où, plutôt que par ailleurs, ils ont toujours attaqué la France, et elle causa chez nous la guerre civile. » *Mémoires* de J. A. de Thou,
p. 319 (Collection Michaud et Poujoulat). — 2. Pierre de l'Estoile, II, 155-156.
3. VI, 61 (éd. 1609). — La pièce est à rapprocher d'une vue, si intéressante, sur
l'état de la France donnée par le cardinal Davy du Perron (*Perroniana*, Genève, 1669,
p. 150). Pas de bonne foi, donc pas de crédit chez les Français. Ils ne sont pas d'ailleurs
capables de manier de l'argent. Pas de justice alors chez eux : tout est accordé à la
faveur. Aucune discipline parmi les soldats. Les Français sont si ennemis de l'égalité
qu'ils ne peuvent vivre qu'en monarchie.
4. Simon Nicolas, parmi les secrétaires à réduire en 1572 (Arch. Nat., KK. 134),
figure toujours parmi les secrétaires de la chambre en 1574 (*Ibid*); conseiller du roi,
secrétaire de ses finances en 1581, il déclare avoir reçu de M. Pierre Molé, conseiller,
trésorier de l'Epargne (celui qu'implorera Ronsard) ses gages annuels de 330 écus
(Bibl. Nat., P. orig. 2107). Il demeurait à Paris, rue de Bétizy, en 1583, et vivait
encore en 1603 (*Ibid.*). — Tessereau, *Histoire chronologique de la grande chancellerie*,
1676, signale deux personnages de ce nom. Cf. Brantôme (V, 281) qui a rapporté
qu'il était « fort honneste homme et bon compagnon », échangeant des quatrains
avec Charles IX ; J. Dorat, *Epigrammata*, 1586, fol. 12.

Tout est perdu, Nicolas, tout s'empire,
Ce n'est plus rien que du François Empire,
Le vice regne et la vertu s'enfuit,
Les grands seigneurs ont pris nouveau desduit,
Farseurs, boufons, courtisans pleins de ruses
Sont maintenant en la place des Muses,
Joüeur, larrons, fayneans, discoureurs,
Muguets, devins, querelleurs et jureurs...
Que je regrette (ô Dieux!) que je regrette
Un si bon temps où la Muse brunette
Avoit en cour tant de lustre et de pris !
Où l'ignorance, où des foibles esprits,
Sans nul merite et sans aucune gloire,
N'avoient le bien des filles de Memoire,
Des nouveaux nais, des folastres mentons
Esclos d'un jour, des petits avortons
Enflez d'honneurs, de pensions, de tiltres,
D'orgueil, de dons, de crosses et de mitres,
Laissant derriere à bouche ouverte ceux
Qui ont Thalie et Phœbus avec eux,
Nourris de rois au sein des neuf Pucelles,
Pour les combler de graces immortelles...
Ce n'est plus rien que fard, qu'hypocrisie,
Que brigandage et rien qu'apostasie,
Qu'erreur, que fraude en ce temps obscurcy,
Le Turc vit mieux que l'on ne faict icy...

On n'en saurait douter, un grand découragement l'avait alors saisi, passager certes, car Ronsard, si nerveux et sensible, est aussi vite relevé qu'abattu. Mais à l'automne de 1583[1], il avait regardé passer au ciel la troupe des grues qui gagnait un plus doux climat, fuyant la froide saison et notre pays :

Les regardant voller, je disois en moy-mesme :
Je voudrois bien, oiseaux, pouvoir faire de mesme
Et voir de ma maison la flame voltiger
De sur ma cheminée et, jamais n'en bouger
Maintenant que je porte, injurié par l'age,
Mes cheveux aussi gris comme est votre plumage...

---

1. « Levant les yeux au ciel, et contemplant les nues » (III, 225). Cette belle pièce, intitulée : Dialogue entre les Muses deslogées et Ronsard, parut pour la première fois au mois de janvier 1584.

> Allez en vos maisons ; je voudrois faire ainsi :
> Un homme sans fouyer vit toujours en soucy.
> Mais en vain je parlois à l'escadron qui volle
> Car le vent emportoit comme luy ma parole.

A ses pieds, dans la vallée, le poète distinguait de pauvres femmes, des mendiantes et des vagabondes, échevelées ; noble troupe, cependant, qu'un jouvenceau, armé d'une façon de caducée, conduisait. Et Ronsard les interrogeait. C'était là le saint troupeau des Muses, des filles de Mémoire, chassées jadis de leur terre natale, la Grèce, qui escomptaient la charité des peuples et des rois pour vivre. Ronsard les interpellait :

> Des Muses? dis-je lors. Estes-vous celles-là
> Que jadis Helicon les neufs sœurs appella?

Combien il se repentait aujourd'hui d'avoir suivi leurs danses !

> Maintenant je cognois, vous voyant affamées,
> Qu'en esprit vous paissez seulement de fumées...
> Certes vous ressemblez aux pauvres gentilshommes,
> Qui, quand tout est vendu, levant la teste aux cieux
> N'ont plus d'autre recours qu'à vanter leurs ayeux.

Quand les Muses sont des vagabondes, le poète est un homme sans feu ni lieu. Mais les Muses savaient aussi le reprendre et lui dire que, sans elles, Ronsard n'eût été qu'un pauvre inconnu, demeuré en sa petite maison dans un froid village, tandis que son nom était estimé de ses rois, chéri de son peuple, répandu à l'étranger.

Oui, mélancoliquement, Ronsard regrettait d'avoir fait descendre les neuf Sœurs sur les bords du Loir, d'avoir chanté le bel œil de sa Cassandre. Il l'avouait à Nicolas, ce bon témoin de sa jeunesse. Pourquoi avait-il tant travaillé pour des gens qui n'appréciaient plus que le « langage fardé »? (On pense à Desportes, auquel Ronsard peut bien faire allusion, quand il parle des bénéfices qu'il n'avait pas obtenus.) Virgile même leur serait ennuyeux. Ronsard était triste; il devenait vieux[1].

> Desja ma teste est de neige couverte,
> Ma force est lente et ma veine deserte,

disait-il, pour terrasser le monstre de l'Ignorance. Il continuait de pleurer son roi Charles IX,

> De qui le front, peuplé des lauriers vers,
> Daignoit pancher aux accords de mes vers.

Sans doute, Dieu susciterait encore une « âme vive ». Ronsard donnait des conseils aux jeunes[2] :

> Promeine-toy dans les plaines Attiques,
> Fay nouveaux mots, r'appelle les antiques,
> Voy les Romains, et destiné du ciel,
> Desrobe ainsi que les mouches à miel
> Leurs belles fleurs par les Charites peintes...

Le roi n'aura jamais d'enfant; son héritier, certes, est courageux et actif; mais sera-t-il reconnu « en survivance[3] » ? La guerre va se déchaîner :

> Tout est perdu, la France est à son terme.

Que les réformés puissent vivre en franchise, comme au sein de la primitive Église, et tout sera restauré :

> Donne, grand Dieu, que ce bon-heur arrive
> Si ton vouloir, durant ses jours nous prive,
> De ce grand Roy qui nous baille ses loix,
> Et s'il te plaist que le nom de Vallois
> Cede aux Bourbons sortis de mesme race,
> Car tout succombe et toute chose passe.

Ronsard le connaissait bien, cet Henri de Bourbon, le beau guerrier, qui sera Henri IV[4] :

> Rien n'est meilleur, rien plus doux que ce Roy,
> Rien plus humain, rien n'est de plus affable,

1. VI. 63. — 2. VI, 64. — 3. VI, 65. — 4. VI, 66.

> Ce n'est qu'amour, il n'est rien de semblable :
> O Nicolas ! nous serions trop plein d'heur
> De vivre un jour vassaux de sa grandeur...

Et Ronsard implorait le Seigneur :

> Fay que tout vice esloigne leurs citez :
> Escartes-en les salles voluptez,
> Les trahisons, les meurtres, les querelles;
> Escartes-en ces damnables sequelles
> De brelandiers, de farseurs, de plaisans
> Qui sont toujours avec les courtisans,
> Et qu'en leur place, au comble de sa gloire,
> Le docte chœur des filles de Memoire,
> Comme devant, y fleurisse tousjours,
> Tant que Phœbus allumera les jours
> En Orient, et que toute infortune,
> Tout noir meschef, toute influence brune,
> Escarte loin son estoc et son dard
> De Nicolas et du chef de Ronsard...

L'Élégie au roi[1], publiée en 1584, témoigne cependant qu'en dépit de ses critiques, de ses pièces secrètes, Ronsard est resté fidèle à lui-même et à Henri III dans le malheur[2] :

> Je resemble, mon Prince, au prestre d'Apollon,
> Qui n'est jamais attaint du poignant aiguillon
> Ou soit de prophetie, ou soit de poësie,
> S'il ne sent de son Dieu son ame estre saisie...
> Ainsi quand par fortune, ou quand par maladie
> Je m'absente de vous, ma Muse est refroidie.
> Parnasse et ses deux fronts me semblent des deserts,
> Et pour moy se tarist la fontaine des vers.
> Je me sens transformé, comme si le breuvage
> De Circe avoit charmé ma vois et mon courage,
> Tant ma langue s'arreste à mon palais tout court.
> Mais lors que je retourne au temple de la court,
> Et lors que voy Henry l'Apollon qui m'inspire,
> Soudain je me descharme, et ma langue veut dire
> Les honneurs d'un tel prince, et me sens r'enchanter
> D'un nouvel enthousiasme, afin de mieus chanter

1. IV, 6 (éd. 1584, p. 596).
2. On voit que, le 18 mai 1583, Ronsard reçoit un don de 600 écus provenant de la vente d'offices de marchand de poissons au Mans (Arch. Nat., K. 101, n° 30).

Vostre vertu qui regne au monde sans egale,
Et tousjours vous chantant mourir vostre cigale...
Ne vous arrestez point à la vieille prison
Qui enferme mon corps, ny à mon poil grison,
A mon menton fleuri : mon corps n'est que l'escorce.
Servez-vous de l'esprit, mon esprit est ma force.
Le corps doit bien tost rendre en un tombeau poudreux
Aux premiers elemens cela qu'il a pris d'eux.
L'esprit vivra toujours qui vous doit faire vivre,
Au moins tant que vivront les plumes et le livre.
Quand j'auray cest honneur soit de vous rencontrer
Sortant de vostre chambre, ou soit pour y entrer,
Je vous suppli' de dire (et aussi je l'espere) :
Celuy fut elevé par les mains de mon pere,
Par mes freres nourri, et de moy bien-aimé :
Il fut l'un des premiers qui de gloire allumé
Fit passer mon langage aux nastions estranges,
Ornant ma race et moy d'honneurs et de louanges,
Et monstra le chemin encores non battu
A mes nobles François de suivre la vertu.
Ne faites point vers moy ainsi qu'un mauvais maistre
Fait envers son cheval, ne luy donnant que paistre,
Encor qu'il ait gaigné des batailles sous luy,
Lors que la maladie, ou le commun ennuy
D'un chascun, la vieillesse, accident sans resource,
Refroidist ses jarrets, et empesche sa course.
Mais suivez Scipion, qui bastit son tombeau
Sur Carthage, et qui onq' ne fist rien de si beau
Qu'enterrer pres de soy, pour honorer sa gloire,
Le bon pere Ennius, chantre de sa victoire...
                                        ayant ce privilege
D'estre aimé d'Apollon et de tout son college.

Le Second livre des Poèmes[1] dédié, en 1584, à très illustre
et très vertueux seigneur Jean-Louis de Nogaret de la
Valette, duc d'Épernon[2], pair et colonel de l'infanterie de
France, nous montre d'ailleurs que Ronsard est devenu, une

---

1. V, 133. — 2. Il avait été l'un des protégés de Villeroy qui témoignait à son
père, Jean de Nogaret, une grande amitié, et dont il estimait « la vertu en toutes
choses et la fidélité au service du roi » (J. Nouaillac, *Villeroy, secrétaire d'État et
ministre*, p. 88). Joyeuse et d'Épernon se haïssaient. D'Épernon protégea Pierre Le
Loyer, angevin, disciple de Ronsard, et sans doute aussi Jean Dorat (*Pœmatia*, 1586,
p. 231). Etienne Forcadel lui adressa sa tierce Eglogue (*OEuvres*, 1579, fol. 249).

fois de plus, personnage et poète officiel. Car d'Épernon, qui
a trente-deux ans, est une façon de premier ministre[1]. Un
poème, Les Parques, le qualifie de « très vertueux » colonel
d'infanterie[2], gouverneur de Metz, de Toul et de Verdun ;
mais suivant Pierre de l'Estoile, il était l' « archi mignon » de
Henri III, c'est-à-dire le tout-puissant favori[3]. Ronsard disait
que Fortune et Vertu étaient les Parques qui avaient présidé
à sa naissance ; et, comme un autre dieu Mars, on avait
vu d'Épernon, rouge du sang de ses ennemis, servir son
roi Henri :

> Je te voy tout armé de tes bandes armées
> D'un long ordre suivi, comme plis de fumées
> Entre-esclairez de feux et de brasiers espais
> Qui se pressent l'un l'autre, et se suivent de pres.

Quand les « corselets » auront fait place aux lois, Pierre de
Ronsard voyait sa place marquée au conseil. Car d'Épernon
était aussi propre à faire un ministre de la paix qu'un
ministre de la guerre.

Une fois de plus, après tant d'avatars, Ronsard avait
entendu la voix de la Patrie. Et il peut bien avoir maudit les
jésuites[4], « mignons de Iesus Christ », dont un de leurs
affidés était venu de Rome en France pour tuer le duc d'Alençon, et qui passa sa folie en abattant, d'un coup de pistolet,
le prince d'Orange[5] (août 1584).

---

1. Cf. Léo Mouton, *un demi-roi, le duc d'Epernon*, Paris, 1922.
2. Depuis 1581.
3. Le duc d'Epernon marchait toujours avec un train royal, accompagné de cinq
cents gentilshommes.
4. VI,455. — Henri III écrit à Villeroy : « Il faut venir à bout de ce fait des jesuittes »
(Bibl. Nat., ms. fr. n. acq. fr. 1240, p. 70). Sur les sentiments d'Henri III envers
Grégoire XIII, voir les *Mémoires* de J.-A. de Thou (p. 320, ad. a. 1585). Henri
appréhende qu'à sa mort on élise un pape d'une humeur plus turbulente encore. Il était
furieux qu'à Rome on ne soit pas entré dans ses vues sur la réforme mystique du
royaume. Le légat du pape lui fit souvent des observations sur son costume de pénitent.
5. Voir la campagne contre les jésuites dans Pierre de l'Estoile, II, 161-162, 164
(juillet 1584).

Mais c'est un jeune religieux du couvent des Jacobins, Jacques Clément, qui, dans la tente de Saint-Cloud, tira de sa manche le couteau qu'il portait et le planta au-dessous du nombril du roi Henri. Le dernier des Valois mourut dévotement.

CHAPITRE IX

LE POÈTE A L'AUTOMNE DE SA VIE

Comme il est de sa terre où, naturellement, la légende l'a gardé ! On y montre encore le pré où la bonne femme qui le portait baptiser en l'église de Couture le laissa tomber sur l'herbe et les fleurs qui doucement le reçurent[1]. Sa terre, Pierre de Ronsard la vénérait. S'il sait par cœur son Virgile et son Horace, c'est dans la campagne de Touraine et de Vendômois qu'il les entend le mieux. Son art classique, fait d'impressions et de réminiscences, est vivifié par la terre et les eaux de son pays, comme son ivresse de poète est aiguisée par le vin de son coteau[2]. Faunes, ægypans, naïades, et toutes les nymphes, ont vraiment dansé pour lui dans la forêt que gardaient ses pères. Il a la force et la verdeur de ces grands arbres feuillus qu'il aurait voulu arracher à la cognée du bûcheron. Il savait qu'un sang vermeil coulait sous leur écorce ; et dans ses veines, à lui, circulait quelque chose de la sève des arbres. Il leur était pieux, comme il était pieux à la « Gastine sainte », mère des demi-dieux, qui couvrit de son ombre sacrée ses rêveries. Un beau cep, qui « a peu à envier » au vignoble angevin, couvre l'une des côtes de son pays. La Denisière[3] tire son nom du divin père, Dionysos. Sa vallée, ceinte de deux longs tertres, abritée des aquilons et des vents

---

1. Claude Binet, *Vie de Pierre de Ronsard*, éd. P. Laumonier, p. 4. Voir la tradition orale recueillie par M. Gustave Cohen, *Ronsard, sa vie et son œuvre*, 1924, p. 21.
2. Sur toutes les attaches de Ronsard avec son pays, voir la belle introduction de M. Paul Laumonier, *Ronsard et sa province*, Paris, 1924.
3. Vignoble non loin de Couture (IV, 360).

du Midi, alanguit son chant harmonieux. Il en connaît tous
les pâturages, les humbles champs où la fleur naît généreusement à côté du blé, les saules, au pied desquels il allait
dormir et rêver, contemplant les arbres qui sont sa folie[1]

> Et le bel aubespin vestu
> des longs bras
> D'une lambrunche sauvage.

Le Loir, qui « lentement s'attarde » et tourne, en se jouant,
parmi les champs, la Braye argentine qui se déroule plus
rapide, le mènent à l'Ile verte où il a fait choix de sa tombe.
Ronsard est dévot à son pays, à ses fontaines, comme les
paysans qu'il connaît bien, les bonnes gens rustiques
dont il sait les travaux, les simples paysannes qu'il courtisa
jouvencelles[2] :

> Au marché porter il me fault
> (Ma mere Janne m'i envoye)
> Nostre grand cochon, et notre oye
> Qui le matin crioit si haut.

Et Ronsard aime les jardins, les légumes, les fleurs, les
œillets mignards, les lys dont il raffole, ses roses qui,
toutes, ne poussèrent pas au jardin de l'Anthologie. Car nous
pouvons croire qu'il quittait avec plaisir le Louvre et ses
obligations curiales, et même sa maison parisienne de la rue
des Fossés-Saint-Victor, au faubourg Saint-Marcel, que posséda Colletet[3] : une petite maison avec une cour à balustres de
quatre pieds, un portique que gardaient des lions de pierre
adoucissant pour leur propriétaire « leurs regards furieux ».
Elle était plantée d'un mûrier, offrait une double allée, un
parterre de fleurs, aimable promenoir qui conservait la trace
des pas de Ronsard. Mais nous ne savons si, comme Colletet,
Ronsard vendait les mûres de la récolte de sa maison à
l'enseigne de l'*Ange*.

1. II, 347. — 2. VI, 209.
3. VIII, 281.

Bénéficiaire de Bellozane, résigné par Amyot[1], Ronsard
est, depuis 1564, prieur de Saint-Cosme, dont il prend possession le 15 mars. Il habite, au chevet de l'église, un logis
du quinzième siècle, avec une galerie ouvrant sur les coteaux
de la Loire. Le 16 janvier 1565, Ronsard est prébendé du
chapitre de Saint-Martin. Depuis 1560, il est chanoine de
Saint-Julien du Mans et archidiacre de Château-du-Loir[3].
Il a acquis Croixval d'Amadis Jamyn, clerc du diocèse de
Langres, à qui il assura une rente de 150 livres, en 1566[4].
Alors Ronsard se tient plus souvent dans son Vendômois qu'il
aime depuis les jours de son enfance, et en Touraine; sur ce
point, ses sentiments n'avaient pas varié :

> Quand je suis vint ou trente mois
> Sans retourner en Vandomois,
> Plein de pensées vagabondes,
> Plein d'un remors, et d'un souci,
> Aux rochers je me plains ainsi,
> Aus bois, aus antres, et aus ondes.
>
> Rochers, bien que soiés agés,
> De trois mil ans, vous ne changés
> Jamais ni d'estat ni de forme,
> Mais toujours ma jeunesse fuit,
> Et la vieillesse qui me suit
> De jeune en vieillard me transforme.
>
> Bois, bien que perdiés tous les ans
> En l'hiver, vos cheveus plaisans,
> L'an d'apres qui se renouvelle,
> Renouvelle aussi vôtre chef :
> Mais le mien ne peut de rechef
> R'avoir sa perruque nouvelle.
>
> Antres, je me suis veu chés vous
> Avoir jadis verds les genous,
> Le corps habille, et la main bonne,

1. En 1564, abbaye résignée par Ronsard la même année (*Gallia christiana*, XI,
col. 335-336). — 2. VIII, 281. — 3. L. Froger, *Ronsard ecclésiastique*, ch. III et IV.
4. Prieur de Saint-Guingalois et de Château-du-Loir, au mois de décembre 1569.
Dans les comptes que nous avons conservés de la maison d'Henri III, Ronsard figure
toujours parmi les aumôniers avec ce seul titre « Mᵉ Pierre de Ronsard, archediacre
du Chasteau du Loir » (Arch. Nat., KK. 134, ad. a. 1572, 1574). Voir l'introduction
de M. Paul Laumonier, *Ronsard et sa province*, p. xxx, xxxi; Cl. Binet, commentaire,
p. 168.

Mais ores j'ai le cors plus dur,
Et les genous, que n'est le mur
Qui froidement vous environne.
   Ondes, sans fin vous promenés
Et vous menez et ramenez
Vos flots d'un cours qui ne sejourne,
Et moi, sans faire long sejour,
Je m'en vais de nuict et de jour,
Mais comme vous, je ne retourne[1].

Dans cette solitude, Ronsard brûla de l'amour qui anima et tourmenta sa vie, celui qui agite les animaux, les colombes et les ramiers, dévoré par ce feu qui « consumait ses veines et ses os », et qu'il porta en lui, jusqu'à ses derniers jours.

Mais Ronsard ne réside pas qu'en Vendômois ; il va souvent à Tours, où l'ambassadeur vénitien, Lippomano, séjourna en 1577, la grande ville de Tours, dans un site aimable, où le fleuve ceint des îles construites de maisons. Là s'élèvent de belles églises, des monastères comme Marmoutier, avec leurs caves garnies d'une armée de tonneaux de vin. Cette Touraine, que Ronsard aima tant, était la partie de la France alors la plus plantureuse, la plus grasse, avec ses pâturages excellents fournissant la viande et un laitage estimés ; c'est un pays d'une étonnante fertilité, bien cultivé, couvert d'ombrages. La rivière abonde en poissons ; de Nantes, qui n'est pas loin, on apporte la marée. La ville est surtout marchande, spécialisée dans le commerce des tissus solides et de soie vendus à meilleur compte qu'à Naples et à Venise. Elle n'a pas souffert des protestants, comme Blois, la petite cité pittoresque en étages, où la cathédrale est ruinée, où les huguenots avaient exhumé jusqu'aux os des morts. La vie demeure chère d'ailleurs, comme partout, à la suite de la baisse de la monnaie[2].

Ronsard vit du revenu de ses abbayes, comme Philibert

1. II, 326-327. Je cite la version originale des *Odes* de 1555 (l. IV, ode XIII).
2. *Relations des ambassadeurs Vénitiens*, t. II, p. 305-307.

Delorme dont il s'était tant gaussé. Il y avait assez longtemps que, pauvre et cadet de famille, il avait mis son ambition à les posséder. Fut-il beaucoup plus riche pour cela? Non pas. Car l'édit du roi a fortement imposé le clergé qui dut aliéner une partie de certains immeubles que des laïques acquirent. Ainsi il vend des quartiers de vignes. Ronsard a les petits ennuis de l'administration, de l'entretien de vastes bâtiments, des gérances par procureur, des procès que la terre suscite[1]. La misère d'un artiste est grande. Les coffres du roi sont toujours vides. Pensons à la lamentable confession du vieux Philibert Delorme[2], qui avait tant peiné, tant édifié, sans rien acquérir d'autre que sa barbe blanche, et qui se console en lisant l'Écriture : « Au lieu que j'ay appris à édiffier des chasteaulx et maisons, j'apprendray à édifier les hommes ! »

Mais c'est une grande satisfaction pour Ronsard, au mois de novembre 1565, d'avoir pu recevoir, à Saint-Cosme, Catherine de Médicis, Charles IX et Henri d'Anjou. A la reine, en son automne, il présente des fruits :

> Car tous voz jours nous servent d'un autonne.

Ainsi Ronsard saluait celle qui avait anéanti, croyait-il, la guerre et la discorde[3].

A l'adolescent roi, le poète rappelait que le grand Hercule daigna loger dans la maison d'un pasteur. Vraiment, ce sont les Muses qui amènent chez lui la famille royale; à Monsieur, l'enfant ravissant d'intelligence, et qui donnait, avant son printemps, sa fleur, Ronsard disait[4] :

---

1. Ronsard dut résigner à son compétiteur, Florentin Regnard, le canonicat de Saint-Martin de Tours et le prieuré de Croixval. Du prieuré de Mornant, il prit possession, le 18 avril 1575, par un « procureur substitué » et il en fut dépouillé, le 15 avril 1576, par Claude de Chassagny. Ronsard n'avait donc que les revenus de quatre prieurés, d'un petit profit sur la cure de Montoire, et de 1000 l. de revenus sur l'abbaye de Roë (Cf. la note de M. Paul Laumonier, *Vie de Claude Binet*, p. 168; voir aussi une note de M. l'abbé Charbonnier, *la Poésie française et les guerres de religion*, 1920, t. I, p. 115-120.)

2. Berty, *le Louvre et les Tuileries*, II, p. 179.

3. VI, 364. — 4. VI, 365.

> Voicy le lieu des peuples separé,
> Mal accoustré, mal basti, mal paré :
> Et toutesfois les Muses y demeurent,
> Et Apollon de laurier revestu,
> Qui vont gardant que les princes ne meurent
> Qui comme vous ont aimé la vertu.

C'est la maison de Pierre de Ronsard.

Il y vivait comme le gentilhomme décrit par Antoine de Guevara[1]. On le voit prendre d'ailleurs le titre de seigneur de Croixval, quand, à Villedieu, aux côtés des demoiselles de La Borde et de Saint-Sulpice, il tiendra sur les fonts baptismaux la fille de Jean Binet (15 août 1575). Ainsi que le vieux conseiller de Charles-Quint, il pouvait lire et étudier, visiter ses amis, vêtu comme bon lui semblait, vivant d'une vie saine, chassant et pêchant ; et Ronsard observait toujours les animaux, les fourmis et les abeilles, écoutait le gentil rossignol qui courtise sa bien-aimée.

A Remy Belleau, du Perche, Ronsard avait déjà envoyé sa « Grenouille », son « Frelon »[2], « le Fourmy[3] ». Sur sa petite lyre, comme Virgile, le poète avait chanté la bonne ménagère

> Ayant un prudent souvenir
> Que l'hiver doit bien tost venir,
> Et qu'on meurt de faim en vieillesse
> S'on ne travaille en la jeunesse.

Et Ronsard s'écriait :

> Mon Dieu ! quant un ost de fourmys
> Aux champs de bon matin s'est mis,
> Qu'il faict bon voir par la campaigne
> Marcher cette troupe compaigne...

L'une porte un grain de froment, l'autre une graine de

---

1. *Le mespris de la Court, avec la vie rustique*, 1568 (Bibl. Nat., Z. 32 348).

2. VI, 217. Ces pièces parurent pour la première fois dans *Le Bocage* de 1554 texte cité).

3. Cf. *Le Fourmy de P. de Ronsard à R. Belleau. Le papillon de R. Belleau à P. de Ronsard*, mis en latin par Est. Tabourot, Paris 1565 (Bibl. Nat., Rés. Y⁰ 1915).

seigle ou d'orge ; une troisième, trouvant le faix trop lourd,
traîne derrière elle comme un « crocheteur » son fardeau.
Le poète montrait leur « long ordre » de marche vers leur
maison, si comparable à une République[1] :

> Aprenés d'eus, peuples François,
> D'estre menagers, et d'attendre
> L'heure qu'on doit le sien despendre,
> Et d'amasser...

Il célébrait la bestiole qui possède à la fois des ailes et des
pattes. En vérité, ce sont de petits dieux prophétiques, ces
fourmis :

> Or gentils fourmys, je vous prie,
> Si un jour Belleau tient s'amie
> A l'ombre de quelque fouteau,
> Sous qui sera vostre troupeau,
> Ne picqués point la chair douillette
> De sa gentille mignonnette.

En échange du « Fourmy », Remy Belleau lui adressait
son « Papillon diapré », bien amicalement, car Ronsard
prenait plaisir à lire ses « livres qui ne sont rien ».

Entre 1568 et 1570, Pierre de Ronsard devait passer deux
années sur ses terres, en particulier à Croixval. Au mois
d'avril 1568, nous le voyons à Tours, donner en bail à Laurent
Pourrault, marchand, des pièces de terre et de bois à charge
de réparations au prieuré de Saint-Cosme[2]. En mai, il est parrain de Perrine, fille de Jacques de la Roche et de Renée Tis-
sart, à la Chapelle-Gaugain[3]. Comme il se plaisait à Saint-
Cosme, l' « œillet de la Touraine[4] », le prieuré qu'il tenait
de son roi Charles IX et qui a pu être le gage de la *Franciade ;* à Bourgueil enfin, à cause du « déduit de la chasse »

---

1. VI, 221. — 2. Archives d'Indre-et-Loire (Dépôt des minutes de M⁰ Bertin).
3. Abbé Froger, *Ronsard ecclésiastique*, 1882, p. 35-36. Ce prieuré lui vint de
son frère Charles.
4. Du Perron, Oraison funèbre (*les Diverses Œuvres*, 1622, p. 667).

qu'il continue de pratiquer[1]! Il y fera élever les chiens que
le feu roi Charles lui avait donnés, ainsi qu'un faucon et un
tiercelet d'autour. Il était repris par la solitude de la forêt
de Gastine, les rives du Loir, la belle fontaine de Saint-Germain, qui deviendra la fontaine d'Hélène[2]. Le plus souvent il
allait seul, mais toujours en la compagnie des Muses, s'isolant
pour rassembler ses « belles inventions » qui, dans le tumulte
des peuples et des villes, ne peuvent germer en nous[3].

Dans sa jeunesse, Ronsard avait beaucoup aimé la chasse[4].
Jean de Brinon, conseiller au Parlement, seigneur de Villennes
et de Médan, à qui il a dédié le *Bocage*, le mécène de la
jeune Pléiade, lui avait donné des épieux, des filets, des
chiens et des molosses. Ronsard pouvait bien être ravi, car il
se vantait de se connaître en chiens aussi bien que les Grecs !
Mais il préférait la chasse au chien couchant[5] :

> Pour estre solitaire, et me faire penser
> Je ne scay quoy qui doit les siecles devancer.

Il admirait le dressage du chien qui évente la plaine en
quatre coups de nez[6] :

> Et guidé de son flair à petits pas se traine
> Le front droit au gibier, puis la jambe elevant,
> Et roidissant la queuë, et s'allongeant devant,
> Se tient ferme planté, tant qu'il voye la place
> Et le gibier motté couvert de la tirace.

C'est un plaisir, d'ailleurs, de manger dans les bois du
fromage, du lait et des fraises sauvages.

Maintenant, à Saint-Cosme, Ronsard s'adonnait surtout au
jardinage. Il aimait son prieuré, son paysage qu'il défendra
contre les empiétements d'un certain Fortin, qui avait formé le

---

1. Claude Binet, *Vie de P. de Ronsard*, éd. Paul Laumonier, p. 44-45.
2. Il s'agit du vallon de la Cendrine. Près du domaine de Rocantuf (commune des
Hayes), il y avait une fontaine de Saint-Germain où l'on plongeait les enfants
malades, lieu de pèlerinage annuel (Paul Laumonier, *Ronsard et sa province*, p. 260,
note). — 3. Claude Binet, p. 45.
4. V, 37 (1555).—5. V, 37-43. (*Meslanges*, 1555). — 6. V, 41.

projet de s'emparer d'une partie du couvent, dans cette
banlieue de Tours arrosée par la Choisille, pour y établir une
manufacture de teinture, à l'instar de celle du sieur Gobelin
à Paris. Pierre de Ronsard écrivait au maire et aux échevins
de la ville de Tours[1] pour protester contre l'utilité publique
douteuse de cette installation. Il ne voyait pas bien comment
le sieur Fortin enrichirait les gens du faubourg de Tours.
Allait-il donner sa peine et sa teinture à ses voisins? Non
pas. Il la vendra bien cher, faisant reteindre pour rien le
« devanteau d'une bonne femme ». Le peuple s'est vêtu jusqu'à présent sans lui. Enfin Fortin n'avait aucun droit au
patrimoine de Saint-Cosme; il ne devait pas y installer son
établissement, ses chaudières et ses teintures.

Pierre de Ronsard aimait sa maison de Saint-Cosme, encore
qu'elle n'eût rien d'un « grand palais doré ». Il chérissait
son jardin où il plantait, entait, semait, greffait; car il connaissait les « beaux secrets » du jardinage[2]. Les melons de
sa récolte étaient magnifiques. Ronsard présentait de ses
« pompons » au roi Charles IX; et Charles prenait en gré
tout ce qui venait du poète[3] :

> Vous qui semblez de façons et de gestes
> Aux immortels, imitant les Celestes,
> Prenez de moy ces pompons et ces fruits.
> Les vous offrant, je ne crains que personne
> Blasme mon don : car, Sire, je vous donne,
> Non pas beaucoup, mais tout ce que je puis.

Il y a là beaucoup de gentillesse et de sincérité. Ronsard
ne fut jamais qu'un courtisan très inégal. Sur la trentaine
déjà, maigre, chauve, pâle, atrabilaire, en proie à la fièvre,
il se dit trop malade pour suivre la cour. Et quand les honneurs lui furent venus, ces honneurs l'accablèrent. Comme

---

1. Bibl. de la ville de Tours, 17 juillet 1568. Fonds des archives municipales (VII,
126-128). — Cette lettre a été dictée à Jamyn. Voir le fac-similé donné par Pierre
Champion, *Ronsard et Amadis Jamyn*, pl. V.

2. Claude Binet, *Vie de P. de Ronsard*, éd. Paul Laumonier, p. 45.

3. II, 23 (éd. 1567).

tous ceux qui ont connu le fardeau de la gloire, d'une gloire pour laquelle cependant Ronsard avait vécu, il éprouva qu'elle n'était que vent. Il aspira à l'obscurité, réclama la paix de ses champs[1] :

> Je n'ay que trop d'honneur! certes, je voudrois estre
> Sans bruit et sans renom, comme un pasteur champestre.
> Ou comme un laboureur qui de beufs acouplés
> Repoitrist ses gueretz pour y semer les blez.
> Celuy n'est pas heureux qu'on montre par la ruë,
> Que le peuple congnoist, que le peuple salüe ;
> Mais heureux est celuy que la gloire n'espoingt,
> Qui ne cognoist personne, et qu'on ne cognoist point.

Longtemps Ronsard avait suivi les grands rois et les princes ; longtemps, à Paris, il avait vécu de la rude vie d'études et de plaisirs de l'écolier. Mais, aujourd'hui, telle est sa journée. Au réveil, il fait sa prière (car il n'est pas athée) sachant bien qu'il y a là-haut un « moteur ». Magnifiquement, il paraphrasait son *Credo*[2] :

> M'esveillant au matin, devant que faire rien
> J'invoque l'Eternel, le pere de tout bien,
> Le priant humblement de me donner sa grace,
> Et que le jour naissant sans l'offenser se passe :
> Qu'il chasse toute secte et toute erreur de moy,
> Qu'il me vueille garder en ma premiere foy,
> Sans entreprendre rien qui blesse ma province,
> Tres-humble serviteur des loys et de mon prince.

Alors Ronsard sort de son lit, s'habille, s'enferme dans son étude, pendant quatre ou cinq heures, pour travailler :

> Puis sentant mon esprit de trop lire assommé,
> J'abandonne le livre et m'en vais à l'église.

Au retour, il cause volontiers pendant une heure ; il prend un sobre repas, son dîner (il peut être midi). Si l'après-dîner est plaisant, Pierre de Ronsard se promène[3] :

---

1. V, 423 (*Responce*, 1563). — 2. V, 411. Un magnifique sonnet inédit sur Dieu se lit en tête des « Dialogues traitans de la Majesté de Dieu » de Marc-Antoine Natta traduits par J. de Lavardin (Bibl. Nat., fr. 1826). — 3. V, 412.

> Tantost en un village, et tantost en un boys,
> Et tantost par les lieux solitaires et coys :
> J'ayme fort les jardins qui sentent le sauvage,
> J'ayme le flot de l'eau qui gazouille au rivage.

Ou bien encore, Pierre cause assis sur l'herbe avec un ami ; il s'endort parmi les fleurs, à l'ombre d'un saule, lit un livre. Ses amis savaient quel plaisir Ronsard, sourd, tirait de la solitude de sa campagne. Sourd, lui aussi, Joachim du Bellay avait tracé de Ronsard ce croquis amical et charmant [1] :

> Dois-tu donques, Ronsard, te plaindre d'estre sourd?
> O que tu es heureux, quand le long d'une rive,
> Ou bien loing dans un bois à la perruque vive,
> Tu vas, le livre au poing, meditant les doulx sons
> Dont tu sçais animer tes divines chansons,
> Sans que l'aboy d'un chien, ou le cry d'une beste,
> Ou le bruit d'un torrent t'élourdisse la teste.
> Quand ce doux aiguillon si doucement te poingt,
> Je croy qu'alors, Ronsard, tu ne souhaites point,
> Ny le chant d'un oiseau, ny l'eau d'une montagne,
> Ayant avecque toy la Surdité compagne...

Car le poète sourd possède pleinement, non pas l'harmonie qui vient du « tintin de l'oreille », mais la sérénité. Eloigné du commerce des hommes, il se rapproche de la divinité. Le silence, la mélancolie, l'étude, « filles de Surdité », avaient été les compagnes de Joachim, solitaire. Dans son infirmité, il avait éprouvé que son « âme imaginative » prenait plus librement son vol.

Pierre de Ronsard n'a point cette mélancolie de Joachim. Si le ciel est triste et noir, il recherche volontiers la compagnie, joue aux cartes, à la prime ; il « voltige », c'est-à-dire saute de pied ferme sur le cheval de bois [2], s'exerce à sauter, lutte, fait de l'escrime :

---

1. *Divers Jeux rustiques* (1558) : Hymne de la surdité à P. de Ronsard, Vand. (Bibl. Nat., Rés. Y⁰ 412, fol. 67 v⁰). — Il pêchait à la ligne. Cl. Binet lui adressera sa charmante Truite. — 2. Dans son enfance, il s'était montré très habile au manège.

> Je dy le mot pour rire, et à la verité,
> Je ne loge chez moy trop de severité.

Sans souci, le soir, Pierre de Ronsard se couche, après avoir fait son oraison, sans plus. Aux jours de fête, comme prébendé, quand il doit remplir ses devoirs envers l'Église, il en devient une ferme colonne. Alors on le voit « armer » son dos d'un « surplis ondé » ; il porte l'aumuce au bras, sa belle chape à boucles d'or et à franges dorées. Il a paraphrasé le *Te Deum*[1] en français, comme l'ont fait les protestants, et sans doute, il aurait trouvé bon que le français devînt la langue liturgique.

A la pointe du jour, Ronsard ira à matines, aux jours de fête, son « bréviaire au poing ». Il chante quelquefois au chapitre, mais rarement, car la voix de l'aède est mauvaise. Ainsi il entend prime, sexte, tierce, none.

Mais si Ronsard ne chante que rarement, il donne, à la grand'messe, l'encens à son prélat, qui était Charles d'Angennes, l'évêque du Mans[2].

Ainsi Pierre de Ronsard demeure vraiment le gentilhomme français sur sa terre, comme en ses prieurés, libéral et même magnifique dans la dépense des biens qu'il avait, et qui n'étaient pas considérables[3].

Les deux années que le poète passa sur ses terres (1568-1570) furent remplies de travaux, et aussi des soucis d'une fièvre quarte qui le reprit. Nous le savons par Ronsard et par Amadis Jamyn, clerc du diocèse de Langres, qui prit le titre de « secrétaire dudit prieur de Saint-Cosme » dans un acte notarial où il fut témoin à Tours, le 24 avril 1568, à côté de Me Julien Pacate, sous-prieur de Thoré au diocèse du Mans[4].

---

1. V, 443. — 2. Par flatterie, Ronsard fait venir son nom du héros troyen Agénor. Il publia, en 1567, une pièce latine *Ad Carolum Agennorum, episcopum Cenomannensem* (VI, 517 ; VIII, 114). Cf. Pierre de Nolhac, *Pierre de Ronsard et l'Humanisme*, p. 255. — 3. Voir l'oraison funèbre de Pierre Perreau.
4. Arch. départementales d'Indre-et-Loire, minute de l'étude de Me Bertin.

Pierre de Ronsard
(Musóo do l'Hormitago)

Cet Amadis Jamyn, Champenois sans malice et fraude, Ronsard l'aima tendrement. C'était le jeune secrétaire qu'il avait nourri[1] et qui lui avait cédé le bénéfice de Croixval, d'une manière aussi amicale qu'irrégulière[2]. Pendant deux ans au moins, Jamyn ne quitta pas Ronsard. Il avait une belle main, écrivait pour lui ses lettres, lui faisait des copies. Ronsard n'avait plus qu'à les signer ou les apostiller, ce qu'il faisait d'une main fébrile[3]. Et le maître révélait à son disciple le secret de ses magnifiques transpositions, lui donnait aussi des conseils d'aîné, des règles de bonne vie, en lui commentant le XIIe livre de l'*Odyssée*[4] :

> Fameux Ulysse, honneur de tous les Grecs,
> De nostre bord approche toi plus pres,
> Ne single pas sans prester les oreilles
> A noz chansons...
> Ainsi, Jamin, pour sauver ta jeunesse
> Suy le conseil du fin soldat de Grece :
> N'aborde point au rivage d'Amour
> Pour y vieillir sans espoir de retour.
> « L'amour n'est rien qu'ardante frenesie,
> « Qui de fumee emplist la fantaisie
> « D'erreur, de vent et d'un songe importun :
> « Car le songer et l'amour ce n'est qu'un. »

Près de lui, Jamyn a transcrit la *Franciade*, qu'il interprétera[5] ; il lit Homère, termine la traduction commencée par Salel que louera Ronsard[6]. Amadis, au surplus, est un grand travailleur, comme Ronsard le rappellera dans l'épigramme qu'il mit en tête de ses *Œuvres poétiques*, en 1577[7] :

> Heureux tu jouis de ta peine
> Et des labeurs de ton jeune âge,
> Te remirant en ton ouvrage
> Comme Narcisse en sa fonteine.

---

1. Claude Binet, p. 43. — 2. Paul Laumonier, *Ronsard et sa province*, p. xxx. 3. Pierre Champion, *Pierre de Ronsard et Amadis Jamyn, leurs autographes*, Paris, 1924. — 4. I, p. 200. Le chant des Serenes (éd. de 1567, t. I, Bibl. de l'Arsenal, B. L. 6484.)
5. Bibl. Nat., ms. fr. 19141. — 6. VI, 211-214. — 7. VI, 441.

RONSARD.

26

Amadis Jamyn, qui allait devenir rapidement le poète officiel de Catherine de Médicis, et celui de Charles IX en l'absence de Ronsard[1], secrétaire de la chambre du Roi, écrivit en ce temps-là une « Ode pour un laurier planté par M. de Ronsard en un lieu nommé Croix-Val[2] ».

Le prieuré de Croixval[3] dépendait de la paroisse de Ternay et n'en était distant que d'une demi-lieue. Nous retrouvons, dans un pli de terrain, non loin de la jonction de deux ruisseaux qui forment la Cendrine, deux masures, l'une du seizième siècle, l'autre du dix-septième siècle, une vieille cave romane, tout ce qui reste de l'antique prieuré. Un escalier, datant du seizième siècle, avec ses balustres et sa rampe de bois, mène dans une chambre, qui était peut-être celle du poète. Que reconnaître dans ces greniers à foin, où toutes les fenêtres ont été bouchées? Mais c'est Croixval où, dans sa solitude et sa fièvre, à quarante-quatre ans, Ronsard conçut ses plus beaux poèmes; Croixval, où il a tant rêvé d'Homère; Croixval, qu'il léguera à Philippe Galland, principal du Collège de Boncourt, la « seconde âme » de Ronsard, qui reposera dans la chapelle de Ternay, comme une pensée amie suit l'ombre d'un ami.

A Croixval, Amadis Jamyn regarde le laurier planté par Ronsard[4] :

> Crois sans que jamais attaint
> Soit ton arbre du tonnerre :
> Nulle injure de la terre
> De froid, d'orage, ou de vent
> Ne saccage ta verdure...

1. On le voit même intervenir en faveur de Ronsard pour obtenir les revenus de l'abbaye de l'Ile-Barbe (*Œuvres*, 1575, fol. 35).

2. *Les Œuvres poetiques d'Amadis Jamyn. Au roy de Pologne*, Paris, Robert Estienne, 1575, fol. 237 v° (Bibl. Nat. Y^e 1045). — Jamyn est un témoin très important. C'est lui qui a renseigné Binet qui visita Ronsard vers 1571.

3. Sur ce prieuré, voir Jean Martelière, *Pierre de Ronsard gentilhomme Vendômois*, Paris, 1924, p. 261-265 ; Pierre Dufay, *Ronsard et le prieuré de Croixval*, dans *Revue de la Renaissance*, janvier 1909 ; *Gallia christiana*, XIV, 188.

4. *Œuvres*, 1575, fol. 238-239-240.

> Infinis arbres te font
> Compaignie, qui se sont
> Arrangez sous l'harmonie
> D'une Lyre mieux suivie
> Que ne fut celle d'Orphée :
> Mesme les rochers au son
> Du Vandosmois nourriçon
> Sentent leur âme échaufée...
>
> Ici tu as pour voisine
> La grand' forest de Gastine,
> Nourrice des chesnes vieux,
> Qui droits Dodone surmontent
> Et sans nœuds jusqu'au ciel montent
> D'un sommet audacieux.
> Tu es dans un beau valon,
> Qui d'une croix ha son nom,
> Lieu sacré qu'une duchesse
> Augmenta de sa richesse,
> Voeu pour son mari sauvé...

Là sont les mille nymphes, les mille dieux forestiers qui naissent avec les arbres :

> « Lauriers, aussi haut croissez
> Que ces bois, et ambrassez
> Ma teste de vostre gloire.
> A fin qu'un jour la memoire
> De mes ans soit florissante
> Autant que vous serez verds,
> Et que dureront les vers
> Du Poëte qui vous plante. »

Mais il arriva à ce laurier un accident, que nous rapporte Ronsard dans un poème panthéiste qu'il adresse à Remy Belleau : Le Chat[1] :

> Dieu est partout, partout se mesle Dieu,
> Commencement, la fin, et le millieu
> De ce qui vit, et dont l'Ame est enclose
> Par tout, et tient en vigueur toute chose,
> Comme notre Ame infuse dans noz corps.
> Ja des long temps les membres scroient morts
> De ce grand Tout, si ceste Ame divine

---

1. V, 57-62 ; éd. 1569, *Poèmes*, l. 6, fol. 19 : *Au seigneur de Belleau*.

> Ne se mesloit par toute la machine,
> Luy donnant vie et force et mouvement :
> Car de tout estre elle est commencement.
> Des elements et de cette Ame infuse
> Nous somes nez...

Cette âme semble à Ronsard le pivot de la voûte étoilée, par qui « ondoye » la mer; par elle la terre produit les saisons et les fruits, tous les animaux, les métaux et les perles. Les animaux ont le pouvoir de l'interpréter, suivant l'école des augures.

Ainsi, dans sa cour, Ronsard soignait sa « thessalienne », c'est-à-dire le laurier consacré à Daphné :

> Je cultivois cete plante à toute heure,
> Je l'arrosois, la cerclois, et bechois,
> Matin et soir : car trompé je pensois
> M'en faire au chef une belle couronne...

Une heure après, la plante était touchée par un démon. Le laurier mourait, et lui-même, saisi par la maladie, devait se mettre au lit. Il était accablé par la fièvre quarte. Deux mois après, un cheval tuait un de ses gens d'un coup de pied qui lui ouvrait le crâne. Et le mourant appelait Ronsard par son nom :

> Onze mois sont passez
> Que j'ay de mal tous les membres cassez.

Cette âme prophétique, Ronsard la reconnaissait surtout dans les chats, dont il avait horreur. Car il ne pouvait pas fixer leurs yeux sans fuir :

> Et jamais chat n'entre dedans ma chambre,
> Abhorrant ceux qui ne sçauroient durer
> Sans voir un chat aupres eux demeurer,
> Et toutefois cette hydeuse beste
> Se vint coucher tout aupres de ma teste,
> Cherchant le mol d'un plumeux oreiller,
> Où je soulois à gauche sommeiller :
> Car volontiers à gauche je someille
> Jusqu'au matin que le coq me resveille.

Le chat cria d'un miauleux effroy,
Je m'esveillé, comme tout hors de moy,
Et en sursaut mes serviteurs j'apelle :
L'un allumoit une ardente chandelle,
L'autre disoit qu'un bon signe c'estoit
Quand un chat blanc son maistre reflatoit,
L'autre disoit que le chat solitaire
Estoit la fin d'une longue misere :
Et lors fronçant les plis de mon sourcy,
La larme à l'œil, je leur responds ainsy :
« Le chat devin miaulant signifie
Une fascheuse et longue maladie... »

Ainsi le chat avait prophétisé la maladie du poète.

Alors Amadis Jamyn écrit, toujours à Croixval, une autre
« Ode à la Santé, pour M. de Ronsard malade de la fievre
quarte[1] » :

Mechante fievre, n'as-tu
Assez Ronsard abatu
Pere aux François de la Lyre?
Ja la Lune quinze fois
A recommencé le mois
Depuis qu'il est en martyre.
    Apollon est envieux
Sur son renom glorieux,
Ou bien n'ha point de puissance,
Puisqu'il permet la rigueur
D'une si triste langueur
Perdre l'Apollon de France.

O vénérable santé, chasse la fièvre de son corps. Sur l'aile
de ses vers, Ronsard fera voler ta louange par tout l'Univers.
Sans toi il n'y a ni biens, ni plaisirs.

Donc vien, avance le pas :
Allege ses membres las.
Que tardes-tu? viens en haste :
De toy rens-le jouïssant,
Et le fay rajeunissant
Plus sain qu'un Crotoniâte.

Mais la fièvre n'était-elle pas l'état naturel de Ronsard?

1. Œuvres, 1575, fol. 245.

C'est encore Amadis Jamyn qui nous apprend qu'en trois mois, à la suite de sa longue fièvre quarte, son maître avait repris sa lyre « tortueuse » ; ainsi il avait versé des flots de poésie et composé le sixième et le septième livre de ses *Poèmes*, qui parurent au mois d'août 1569, dans le format in-4°[1], tandis qu'il s'adonnait à ses occupations rustiques :

> Doux fruit (qui le croira !) d'un si aigre tourment.

Et Jamyn évoquait « Mgr de Ronsard » dans le sonnet-préface :

> Fait nouveau mesnager, mon Ronsard, ton plaisir
> N'estoit que rebastir, et regler ton mesnage,
> Planter, semer, enter, aymer le jardinage,
> Et la vie rustique avant toutes choisir...[2].

Le sixiesme livre des Poemes est adressé à M. de Belot, conseiller et maître des Requêtes de l'Hôtel du Roi.

Ce Jean Belot[3], originaire d'Agen, était conseiller au Parlement de Bordeaux, où il habitait dans le quartier du Chapeau-Rouge une maison non loin du fleuve. C'était un homme bon, bien vivant, avec une figure d'enseigne. Il aimait les poètes et les lettres. Comme Ronsard se rendait aux fêtes de Bayonne, en 1565, pris d'une crise de rhumatisme, il avait dû s'arrêter à Bordeaux et demeura son hôte. Ce Belot venait de lui faire un cadeau, au moins inutile, celui d'un cheval,

---

1. Par Jean Dallier, libraire, demeurant sur le Pont sainct Michel, à l'enseigne de la Rose blanche (Bibl. Nat., Res ye 507-508.) — Cette admirable édition, pleine de coquilles, n'a jamais été relue par Ronsard. — 2. Le sonnet de Jamyn sert de préface aux *Poèmes* (1569) : Sonnet à Monseigneur de Ronsard.

3. Blanchard, *les Généalogies des maistres des Requestes*, Paris, 1670, in-fol. p. 322-323. Scévole de Sainte-Marthe (*Œuvres*, 1579, fol. 165) nous fait connaître que J.-A. de Baïf était aussi de ses amis :

> Bien que les riches traits de sa plume dorée
> Vostre docte Baïf puisse mieux faire voir
> L'honneur de vos vertus et de vostre sçavoir...
> Comme en ce temps cruel que la France barbare
> Devient une Sythie, ou bien encore pis,
> Vous faites voir, Belot, par vostre vertu rare
> Que les François encore ont des Anacharsis.

Baïf (*Euvres*, 1573, fol. 257) a longuement parlé à *Monsieur de Belot*, dont il loue la franchise, le peu de souci qu'il a de se montrer à la Cour ; dans les *Passetems* (1573, fol. 57), il le montre réjouissant le cercle de ses amis.

mais d'un cheval ombre[1], car il était si vif qu'il ne se laissait
pas approcher : un cheval? un Pégase plutôt, mais bien
différent à coup sûr du bon cheval bayard de Renaud, un
démon véritable, une jument d'Afrique, née du vent lui-
même !

> Car c'est Belot un cheval en peinture,
> Qui me sert plus quand je suis à sejour
> Songeant au lit, qu'il ne me sert le jour...
> Aurois-tu leu (ô teste rare et chere)
> Dedans les vers du fantastique Homere,
> Qu'un des chevaux d'Achille s'avança,
> Et le trespas à son maistre annonça?
> Tu crains, voyant ma longue maladie,
> Que ton cheval en parlant ne me die
> D'humaine voix quelque mal à venir,
> Et ce seul point te l'a fait retenir?
> Or, cher Belot, j'ay bien voulu t'escrire
> Ces vers raillards, pour mieux te faire rire
> Après ta charge et le soucy commun
> De conceder audience à chascun...

Ronsard reprenait le mot de Rabelais :

> Dieu qui soubz l'home a le monde soumis
> A l'home seul le seul rire a permis
> Pour s'esgayer, et non pas à la beste
> Qui n'a raison n'y esprit en la teste.
> Il faut du rire honnestement user,
> Pour vivre sain...

Mais surtout Ronsard se confessait à Belot[2] :

> Belot parcelle, ains le tout de ma vie...

Il était aussi dégoûté du laurier que du myrte de Paphos,
quand il l'avait rencontré :

> Ny tous ces jeux que la jeunesse honore
> Ne me plaisoient : Ah ! malade et grison
> J'aimois sans plus l'aise de ma maison,
> Le doulx repos : quittant la Poësie
> Que j'avois seule en jeunesse choisie...
> Je ne faisois alaigre de sejour,

1. V, 110 (éd, 1569, l. VI, fol. 51) L'Ombre du cheval : *A Monsieur de Belot.* Il
s'agit peut-être d'un poème, et pas d'un vrai cheval. — 2. l. VI, fol, 2.

Fust au coucher, fust au lever du jour,
Qu'enter, planter, et tirer à la ligne
Le cep tortu de la joyeuse vigne
Qui rend le cœur du jeune plus gaillard,
Et plus puissant l'estomac du vieillard :
Ceres nourrist, Bacchus rejouist l'homme,
C'est pour cela que bon Pere on le nomme.

Le grand Platon, ce sage, l'a dit :

Bacchus, Amour, les Muses, Apollon,
Qui dans nos cœurs laissent un aiguillon
Comme freslons, et d'une ardeur segrette
Font soudain l'homme et Poëte et Prophette.

Certes, Ronsard était bien né, poète et gaillard. Mais il
s'avoue incapable d'exécuter la commande d'un prince,
d'écrire un vers demandé par un ami ou une dame, si la
« fureur » ne le saisit pas :

Je bee en vain, et mon esprit attend
Tantost six mois, tantost un an, sans faire
Vers qui me puisse ou plaire ou satisfaire.

Mais dès que la Sibylle l'excite, il tremble sous la « divinité »[1] :

Colere, ardent, furieux, agité.

Alors sa poésie descend du haut de la montagne, torrent
qui coule à gros bouillons dans la vallée. Mais à la suite de
cet accès, Ronsard tombe en langueur ; après ces crises de
fureur inspirée, qui s'emparent de lui pendant une, deux ou
trois journées au cours desquelles il garde la chambre, il
n'écrit plus. Il oublie même tout ce qu'il a composé :

Je ne sçaurois ny penser, ny redire
Les vers escrits, et ne m'en souvient plus :
Je ne suis rien qu'un corps mort et perclus
De qui l'ame est autre part envolee,

1. Henri Franchet, *le Poëte et son œuvre d'après Ronsard*, Paris, 1923, a finement
analysé la théorie de la fureur poétique que Ronsard a empruntée à Platon, suivant
l'enseignement de Dorat.

> Laissant son hoste aussy froid que gelee,
> Et m'esbahis de ceux auxquels il est
> Pront de verser des vers quand il leur plaist.

Tel se dit Ronsard, stérile et vain, quand il connut l'esprit libéral de Belot, éprouva sa bonté, sa courtoisie, son hospitalité[1]. De ce bon ami, il traçait ce curieux portrait[2] :

> Ta face semble et tes yeux solitaires
> A ces vaisseaux de noz apoticaires,
> Qui par dessus rudement sont portraits
> D'hommes, de Dieux, à plaisir contrefaits,
> D'une Junon en l'air des vents soufflée,
> D'une Pallas qui voit sa joüe enflée,
> Se courroussant contre son chalumeau
> Que par despit elle jetta souz l'eau,
> D'un Marsyas despoüillé de ses veines :
> Et toutefois leurs caissettes sont pleines
> D'ambre, civette et de musq odorant,
> Manne, rubarbe, aloës secourant
> L'estomac foible : et neanmoins il semble,
> Voyant à l'œil ces images ensemble,
> Que le dedans soit semblable au dehors.
> Tel fut Socrate, et toutefois alors,
> En front severe, en œil melancholique,
> Estoit l'honneur de la chose publique[3]...

Et Ronsard prenait plaisir à entendre Belot parler des Romains ou des Grecs, de la République, de la justice, des astres et des dieux! Belot lui semblait un vrai Socrate, en vérité; comme lui, il laissait apparaître une âme généreuse, et sa langue était pour les cœurs un véritable hameçon. Ronsard

---

1. Voir la pièce de J.-A. de Baïf, *A Monsieur de Belot,* dans les *Passetems,* 1573, fol. 57, qui le montre se réjouissant avec ses amis autour de la table.

2. l. VI, fol. 5. — Jamyn (*Œuvres,* 1575, fol. 26), après la bataille de Jarnac, invite Bellot à se réjouir.

> Sus, mon Belot, maintenant il faut boire...
> Il faut charger les tables de viandes,
> De mets exquis et de sauces friandes,
>   De vin theologal...
> Avant ce jour plein de clairté divine
> Nous ne tastions ny la pipe Angevine
>   Ny le bon vin Bordelois...
> Cloches sonnez en signe d'allegresse.

3. Tout ceci est à rapprocher du célèbre prologue de Rabelais.

chantait la maison ouverte de Belot, décrivait la lyre qu'il
avait consacrée aux Muses, sans doute son luth orné des
figures d'Apollon, de Vénus, des Grâces, et aussi de fruits
peints[1] :

> Ce que j'ay peu sus elle fredonner
> Petit fredon, je l'ay voulu donner
> A l'amitié, le tesmoing de ce livre,
> Non aux faveurs, present qui te doibt suivre
> Outre Pluton, si des Muses l'effort
> Forse apres nous les efforts de la Mort !

Quel beau livre, *le sixiesme livre des Poemes*, le livre de sa
fièvre et de sa maladie, le livre de sa vie rustique, le livre de
l'amitié, que Ronsard adressa à Belot[2] ! Car en ces jours, le
poète a retrouvé l'âme des éléments, tout le paganisme de
l'ancien habitant du *pagus* ; il nous découvre l'âme du
paysan qui était demeurée en lui ; et quelque chose de dru,
de fort, de simple, le souleva. Suivant le mot, si exact, de
Jamyn, en trois mois, Ronsard a vraiment versé dans ses
Poèmes des « flots de poésie[3] ».

Il écrivait, gardant le lit, où il composait pour Jean-Antoine
de Baïf, le compagnon de sa jeunesse studieuse chez Dorat :
Les Parolles que dist Calypson[4] :

> Ainsy Baïf, honneur des bons espritz,
> Je chante au lict quand la fiebvre m'a pris,
> En attendant qu'à la fortune il plaise
> Ou me tuer, ou me mettre à mon aise :
> J'ayme trop mieux soudainement mourir
> Que tant languir sans espoir de guarir.

C'est vraiment là une belle leçon que prend Jean-Antoine
de Baïf[5], l'excellent et robuste traducteur des tragédies

---

1. fol. 18 v°.
2. Jean Belot, sieur de Treuilz, n'en devait pas jouir longtemps. Créé en
décembre 1568 maître des Requêtes, il fut envoyé en 1569 commissaire au pays du
Midi pour faire observer l'édit de pacification. Il décéda l'année 1570 (Blanchard,
les Généalogies des maistres des Requestes, 1670, fol. 322).
3. *OEuvres*, 1575, fol. 243. — 4. V, 62 (l. 6 fol. 13 v°).
5. Les *Euvres en rime* (comprenant les *Amours*, les *Jeux*, les *Passetems*) paraî-

grecques, de Lucien, et des comédies latines, si intelligent,
au langage simple comme celui d'un homme du moyen âge
ou de la rue, au « rude stile », mais nourri de la sève des
anciens.

Jamais Ronsard n'avait été plus vigoureux, plus grand[1],
que pendant les années qu'il passa sur ses terres. Ses lectures ne sont plus que des prétextes à de magnifiques développements. En présence de la nature, il vivifie tous ceux
qu'il a lus, Virgile, Homère, Horace, Ovide, les alexandrins,
Navagero et l'Arioste. C'est devant sa fontaine qu'il écrit
Hylas, le beau poème sur l'Hercule gaulois qui a enseigné à
nos pères la culture des terres, la police des cités, l'amitié
entre les hommes, et qui n'est ni un brigand, ni un vaga-
bond, ni un meurtrier, comme des « malins » l'ont prétendu
dans leurs chansons; Ronsard l'adresse au savant professeur
d'éloquence latine au Collège royal, Jean Passerat[2] :

tront en 1573 (Bibl. Nat., Res. Yᵉ 1988-1994). Le *Brave* a été représenté devant le
roi en l'hôtel de Guise le 28 janvier 1568 (n. st.); *Antigone*, en 1569.

1. C'est certainement l'époque de son grand rayonnement. Le sage Scévole de
Sainte-Marthe dit alors qu'il est sur le point d'abandonner sa besogne administrative
pour le suivre sur les chemins aventureux de la poésie ! (*Premières œuvres*, 1569,
fol. 88 v°) : *Au Seigneur Pierre de Ronsard :*

> Ronsard dont les escrits sont un mont de Parnasse
> Quant j'oy de tes chansons les accords si parfaits
> Ils produisent en moy deux contraires effets
> Dont l'un me met en feu, l'autre me met en glace.
> Admirant d'un costé ceste excellente grace
> J'en suis si amoureux que je veux à jamais
> Quitter mon autre estude, et suivre desormais
> La Muse qui par toy toutes grandeurs surpasse...

2. V, 120-132. *Hylas, au seigneur Passerat* (t. VII, fol. 24 v°-31). — Jean Passerat,
né à Troyes en 1534, n'a pas été qu'un poète latin. Mais on connaissait mal son œuvre
française, ses poésies ayant été recueillies seulement en 1606 (*les Poésies françaises de
Jean Passerat publiées avec notices et notes* par Prosper Blanchemain, Paris, 1880,
2 vol. in-12). Élève et puis maître au collège de Boncourt, où il expliquait César en
1565, il avait également étudié le droit sous Cujas. Il se fixa de bonne heure à Paris,
hôte et commensal du charmant Henri de Mesmes, comme précepteur de son fils
unique. Il devait demeurer vingt-quatre ans à l'hôtel de Mesmes, fêtant chaque fête
du premier janvier par une poésie latine, recueillie dans ses *Kalenda Januarii* (1597).
Ce Champenois subtil n'avait absolument rien d'un pédant. Spirituel, bon buveur au
nez rubicon, s'il ne plaisait pas aux femmes, avec son œil gauche crevé à la suite d'une
partie de paume, Passerat charmait les hommes par son talent et son esprit. C'est lui
qui succéda à Ramus, au Collège Royal, dans la chaire de latin. Ses vers français sont
fins et intéressants, s'ils ne valent pas ses vers latins. Passerat était lié avec Ronsard et

Mon Passerat, je resemble à l'abeille
Qui va cueillant tantost la fleur vermeille,
Tantost la jaune : errant de pré en pré,
Volle en la part qui plus luy vient à gré
Contre l'hyver, amassant force vivres :
Ainsy courant et fueilletant mes livres,
J'amasse, trie et choisis le plus beau,
Qu'en cent couleurs je peints en un tableau,
Tantost en l'autre ; et maistre en ma peinture
Sans me forcer, j'imite la Nature,
Comme j'ay fait en ce portrait d'Hylas
Que je te donne, et si à gré tu l'as,
J'en aimeray mon present d'avantage
D'avoir sceu plaire à si grand personnage.

Quel admirable tableau Ronsard fait de la fontaine, celle
qu'il a sous les yeux, avec la flore de notre pays[1] :

beaucoup de ses amis et protecteurs ; avec Villeroy qu'il nomme le parfait secrétaire,
et aussi celui des dames, lui adressant des vers sur l'amour et la jalousie ; avec sa
femme, Madeleine de Laubespine pour laquelle il a écrit, comme Ronsard, l'épitaphe
du « barbichon ». Passerat connaissait aussi les Brissac, et il pleura la mort du
maréchal ; il a connu Hélène de Surgères, peut-être même avant Ronsard :

Vous n'avez rien de cette antique Helene
Fors que le nom et la rare beauté
Toujours amour est à vostre costé
Car qui vous voit au lieu de vous ravir
Ravy lui mesme il de vous servir
Et sans mourir il ne peut estre en vie.

Son activité poétique commença en 1559 avec l'*Adieu à Phœbus ;* en 1562 il écrit
l'*Hymne de la paix ;* en 1564, une entrée de Charles IX à Troyes ; il chante le
« terme laborieux » de neuf mois de la paix de 1570, célèbre une grossesse d'Éli-
zabeth d'Autriche. Il fait des vers pour Henri III à son entrée à Ferrare, chante
son retour à Paris, compose pour lui un poème sur le chien courant. Passerat
pleure avec Henri III le bon maître d'équitation, Carnavalet « mi-cheval ». Enfin il
fait entendre la plainte de Cléophon (Henri III) sur la mort de Damis (Caylus). Il
remercie, très spirituellement, le roi de l'avoir fait payer par ses trésoriers ; pleurant
son petit chien qui avait une tache au front, il disait que cette couleur lui rappelait le « cœur tout ouvert et franc » de son roi. Passerat sollicitait son arbitrage
dans une dispute avec les « académiques ». Il admirait fort Desportes, et aussi Flaminio de Birague. On voit qu'en 1570, Passerat est dit docteur en décret et bénéficiaire du prieuré de Port-Dieu, au diocèse de Limoges (Bibl. Nat., P. orig. 2210) ; en
1572, il est qualifié de lecteur ordinaire du roi en l'Université de Paris (*Ibid.*). En
1598, on lui donne le titre de noble homme. On sait que Passerat est un des
rédacteurs de la *Ménippée*. Tel était ce vieil ami de Ronsard, que Melissus a nommé
« censor exactissime priscorum » (*Schediasmata*, 1586, p. 525).

1. Fol. 27 v°.

Le lis sauvage, et la rose, et l'œillet,
Le roux soucy, l'odorant serpoulet,
Le bleu glayeuil, les hautes gantelées,
La pasquerette aux fueilles piolées,
La giroflée et le passevelours,
Et le narcis qui ne vit que deux jours,
Et cette fleur que l'apvril renouvelle,
Et qui du nom des satyres s'apelle,
Et l'autre fleur que Junon fist sortir,
Quand d'un coqu voulut son corps vestir...
Meint chesne vieil[1] ombrageoit l'onde noire,
Faunes, Sylvains n'y venoient jamais boire,
Ains de bien loing s'enfuyoient esbahiz :
Maison sacrée aux Nymphes du païs...
Là carolloient, à tresses decoiffées,
De main à main, les Nymphes et les Fées,
Foulant des pieds les herbes d'alentour,
Puis dessouz l'eau se cachoient tout le jour...

Et Ronsard leur donnait ces noms charmants : la belle Herbine, Printine, Antrine aux belles tresses blondes, Azurine aux tetins découverts,

Verdine, Ondine et Bordine aux yeux vers.

Le Satyre[2] qu'il adresse à l' « amy Candé », le seigneur Hurault dit de Candé[3], n'est qu'un conte pour rire où le poète répète la fable d'Ovide :

Mais mon Candé, il est temps que l'on rie...

1. Corrigé en 1584 : Un chesne large. — 2. V, 70-76 (l. VI, fol. 19 v°).
3. Sur cette famille Hurault, voir la généalogie donnée par le Père Anselme, VI, p. 501 ; les *Mémoires* de Cheverny publiés dans la collection Michault et Poujoulat, et l'*Oraison funèbre* d'Anne de Thou, 1584 (Bibl. Nat., Rés. m Yᶜ 925). — Candé est une commune de l'arrondissement de Blois, au bord de la Loire, sur la rive gauche, au confluent du Crosson et du Beuvron. Les Hurault étaient une famille de Blois, alliée aux Villebresme et aux Refuge, vieux serviteurs de la maison d'Orléans. Au chancelier Hurault, Ronsard dédiera son second *Bocage*, célébrant :

Les esprits demi dieux des Huraults tes ancestres.

Jean Dorat a très souvent parlé de ce « patron des lettres », son protecteur après la mort de Birague (*Pœmatia*, 1586, p. 105, 295, 297 ; *Epigrammata*, 20, 25, 29, 82 ; *Var. rerum*, p. 1, 228). Jean Hurault, blésien, seigneur de la Pitardière (canton des bois de Cheverny), était le frère aîné du chancelier, plus tard prieur de Moustiers, tué par les huguenots en sa maison de Cour-sur-Loire. Quant à Jacques Hurault, prieur de Candé dès 1545, on le voit figurer dans différents actes à partir de 1563. Il est dit noble homme, ci-devant prieur de Candé en 1570. — Je tiens ces derniers renseignements de M. Joseph de Croy, qui a bien voulu cousulter à mon intention les archives du château de Candé. Le prieuré de Candé existe encore.

Le portrait que Ronsard fait d'Iole, « l'amoureuse folie » que mène à la promenade son Hercule, est dessiné d'après nature. Iole porte robe de pourpre échancrée à la poitrine, chef couvert d'un « gay scoffion[1] » :

> Ainsy qu'on voit au retour de beaux mois
> Se promener ou noz Dames de Blois,
> Ou d'Orleans, ou de Tours, ou d'Amboise,
> Dessus la greve où Loire se desgoise,
> A flot rompu ; elles sur le bord vert
> Vont deux à deux au tetin descouvert,
> Au collet lasche, et joingnant la riviere,
> Joingnant l'esmail de l'herbe printanniere
> Prennent le fraiz, fieres en leur beauté...
> Leurs amoureux en les suivant s'estonnent
> De leur beau port...

Quelle verve truculente montre Ronsard quand il décrit la découverte du Satyre adultère, reconnu dans l'antre, aux lueurs de la chandelle, à qui, d'un coup de poing, Hercule casse le museau ! Il s'enfuit, le pauvre Satyre, sur ses pieds de chèvre, hurlant, allant cacher sa honte dans les bois[2] :

> Que pleust à Dieu que tous les adulteres
> Fussent puniz de semblables salaires !
> Paillards, ribaulx, et ruphiens, qui font
> Porter aux Jans les cornes sur le front.
> On ne voit plus qu'un filz resemble au pere
> Faute, Candé, qu'on ne punist la mere
> (Qui se desbauche, et qui honnist sa foy)
> Par la rigueur d'une severe loy ?

Ronsard oubliait qu'en ce temps-là il avait courtisé une jeune femme mariée, qu'il avait cherché à la détourner de son devoir !

Pour quelle jeune femme (elles sont si nombreuses dans la vie de Ronsard) a-t-il composé ce joli sonnet[3] ?

> En vain pour vous ce bouquet je compose,
> En vain pour vous, ma Déesse, il est fait :
> Car vous serez le bouquet du bouquet,
> La fleur des fleurs, la rose de la rose...

---

1. fol. 19 v°. — 2. fol. 22 v° (I, 203). En 1578, Ronsard lui adressera l'admirable élégie sur le Printemps, IV, 58-60. — 3. L. VII, fol. 16 v° (VIII, 322).

Mais c'est bien une femme mariée qu'il chercha à séduire ;
quand la fièvre l'accable, il chante les « outils de nature » ; il
imagine qu'il peut encore lui faire un enfant, l'engageant à
rompre la liaison qu'elle a[1] :

> Pour vous aymer, Maistresse, je me tuë.
> J'ay jour et nuit la fievre continuë,
> Qui me consomme et haste mon trespas...
> Quoy ! pensez-vous que l'amour soit la bouche ?
> Autant vaudroit ambrasser une souche
> Sans mouvement, que vos levres baiser,
> Sur vos tetins enflez se reposer,
> Suçer vos yeux, presser vostre main blanche,
> Tater la cuisse et le ventre et la hanche.
> Ce n'est que vent, et tel plaisir ne vaut
> Quand l'autre poinct, et le meilleur, defaut...

C'est toujours, avec Ronsard, la même antienne : Suivons
la nature, ne perdons pas notre temps[2] :

> Vous le voulez et ne le voulez pas,
> Vous le voulez, et si ne l'osez dire...
> Un temps viendra qui nous gard'ra d'aymer,
> Par maladie, ou par mort ou vieillesse :
> Lors regrettant en vain nostre jeunesse,
> En regardant noz membres tous perclus,
> Nous le voudrons et ne le pourrons plus !...

Au capitaine Le Guast, du Dauphiné[3], celui qui avait pris
une part si active au massacre de la Saint-Barthélemy, avait
suivi Henri III en Pologne et mourut en 1575, assassiné dans
son lit, mignon audacieux qui avait bravé Monsieur, Ronsard adressait sa belle « Elegie ou Amour oyseau[4] » :

> Le Gast, je suis brulé d'amour et de chaleur,
> L'une me tient au front, l'autre me tient au cœur.
> La chaleur de mon front ne me donne grand peine,
> Car je la puis estaindre aux flotz d'une fonteine,
> Ou cherchant par les bois les antres bien couverz
> Herissez de lierre et de fueillages vers,

1. L. VII, fol. 16 v⁰ : Elegie (IV, 129). — 2. fol. 19 r⁰. — 3. « Au capitaine le
Gast de Dantine » (sic) [de Dauphiné], corrigé d'ailleurs à l'erratum, fol. 35.
4. L. VII, fol. 14 v⁰. Ces vers ont été très remaniés dans l'édition de 1584. (IV, 102)..

> Des Nimphes et des Pans les maisons solitaires,
> Mais je ne puis, helas, oster de mes arteres,
> Foye, sang et poumons, ce jeune amour nouveau
> Qui se loge en mon cœur et s'est fait un oyseau,
> Semblable au rossignol qui apres son aimée,
> Va volant au printemps de ramée en ramée,
> De bocage en bocage, et chanson sur chanson,
> Va degoisant son mal...
> Les hommes ne sçauroient tromper leurs destinées.

Ainsi l'Amour, que Ronsard appelait son oiseau, lui ron-
geait le cœur, comme le vautour faisait à Prométhée. Mais
c'est toute une nichée d'oiseaux qu'il portait dans son cœur,
et qui, devenus grands, volaient au dessus de lui pour le
dévorer...

> Par quel rhet aussi beau que ses cheveux de soye
> Pourrois-je envelopper une si chere proye ?
> Je voudrois me sauver par un mesme moyen,
> Ou rompant le filet, ou serrant le lien :
> C'est le point de secours au quel je veux entendre,
> Car il me plaist, le Gaz, d'estre pris, ou de prendre !

Au Seigneur Scévole de Sainte-Marthe, Ronsard dédiait
le « Discours d'un amoureux desesperé et de son compagnon
qui le console et d'Amour qui le reprend [1] ». Magnifiquement,
Ronsard faisait parler l'Amour, le devin, le prophète, le
cabaliste, celui qui naît pour mourir et renaître : et il lui
faisait dire :

> Comprenant tout on ne me peut comprendre.

L'amour est pour lui l'immense charité du grand Dieu ; et
Ronsard paraphrase ici Léon l'Hébreu, qu'il n'aimait cependant pas, mais qu'Hélène aimait :

> Scevole [2], amy des Muses, que je sers

---

1. V, 81 (éd. 1569, l. VI, fol. 25 v°).
2. Gaucher, dit Scévole de Sainte-Marthe publia, précisément en 1569, *les Premières
œuvres*, suivies des *Œuvres poétiques*, chez Mamert Patisson en 1579 (Bibl. Nat.
Ye 1098). C'était un vieil ami de Ronsard, un témoin important pour le connaître.
Né, en 1536, d'un père procureur du roi à Loudun qui cultiva la poésie en langue
vulgaire, il étudia à Paris sous Marc-Antoine de Muret, à Boncourt, où il
connut et Ronsard et Jean de la Péruse. Il fit son droit à Poitiers, où régnait alors

Je t'offre icy, en lieu de tes beaux vers,
Un froid discours larron de ta louenge.
Tu n'es premier qui te trompes au change :
Glauque jadis s'y desceut davant toy :
Et toutesfois pren ce present de moy
Pour temoigner d'une ancre perdurable
Que mon vers fut à ton vers redevable.

Comme Ronsard le dira dans la belle Elégie[1], il est un guerrier « refroidy de prouesse » ; il a perdu sa peine et ses jeunes années ; le voici rentrant à la maison, avec sa barbe blanche, tandis que son prince n'a pas voulu « reconnaître » ses travaux. Il jure de ne jamais plus reprendre l'armet ni la cuirasse :

Mais quand il oit le tabourin sonner,
Chaut de la guerre il y veut retourner,
Et sans respect de serment ny d'injure,
Prend son harnois et suit son avanture.
Je suis ainsi...
Mais mon serment s'envola dans la nuë :
« Serment d'amour jamais ne continuë ».

---

une fureur poétique. Il tourne des sonnets pour une dame imaginaire, fréquente à Paris chez Jean de Morel, où il connut Camille, et Michel de l'Hospital. A vingt cinq ans, il se marie et consacre son activité à l'administration, à la poésie française et latine, et surtout à sa grande famille. Maire de Poitiers, puis trésorier général du Poitou, il mérita de ses concitoyens le titre de *pater patriæ*. (Cf. P. de Longuemare, *une Famille d'auteurs, les Sainte-Marthe*, Paris, 1902 ; Jean Plattard, *la Vie et l'œuvre de Scévole de Sainte-Marthe* (1536-1623), Paris, 1924. Voir aussi sur ce personnage les vers latins intéressants de Melissus, *Schediasmata*, 1586). Sa correspondance, conservée à la Bibliothèque de l'Institut (Ms. 290), son œuvre latine et française, sont une source d'informations considérable que j'ai abondamment utilisée sur le milieu des humanistes de ce temps, sur Ronsard, dont il a écrit la vie dans ses *Elogia*. 1606, p. 274. Il adorait Ronsard qui reconnaissait en lui « de rares vertus », regrettant seulement (Scévole fut toujours préoccupé de morale) que tous ses vers ne pussent être mis dans la main des femmes. Il dit en parlant d'elles, et de l'instruction qu'il convient de leur donner (*Œuvres*, 1579, fol. 66 v°) :

Il ne sera mauvais que son esprit s'amuse
A quelque fois aimer les livres et la muse,
Non pour lire les vers que ce divin Ronsard
Ecrit quand il luy plaist d'un style si mignard...

Sur P. de Ronsard, voir dans les *Poemata* (1606) p. 82 : *In tumulum P. Ronsardi ad Abelem filium ; p. 237, P. Ronsardi memoriæ ; p. 274, ad Petrum Ronsardum*, Paris, Morel (Bibl. Nat., Rés. Y^e 2118-2119).

1. IV, 125 (éd. 1569, l. VI, fol. 31 v°).

Sur quoi Ronsard soupire encore, comme un jouvenceau, pour une dame.

On comprend qu'il soit un bien mauvais malade pour Jamyn, qui doit laver sa main pour aller lui présenter la salade[1], défendue par les médecins. Amadis est allé lui cueillir, au matin, la boursette touffue, la pâquerette, la pimprenelle « heureuse pour le sang » et le bouton des groseillers. Cette salade, blanchie au sel, est arrosée de vinaigre rosat et d'huile de Provence; car l'huile qui vient « aux oliviers de France », c'est-à-dire l'huile de noyer, fatigue l'estomac et ne vaut rien pour le malade.

Mais cette fraîche salade est pour Ronsard l'occasion de réflexions philosophiques :

> Tu me diras que la fiebvre m'abuze,
> Que je suis fol, ma Salade[2], et ma Muse :
> Tu diras vray : je le veux estre aussy,
> Telle fureur me guarist mon soucy.
> Tu me diras que la vie est meilleure
> Des importuns, qui vivent à toute heure
> Aupres des grandz en credit, et bonheur,
> Enorgueilliz de pompes et d'honneur :
> Je le sçay bien, mais je ne le veuz faire,
> Car telle vie à la mienne est contraire.
> Il faut mentir, flater, et courtizer,
> Rire sans ris, sa face desguiser
> Au front d'autruy...
> Je suis, pour suivre à la trace une court,
> Trop maladif, trop paresseux, et sourd,
> Et trop creintif, au reste je demande
> Un doux repos, et ne veux plus qu'on pende
> Comme un pongnard, les soucis sur mon front :
> En peu de temps les courtizans s'en vont
> En chef grison, ou meurent sur un coffre...

Ah! oui, fuyons l'ambition, et ces hommes, colosses dorés, qui ne font peur qu'aux « idiotz » :

1. V, 75 (éd. 1569, l. VI, fol. 22 v°).
2. C'est le titre du poème : *La Salade à Am. Iamyn.*

> Mais l'home qui est sage
> Passant par là ne fait cas de l'ouvrage :
> Ains en esprit il desdaigne ces Dieux
> Portraits de plastre, et luy fachent les yeux,
> Subjets aux vents, au froid, et à la poudre...
> Les pauvres sotz, dignes de tous meschefz,
> Ne sçavent pas que c'est un jeu d'eschetz
> Que nostre courte et miserable vie,
> Et qu'aussy tost que la Mort l'a ravie,
> Dedans le sac sommes mis à la foix
> Tous pesle mesle, et laboureurs et rois,
> Valetz, seigneurs en mesme sepulture.
> Telle est la loy de la bonne Nature,
> Et de la Terre, en son ventre qui prend
> De fosse egalle et le pauvre et le grand...

Comme ils plaisaient à Ronsard les vers de Virgile,

> Où le vieillard pere Corytian
> Avecq' sa marre en travaillant cultive
> A tour de bras sa terre non oysive,
> Et vers le soir sans achepter si cher
> Vin en taverne, ou chair chez le boucher,
> Alloit chargeant sa table de viandes
> Qui luy sembloient plus douces et friandes
> Avecq la faim...

Et Ronsard pensait au vieux Romain cultivant son jardin, à la recette d'Hésiode pour accommoder l'asphodèle, à la sagesse de son Horace :

> C'est trop presché : donne-moy ma salade :
> El' ne vaut rien (dis-tu) pour un malade !
> Hé ! quoy, Jamyn, tu fais le medecin !
> Laisse moy vivre au moins jusqu'à la fin
> Tout à mon aise, et ne sois triste augure,
> Soit à ma vie ou à ma mort future,
> Car tu ne peux ny moy pour tout secours
> Faire plus longs ou plus petis mes jours :
> Il faut charger la barque Stygieuse :
> « La barque, c'est la bier' sommeilleuse
> Faite en bateau : le naistre est le trespas :
> Sans naistre icy l'home ne mourroit pas :
> Fol qui d'ailleurs autre bien se propose,
> Naissance et mort est une mesme chose ! »

L'âme universelle, le panthéisme ou plutôt l'idée de l'éternelle métamorphose, tels sont les thèmes qui préoccupèrent Ronsard dans sa fièvre, ceux qu'il développa dans l'air de son pays. Il le disait dans le « Discours » qu'il adressait à Julien Chauveau, procureur en la Cour du Parlement de Paris, son « grand amy[1] » :

> Tu as, Chauveau, rompuë assez la teste
> De ton Palais, execrable tempeste,
> Que les espritz des Muses, le doux soing,
> Ont en horreur, et s'en retirent loing.

Certes, qui terre a guerre a, Ronsard le sait bien :

> Et je ne plaide encontre un Sarrazin,
> Juif, Mamelu, mais contre mon voisin,
> De qui la borne est prochaine à la mienne...

Tout cela vient d'ailleurs du manque de foi, d'une charité ralentie ; malheurs d'un temps où « le crocheteur s'égale au citoyen », où l'Évangile est aussi bien commenté par les pasteurs que par les enfants, où les brigands se disent fils de Dieu et massacrent, en chantant des psaumes...

Comme il advient à ceux qui vieillissent, Ronsard se moquait des jeunes gens et des modes nouvelles[2] :

> Pour ce, mignon, que tu es jeune et beau,
> Un Adonis, un amour en tableau,
> Frizé, fardé, qui es yssu d'un pere,
> Aussi douillet et peigné que ta mere,
> Qui n'a jamais sué ny travaillé,
> A qui le pain en la main est baillé
> Des ton enfance, et qui n'as autre gloire
> Qu'avoir au flanc une belle escritoire,

---

1. V, 113-120. Ed. 1569, l. VI, fol. 55 v°. — Julien Chauveau, que l'on voit procureur au Parlement de Paris dès 1559. On trouve continuellement son nom dans les registres des plaidoiries civiles du Parlement. Il mourut avant 1606 ; il était frère du noble homme Guy Chauveau, conseiller du roi, magistrat criminel au bailliage de Melun (Bibl. Nat., P. orig. 721). Ce Guy Chauveau était également avocat à la Cour et prieur de Saint-Clair et de Gonnel̦s (Arch. Nat., X1a 5054, 4 décembre 1574). Un Hardouin Chauveau est à cette date procureur (Ibid., fol. 462) comme Jean Chauveau (Arch. Nat., X1a 5055, 3 fév. 1575), Michel et Germain (Arch. Nat., X3b 1122).
2. IV, 146 (éd. 1569, l. VI, fol. 40 ; 1584 : Elégie XXV en forme d'invective).

> Peinte, houpuë, et qui n'as le sçavoir
> De lire, escrire et faire ton devoir,
> N'y d'exercer ta charge qui demande
> Une cervelle et plus saine et plus grande...

De petits sots, d'ailleurs, ceux-là qui osaient se moquer des vers de Ronsard qu'ils lisaient au milieu des repas, tandis que le poète serrait sa ceinture :

> (Ou bien souvent desjeuné je n'ay pas)
> Toy saoul de metz et de riches viandes,
> De vins fumeux et de sauces friandes,
> Tu oses bien te moquer de mes vers,
> En te gauchant les lire de travers,
> A chaque point, disant le mot pour rire !
> Si tu sçavois qu'ils coustent à escrire,
> Si tu avois autant que moy sué,
> Refueilleté Homere et remué,
> Pour la science avecq labeur aprendre,
> Tu n'oserois, petit sot, me reprendre...
> Je ne suis pas (petit mignon de court),
> Un importun qui court et qui recourt
> Apres tes pas, quand un grand luy ordonne
> Un froid present, qui au matin te donne
> Bonet, genoulx, pour ta grace acquerir :
> Je ne suis tel, j'aimerois mieux mourir.
> Je suis yssu de trop gentille race :
> Ce n'est pour toy que le papier je trace.
> C'est pour moy seul quand j'en ay le loisir,
> Et c'est, mignon, faute d'autre plaisir,
> En me plaisant je veux bien te desplaire...

Car le poète est un être divin. Et Ronsard ne croit pas du tout à la grâce héréditaire. La Nature mère est toujours en création, en enfantement; Montfaucon, le pilori des Halles, l'exil, attendent ceux qui ont eu les plus hautes charges; de grands imposteurs seront un jour gueux ou porteurs de crochets[1],

> Ou assassins : Car la Nature mere,
> N'a pas donné sa grace hæreditaire
> A toute race, et n'a tant de soucy
> De nous humains : Il faut que cettuy cy,

---

1. Crocheteurs, dit Ronsard, c'est-à-dire hommes de peine.

> Que cettuy là en changeant se souleve,
> Monte aux honneurs d'une escalade breve,
> Lequel bien tost en tombant descendra :
> Par son exemple un mignon aprendra
> De se tenir en sa peau, et ne faire
> Chose qui soit à Nature contraire :
> Et aprendra qu'un petit champ vaut mieux
> Qu'un grand rocher au sourcil glorieux
> Sur qui la foudre en abondance tombe...

A Pierre du Lac[1], seigneur du Petit Bourg, avocat fameux au Parlement de Paris, beau-père d'Abel de Sainte-Marthe, Ronsard dédiait *Le septiesme livre des Poemes*[2]. A la rigueur des lois, Pierre du Lac savait donner un contrepoids aimable, bien qu'il menât la dure vie des parlementaires de ce temps, toujours travaillant jusqu'à la nuit tombante ; il était originaire de cette Auvergne qui « enfanta » tant de chanceliers et de présidents :

> Du Lac, qui joins la gentille carolle
> Des doctes Sœurs aveques ton Bartolle...

Le poète pouvait lui avouer, qu'en dépit de sa fièvre, il était encore ardent :

> Je fay l'amour avecq ma fievre quarte,
> Il faut qu'un clou par violence parte,
> Congné d'un autre : aussi du Lac, il faut,
> Que par un chaut je pousse l'autre chaut,
> Chassant l'ardeur de ma fievre cruelle
> Par la chaleur d'une amitié nouvelle,

Ainsi faisait du Lac :

> Entre-meslant d'un joyeux entrelas,
> Au doux amour la farouche Pallas.

1. Pierre du Lac, avocat en la cour du Parlement en 1569, conseiller et avocat en 1580, avocat du roi en 1596, qui vivait encore en 1604. Mais il doit être bien vieux, car sa signature est presque illisible. Il est dit marié à Marie Canay en 1588 (Bibl. Nat., P. orig. 1615). On trouve fréquemment son nom dans les registres des plaidoiries civiles du Parlement. Un Antoine du Lac était également avocat au Parlement, à la même époque. (*Ibid.*)

2. Imprimé sous la même date et chez le même imprimeur que le sixième livre (Bibl. Nat., Rés. Ye 508).

Et Ronsard l'avait trouvé fidèle à son besoin. Comme fait le villageois, tremblant pour sa dette, le poète ne pouvait lui apporter, en épices, des écus, un fromage mou ou des œufs[1]. Alors Ronsard le payait du don de ses poèmes ; certainement, Pierre du Lac l'avait obligé au cours de ses procès :

> Le creancier qui a le cœur courtois
> Prend le present et le debteur r'envoye,
> En attendant plus sonnante monnoye.
> Pren doncq ce livre en attendant de moy,
> Meilleur payment qui soit digne de toy.
> Ce sont souspirs et larmes espanduës,
> Folles amours follement despenduës,
> Qu'Amour chanter par contrainte me fit.
> Tu pourras bien en faire ton proffit...
> Tu me diras, quoy ? tu parles toujours,
> De pleurs, de cris, de sanglotz et d'amours,
> Ja tout grizon, et tout comblé d'affaires,
> Qui sont Ronsard à tes amours contraires !
> Plaids et proces, mille sacs au costé !
> Tu es aveugle, ou tu es eshonté,
> D'abandonner tes negoces pressées
> Pour des ardeurs qui sont si tost passées !
> Je sens, du Lac, le faix dessus mon dos,
> Et les procés qui poingnent jusqu'à l'os ;
> Mais m'assurant sur ta foy non vulgaire,
> Je te les laisse, et si ne m'en chaut guiere !

Ronsard se disait le pèlerin qui, chargé de bissacs, ceint sa robe, et tombe endormi au premier logis :

> Ainsy, amy, pour descharger mon faix,
> Je te resigne et donne mes procés
> Monstres hideux que le Palais gouverne,
> Et plus cruels que le serpent de Lerne...
> Tu peux trancher mon procés, mais le tien,
> D'un seul revers, en suivant ta coustume,
> Non par le fer, mais par ta docte plume.

---

1. C'était un usage tout à fait admis, une politesse courante, qui n'engageait à rien. Au verso d'une sentence des requêtes du Palais (Arch. Nat., X³ᵇ 15), je lis, à la date de 1569 : « Monsieur, ma femme vous envoye une livre de raisins de Damaz. »

Mais surtout Ronsard trouvait dans la solitude de sa campagne l'oubli du temps perdu et de ses chagrins. Il demandait à Amadis Jamyn de le couronner de pavots, de verser, dans son vin, de l'opium[1] :

> Couvre mon chef de pavot, je te prie,
> Afin, Jamin, que mes soucis j'oublie...
> Mais de son jus, à longs traits, je veux boire
> Pour de mes maux endormir la memoire...

C'est bien ce que désire, en ce temps-là, Ronsard : oublier, oublier surtout l'amour et ses peines :

> Charge mon vin de pavotz et ma teste,
> Et ne vien plus d'une reprise honneste
> Me condamner, que je suis inconstant,
> Ou si tu veux, repren, j'en suis contant,
> Pourveu qu'ainsy je la puisse en ma vie
> Autant haïr comme je l'ay servie.

Nous pouvons imaginer que Ronsard regardait avec tendresse ses fleurs, nées des « beaux secrets pour le jardinage » qu'il possédait, au témoignage de Claude Binet[2]. Le poète aima tant les fleurs, celle de la douce vigne sucrée surtout qui, en sa jeunesse, lui « récréait le nez et le cœur » de sa « nectareuse odeur[3] »! Alors Ronsard souhaitait de revivre dans la fleur de la vigne. Mais il aimait aussi les simples, comme la violette de Mars, qu'on appelait encore la violette de Marie; la fleur qui naquit des larmes d'Hélène; la giroflée, et surtout les œillets, les lys, les roses, orgueil de sa Touraine, dont il fit, après son maître Anacréon, une telle débauche[4] :

> Verson ces roses pres ce vin,
> Pres de ce vin verson ces roses.

Car Ronsard tenait la rose pour l'honneur du jardin et le parfum des dieux :

1. VI, 376 (éd. 1569, l. VII, fol. 31 : Elegie à Am. Jamin).
2. *Vie de P. de Ronsard*, éd. P. Laumonier, p. 45.
3. II, 224. — 4. II, 366.

> La rose embellit toutes choses,
> Vénus de rose a la peau,
> Et l'Aurore a les doigts de roses,
> Et le front, le soleil nouveau.
> Les Nymphes de rose ont le sein,
> Les coudes, les flancs et les hanches :
> Hébé de roses a la main ;
> Et les Charites, tant soient blanches,
> Ont le front de roses tout plein...

Tant de fois, au printemps, Ronsard a regardé la rose emperlée de mai, et qui ne dure qu'un moment, symbole de la fugitive beauté. Mais les soucis, ces étoiles de la terre, les soleils dorés, lui plaisaient alors infiniment, et douloureusement, comme le prouve le poème qu'il adressa au musicien et chanteur Cherouvrier[1]. Car le jaune était la couleur de sa dame qu'il avait portée. Comme le souci, le visage du poète était jaune. Et, comme lui, printemps et hiver, le souci gardait sa verdure. Un soleil lui donna la mort et la vie : les yeux de sa froide amie.

Dans le jardin de Ronsard, dominant le bosquet, s'élève le pin[2], droit et touffu, toujours vert et hérissé, qu'il craignait

---

1. V, 99, (éd. 1569, l. VII, fol. 4) : *Le Soucy du jardin au seigneur Cherouvrier*. — Guillaume Cherouvrier, chantre de la Chambre en 1559 (Arch. Nat., KK. 129), aux côtés de Jacques Arcadet, connu aussi de Ronsard (VII, 20). Le poète a nommé également « Charles Edimpton, joueur de luth » (II, 30), mentionné dans les comptes en 1572 (Arch. Nat., KK. 134 ; Cf. les vers latins de Melissus sur Jacques Edinthon, *Schediasmata*, 1586, l. IV, p. 112). Les autres joueurs d'instruments sont alors : Guillaume Costelley, Oudin Regnault, Jehan de La Mare, Nicolas Delmet, Mathurin du Gué, Jehan du Gué, organiste, Thomas Champion, dit Mitou, Etienne Le Roy, Pierre d'Auxerre, Thomas Dehencourt, Viterbe. Les chantres, à côté de Guillaume Cherouvrier, sont, en 1572 : Anthoine Subgelt, dit Cardot, basse-contre ; Alain Guibourt, Mathieu Clouet, haut-contre ; Jehan Mitou, Jehan Durantel, Martin Mingon. — On ne trouve, dans ces comptes de Charles IX, ni le divin Orlande (de Lassus) nommé par Ronsard, ni Josquin des Prés, mort en 1521 : Mouton servit Louis XII et François Ier, Vuillard [Willaert], † en 1562, Richafort, Maillard, Claudin [de Sermisy], maître de chapelle d'Henri II, Jaquet ?, Certon, Me des enfants de la Sainte-Chapelle en 1552. — En 1574, Guillaume Cherouvrier est dit « aussy clerc de sommellerie de la chappelle ». (Arch. Nat., KK. 134.) Sur les musiciens, voir Guy Le Fevre de la Boderie, *La Galliade*, 1578, cercle IV et fol. 126. Des vers de Ronsard ont été mis en musique en 1566 par P. Cléreau, en 1569 par N. de La Grote, en 1575 par Ph. de Monte, en 1576 par Guillaume Bossi et Orlande, en 1577 par J. de Castro, en 1578 par Ant. Bertrand et F. M. Cajetan, en 1579 par F. Regnard.

2. V, 102, (éd. 1569, l. VII, fol. 6 : *Le Pin au seigneur de Cravan*).

tant de voir coupé quand Blois fut pris et que les huguenots
menacèrent Tours. Il le chanta dans le poème qu'il adressa
à François de Crevant, son beau-frère, seigneur de Cingé, en
Touraine, qui avait épousé sa sœur Louise[1]. Enfin, au temps
de sa fièvre, Ronsard écouta chanter l'hôte de son jardin qui
avait fait son nid dans un genévrier[2] :

> Gay rossignol, honneur de la ramée,
> Qui jour et nuit courtizes ton aimée,
> Par mon jardin desgoisant tes amours,
> Au mois d'apvril, le pere des beaux jours :
> Et t'esclatant d'une voix qui gringotte
> Ores en haute, ores en basse notte,
> A gorge ouverte, à pleins poulmons, tranchant,
> Hachant, coupant, entre-rompant ton chant,
> En cent fredon, tu donnes à ta femme
> Un doux martel, amoureux de ma dame.
> Tu m'es rival !

Chantre et poète, les Grecs lui donnaient ce même nom.
Mais le poète, s'il était un hâbleur, dirait bien

> Que Rossignol vient du nom de Ronsard[3].

Tandis qu'il chante, perché sur le genévrier, Ronsard
pouvait bien penser à cette Genèvre, qu'il avait quittée.
Mais nous, au jardin de ces poèmes, nous pensons au plus
ardent, au mieux chantant des rossignols, à Ronsard[4].

On l'a vu : en 1572, Pierre de Ronsard avait retrouvé la cour
de Catherine de Médicis à Paris ; il avait terminé le long

1. Carré de Busseroles, *Dictionnaire géographique et biographique d'Indre-et-Loire*, II, p. 299.
2. IV, 107 (éd. 1569, l. VII fol. 8 : *Rossignol*). La pièce est assez modifiée dans l'édition de 1584.
3. Cette pièce fut adressée à un certain Girard, présidial au Mans et ami de Robert Garnier. — 4. L'édition des *Poèmes* de 1569 nous montre que Ronsard donna un souvenir, au connétable de Montmorency, mort pour soutenir son Église et son roi (*Épitaphe*, l. VI, fol. 45) ; qu'il composa aussi une pièce à chanter sur la lyre pour le baptême du fils de M. de Villeroy (fol. 50) ; qu'il adressa ses *Amours* à Mme de la Chastre (fol. 55). Il composa à cette époque l'épitaphe du jeune de la Chastre, seigneur de Scillac († 1568), et celle de Louis de Bueil, comte de Sancerre, mort en 1563 des suites d'une querelle privée (VIIe livre, fol. 20-21).

labeur de sa *Franciade*[1] ; il s'était épris d'Hélène qu'il avait
chantée. Et quand Hélène quitta Paris pour suivre Catherine
en Provence, à la fin de l'année 1574, Ronsard avait regagné
ses prieurés et sa terre. Il demeura à Croixval dans l'été de
1575 où il était aux Hayes, témoin au baptême d'une fille de
Jean Binet[2]. Il dut y faire un assez long séjour, toujours
fiévreux.

Le souvenir d'Hélène le poursuit, celui de la froide et jeune
platonicienne dont il souffre toujours. Il va voir le pin qu'il
a planté en son honneur, regarder la couronne de myrtes et
de laurier qu'elle lui a donnée, quand elle l'avait sacré son
écrivain, et qui peut bien être sèchée aujourd'hui. En son
âge, « vers l'automne incliné », le poète erre autour de sa
fontaine, *la Fontaine d'Hélène*, au vallon de la Cendrine[3],
où viendront chanter les pasteurs, et dont les eaux doivent
rendre amoureux qui en boira.

Le 28 août 1576, le fils de Catherine, François, faisait une
paix politique avec sa mère et son entrée à Tours ; puis il
séjournait au Plessis. « Messieurs de Tours », qui savaient les
belles imaginations de l'habitant du prieuré, lui dépêchaient
leur courrier, Marc Belletoise, pour prier Ronsard de vouloir
bien prendre la peine « de venir en ladite ville pour honorer
et enrichir ladite entrée d'épigrammes et autres inventions[4] ».
C'est un fait que Ronsard composa, à cette occasion, un
sonnet que la nymphe de la fontaine de Beaune récita au
prince[5] « dans le carroyr Jehan de Beaulne, faisant le milieu
de la ville, en un jardin fort artificieusement dressé[6] » :

Prince du sang Troyen, race des rois de France,

1. *Les Quatre premiers livres de la Franciade...* Paris, Gabriel Buon, 1572 (achevé
d'imprimer le 13 septembre) (Bibl. Nat., Rés. Yᵉ 506).
2. P. Laumonier, *Ronsard et sa province*, p. xxxvi.
3. *Id., ibid.*, p. 260. — Le « Père Saint-Germain », gardien de la contrée, indique
bien la « fontaine Saint Germain », lieu de pèlerinage.
4. VIII, 281. — 5. II, 6.
6. Paul Laumonier, *Ronsard et sa province*, p. 261, note. — On trouvera dans ce
même ouvrage, p. 193, une photographie de cette gracieuse fontaine qui existe
encore à Tours.

> Dont l'ame genereuse est compaigne des Dieux...
> Ces arbres, ces jardins, ces antres et ces bois,
> Ces fontaines, ces fleurs, t'appellent d'une vois
> Toy grand Prince François, sous qui Mars est servile.

Messieurs de Tours avaient bien fait les choses : car la nymphe était vêtue d'un drap de soie qui leur coûta huit écus. Et chaque jour, de Tours à Saint-Cosme, on porta à Ronsard le vin de la cité en flacons et boutcilles, « en l'honneur de ladite ville[1] ». Et quand Monseigneur de Touraine le visita dans sa maison de Saint-Cosme, Ronsard à son entrée lui adressa un charmant compliment qui comportait une petite morale[2] :

> Bien que ceste maison ne vante son porphire,
> Son marbre ni son jaspe en œuvre elabouré...
> La bonté, la vertu, la justice et les lois,
> Aiment mieux habiter les antres et les bois
> Que l'orgueil des Palais, qui n'ont rien que la Pompe.

La nymphe jardinière lui parlait de ces triomphants Romains qui prenaient sans fausse honte la charrue en main, quand Monseigneur entra dans les jardins de Saint-Cosme[3] :

> Ces grandeurs, ces honneurs dont les hommes sont pleins,
> Ne sont pas les vrais biens qui font l'homme plus sage ;
> Un petit clos de terre, un petit heritage
> Les rend plus vertueux, plus gaillards et plus sains.

Et quand il pénétra dans le petit bois de chênes qui entourait l'abbaye dans son île, l'hamadryade, qui vit sous l'écorce des arbres, soupirait un ampoulé compliment. Mais c'est Ronsard qui présenta ses fruits, oui, des fruits à celui qui venait de « délivrer la France de sa peine », en signant la paix de Beaulieu :

> Si mon present est pauvre, à blasmer je ne suis :
> Je vous donne, mon duc, tout le bien que je puis.
> Celuy qui donne tout ne retient rien de reste.

---

1. Extraits des comptes de la ville de Tours (VIII, 282). — 2. II, 4 (éd, 1578).
3. II, 5.

> Mon esprit est mon tout, au moins je le croy tel :
> Mon present est donc grand [1]...

Ainsi Ronsard vivait dans sa solitude et dans sa gloire, toujours travaillant, d'humeur assez mélancolique quand il composait. Alors il demeurait invisible, même à ses plus grands amis, se faisant librement excuser s'il ne leur adressait pas la parole. Autrement, il était assez aise de rencontrer « compagnie récréative », aimant à chanter et à ouïr chanter ses vers, appelant la musique sœur puînée de la poésie, les poètes et les musiciens, les enfants sacrés des Muses [2]. En ce temps-là, on l'a vu, il adressa au chanteur Cherouvrier le beau poème sur la fleur du souci qu'il aimait [3] :

> Donq si j'avois ceste voix si divine
> Present du ciel, qui sort de ta poitrine,
> Je chanterois...

Car Ronsard avait accoutumé de dire [4] : « Celuy n'est digne de voyr la douce lumiere du soleil, qui ne fait honneur à la Musique, comme petite partie de celle qui, si armonieusement (comme dit Platon), agitte tout çe grand univers. » Il savait qu'elle était art et fureur, comme sa poésie à lui, et lascive en son chromatisme, et guerrière en ses timbres de trompettes. Les légendes d'Orphée, de Terpandre, d'Arion, de Chiron lui étaient familières. Il reconnaissait le rare génie du musicien, appréciait Josquin des Près, Mouton, Vuillard, Richafort, Janequin, Maillard, Claudin, Moulu, Jaquet, Certon, Arcadet, et surtout ce divin Orlande « qui, comme une mouche à miel, a cueilly toutes les plus belles fleurs des antiens »; ce dernier lui semblait avoir dérobé l'harmonie

---

1. II, 4, 5, 6 (éd. 1578) ; P. Laumonier, *Ronsard et sa province*, p. 186-191, 260-261.
2. Claude Binet, *Vie de Pierre de Ronsard*, éd. P. Laumonier, p. 45.
3. V, 99.
4. « Préface de P. de Ronsard au roy François II », publiée en tête du *Livre des Meslanges contenant vingt six chansons des plus rares*, 1560 (VII, 16-20); cf. l'album musical de M. Expert accompagnant *la Fleur des poésies de Ronsard* pp. Henri Longnon. Voir la note, p. 425.

des cieux pour en réjouir la terre, Orlande, la « seule merveille » de son temps.

Ainsi Pierre de Ronsard vieillissait, solitaire et charmé, lui qui, dès sa trentaine, s'était dépeint déjà comme un vieillard :

> Pour avoir trop aimé vostre bande inégale
> Muses, qui desfiez (ce dites-vous) les temps,
> J'ay les yeux tous batus, la face toute palle,
> Le chief grison et chauve, et je n'ai que trente ans.

Mais depuis douze ans la goutte le tourmentait, courtisan qui ne faisait plus guère « la cour qu'à son lit ».

Qu'est devenu le temps où il lui semblait voir naître et le jour et l'amour, avec le beau printemps « rajeunissant la terre et l'onde » ? Où sont les jours où un beau pin droit lui rappelait la taille de sa dame, le bouton de rose, le teton du joli sein pommelant de son amie ? Alors il souhaitait de devenir le dieu de la forêt pour la baiser autant de fois qu'en un bois il y a de feuilles mortes :

> Aimons, moissonons nos désirs !

Si Ronsard saluait encore tous les gentils oiseaux qui annoncent le printemps, il ne criait plus à son page de seller son cheval pour aller retrouver plus vite son amie.

Le voici, glorieux [1] en son automne, malade de la fièvre, dans son prieuré, pensant mourir cette année-là que les lauriers, les tendres arbrisseaux et la plupart des arbres périrent de la grande gelée [2]. Il contemple le bijou que lui a envoyé la reine d'Angleterre, Elisabeth, à qui il avait dédié ses *Élégies et Mascarades* et qui le « voulut comparer à un diamant d'excellente valeur [3] ». Il regarde aussi ce buffet de deux mille écus que la reine d'Écosse, Marie Stuart, lui avait donné, celle-là

---

1. « Les premiers hommes en nostre nation ont esté Cujas, Ronsard et Fernel » (*Perroniana*, Genève, 1669 p. 79). — « Quoi ! et pour venir à nos poètes françois, quel homme a esté M. Ronsard. Il a esté tel, que tous les autres poètes qui sont venus après luy... se peuvent dire ses enfans... car il les a tous engendrez » (Brantôme, III, 287). — 2. Claude Binet, *Vie de Pierre de Ronsard*, éd. P. Laumonier, p. 27. — 3. *Ibid.*, p. 28, variantes.

qui lisait dans sa prison les vers où son poète l'avait passionnément louangée :

O belle et plus que belle...

Il cherche ce vase sur lequel on voyait un rocher représentant le Parnasse, avec un Pégase au-dessus, sur lequel la
reine d'Écosse avait fait inscrire :

A RONSARD L'APOLLON DE LA SOURCE DES MUSES [1].

Le 7 mars 1577, Remy Belleau mourait à Paris, âgé de cinquante ans. Ronsard se trouvait à Paris. On enterrait Belleau
dans la nef des Grands-Augustins, « où il fut porté sur les
pieuses épaules de ses doctes et illustres amis, Pierre de Ronsard, Jean-Antoine de Baïf, Philippe Desportes et Amadis Jamyn [2] ». Un recueil d'hommages posthumes est fait en son
honneur et Ronsard y collabore : ses vers seront gravés
sur sa tombe [3], ainsi qu'une belle inscription en prose latine,
au nom des compagnons de sainte Cécile [4], car Remy Belleau,
qui avait une belle voix, pouvait bien chanter avec eux [5] :

Ne taillez, mains industrieuses,
Des pierres pour couvrir Belleau,
Luymesme a basti son tombeau
Dedans ses Pierres precieuses.

1. Cl. Binet, p. 29, variantes. — Je dois dire que M. P. Laumonier pense que ce buffet
a été adressé à Ronsard assez tard, en récompense de la pièce vibrante que Ronsard
adressa à Marie Stuart pendant sa captivité. C'est Claude Nau, son secrétaire, qui le lui
aurait fait parvenir, par Castelnau, en 1583 (Cl. Binet, éd. critique, p. 39, 177).

2. « Chose fort extraordinaire, et fort remarquable, que j'apprends par les vers
grecs composés par Louis Martel de Rouen, qu'il prit le soin de consacrer à sa
mémoire, parmy plusieurs autres pièces funebres » (la Vie de R. Belleau par Guillaume Colletet, dans les Œuvres complètes, éd. A. Gouverneur, I, p. xxii). Cf.
Remigii Bellaquei poetæ Tumulus, Lutetiæ, Mamert Patisson, 1577. (Bibl. Nat., Rés.
m Yᶜ 925.) Ont collaboré au tombeau : Jean Dorat, Nicolas Goulu, Passerat, P. P.,
J.-A. de Baïf, Ph. Desportes, Amadis Jamyn, Troussilh, Léger du Chesne, J. de la Gessée,
Georges du Tronchay, Robin du Faux, J. le Frere, Louis Martel, Robert Estienne,
F. D. B. H. — Une épigramme de Louis Martel, en grec, dit : « Ronsard, Baïf, Desportes
et Amadis, poètes qui lui survécurent, tous les quatre, éplorés, ont déposé là ce mort
privé de parole. »

3. L'épitaphe, jadis au Musée des monuments français, a disparu.

4. Piganiol de la Force, Description de la ville de Paris, 1765, t. VII, p. 132.
Voir E. Raunié, Épitaphier du vieux Paris, t. I, p. 172-173. — 5. VI, 441.

La mort de Belleau, comme lui le poète de la nature, dans ces jours où Desportes va publier la quatrième édition de ses *Œuvres*, c'est vraiment tout le passé pour Ronsard[1]. Car Belleau était venu le plus jeune pour être le septième astre de la Pléiade[2]; Belleau dont l'esprit enfantait « choses toutes nouvelles », et qui avait choisi pour patron le « vieil Anacreon ». Alors Ronsard pouvait bien songer au temps de leur jeunesse, quand il avait répudié les vers obscurs « des torrens de Pindare » que le peuple n'entend pas, quand le doux Anacréon le ravit. Avec quelle joie, quelle impatience, lui et són « cher Remy » lisaient les fragments grecs de l'Anthologie exhumée[3]! Et Remy Belleau était attaché à Nogent-le-Rotrou, à son Perche, comme Ronsard, gentilhomme, l'était à son Vendômois[4]. Il n'était plus, le bon traducteur d'Anacréon, dont Ronsard admirait tant les odes, le peintre des petits animaux des champs, l'ami qui commenta le second livre des *Amours de Marie*, expliqua son nouveau « style vulgaire », le chantre mignard de *la Bergerie*, des *Amours et nouveaux échanges des pierres précieuses*!

La perfection de son œuvre à lui, l'idée de sa propre gloire, le tourmentent toujours[5].

1. Sur ce deuil, aussi vivement ressenti par Claude Binet, son disciple, que par Ronsard, voir les vers latins insérés dans l'édition des fragments de Pétrone publiés par Binet en 1579 (Bibl. Nat., Y^c 922) :

> Ego mortuus est meus poeta
> Bellæus tuus...
> At Musae incolumen meum pœtam
> Ronsardum Æonia arbitrum Camœnæ
> Qui servate diu, et suis amicis
> Ut qui Pleiadas antecellit unus
> His sit postumus et sibi superstes...

2. V, 85. — La Pléiade est sortie de la Brigade, comprenant les premiers amis. Ce terme apparaît pour la première fois en 1556, dans l'élégie à Christophe de Choiseul. Le premier groupe a été réduit à sept membres : Du Bellay, Tyard, Baïf, des Autels, Jodelle, La Péruse et Ronsard (1553); Belleau remplaça La Péruse, décédé.

3. V, 187. — 4. IV, 95.

5. Dans les milieux provinciaux, sa gloire et son influence demeurent intactes. Pierre le Loyer, angevin (*Les Œuvres*, 1579, Bibl. Nat., Rés. p. Y^e 146), met sous son invocation ses *Amours de Flore*. Il vante l'éloquence « du grand Ronsard » (fol. 20vo; voir aussi, fol. 52 : *A monsieur de Ronsard gentilhomme vendomois*); dans le *Loir Angevin*, il fait un magnifique éloge de Ronsard, exaltant « sa Muse peren-

ment par la douceur du printemps, comme il chante dans l'Elégie à Candé[1] :

> Voicy le temps, Candé, qui joyeux nous convie
> Par l'amour, par le vin, d'esbattre nostre vie :
> L'an reprend sa jeunesse, et nous monstre comment
> Il faut, ainsi que luy, rajeunir doucement.
> Ne vois-tu pas, Candé, ces jeunes arondelles
> Ces pigeons tremoussans et du bec et des ailes
> Se baiser goulument, et de nuict et de jour
> Sur le haut d'une tour se soulasser d'amour ?
> Ne vois-tu pas comment ces vignes enlassées
> Tiennent de grands ormeaux les branches embrassées ?
> Regarde ce bocage, et voy d'une autre part
> Les bras longs et tortus du l'hierre grimpart
> En serpent se virer à l'entour de l'escorce
> De ce chesne aux longs bras, et le baiser de force.

Une fois de plus, Ronsard disait le chant du rossignol, les nymphes qui, dans les prés, font une moisson de fleurs, les gentilles avettes volant de jardin en jardin, avec les papillons. Alors tout nous invite à ne frauder en rien l' « usufruit de nos ans ». Mais le poète disait aussi la triste vérité qu'il pressentait pour lui :

> Voicy la Mort qui vient, la vieille rechignée
> D'une suite de maux tousjours accompagnée.

Qu'importe ? Prenons encore les plaisirs de notre âge :

> Mais lors que soixante ans nous viendront renfermer,
> Il faut le triquetraq et les cartes aimer,
> Sans se laisser domter à la rigueur de l'âge,
> Qui nous fera là-bas faire un si long voyage,
> D'où plus on ne revient, non plus que de là-haut,
> Quand l'homme dans la tombe a fait un coup le saut.

Certes, Candé n'avait pas le teint blême, ni le front renfrogné. Il demeurait homme gaillard, prompt à s'émouvoir s'il avait près de lui quelque dame gentille. Enfin il sert

---

1. IV, 58 (éd. 1578).

Apollon, qui réchauffe son sein, et il ne tient pas en mépris
le père Bacchus :

> Je t'en ressemble mieux : car en ma fantaisie
> N'entra jamais ny dol, ny fard, n'hypocrisie.
> Je courtise Apollon, Erycine, et le vin,
> La queux des bons escrits, ausquels je suis enclin,
> Les prenant sobrement : si je faux d'aventure,
> Le blasme n'est à moy, il est à la nature.

Mais cette joie d'un des derniers printemps de Ronsard
n'était pas pour lui sans appréhension :

> Voici la Mort qui vient, la vieille rechignée.

CHAPITRE X

LE TESTAMENT ET LA MORT

Au mois d'août 1583, à cause de sa fièvre quotidienne, de ses douleurs de tête et de reins, Pierre de Ronsard ne peut se rendre au concile provincial tenu à Angers[1]. Le 13 septembre, il est encore à Montoire, où il assiste, comme parrain, au baptême de Pierre, fils de Me Thomas Soullaz, avocat, prenant ce titre, magnifique, d' « aulmosnier du roy nostre Sire et son premier poete en ce royaume[2] ». Mais l'hiver qui suivit, en dépit des premières atteintes de la vieillesse, Ronsard se rendra à Paris, chez son ami Jean Galland, principal du collège de Boncourt, le seul aimé, celui qu'il appelait μονοφιλούμενος, sa seconde âme, et qu'il désignera pour l'un de ses exécuteurs testamentaires[3]. C'est au collège de Boncourt que Ronsard retrouve ce qu'il nommait son Parnasse, une vieille maison, assez vaste, aérée, tenant à la muraille de Paris, non loin du chevet de Saint-Étienne-du-Mont[4]. La demeure de Dorat est toute proche, ainsi que celle de Baïf.

Le collège de Boncourt avait été fondé, au quatorzième

---

1. VII, 131. Bibl. Nat., collection Dom Housseau, t. XI, n° 4694.

2. Abbé L. Froger, *Ronsard ecclésiastique*, Mamers, 1842, p. 44 n.

3. Notre récit est fondé sur la *Vie* de Claude Binet, parue en 1586, sous le titre de : *Discours de la vie de Pierre de Ronsard... avec une églogue représentée en ses obseques... plus les vers composez par ledict Ronsard peu avant sa mort ensemble son Tombeau recueilli de plusieurs excellents personnages* (Bibl. Nat., Ln [27]. 17842) ; une édition a été donnée par Mlle Évers, en 1905 ; celle que je cite par M. P. Laumonier, *la Vie de P. de Ronsard de Claude Binet (1586), édition critique avec introduction et commentaire*, Paris, 1910.

4. Il succéda à Pierre Galland, principal, lecteur ordinaire du roi, de 1542 à 1553 (Arch. Nat., Y. 95, 97, 98, 99). Cf. Arch. Nat., Reg. du Parlement, 3 février 1569, *n. st.*

siècle, par Pierre de Brécoud, sur l'emplacement d'un hôtel
des évêques d'Arras, pour huit pauvres écoliers que l'on
devait choisir dans l'évêché de Thérouane. Il y a là, vers la
Porte Bordelle, un assez grand cloître, une chapelle, un
puits, des arbres. En face est l'îlot de Navarre ; et de l'autre
côté s'élève Sainte-Geneviève, avec son haut clocher[1].

Pierre de Ronsard aime ce Galland[2], principal, l'homme
d'Arras, qui est comme lui un bon helléniste. Volontiers il
demeure dans son collège. Il est chez lui dans cette académie,
qui est aussi une scène, où tant de spectacles intéressants ont
été représentés, se promenant sous les arbres de la cour et
dans le jardin, entouré des élèves à qui il traduit, « comme un
autre Apollon », vers pour vers, tantôt un passage d'Horace,
tantôt Virgile. Mais lors de ce séjour, Pierre de Ronsard est
presque obligé de renoncer à ce plaisir : à grand'peine, le
jour de Pâques, on le voit s'avancer jusqu'à l'autel, sur ses
pauvres genoux, pour recevoir les sacrements. Galland le
porte de sa voiture à son lit, le soutient quand il tombe en
faiblesse. Il le couche comme un enfant, écartant de lui les
visiteurs qui l'auraient importuné. Mais Ronsard, le tonsuré,
qui n'a pas de postérité, se tourne vers les enfants de son
esprit ; et il « commença de songer à son testament et à sa
dernière volonté[3] ».

Ainsi Ronsard a délibéré de faire réimprimer ses vers, « tous
ensemble en un grand volume, où si bien liés et ramassés
les uns avec les autres, ils ne fussent pas en danger de se
perdre et de s'égarer ». Débarrassé des importuns et des
affaires du jour, Ronsard s'enferme le soir, revoit les textes
qu'il corrige « pour les laisser à la postérité, comme il vouloit qu'ilz fussent leuz et recitez à l'advenir ». Ronsard est

1. Sur tout ce milieu et sur Galland, voir Pierre de Nolhac, *Ronsard et l'Humanisme*, p. 236-243.
2. A. de Thou a écrit dans son *Histoire universelle* : « Galland, qui a travaillé si
utilement à l'éducation de la jeunesse de Paris, et chez qui il logeait toujours quand
il venait dans cette capitale. »
3. Ce sont les mots de Davy du Perron dans l'*Oraison funèbre*.

tourmenté par l'orgueil; il pense à « ses suivants », à leur
« envieuse roideur » qui a ralenti son ardeur première[1]. Car
il peut bien connaître les malicieux propos que le caustique
Du Perron a recueillis, propagés peut-être, lui qui se proposait de corriger les *Hymnes* et trouvait les *Sonnets* mauvais.
De la force, certes, Ronsard a de la force, mais de la politesse, point; sans doute, ses descriptions sont bonnes, mais
dans ses *Amours* il est quasi ridicule et plein de galimatias[2].

Le testament du poète, c'est l'in-folio qui parut à Paris,
en janvier 1584, au Clos-Bruneau, à l'enseigne de Saint-
Claude, chez Gabriel Buon, dans le grand format que Ronsard
avait voulu, imprimé sur deux colonnes, en grosses lettres,
comme une Bible de la poésie de son temps[3]. C'est le seul
livre de vers de format in-folio qui soit connu, où Ronsard
écrase les in-quarto de Desportes et de Jamyn imprimés pour
Henri III, et de sa taille et de son génie. Ronsard a recueilli
les commentaires de Remy Belleau, de Muret, ses amis. Il a
écrit le sonnet à son livre, d'un orgueil magnanime :

> Mais non, arreste, et demeure en ton rang
> Bien que mon cœur bouillonne d'un beau sang,
> Fort de genoux, d'haleine encore bonne...
> Livre, cesse d'acquerir plus de bien
> Sans nous fascher si la belle couronne
> Du laurier serre autre front que le mien.

En grosses capitales, on y lit toujours le vœu aux divines
Sœurs à qui le poète demande de buriner dans leur temple
ces paroles[4] :

---

1. Ronsard était très sensible à la critique. Mais il s'est exagéré quelques propos de
ses contemporains et la portée du succès mondain de Desportes. Davy du Perron, alors un
jeune homme « deja fort estimé pour son esprit et son savoir » (A. de Thou), fera de
Ronsard, dans son oraison funèbre, le plus magnifique éloge, « le génie et l'oracle de
la poesie françoise ». J.-A. de Thou, qui l'a un peu piqué dans ses *Mémoires*, a
dit dans son *Histoire universelle* que nul ne l'avait égalé. C'est le sentiment de tous.
2. *Perroniana*, Genève 1669, p. 250-285 (articles Desportes, Ronsard).
3. Bibl. Nat., Rés. Y⁰ 190. — Le privilège de l'édition de 1584 date du 7 décembre 1583. L'édition fut achevée le 4 janvier 1584. — 4. Déjà dans les *Amours* de 1552.

Ronsard, afin que le siecle avenir
De temps en temps se puisse souvenir
Que sa jeunesse a l'amour fist hommage,
De la main dextre apand a vostre autel
L'humble present de son livre immortel,
Son cœur de l'autre aux pieds de ceste image.

Il y a fait reproduire le portrait de sa jeunesse, où il se montre à nous, lauré comme un César romain, avec son beau front tout garni de cheveux frisés, l'œil vif, le nez longuet, la barbe fine et soyeuse, drapé à l'antique et cuirassé comme un héros guerrier :

Tel fut Ronsard, autheur de cest ouvrage,
Tel fut son œil, sa bouche et son visage,
Portrait au vif de deux crayons divers :
Icy le corps, et l'esprit en ses vers.

Mais si l'in-folio de 1584 est bien le portrait de son esprit, l'effigie gravée qu'il nous présente est alors celle d'une vieille coquette. Et Ronsard a donné aussi le médaillon de Charles IX, en habit de cour, avec sa toque à plumes, qui illustrait la *Franciade*, celui de son roi mort il y avait dix ans :

Tu n'as, Ronsard, composé cest ouvrage,
Il est forgé d'une royale main :
Charles sçavant, victorieux et sage,
En est l'autheur, tu n'es que l'escrivain.

Ce grand livre est sa dernière confidence [1]:

Or, tu es ma parole à qui de nuit et jour
J'ai conté les propos que me contoit Amour...

Et tandis qu'à Paris, Ronsard est retenu par l'impression de son in-folio, il adresse au duc d'Anjou, retiré à Plessis-

---

1. « Estant doncques Monsieur de Ronsard desja sur le declin de son aage, et commençant à se trouver incommodé des accidens de la vieillesse, au lieu que ceulx qui laissent des heritiers apres eux, ont accoustumé de penser à faire leur testament et à donner ordre à leurs affaires, pour les laisser jouyr en repos du bien qu'ils leur ont ?cquis, il commença de songer à son testament et à sa dernière volonté... et pour cest effect delibera de les faire reimprimer en un grand volume... » (Du Perron, *Oraison funèbre*, 1586, fol. 65.)

lez-Tours, le dur et actif frère du roi, si longtemps son ennemi, celui-là qui a conduit l'expédition des Pays-Bas, a fait une triomphale entrée à Anvers, en 1582, le défenseur de la « Liberté Belgique[1] », qui va bientôt mourir, le livre de ses *Éclogues*[2] :

> Pour ce ne dedaignez ce vulgaire present :
> Et croyez, mon grand duc, que rien n'est si duisant,
> Ny qui tant se conforme aux grandes seigneuries,
> Que l'estat des bergers et de leurs bergeries...

Ce n'est pas un berger d'idylle, ce prince au double nez, petit et bossu[3] (Élisabeth d'Angleterre le nommera « sa grenouille », s'en amusera fort, le pensionnera, l'embrassera sur la bouche quand il lui fera visite). Ronsard connaît bien son voisin, qui vint jadis le voir. Mais il entend distraire sa solitude rustique.

S'il y a peu de pièces inédites dans la magnifique édition que publia Ronsard en 1584 (trente-deux exactement[4]), la plupart réparties dans le *Bocage royal* dédié à Henri III[5], les deux Discours et la « Magie et Délivrance d'amour » présentent vraiment un grand intérêt par la nouveauté de leur inspiration. Ce sont d'extraordinaires incantations, certainement inspirées par des circonstances réelles qui rappelèrent à Ronsard beaucoup de souvenirs d'Horace, d'Ovide, de Théocrite et de Pontano.

« La Magie[6] » a certainement été écrite à Paris, puisque Ronsard demandait à la Seine d'emmener sa peine se noyer dans l'Océan ; et la montagne qu'il désigne est tout simple-

---

1. Voir les planches du grand triomphe d'Anvers dans la collection Hennin, t. VIII.
2. III, 353. — Cf. l'intéressante préface aux *Premières Œuvres* de J. de la Jessée, parues à Anvers, en 1583.
3. Voir la belle médaille reproduite dans le recueil historique du cabinet des Estampes, Qb 22 et le crayon de Sainte-Geneviève attribué à J. de Court.
4. P. Laumonier, *Tableau chronologique des œuvres de Ronsard*, 2e éd. Paris, 1911, p. 65-68 ; *Ronsard poète lyrique*, 1909, p. 263.
5. En tête est un grand médaillon d'Henri III portant le millésine de 1581.
6. II, 457 (éd. 1584, p. 398).

ment le Mont Valérien, équivoquant sur le Mont Vénérien. Mais il nous apparaît qu'à cette époque, Ronsard a dû détruire toutes ses lettres d'amour, les lettres d'Hélène, les cheveux et les gants de ses maîtresses qui remplissaient un plein sac :

> Sus, page, verse à mon costé
> Le sac que tu as apporté,
> Pour me guarir de ma folie.
> Brule du soufre et de l'encens:
> Comme en l'air je voy consommée
> Leur vapeur, se puisse en fumée
> Consommer le mal que je sens.

Ronsard se représentait versant l'eau de l'aiguière, faisant brûler le genièvre, l'armoise et la verveine qui rafraîchissent le sang :

> Apporte moy tous ses presens,
> Ses cheveux, ses gans, sa peinture,
> Romps ses lettres, son escriture,
> Et jette les morceaux aux vents.

Ainsi le poète délivrait les oiseaux de l'Amour, la douce tourterelle dont il ne voulait plus entendre la plainte ; il jetait au vent la plume des pigeons :

> Dix lustres veulent que j'essaye
> Le remede de me guarir.
> Adieu Amour, adieu tes flames,
> Adieu ta douceur, ta rigueur,
> Et bref, adieu toutes les dames
> Qui m'ont jadis brulé le cœur!

C'est le dernier sabbat de Pierre de Ronsard, qui avait jadis demandé aux Vieilles de le laisser vivre libre et franc,

> Pour chanter desormais aux Muses et à moy.

Et l'on pense que de cette destruction le bon Galland a pu sauver plusieurs sonnets pour Hélène qui paraîtront dans l'édition qu'il donnera en 1587.

Pour la première fois aussi, dans l'in-folio de 1584, nous trouvons l'Élégie, dite plus tard « contre les buscherons de la forest de Gastine »[1], qui peut bien se rapporter à une coupe de bois faite entre 1578 et 1583. Comme il est beau, le vieux poète, le frère des vieux chênes, qui maudit son duc de Vendôme, le jeune Henri de Navarre, mangeant alors ses rentes et sa terre, en jetant à bas les hautes futaies de la forêt[2] !

> Escoute, Bucheron, arreste un peu le bras,
> Ce ne sont pas des bois que tu jettes à bas,
> Ne vois-tu pas le sang lequel degoute à force
> Des Nymphes qui vivoyent dessous la dure escorce?
> Sacrilege meurdrier, si on pend un voleur
> Pour piller un butin de bien peu de valeur,
> Combien de feux, de fers, de morts, et de destresses
> Merites-tu, meschant, pour tuer des Deesses?
> Forest, haute maison des oiseaux bocagers,
> Plus le cerf solitaire et les chevreuls legers
> Ne paistront sous ton ombre, et ta verte criniere
> Plus du soleil d'esté ne rompra la lumiere...
> O Dieux, que veritable est la philosophie,
> Qui dit que toute chose à la fin perira,
> Et qu'en changeant de forme une autre vestira :
> De Tempé la vallée un jour sera montagne,
> Et la cyme d'Athos une large campagne,
> Neptune quelquefois de blé sera couvert.
> La matiere demeure, et la forme se perd !

Si l'in-folio de 1584 ne nous offre qu'un petit nombre de pièces ajoutées à l'édition de 1578, il présente une nouveauté qui n'a pas été notée. Cette édition nous donne l'histoire vraie des amours d'Hélène, son fidèle portrait, et non plus le portrait convenu de l'édition de 1578. Car Ronsard n'a plus à ménager personne, pas même Mademoiselle de Surgères. Il a rompu avec toutes conventions. A Hélène, Ronsard restitue les pièces insérées dans les *Amours diverses*, de 1578, que la demoiselle bégueule, tremblante pour sa réputation,

---

1. Ce titre est de l'invention de l'éditeur de 1623.
2. IV, 143 (éd. 1584, p. 651). — Cf. Jean Martelière, *Pierre de Ronsard gentilhomme Vendômois*, p. 279 ; P. Laumonier, *Ronsard et sa province*, p. 263.

lui avait demandé de dissimuler, et qui lui appartenaient bien.

Mais Ronsard ne s'épargne pas plus que sa maîtresse. Rien ne compte plus à ses yeux que la sincérité, la beauté de son œuvre.

Ronsard, dans la forêt de ses poèmes, est entré comme le bûcheron dans la forêt de Gastine ; et il l'a émondée de beaucoup de pousses spontanées, d'arbres vigoureux, de fleurs délicates. Il a fait un grand abattis, cruel à lui-même[1], mais toujours pour des raisons d'esthétique, et non pas, comme on l'a dit, pour des raisons de convenance ou de politique. Longtemps Ronsard avait hésité dans cette entreprise, répondant à ceux qui l'y encourageaient : « Mon bon amy, il fasche bien à un père de coupper les bras à ses enfans[2] ! »

Mais le grand travail de ce grand livre, au cours de l'hiver parisien, passé à fournir « de matière aux presses des imprimeurs qui dévorent une grande quantité de labeur », a épuisé Pierre de Ronsard, alors « merveilleusement » cassé et abattu[3] ; il porte le poids des exercices violents de sa jeunesse, celui de ses excès aussi qui sont la rançon d'une « ame transcendante comme la sienne ».

Il était grand, vigoureux, de belle mine ; son corps était demeuré, jusqu'à ce jour, robuste ; sur son visage rayonnait encore l'âme divine qui s'agitait en lui. Les veilles avaient seulement marqué son visage. Mais de la vigueur de cet

---

1. Le t. VI de l'édition de M. P. Laumonier est composé en partie de ces suppressions. Dans cette mesure, l'édition donnée par M. Hugues Vaganay est infiniment précieuse (*Œuvres complètes de Ronsard, texte de* 1578, *publié avec complément, tables et glossaires,* par Hugues Vaganay, *précédé d'une notice par Pierre de Nolhac.* (Paris, Garnier, 7 vol, in-8°.) Mais, à mon sentiment, les variantes et les corrections de 1584 ont bien amélioré le texte de 1578. Je ne puis partager l'opinion d'Etienne Pasquier et de Claude Dupuy sur ce point. Enfin l'édition de 1584, imprimée en gros caractères, a été relue avec soin par Ronsard, au point de vue typographique, ce qui n'est pas le cas des éditions imprimées en petits caractères, et même de celle de 1567, in-4° (à cet égard, *le sixieme et le septiesme livre des poëmes de* 1569 est rempli de fautes, ainsi que l'admirable édition des *Elégies* de 1565).

2. *Perroniana*, Genève, 1669, p. 284 (article RONSARD).

3. Du Perron, Oraison funèbre (*les Diverses Œuvres*, Paris, 1622, in-fol. p. 663).

esprit et de ce corps, Ronsard avait abusé, dans le travail comme dans le plaisir. La ruine était apparue, tout à coup, au milieu des tourments de sa goutte[1].

Certes, Ronsard est heureux de la nouvelle forme donnée à ses œuvres, auxquelles il vient de dire un dernier adieu. Mais déjà on le discute. Les uns approuvent ses propres censures; d'autres trouvent ses additions languissantes, déclarent qu'elles se ressentent de la complexion et de la froideur de la vieillesse. Et Monsieur Daire ayant dit au cardinal Du Perron que Ronsard avait corrigé ses œuvres, mais que les corrections n'étaient pas bonnes, il avait répondu: « On ne réussit pas à corriger ses œuvres sur le vieil aage[2]. »

Épuisé par son labeur, éprouvé par le rude hiver parisien, avec ses tempêtes et ses pluies continuelles[3], Pierre de

1. Je ne fais que paraphraser les deux témoignages de Scévole de Sainte-Marthe et d'Auguste de Thou, qui concordent. Voici ces textes : « Fuit Ronsardus excelsa statura, decoro vultu, qui generosum quendam animi vigorem divinitus afflatum facile indicaret, corpore vegeto quidem robustoque, sed sub ingravascentem ætatem ex præteritis vigiliis fracto ac debilitato : neque sexagesimum ætatis annum excessit, articulari morbo sævissime vexatus... » (Scævolæ Sammarthani, *Pœmata et elogia*. Aug. Pictonum, 1606, II, 146-147) : « Mais comme il n'avoit pas moins de bonne mine et de vigueur de corps que d'esprit, il se ruina la santé à force de se réjouir et d'aimer les plaisirs, en sorte que, sur la fin de sa vie, il se vit extrêmement tourmenté de la goutte. » (De Thou, *Histoire universelle*, l. 82, t. VI de la traduction française, la Haye, 1745.)

2. *Perroniana*, Genève, 1669, p. 284 (article Ronsard). — C'était aussi le sentiment d'Étienne Pasquier (*Recherches de la France*, 1665, p. 615) : « Grand poete entre les poetes, mais tres mauvais juge et Aristarque de ses livres. Car deux ou trois ans avant son decez, estant affaibli d'un long age, affligé de gouttes, et agité d'un chagrin et maladie continuelle, cette verve poetique, qui luy avoit fait bonne compaignie l'ayant presque abandonné, il fit reimprimer toutes ses poesies, en un grand et gros volume, dont il reforma l'economie generale, chastra son livre de plusieurs belles et gaillardes inventions qu'il condamna à une perpetuelle prison, changea des vers entiers... » Plus cruellement Etienne Pasquier a écrit, à propos de l'édition de 1587, donnée par Galland : « S'il est ainsi, ô miserable condition de notre poete, d'etre maintenant exposé sous la juridiction de celui qui s'estimait bien honoré de se frotter à sa robe, quand il vivoit. » (Cité par Pierre de Nolhac, introduction aux *Œuvres complètes*, éd. II. Vaganay, p. XXXVII.) Pierre de Nolhac a publié une lettre de Claude Dupuy à G. V. Pinelli, dans laquelle il dit, à propos de cette édition : « J'aimerois beaucoup mieux les premières éditions que ces dernieres, esquelles il a gasté, selon mon jugement. » (*Ronsard et l'Humanisme*, p. 233.)

3. Pierre de l'Estoile, II, 142, 143; *Registres du Bureau de la ville*, VIII, 343.

Ronsard est repris par la goutte ; perclus, il doit garder le lit, avec des douleurs « qu'il est plus facile d'imaginer que de représenter ». Ainsi il traîne «jusques aux premières fleurs [1] ». Et tout à coup, c'est l'annonce du printemps qui revient avec l'espérance qu'un changement de saison pourrait lui faire recouvrer la santé. Toujours impatient, sans attendre les beaux jours, Pierre de Ronsard se fait transporter en son prieuré de Croixval. Il y retrouve l'air et la liberté des champs, une amélioration qui apparaît dans l'enjouement de son esprit.

De Croixval, le 9 septembre 1584, Ronsard écrivait par exemple à Galland [2] que jamais il n'avait reçu aucun avantage des libraires qui, tant de fois, avaient imprimé ses écrits. Mais pour cette édition qu'il avait préparée, si exactement revue, il entendait que Buon, son libraire, lui donnât soixante bons écus « pour avoir du bois, pour s'aller chauffer cet hyver avec son amy Gallandius ». S'il ne veut y consentir, que Galland porte son livre à d'autres libraires du Palais. Il leur lançait mille traits de raillerie à propos de leur avarice : car les libraires veulent profiter de tout et ne jamais rien donner.

Le 17 décembre 1584, Pierre de Ronsard écrivait encore à Galland qu'il ne pouvait se résoudre à quitter Croixval pour mendier quelque faveur [3]. Par modestie, il saurait s'en passer, comme ces bons pères philosophes qui n'avaient pour tout meuble que le bâton, le manteau haillonneux et le creux de la main. Néanmoins, sitôt que ses vilaines gouttes l'auraient quitté, Ronsard serait son hôte, plus rapidement que

---

1. Du Perron, *Oraison funèbre* : « dix mois entiers perclus et arresté dedans un lict ». — Le bruit de sa mort se répandit à Paris. Laurent du Coudret, imprimeur, fit paraître, avec un privilège royal, une plaquette dont Ronsard ne fit que rire : *Epitaphes, mort et dernières paroles de P. de Ronsard* (Bibl. Nat., L n[27] 17838). M. P. Laumonier a réédité ce document dans les *Annales Fléchoises* (1908) Cl. Binet (éd. Laumonier, p. 36, 189) se moque du faussaire « poetastre » qui a dénoncé la « vie de garçon » de Ronsard.

2. Quelques phrases de ces lettres ont été conservées par G. Colletet dont la notice est insérée en tête des *Œuvres inédites de P. de Ronsard* par Prosper Blanchemain, Paris, Aubry, 1855. (Éd. Laumonier, VII, 132). — 3. VII, 133.

l'hirondelle. Mais de prouver sa force autrement, il ne le pouvait, étant assez riche et content de sa réputation acquise par ses longues veilles, études et travaux. A l'ami Galland, il envoyait enfin quittance de la pension du roi avec un pouvoir pour la recevoir en son nom et en donner acquit au trésorier Molé[1]. « En cas qu'il vous traisne et refuse de payer, ditesluy, en sortant de sa chambre : Vous ne debvez point, Monsieur, tomber sur la pointe de la plume de M. de Ronsard qui est homme mordant et satyrique, au reste vostre voysin, et qui sçait fort bien comme toutes choses se passent. »

C'est ce même Galland, son cher ami, qu'il chargera de présenter ses humbles baise-mains à Mlle de Surgères, et « mesme de la supplier d'employer sa faveur envers le thrésorier regnant pour le faire payer de quelque année de sa pension[2] ».

Tel était le vieil amoureux d'Hélène, celui qui trépassait d'amour assis auprès d'elle :

> C'est trop chanter d'amour sans nulle récompense.

Quel rude hiver Pierre de Ronsard passe à Paris.

Le roi est toujours à sa réforme, réglementant strictement sa maison, astreignant tous ceux qui l'entouraient à porter du velours noir, des bonnets de velours noir, comme celui qu'il garde toujours sur sa tête rasée depuis qu'une sorte de méningite a failli l'emporter, n'ayant pour tout ornement qu'une sobre chaîne d'or. Henri fait des pèlerinages pour avoir un enfant; et les bonnes gens prient pour lui. En ce temps-là Scévole de Sainte-Marthe a écrit son long poème latin, la *Paedotrophia* (1584), sur la nécessité de nourrir les enfants à la mamelle[3]; il le dédie au roi Henri et fait allu-

---

1. Le 18 décembre 1581, on voit qu'il lui donnait un reçu de 400 écus soleil pour sa pension de l'année 1580 : « Nous Pierre de Ronsard, aumosnier et poete du roy, confessons avoir reçu de M. Pierre Moslay, conseiller dudit seigneur et tresorier de son espargne... » Signature autographe (Bibl. Nat., Pièces originales, 2546).

2. VII, 134.

3. Bibl. Nat., Rés. m Yᵉ 842. — L'ouvrage a été présenté au roi ayant le 8 juillet 1584. (Lettre de Scévole de Sainte-Marthe à son fils Abel. Bibl. de l'Institut, ms. 290, fol. 236.)

sion à la reine, souhaitant qu'elle nourrît elle-même l'enfant attendu (la pauvre reine stérile, maigre, alors peu aimée du roi et des autres, qui craint le divorce, comme le montre la lettre de Cavriana)[1]. Et c'est à cette occasion que Ronsard écrivit à Baïf une belle lettre de remerciement[2]. Sans qu'il appréciât particulièrement les vers antiques sur des sujets nouveaux, il admira le poème de Sainte-Marthe qui parlait des nourrissons, comme il aimait le « divin » Fracastor[3]. Mais Ronsard savait bien, on l'a vu, que le roi n'aurait jamais d'enfant[4].

Henri III apprend en ces jours les projets de la maison de Lorraine ; il a renforcé sa garde ; des gentilshommes armés veillent sur lui, jour et nuit ; ils protègent le roi de France, de tradition si débonnaire, que tous approchaient jadis familièrement, à sa table ou à la ville. Guise l'a traité de moine. Le roi monte un fort beau cheval, le fait voltiger et sauter, virilement, disant : « Mon cousin de Guise a-t-il vu en Champagne des moines comme moi qui fissent ainsi bondir et sauter leurs chevaux[5] ? » Mais sa mélancolie et sa piété le reprennent[6] ; et il prie, à la Toussaint, avec ses Hiéronymites du bois de Vincennes, où tout n'est que blancheur[7] ; et Philippe Desportes, abbé de Tiron, de Josaphat et d'Aurillac, son bien-aimé et favori poète, toujours souriant et amène, mais

1. *Négociations avec la Toscane*, IV, 603.
2. Voir le catalogue de la bibliothèque de feu M. Arthur Meyer, Paris 1924, n° 130 ; P. Champion, *Pierre de Ronsard et Amadis Jamyn, leurs autographes*, pl. XII.
3. « De nostre temps Francastor s'est montré très excellent en sa Syphillis, bien que ses vers soient un peu rudes » (VII, 83, préface posthume de la *Franciade*, éd. 1587.)
4. VI, 61.
5. Pierre de l'Estoile, II, 176.
6. L'année 1584 fut désastreuse. Pas de blé ; une sorte de peste s'installe dans Paris, à partir du printemps ; durant l'été, la sécheresse est telle qu'on passait la Seine à pied. L'Hôtel-Dieu est rempli de malades, Paris plein d'immondices. Le 16 octobre 1584, en indiquant les mesures à prendre contre la contagion, le roi écrit : « Dieu est grandement courroucé et il nous afflige à bon droict pour nos iniquitez. » (*Registres du Bureau de la Ville*, t. VIII, p. 416.)
7. *Négociations avec la Toscane*, IV, 485-486. Le roi profite parfois de ses retraites pour se purger.

cette fois, incliné vers la piété, les exhorte au jour de leur
fête, Desportes alors si puissant auprès d'Anne de Joyeuse,
le secrétaire à qui l'on remet des placets, et qui passe, affairé,
son portefeuille sous le bras [1].

Au mois de janvier 1585, Henri III a tenu son ordre du
Saint-Esprit[2]. Il veut agir en maître, le malheureux, lui qu'on
appelle le roi Capucin[3], car il prend souvent leur habit avec
le collier de têtes de morts en ivoire; il entend réformer le
royaume, en pèlerin dévot qui vient de faire distribuer
comme étrennes à ses serviteurs le livre de sa nouvelle et
pieuse étiquette, la fleur de lys d'or qu'ils devront porter sur
leur vêtement noir; il consulte les ermites mangeurs
d'herbes et vit sous la protection de ses *tagliagiaretti*, ses
coupe-jarrets. Il traite magnifiquement l'ambassadeur d'Angleterre, et il est fait chevalier de la Jarretière, de la main
du comte de Warwick[4]. Le jour de carême-prenant, le roi
donne même aux ambassadeurs anglais un superbe ballet masqué, en la salle de l'Evêché : spectacle rare, car Henri a licencié ses musiciens, interdit la danse et le bal ! Et toujours il
médite, secret, dissimulé, prompt à la repartie, ne s'intéressant guère qu'aux matières de dévotion, chantant l'office
trois heures durant, abandonnant la direction de la barque à
sa bonne mère. On ne fait plus que l'entrevoir, tout blanc de
cheveux et de barbe, avec ses dents gâtées[5].

Mais voici l'autre mascarade, la Ligue à cheval de la maison de Lorraine, du pape et du roi d'Espagne qui apparaît
au printemps[6]; les Guisards déchargent à Paris arquebuses

1. *Mémoires* de J.-A. de Thou, p. 319 (éd. Michaud et Poujoulat).
2. Pierre de l'Estoile, II, p. 179.
3. *Négociations avec la Toscane*, IV, 631.
4. Pierre de l'Estoile II, p. 181, 182.
5. Ces traits sont empruntés à l'étonnant portrait de Philippe Cavriana, médecin
et agent secret des Médicis (*Négociations avec la Toscane*, IV, p. 659).
6. Mars 1585 (Pierre de l'Estoile, II, 183) : *La ligue à cheval qui est une autre
espèce de masquarade, mais mal plaisante*. — Voir les détails, si intéressants, donnés
entre mars et juin par les *Registres du Bureau de la Ville*, t. VIII. La capitale est
approvisionnée en vivres. Défense est faite de sortir des armes, de tirer des coups de

et corselets ; la garde est changée. Le roi demeure brave, à sa coutume, faisant soigner pendant sa maladie d'Épernon que les Ligueurs haïssaient.

Pierre de Ronsard, comme il l'avait annoncé, devait arriver à Paris au mois de février 1585, chez Galland.

Mais Ronsard n'était pas, comme l'a dit Étienne Pasquier[1], abandonné de la verve poétique qui avait fait de lui le « grand poète entre les poètes », ni aussi « affoibly d'un grand age ». L'édition de 1584 à peine publiée, Ronsard avait commencé à préparer une nouvelle édition de ses œuvres[2].

Il parcourait encore Jean Second et Navagero. Il rêvait de poèmes modernes, comme le fera plus tard André Chénier. Il lisait Fracastor, Sainte-Marthe, son vieil ami, et des jeunes aussi. Car il aime toujours l'audace et l'effort. Il était rempli d'idées. Des questions relatives à son art le passionnaient. Il se demandait en quoi diffère le poème de la poésie[3] :

> Poëme et poësie ont grande difference.
> Poësie est un pré de diverse apparence,
> Orgueilleux de ses biens, et riche de ses fleurs,
> Diapré, peinturé de cent mille couleurs
> Qui fournist de bouquets les amantes Pucelles,
> Et de vivres les camps des abeilles nouvelles.
> Poëme est une fleur, ou comme en des forés,
> Un seul chesne, un seul orme, un sapin, un cyprés,
> Qu'un nerveux charpentier tourne en courbes charrues...
> D'Homere l'Iliade et sa sœur l'Odyssée
> Est une poësie en sujets ramassée...

Des questions se posaient à l'esprit de Ronsard au sujet de l'élégie, destinée d'abord à célébrer les gestes des morts, et

---

feu. Toutes les portes sont gardées. Il y a des tranchées devant les murailles. Guise vient de s'emparer de Châlons-sur-Marne ; la Ligue est maîtresse à Lyon, Toul et Verdun.

1. *Recherches de la France*, éd. 1665, p. 615.

2. Celle que ses éditeurs posthumes, Binet et Galland, donneront en 1587. Et ces derniers avaient déjà, entre leurs pieuses mains, de nouveaux projets de poèmes.

3. VI, 42 (éd. 1587).

qui avait évolué vers le genre des *Amours*[1]. Mais Ronsard imaginait alors que l'élégie devait être une courte pièce; il regrettait, à cet égard, ne pas avoir donné le bon exemple[2] :

> Soit courte l'Elegie, en trente vers comprise
> Ou en quarante au plus. Le fin lecteur mesprise
> Ces discours, ces narrez aussi grands que la mer...

Ronsard l'avouait : « Si j'eusse composé la meilleure partie de ces Élegies à ma volonté, et non par expres commandement des rois et des princes, j'eusse esté curieux de la briefvté : mais il a fallu satisfaire au desir de ceux qui avoient puissance sur moy, lesquels ne trouvent jamais rien de bon, ny de bien fait, s'il n'est de large estendue, et, comme on dit en proverbe, aussi grand que la mer[3] ! »

Des sujets nouveaux, que le paganisme n'inspirerait plus, le tentaient. Les hymnes, inventées par les Grecs, il voulait les adapter à la louange des saints[4] :

> Ah ! les Chrestiens devroient les Gentils imiter[5]
> A couvrir de beaux liz et de roses leurs testes,
> Et chommer tous les ans à certains jours de festes
> La memoire et les faicts de nos saincts immortels,
> Et chanter tout le jour autour de leurs autels :
> Vendre au peuple devot pains d'espice et foaces,
> Defoncer les tonneaux, fester les dedicaces,
> Les haut-bois enrouez sonner branles nouveaux,
> Les villageois my-beus danser soubs les ormeaux :
> Tout ainsi que David sautoit autour de l'arche,
> Sauter devant l'image, et d'un pied qui démarche
> Sous le son du cornet, se tenant par les mains
> Solennizer la feste en l'honneur de nos saincts.
> L'âge d'or reviendroit : les vers et les poëtes
> Chantant de leurs patrons les louanges parfaites,
> Chacun à qui mieux-mieux le sien voudroit vanter :
> Lors le ciel s'ouvriroit pour nous ouyr chanter.

---

1. VI, 22 (éd. 1587). — 2. VI, 22-23. — 3. VI, 23.

4. Sœur Anne des Marquets a déjà écrit de jolis sonnets spirituels que Ronsard appréciait ; Scévole de Sainte-Marthe, dans ses *Œuvres*, 1579, fol. 169, a essayé de donner des *Métamorphoses chrestiennes*. — 5. VI, 29. — Pierre Perreau dans son *Oratio funebris*, parle des vers chrétiens de Ronsard gravés dans les églises de son pays (Critton, p. 7) : « Quid sanctius... dici potuit iis hymnis quibus templorum omnium parietes in Vindocinensi agro passim exornavit? »

> Eux voyans leur memoire, icy renouvellée,
> Garderoient nos troupeaux de tac et clavellée...

Mais Ronsard n'a pas fait qu'esquisser ce programme des Hymnes chrétiennes. Il écrira sur le chant *Te rogamus audi nos*, l'Hymne des pères de famille à saint Blaise, d'un rythme si simple et puissant[1]; l'Hymne de M. Saint-Roch[2], qui est un tableau magnifique et rural d'une procession populaire en marche vers le saint guérisseur :

> Que les enfans de chœur, que les chantres devant
> Nous monstrent le chemin, nous les yrons suyvant...
> Regardons-les partir en leurs blancs surpelis
> Au chef environnés de roses et de lis,
> Tondus jusques au front...

Ronsard commençait un poème sur la Loy divine[3], où de grands vers font songer au Moïse d'Alfred de Vigny :

> Grimpe au sommet du mont et atten que je vienne :
> Fay que mon peuple en presse au pied du mont se tienne...
> Le Prophete obeit, il monta sur la roche,
> Et, plein de majesté, de son maistre il s'approche.

Mais il reprenait aussi le projet d'un poème sur Hercule, qui l'a hanté toute sa vie[4].

Des questions de style et d'invention le préoccupaient, au milieu des gouttes de sa vieillesse. C'est à la jeune génération qu'il pense[5], quand Ronsard dicte à son mauvais secrétaire, « quelque ignorant qui écrivoit soubz luy[6] », l'étonnant discours en prose « au lecteur apprentif », que Claude Binet remaniera[7].

---

1. VI, 36. — 2. VI, 40.

3. VI, 47. — 4. VI, 48, « Hercule tue lion ».

5. Ronsard fut toujours préoccupé de ce que pensaient et faisaient les jeunes gens qu'il accueillait très bien (Cf. Binet, éd. Laumonier, p. 50).

6. Ce pourrait bien être le secrétaire qui prit, auprès de Ronsard, la suite d'Amadis Jamyn. Car nous avons montré que la dictée sur l'Envie est pleine de bévues (Bibl. Nat., ms. Dupuy, 559).

7. Elle servira de préface à *la Franciade*, t. III de l'édition posthume des Œuvres (1587). C'est le « discours en prose sur le poème héroïque », auquel fait allusion

Ronsard se confesse à nous et avoue son erreur. Il a eu tort de ne pas écrire sa *Franciade* en vers alexandrins, dans ce mètre vraiment héroïque. Les vers communs (décasyllabiques) sentent trop souvent la prose très facile, sont « trop énervez et flasques », si ce n'est pour les traductions. S'il préconise les « belles circonlocutions », fort à la mode à la fin de son âge, Ronsard a raison d'ajouter qu'il en faut sagement user ; « car autrement tu rendrois ton ouvrage plus enflé et boufi que plein de majesté ». Il craint les excès de fantaisie, l'enflure, les grotesques, les chimères qui apparaissent alors dans l'œuvre des jeunes[1], chez Du Bartas ou Edouard du Monin. La poésie est chose naïve et naturelle ; l'épithète, significative, doit servir « à la substance des vers ». Toute œuvre a sa limite. Une journée convient à la comédie et à la tragédie, qui sont les miroirs de la vie humaine.

Ronsard dresse la grande figure du poète, comme il l'a comprise, comme il l'a réalisée. « Tous ceux qui escrivent en carmes[2], tant doctes puissent-ils estre, ne sont pas poëtes. Il y a autant de difference entre un poëte et un versificateur, qu'entre un bidet et un genereux coursier de Naples, et pour mieux les accomparer, entre un venerable Prophete et un charlatan, vendeur de triacles. Il me semble, quand je les voy armez de mesmes bastons[3] que les bons maistres, c'est-a-dire des mesmes vers, des mesmes couleurs, des mesmes nombres et pieds dont se servent les bons autheurs, qu'ils ressemblent

---

Cl. Binet dans une addition de 1597, « que j'ay remis à peu près selon son intention » (VII, 75-99). — L'addition (p. 97 l. 29) d'*Émery*, qui désigne le jeune J.-A. de Thou, date l'opuscule, forcément postérieur à 1584.

1. Voir à ce sujet l'entretien qu'il eut avec Claude Binet (éd. P. Laumonier, p. 39) : « O, disoit-il, que nous sommes bien tost à nostre barbarie, que je plains nostre langue de voir si tost son Occident. » Puis me parlant de tels auteurs qui s'ampoullent et font sans chois Mercure de tout bois : « Ils ont, me disoit-il, l'esprit plus turbulent que rassis... lequel imite les torrens d'hyver, qui attrainent des montagnes autant de boüe que de claire eaüë... » Cf. P. de Nolhac, *Ronsard et l'Humanisme*, p. 238, note 3. — 2. En vers.

3. C'est le vieux mot pour désigner un vers, que l'on trouve dans les anciens arts poétiques dits *Arts de seconde rhétorique*.

à ces Hercules, desguisez és Tragedies, lesquels acheptent la peau d'un lion chez un peletier, une grosse massue chez un charpentier, et une fausse perruque chez un attiffeur ; mais quand ce vient à combatre quelque monstre, la massue leur tombe de la main, et s'enfuient du combat comme couards et poltrons... » Ceux-là font de la prose rimée. Le poète est celui qui sait faire parler les dieux aux hommes et les hommes aux dieux. « Tantost il est philosophe, tantost medecin, arboriste, anatomiste, et jurisconsulte, se servant de l'opinion de toutes sectes, selon que son argument le demande. » C'est un homme qui, comme la mouche à miel, suce toutes les fleurs pour son profit. « Il a pour maxime tres necessaire en son art, de ne suivre jamais pas à pas la verité, mais la vray-semblance, et le possible : et sur le possible et sur ce qui se peut faire, il bastit son ouvrage, laissant la veritable narration aux historiographes, qui poursuivent de fil en esguille, comme on dit en proverbe, leur subject entrepris du commencement jusques à la fin. »

Ainsi Ronsard a beaucoup réfléchi à ces choses, l'année 1585, après avoir donné la grande édition de ses œuvres, guidé par le seul sentiment du beau, et non par celui de la vérité. Que lui importent aujourd'hui Cassandre, ou Marie ou Hélène ! Le poète et l'historien ne font pas le même métier. Ce sont « divers artisans » (le beau mot !) qui n'ont rien de commun l'un avec l'autre.

Mais entendons Ronsard parler de ses contemporains.

La plus grande partie de ceux qui écrivent se traînent énervés à terre comme les faibles chenilles qui n'ont pas la force de grimper au faîte des arbres. Les autres sont trop ampoulés, « presque crevez d'enfleures comme hydropiques, lesquelz pensent n'avoir rien fait d'excellent, s'il n'est extravagant, crevé et bouffy, plein de songes monstrueux et de paroles piafées, qui resemblent plustot à un jargon de gueux ou de Boësmiens, qu'aux paroles d'un citoyen honneste et bien appris ». Dans leurs vers, il n'y a que du vent ; en vérité, une vessie que les enfants crèvent pour leur servir de jouet !

D'autres, plus avertis, tiennent un juste milieu, « ny ram-
pant trop bas, ny s'eslevant trop haut au travers des nues » :
leur esprit naturel a été enrichi de la lecture des « bons
vieux » poètes grecs et latins. Leur style, nombreux, a cette
« vénérable majesté » qui caractérise Virgile en sa divine
Énéide. Car Virgile est le maître en la « langue romaine », et
il ne faut pas en chercher d'autre, à l'exception toutefois de
Lucrèce. Mais Lucrèce est moins un poète qu'un philosophe, encore que certains vers de lui « soient non seulement
excellens, mais divins ». Auprès de ce brave Virgile, « premier
capitaine des Muses », les autres poètes latins ne sont que
« naquets[1] ». Horace n'est bon que dans ses Odes. Tibulle
et Properce ont un joli métier. Catulle est excellent en son
Athis et aux *Noces de Pelée* ; « le reste ne vaut la chandelle ».
Les vers de Fracastor sur la syphilis sont un peu rudes, mais
bons. Claudien est poète en quelques endroits, comme
Lucain et Silvius Italicus. Mais ils ont couvert la poésie du
manteau de l'histoire. Les vers et les visages fardés ne sont
pas beaux. Ah ! cette majesté de Virgile, comme elle ravit
alors Ronsard ! Comme il aime son poète, depuis le temps de
sa jeunesse où son régent le lui lisait à l'école, Virgile qu'il a
toujours depuis porté à la main ! Il l'a su par cœur ; et jamais
il ne l'a oublié, lui qui ne savait aucun de ses propres vers.

Le bon poète prend le fondement de son ouvrage dans les
annales du temps passé. Ainsi ont procédé Virgile, Homère
qui a recueilli un vieux conte du temps de la belle Hélène,
comme nous ferions de Lancelot, de Tristan, de Gauvain et
d'Artus ; et là-dessus il a fondé son *Iliade*. Ainsi Ronsard avait
fait pour sa *Franciade*, sans se demander si Francus était
venu en France ou non, si nos rois sont troyens ou ger-
mains. C'est un fait que les historiographes pourront éplu-
cher ! Quelle noble matière nous fournit la nature, les arbres,
les plantes, les fleurs, les racines, les montagnes, les forêts,

---

[1]. Jeunes garçons servant la balle à la paume.

les rivières, les villes, les républiques, « havres et ports, cavernes et rochers[1] » !

Il ne faut pas changer l'ordre des mots, ni dans la prose ni dans les vers. « Il fault dire : Le roy alla coucher de Paris à Orléans », et non pas : « A Orléans de Paris le roy coucher alla ». L'enjambement est une belle chose, contrairement à ce qu'il a pensé au temps de sa jeunesse ; l'hiatus n'est point malséant ; Homère en est plein. Homère, Ronsard l'a à peine nommé dans ce discours, et il n'a cité presque aucun Grec, lui qui les a tous lus, lui qui a su le grec comme un Grec ! Il avait reconnu que c'était là un champ que nos Français connaissaient mal. Le grec, pour Ronsard, demeure une spécu- lation. Mais il lui faudrait une « rame de papier » pour épuiser le sujet de la poésie héroïque, les recettes de son expérience.

Il aimait les noms des outils et les mots des métiers, approuvait la hardiesse dans l'invention des vocables nou- veaux, « pourveu qu'ilz soient moulez et façonnez sur un patron desja reçeu du peuple ». Car il tenait pour fort difficile d'écrire bien en notre langue, si elle n'était pas enrichie. D'antiques vocables, principalement tirés du langage wallon et picard, « lequel nous reste par tant de siecles l'exemple naïf de la langue françoise », peuvent être remis à l'honneur. Mais toutes les provinces de France ont quelque chose à nous apporter. Apprenons le latin, le grec, voire l'italien ou l'espa- gnol, mais composons en langue maternelle, « comme a faict Homere, Hesiode, Platon, Aristote, Theophraste, Virgile, Tite Live, Salluste, Lucrece, et mille autres qui parloient mesme langage que les laboureurs, valets et chambrieres. Car c'est un crime de leze Majesté d'abandonner le langage de son pays, vivant et florissant, pour vouloir deterrer je ne sçay quelle cendre des anciens, et abbayer les verues des trespassez, et encore opiniastrement se braver là dessus[2] ».

---

1. On voit que, dans sa prose même, Ronsard introduisait naturellement des vers.
2. « Mes enfants, deffendez vostre mere... », dira Ronsard à Agrippa d'Aubigné, en riant de l'écolier du Limousin (Introduction aux *Tragiques*, par Ch. Read, 1872, p. 6).

Lui, qui n'est point un ignorant, comme tant de nouveaux venus, il ne corrigera point le *Magnificat*. Ces écrits étrangers, il les abandonne aux boutiques des apothicaires qui en feront des cornets !

« Comment veux tu qu'on te lise, latiniseur, quand à peine lit-on Stace, Lucain, Seneque, Silius et Claudian, qui ne servent que d'ombre muette en une estude... Et tu veux qu'on te lise, qui as appris en l'escole, à coups de verges, le langage estranger, que sans peine et naturellement, ces grands personnages parloient à leurs valets, nourrices et chambrieres ! » Que de fois Ronsard a souhaité que ces têtes divines et sacrées aux Muses, Joseph Scaliger[1], Dorat, Pimpont[2], Florent Chrestien[3], Passerat[4], voulussent employer quelques heures à si honorable labeur :

> *Gallica se quantis attolet gloria verbis!*

Et le vieux Ronsard adresse, très humblement, une prière à ceux-ci, « de n'estre plus latineurs ny grecaniseurs, comme ils font, plus par ostentation que par devoir : et prendre pitié, comme bons enfants, de leur pauvre mere naturelle ». Ils « rabobinent » je ne sais « quelles vieilles rapetasseries de Virgile et de Ciceron »; ils poussent le cri de l'oie, au prix du chant de ces vieux cygnes, oiseaux dédiés à Phé-

1. Joseph, fils de Jules César, bon latiniste, ami de Pimpont, auteur de l'*Appendix* à Virgile. — « Et le plus raisonnable censeur des poëtes, Jules Cesar Scaliger, luy dedia ses Anacreontiques, comme au premier de tous les poëtes, en ces termes : *Quo te carmine, qua prece...* » (Cl. Binet, éd. P. Laumonier, p. 42.)

2. L'abbé de Pimpont est le conseiller à la cour du Parlement à qui Scévole de Sainte-Marthe (*Œuvres*, 1579, fol. 155) a adressé son recueil de divers sonnets. C'est un bocage de vers qu'il offrait à son grand savoir. Jamyn a fait un grand éloge de lui dans le discours qu'il lui adressa sur l'Opinion (*Œuvres*, 1575, fol. 251). Voir la note importante de Pierre de Nolhac (*Ronsard et l'Humanisme*, p. 157-158). Son nom est Germain Vaillant de Guélis, *Germanus Valens Guellius*. Son œuvre principale est un Virgile, paru à Anvers chez Plantin en 1575, et dédié à la reine Élisabeth (Bibl. Nat., Y^c 20). Voir aussi son *Prosphonematicon*, 1574 (Bibl. Nat., Y^c 1421).

3. On voit que Ronsard demeurait sans rancune envers le seigneur de la Baronie, qui l'avait couvert d'injures pendant sa polémique avec les réformés. Ronsard le connaissait depuis si longtemps, depuis l'époque où il était le confident des amours de Grévin. Cf. P. de Nolhac, *Un poète rhénan, Melissus*, 1923, p. 80, 81.

4. Voir, p. 411, la note énumérant ses œuvres latines.

bus Apollon. Ils nous offrent à respirer un bouquet fané. Ne
vaudrait-il pas mieux, comme le bon bourgeois et citoyen,
faire un lexicon des vieux mots d'Artus, de Lancelot ou de
Gauvain, ou commenter le *Roman de la Rose*, que « s'amuser
à je ne scay quelle grammaire latine qui a passé son temps » ?
Le vrai latin a survécu dans la tradition des hymnes de nos
églises, dans les psaumes chantés au lutrin ; sans ce latin, il y
a longtemps que la langue romaine aurait disparu. Parlons,
je le veux bien, un bon gros latin, mais non le langage
affecté de Cicéron. Ainsi nous nous ferons comprendre en
Allemagne, en Pologne, en Angleterre. « D'une langue morte,
l'autre prend vie, ainsi qu'il plaist à l'arrest du Destin, et à
Dieu qui commande, lequel ne veut souffrir que les choses mor-
telles soient eternelles comme luy, lequel je supplie tres-hum-
blement, lecteur, te vouloir donner sa grace, et le desir
d'augmenter le langage de ta nation... Je t'en diray davantage, quand j'en auray le loisir. A Dieu, candide lecteur. »

Parmi ces « latiniseurs », que le maître reprend d'une
manière si rude et enjouée, il y a sans doute son vieil
ami Scévole de Sainte-Marthe[1], qui vient d'adresser à Ronsard sa *Pædotrophia* (un sujet sérieux et pratique, digne de
cet excellent père de famille et du maire de Poitiers[2] : l'art
d'élever des enfants à la mamelle)[3]. Mais nous pensons surtout à son fils Abel, le jeune avocat au Parlement de Paris,
qui deviendra le gendre de Pierre du Lac, et surtout au jeune
d'Émery, Jacques-Auguste de Thou[4], auteur d'un savant

---

1. Voir la lettre de Claude Binet à S. de Sainte-Marthe (Bibl. de l'Institut, ms. 290,
fol. 39) : « Vous estes l'un de ceux qu'il a le plus estimé, comme il m'a dit maintes
fois... »

2. Cf. P. de Longuemare, *Une famille d'auteurs... les Sainte-Marthe*, 1902, p. 67 ;
et Jean Plattard, *la Vie et l'œuvre de Scévole de Sainte-Marthe*, Paris, 1924. — Le ms. 290
de la Bibliothèque de l'Institut contient une partie de la correspondance adressée à
Sainte-Marthe.

3. Le ms. 290 de la Bibliothèque de l'Institut conserve une lettre de Scévole à
Abel, son fils, au sujet de cet ouvrage qu'il fit distribuer à Poitiers (fol. 236).

4. Voir le *Sylvarum liber*, le *liber Elegiarum*. — Je rappelle que ce discours, écrit

poème sur la fauconnerie, toujours en latin[1]. Comme il est représentatif de cette génération nouvelle, Jacques-Auguste de Thou, qui a si mal fait de ne pas écouter les conseils du vieux Ronsard, lui dont on ne lit plus les six livres *De vita sua*, cependant bien intéressants[2], et les cent trente-huit livres *Historiarum sui temporis*[3] ! Le connaître nous aidera à comprendre ce qui séparait la génération nouvelle des érudits de l'esprit de Ronsard.

En 1585, Jacques-Auguste de Thou avait trente-deux ans. Il était fils de Christophe de Thou, le premier président de la Cour qu'avait fort bien connu Ronsard ; car le poète lui avait adressé des vers latins flatteurs pour lui recommander l'expédition de ses procès[4]. Christophe était un homme excellent, rapide, d'un aimable et spirituel accueil[5], indulgent, généreux, un magistrat entièrement dévoué à la chose publique et à son roi[6], mais juste et pitoyable ; aux jours malheureux de la Saint-Barthélemy, il avait écrit sur un livre, conservé comme une relique par les siens[7], les vers de Stace :

Excidat illa dies ævo.

en 1585 sans doute, a été publié pour la première fois dans les *Œuvres* en 1587. Cette première version nomme seulement Joseph Scaliger, Dorat, Pimpont, Florent Chrestien et Passerat. L'édition de 1597 ajoute à ces noms celui d'Emery, c'est-à-dire J.-Aug. de Thou (VII, 97, VIII, 138). Sur ce personnage et les latinistes, les *Schediasmata* de Melissus sont précieux à consulter. Cf. P. de Nolhac, *Un poète rhénan*.

1. *Hieracusophion, sive de re accipitaria*, Paris, 1581, chez Simon Millanges. L'ouvrage est dédié à Scévole de Sainte-Marthe ; voir aussi : *Crambe, viola, lilium, phlogus, terpsina* (Paris, 1591), tout à fait dans la doctrine de Ronsard, pour les idées du moins.

2. L'ouvrage est en français dans la collection Michaud et Poujoulat (t. XI, 1838). C'est l'édition que je cite.

3. La première partie de l'œuvre historique de Jacques-Auguste de Thou parut seulement en 1606 ; puis les 80 livres en 1609 ; la première édition complète, donnée par ses exécuteurs testamentaires, vit le jour en 1620 (5 vol in-fol.).

4. VI, 518. — Cf. Pierre de Nolhac, *Ronsard et l'Humanisme*, p. 256-257. — J'ai montré que la pièce originale (Bibl. Nat., ms. Dupuy 837, fol. 248) était de la main de Jamyn et non un autographe de Ronsard, comme l'a cru Pierre Dupuy.

5. Voir l'anecdote du ms. fr. n. acq. 1208, fol. 6.

6. Voir ce qu'en dit Pierre de l'Estoile (II, 90-91) et les *Mémoires* de J.-A. de Thou, p. 312. — 7. J.-A. de Thou, *Mémoires*, p. 275.

Christophe, qui protégeait les lettres[1], avait fait étudier
Jacques, son dernier né, au collège de Bourgogne. L'enfant
était bien doué, de bonne mémoire, tout aussi ouvert aux
belles-lettres qu'aux sciences dont il était curieux; et il
dessinait correctement, à la plume, d'après les estampes
d'Albert Dürer. A la sortie du collège, Jacques de Thou avait
entendu, au Collège royal, Denis Lambin et Jean Pellerin
expliquer le texte grec d'Aristote. Il s'entretenait souvent
avec le vieux Dorat, qui avait cessé d'enseigner et s'était
retiré dans le quartier de Saint-Victor. Les entretiens de Dorat
étaient intéressants; il évoquait les précurseurs, disait ses
souvenirs sur Budé. Mais surtout Dorat avait fait connaître
à Jacques de Thou son autre écolier, Ronsard, ses disciples,
Baïf et Belleau, dont le jeune de Thou cultiva par la suite,
avec grand soin, l'amitié. Christophe avait envoyé Jacques,
sur sa dix-septième année, étudier le droit à Orléans. Il
passa six mois à Bourges, centre universitaire, et, pris de
passion pour Cujas, afin de l'entendre, il avait gagné le Dauphiné, puis Valence où il l'avait rencontré, ainsi que Scaliger,
avec lequel il avait noué amitié. Quelle libre existence de
vagabondage spirituel!

A vingt ans, J.-A. de Thou était parti pour l'Italie, en
compagnie de Paul de Foix, dont le jeune domestique lisait
Aristote et Cicéron qu'ils répétaient sur leur route. Et
pendant les repas, François Chœsne, leur lecteur, lisait Cujas,
les commentaires d'Alexandre Piccolomini sur les secrets de
la physique. A Mantoue, Jacques avait connu le fils de
Balthazar Castiglione, si fameux par son *Homme de cour*.
Isabelle d'Este lui avait montré, dans son cabinet, le Cupidon
endormi de Michel-Ange et le marbre antique incomparable
qu'il avait commandé d'envelopper d'une étoffe de soie;
l'antique lui parut vivant, et le nouveau, sans expression, les
anciens l'emportant sur les modernes. A Florence, il avait

1. P. de Nolhac, *Ronsard et l'humanisme*, p. 135. Voir les *Epigrammata* d'Etienne
Pasquier, 1618.

visité ce qui restait de la bibliothèque de Saint-Laurent; à
Sienne, il avait vu le vieux Piccolomini appuyé sur son
oreiller et retouchant ses commentaires sur Aristote, donnant
ainsi l'exemple à la jeunesse. A Rome, Jacques avait baisé les
pieds de Sa Sainteté et lié amitié avec ce savant homme,
Marc-Antoine de Muret. A Naples, il avait vu la mer, ces
lieux si beaux où l'on montrait le tombeau de Virgile. A
Venise, il avait acheté des manuscrits et des livres grecs fort
rares en France. A Lyon, il renouvela ce qu'il avait fait à
Venise; il acheta encore des livres.

Les quatre années qui avaient suivi son voyage, on le vit
lire, toujours lire, lui si débile, en compagnie des frères
Pithou, de Loisel et de Claude Dupuy, qui était son parent
par alliance. Car l'érudition est l'orgueil de ces familles de
parlementaires. Un nouveau voyage portait le jeune de Thou
aux Pays-Bas, alors si troublés. Chez Christophe Plantin,
à Anvers, il y avait encore dix-sept presses d'imprimerie; là
il sut de lui que ce pays était sur le point d'être ruiné par les
Espagnols (1576). L'an 1579, notre jeune érudit était à Bade,
où Hubert Languet prenait les eaux; à Stuttgart où l'on
parlait si mal de la France à cause de la Saint-Barthélemy,
la « boucherie de Paris ». Il descendait le Rhin, voyait Ulm,
Augsbourg, Constance d'où jadis était sortie la paix religieuse, Bâle où on lui montra les reliques d'Érasme, ses
manuscrits, ses médailles anciennes, quelques petits meubles
et un globe terrestre d'argent, qui s'ouvrit tout à coup par le
milieu, en deux hémisphères que, suivant l'usage du pays,
on remplit de vin pour boire à la santé de M. de Thou, le
père. Jacques vit, à la bibliothèque publique, les manuscrits
de plusieurs commentateurs grecs sur Platon et Aristote. Il
visita aussi le vieux Platter, docteur en médecine, qui le
reçut civilement, dans sa grande et agréable maison, lui
faisant voir dans son écurie une espèce d'âne sauvage au
poil hérissé, un rat, de la grosseur d'un chat, enfermé dans
une cassette et qui avait passé l'hiver sans manger, ce qu'ils

appellent une marmotte, des fouines, des insectes. Et Jacques
parcourut, à Mulhouse, la prodigieuse foire où l'on voyait les
femmes soutenir leurs maris chancelants sur des chevaux et
sur des ânes, les jeunes filles qui versaient à boire aux
hommes dans les cabarets, maniant adroitement une grande
bouteille à long col. Quelle foule de Bacchantes et de Cory-
bantes! Son tour de France le conduisait à Bordeaux, où il tira
alors beaucoup des lumières de Michel de Montaigne, maire
de la ville, ennemi de toute contrainte, homme fort instruit
des affaires de la Guyenne, sa patrie. A Bordeaux, Vinet,
recteur du collège, lui avait montré les lettres écrites, d'une
main tremblante, par Buchanan, l'Écossais, ennuyé d'une
trop longue vie, et qui se regardait déjà comme un mort.

La plus grande découverte que Jacques avait faite, c'est
qu'il n'y avait de science véritable qu'en France, qu'on
ne savait presque plus rien ailleurs, qu'en Italie les imprimeurs étaient devenus des ignorants et des paresseux. Au
cours de son voyage, il avait appris la mort de son père, survenue le 1er novembre 1582, le deuil que ce fut pour tous, la
grande cérémonie de son enterrement que regardèrent
passer le roi et les reines, sur le quai des Augustins[1]. Jacques-
Auguste de Thou lui avait fait élever un magnifique tombeau
à Saint-André-des-Arcs, sollicitant de tous côtés le concours
des écrivains pour lui élever un autre tombeau, le *Tumulus*[2]
des lettrés amis pour lequel Ronsard avait été sollicité.

Mais Ronsard n'était pas, comme l'a dit le jeune de Thou,
devenu « paresseux » au point de ne lui donner quelques
vers[3]. Il était malade sans doute, ou composait. Il dédia à

---

1. La cérémonie est décrite par Pierre de l'Estoile (II, 88-90). Suivant son fils,
il avait seulement laissé 4 000 écus qui furent dépensés à cette occasion.

2. Bibl. Nat., Rés. m. Yᶜ 925. (Parmi les amis de Ronsard qui y collaborèrent,
on remarque Jean Dorat, Passerat, Florent Chrestien, Cl. Binet, Sainte-Marthe.)
Auguste de Thou a donné des détails intéressants sur ce recueil qu'il mit presque
deux ans à former. Il parut chez Mamert Patisson en 1583. — Voir un vivant
portrait de Christophe de Thou dans le recueil historique du cabinet des Estampes
Qb 22. On peut admirer, au Musée du Louvre, les beaux fragments du monumeut d
Saint-André-des-Arcs. — 3. *Mémoires*, p. 314.

Jacques-Auguste ses « Orpheés [1] ». Il connaissait ses projets, ses travaux en latin. Mais il ne leur donnait pas son approbation, on le comprend. Car si Ronsard a parcouru le monde, dans sa jeunesse, traversé la mer, vu des rois et des peuples étrangers, ce fut en qualité de page et comme un écuyer. Si Ronsard avait absorbé toute la science grecque et latine, ce fut pour produire une fleur française. Ces jeunes gens de la génération de Jacques-Auguste de Thou, si sages, et qui vantent leur continence, ne font que traverser des bibliothèques, visiter des vieillards aussi vieux que leurs livres ; ils s'obstinent à parler latin ; des écoliers toujours au collège, en vérité, et qui sont si loin des idées nouvelles du vieux Ronsard [2] !

Mais le poète sourit en pensant à cet enfant, Flaminio de Birague.

Un mince et petit volume, adressé à « Monseigneur Illustrissime et Reverendissime le cardinal de Birague », chancelier de France, avait paru en 1581. L'auteur était un jeune homme de moins de vingt ans, Flaminio de Birague, neveu du cardinal, qui prend le titre de gentilhomme ordinaire de la Chambre du roi. C'est un bien pauvre jeune homme, courbé devant la grandeur de son oncle, que ses amis louent déjà en vers grecs, latins et français. Car il a publié les *Amours de*

---

1. Ce sont les termes dont use Jacques-Auguste de Thou. Il s'agit de l'Orphée de 1563, adressé d'abord à De Bray, parisien, qui figura dans les *Élégies* en 1567, puis dans le *Bocage royal*. Dans les éditions posthumes, la pièce est en effet dédiée à Jacques-Auguste de Thou, seigneur d'Émery, « maistre des requestes du roi » (VII, 413-414).

2. On vient de le voir par notre analyse de la préface de la *Franciade* « au lecteur apprentif ». C'est sans doute à cette pique que font allusion les *Mémoires* (p. 311) ; car on n'imagine guère une jalousie entre Ronsard et ce jeune homme à propos de son talent « pour la poésie française ». Ronsard était fier, batailleur, orgueilleux, mais nullement jaloux. Il a été très aimé des écrivains contemporains. Il s'est incliné, d'une manière qui nous surprend parfois, devant des talents assez discutables, devant Charles d'Espinay, devant Robert Garnier, devant Pontus de Tyard, devant Des Autels, Pierre Le Loyer ou le jeune Birague. Il a conservé le beau rôle dans sa querelle avec Florent Chrestien. Mais il n'excusait pas l'ingratitude.

Marie en l'honneur d'une dame qu'il vient de rencontrer, suite de sonnets, assez bien venus, dans lesquels Flaminio imite à la fois Ronsard et Desportes[1]. Marie était cruelle, comme toutes les héroïnes des *Amours*; et pour elle Flaminio ciselait des sonnets, des stances, des chansons, des odelettes aux pointes surprenantes. Ainsi il se désespère. Comme un poète d'un autre âge, il fait un testament laissant son corps au cloître Notre-Dame[2],

> Seur gardien d'un amoureux fidelle.

Dans le sonnet XVI, le jeune homme s'était prosterné devant son idole[3] :

> Ronsard qui dés enfance as suivy les carolles
> Divinement appris d'Apollon et des sœurs
> (Troupe saincte) et qui peux par tes rares douceurs
> Du nectar et du miel, enfans de tes parolles,
>
> Esmouvoir les plus fiers, voy mes complaintes molles
> Encloses cy dedans, voy encor les rigueurs
> De ma dame cruelle, et voy tant de douleurs
> Que je souffre en aimant pour beautés si frivolles.
>
> Et congnoissant mon mal, apporte allegement
> A celuy qui ne vit qu'en misere et tourment,
> Ronsard, tu le peux faire : hé, fay-le donc de grace,
>
> Si par ton grand sçavoir qui contente les Rois
> Tu veux amoderer les soupirs de ma voix,
> Sans plus je beniray toy et toute ta race.

1. *Les Premières œuvres poetiques*, in-16 de 48 ff. Bibl. de l'Arsenal, Belles-Lettres 6612. Le livre n'est pas à la Bibliothèque Nationale. — René de Birague, cardinal et chancelier, un Italien très entendu aux affaires, serviteur absolu des volontés du roi, sans ambition, « meilleur pour ses amis et ses serviteurs que pour soi mesmes », mourut pauvre, le 23 novembre 1583 (Pierre de l'Estoile, *Mémoires-journaux*, éd. G. Brunet, II, 139-140 ; *Registres du Bureau de la Ville*, VIII, 352). Flaminio a écrit pour lui une belle épitaphe dans le *Tumulus* de René de Birague (Paris, 1584, Bibl. Nat., Rés. m Yc 925) qui réunit les noms de J. Dorat, Papire Masson, N. Goulu, Frédéric Morel, Gilles Beroalde, Jean Moré, son secrétaire, B. Grangier, Robert Estienne. — Louis de Birague, lieutenant général du roi, gouverneur du Piémont, « honneur de la patrie » (fol. 145), était le père de Flaminio (fol. 128).

2. On sait que les femmes ne pouvaient pas pénétrer dans le cloître Notre-Dame.

3. Ed. 1581, fol. 17.

Et le vieux poète avait répondu, en adressant à son jeune admirateur ce charmant et très flatteur sonnet :

> Comme Vesper au soir apparoist la plus belle
> Des estoilles, d'autant que Venus l'aime mieux,
> Que tous les feux du Ciel, tant soient ils radieux,
> D'autant ta flame luit d'une clairté nouvelle.
>
> Amour qui pour son chantre en la France t'apelle,
> Aiguisa ton esprit, qui fait honte aux plus vieux,
> De la plume escrivant tes vers ingenieux,
> Que soy-mesme il s'osta du milieu de son æle.
>
> Tandis que le sang chaut, la jeunesse, et l'Amour
> Te permettent de voir la lumiere du jour,
> Birague, suy le camp de celle qui te meine.
>
> Deviens son champion, porte son estandard,
> Ne l'abandonne point comme un lasche soudard :
> « La victoire et l'honneur sont enfans de la peine. »

P. DE RONSARD,
gentil-homme-Vandomois.

C'est Dorat, le vieux poète royal, qui illustre de ses vers le médaillon du jeune poète de vingt ans; suivant la doctrine de Pythagore, il voyait revivre Naso, Maro, Flaccus dans le cœur du jeune Italien. Il est étonnant, ce portrait de Flaminio au nez crochu, aux grands yeux, au visage aigu et imberbe, avec ses longs cheveux que couronne un bonnet à plumes. Beaucoup d'amis de Ronsard, et de rivaux, G. de Saluste, sieur du Bartas, Scévole de Sainte-Marthe, P. Delbene, Dorat, lui donnent une louange.

Ronsard n'avait fait qu'une apparition, dans la première édition de 1581. Dans celle de 1585, il figure à beaucoup de pages[1]. Flaminio a progressé à tous égards, et son œuvre s'est considérablement augmentée, avec ses relations.

---

1. Une autre édition avait paru en 1583 (Frédéric Lachèvre, *Bibliographie des recueils collectifs de poésies*, p. 171), L'édition de 1585, considérablement augmentée, fut donnée par Flaminio de Birague, chez Thomas Périer, à l'enseigne du Bellérophon. L'ouvrage est dédié à Henri III, dont le portrait se voit dans un beau médaillon. Au verso du portrait nous lisons les vers de Ronsard : *Au sieur Flaminio de Birague.* Bibl. de l'Arsenal. B. L., 6613 (l'exemplaire de 1585 à la Bibl. Nat. est coté

A Blanquet, secrétaire du roi, Flaminio disait ce qu'est
l'amour et ses peines :

> Dire, braver, offrir
> Font une dame aimer.

A Desportes aussi, il confiait sa souffrance. Que faire? Dire
adieu à Marie? C'est ce que fit Flaminio, au XXXIIe et dernier
sonnet. La suite du *Recueil de poesies* de Flaminio n'est que
l'album d'un jeune homme qui veut se pousser à la cour et
qui adresse ses sonnets aux puissants du jour[1].

Nous y lisons une odelette qui rapporte une visite que le
jeune Flaminio avait faite à Ronsard[2] :

> Ronsard, lors que je te vy,
> Tout ravy,
> Me sembla voir et les Muses
> Et le grand Dieu Delien
> Ou le bien
> Des grandes vertus sont infuses.
>
> Me sembla voir sur ton front
> Ce beau mont
> D'où sort l'onde caballine,
> Me sembla encore voir
> Le miroir
> De la race Heroine...
>
> Car Ronsard de ton cerveau
> Jaillit l'eau

Rés. Y[e] 1883). — On lit sur le feuillet de garde, de la main de d'Argenson : « Ces poésies
sont plattes et pleines de toutes les mauvaises pointes usitées du temps de l'auteur.
Cependant on éleva aux nues ces mauvaises poésies par ce que l'auteur, quand il les
composa, étoit à la cour et parent d'un ministre. » Bibl. de l'Arsenal.

1. Au roi, à Catherine de Médicis, à la reine Louise, à Mme la princesse de
Lorraine, au cardinal de Bourbon, à Mme la princesse de Condé, à la princesse de
Nemours, à Henriette de Clèves duchesse de Nevers, à la duchesse de Guise, à Marguerite de Lorraine, au duc de Joyeuse, à Mme de Chatellerault, au jeune de la
Valette, à Jacques Blanquet, à Charles de Birague, chevalier de l'ordre, conseiller en
son privé conseil ; à son père, à madame sa mère à laquelle il promet de ne pas for-
ligner ; à Mme de Villeroy, si savante, qu'on ne peut la louer qu'en ayant « tout le
papier de France » ; à la maréchale de Retz, le « bel astre français » ; à Mme de
Mirande, à la belle Vitry, à Mlle de Rostain, aux belles demoiselles Antoinette de
Pont et de Sauve.

2. Ed. 1581, fol. 37.

De la source de Permesse :
Tu fais sortir quand tu veus
Les beaux veus
D'une gaillarde jeunesse.

Trompé je n'ay point esté
Car, bonté,
Sçavoir, honneur, et la grace,
Te font escorte sans fin,
Tout divin,
Et reluisent en ta face.

Desormés ceux qui voudront
Sur leur front
Ranger l'arbre de victoire,
Ne faut qu'avoir de Ronsard
Le bel art
Pour vivre sans fin en gloire.

Et Ronsard pouvait bien trouver quelque plaisir à lire tant de sonnets à sa Marie, à être mêlé en quelque sorte aux amours d'un poète de vingt ans, qui le nommait « divin Ronsard[1] », lui qui avait tant aimé à parler d'amour, à entendre proclamer son immortalité par ce jeune disciple[2] :

Tu vivras, mon Ronsard, par ce grand univers,
Et ta douce moitié, fameuse par tes vers,
Vivra malgré l'effort des Parques filandieres...

Comme le fit Passerat[3], Ronsard appréciait fort les *Premieres amours* du petit Birague. C'est aujourd'hui un jeune, mais classé déjà, qui sait parler à Mme de Nevers, à Mme d'Aumale, à la reine de Navarre qu'il flatte obséquieusement :

Perle de l'Univers, en qui la Chasteté,
La Prudence, l'Honneur, la Vertu, la Beauté...

Encouragé par le succès, Flaminio a écrit des *Secondes amours*, toujours dédiées à sa Marie[4]. Il compose aussi des

---

1. Ed. 1585, fol. II, 15. — 2. Fol. 13 v°.
3. Fol. 33 v°. Voir aussi, fol. 52, les témoignages d'estime que lui accordèrent Dorat, et J.-A. de Thou. — 4. Ce doit être Marie d'Élin?

Bergeries. Dans l'Eglogue de Perrot et Flamot, nous retrouvons Pierre de Ronsard sous les traits du vieux berger[1]. Le croquis est fort joli.

Perrot est « ja chargé [d'ans » ; il a vu tant de saisons quand il vient s'allonger près de son jeune ami, sous le saule. Flamot souffle dans son flageolet un chant bien triste, surveillant à peine son troupeau, assombri qu'il est par son grand amour. Alors Perrot, le vieux berger, cherchait à le consoler :

> L'arbre qui en Avril de fleurs ne se couronne,
> A peine de ses fruicts garnira son Autonne,
> Si en ton frais printems tu ne sens les plaisirs
> Qui coustoient tousjours des jeunes les desirs,
> Quand ainsi comme moy iras à lente allure,
> Quant l'hyver de tes ans blanchira ta figure :
> Tu seras acroupy en un foyer cendreux,
> Regrettant du jeune âge, et l'Amour et les jeux.
> Quand j'estois, comme toy, en ma verte saison,
> Frisottant mon menton d'une blonde toison,
> J'avois tousjours en bouche une gente musette
> Affusté d'un costé sur ma belle houlette,
> Je faisoy gambader à maint tour et retour
> Les voisins pastoureaux d'une lieuë à l'entour...
> Le terroir Vandomois répondoit à mes sons,
> Et encore le Loire entonne mes chansons.

Certes Ronsard se rappelait la cassandrette, la fleur de Cassandre, les jours heureux de sa jeunesse passés près de sa première inspiratrice en compagnie de Thoinet (Jean-Antoine de Baïf) et de Bellot (Remy Belleau) ; et nous pouvons bien voir, dans son discours de berger, comme le reflet d'une conversation qu'il a eue avec le jeune Birague[2].

1. Ed. 1585, fol. 103.
2. Dans les *Meslanges poetiques* (fol. 117), qui forment une très précieuse collection d'hommages, pages d'album adressées à tant de personnages de la cour d'Henri III, à des dames surtout, nous trouvons des vers pour Marguerite de Navarre, pour le duc et la duchesse de Joyeuse, pour la duchesse de Nevers et de Guise, pour la duchesse d'Aumale, pour le duc d'Épernon (exactement dans le même esprit que Ronsard) ; pour la maréchale de Retz, le « bel astre François » qui porte dans ses yeux « le miel latin et le suc gregois » ; pour Mme de Sauve, « la plus belle » ; pour la présidente du Guast, « son soleil » ; pour la belle Vitry ; pour Mme de Pont, religieuse à

Et Ronsard, qui venait de saluer le nouveau chantre de
l'amour, se tournait vers d'autres jeunes poètes, ses disciples
ou ses rivaux : Claude Binet de Beauvaisis[1] ; Desportes, qui
est si bien arrivé[2], qui reçoit noblement dans sa belle
maison[3], émule dont il n'avait jamais parlé, bien que son
œuvre ait été toujours présente à son esprit. Il écrivait le
sonnet en faveur de *Cléonice*[4], pour Hélyette de Vivonne[5] :

> Ceste Françoise grecque aux beaux cheveus chatains
> Dont les yeux sont pareils à Vesper la brunette,
> Ceste belle, sçavante et celeste Heliette,
> De ce siecle l'honneur, tient mon cœur en ses mains...
> Si je n'ay dignement sa louange éclaircie,
> La faute n'est à moy, mais de l'ame transie :
> Un homme qui languit ne sçauroit bien parler.

Et maintenant, Ronsard s'adressait gravement à Desportes
qui ne parla jamais de lui[6]. Il venait de lire ses *Dernieres
amours*[7] :

Poissy, trésor de beauté et de sainteté ; pour Mme de la Chastre, « la Minerve de
France ». Mais de la Minerve de la cour de Catherine, celle de Ronsard, d'Hélène
enfin, il n'est plus question. — Il est intéressant de voir qu'en 1585, Birague fait
encore des épitaphes pour Caylus Adonis (fol. 144), pour le jeune Maugiron, mort
au seuil de son avril (fol. 144). Henri III demeurait donc inconsolable ?
   1. VI, 30. Chantre de la vie rustique, mais mordant. — 2. Desportes demeure le dieu
de la jeune génération. Flaminio a écrit (fol. 137 v°) *sur les amours de Philippe Desportes* :
                Quiconque lit ces vers et ne sent en son cœur
                La rage, la fureur, le poison, et la flamme...
Voir les vers latins enthousiastes de Melissus (P. de Nolhac, *Un poète Rhénan*, p. 66, 68).
   3. Voir l'intéressante pièce de Melissus dans les *Schediasmata*, 1586, p. 512.
   4. VI, 454. — Les *Dernières amours* de Philippe Desportes ont paru en 1583.
   5. Hélyette de Vivonne, demoiselle de la Chasteigneraye ; cette jeune fille, parente
de la maréchale de Retz, est une précieuse, qui annonce Mme de Rambouillet.
   6. On lit cependant dans l'*Estrille et drogue au querelleux pedant ou Regent du
College de Clermont en Auvergne*, de Jean de Boyssières, paru à Lyon en 1579 (Bibl.
Nat., Rés. Ye 516), ces vers curieux de Desportes :
                Ronsard du taillant de sa voix
                Coupa la langue à son ministre ;
                Mais ycy ore je voix
                Que tu punis mieux ton bellistre.
   7. VI, 23-26. — Les réserves que Ronsard faisait à propos de Desportes ne paraissent
pas concerner son œuvre amoureuse, mais ses compositions religieuses, si la pièce
du ms. fr. 1663, fol. 51, est authentique, ce que je crois (VI, 491) :
                Desportes, corrige tes vers,
                Ou les tourne mieux sur la presse,
                Ou l'on dira que la tristesse
                T'a tourné le sens de travers.

> Nous devons à la Mort et nous et nos ouvrages :
> Nous mourons les premiers, le long reply des âges
> En roulant engloutist nos œuvres à la fin :
> Ainsi le veut Nature et le puissant Destin...

Car l'ouvrage et l'ouvrier subiront le même sort; ce monde n'est qu'un usufruit :

> Ainsi nostre escriture
> Ne nous profite rien : c'est la race future
> Qui seule en jouyst toute, et qui juge à loisir
> Les ouvrages d'autruy, et s'en donne plaisir,
> Rendant, comme il luy plaist nostre peine estimée.
> Quant à moy, j'aime mieux trente ans de renommée
> Jouyssant du soleil, que mille ans de renom
> Lorsque la fosse creuse enfouyra mon nom,
> Et lorsque notre forme en une autre se change.
> L'homme qui ne sent plus, n'a besoin de loüange.

Certes, l'honneur demeure aux yeux de Ronsard le plus grand des biens extérieurs pour les vivants : mais les morts n'en ont que faire :

> Desportes [1], qu'Aristote amuse tout le jour [2],
> Qui honores ta Dure [3], et les champs qu'à l'entour
> Chartres voit de son mont, et panché les regarde,
> Je te donne ces vers, à fin de prendre garde
> De ne tuer ton corps, desireux d'acquerir
> Un renom journalier qui doit bien tost mourir :

1. VI, 25. — Philippe Desportes, dont la *Cléonice* avait été très admirée, approchait de la quarantaine. Il se disait faible et ridé, lui aussi, dans l'*Ode* qui termine ses *Dernières amours :*

> Adieu nuicts que j'appeloy jours,
> En tant de liesses passées,
> Mon cœur, où logeoient les amours,
> N'est ouvert qu'aux tristes pensées.

Desportes, qui est chanoine de la Sainte-Chapelle, depuis mai 1583, obtient le 3 décembre 1584 la permission de faire faire une ouverture dans le mur de clôture du Palais (*Registres du Bureau de la Ville*, VIII, p. 351).

2. M. Jacques Lavaud a bien voulu me dire que cette allusion se rapporte à un mot de salon par lequel Desportes s'était fait excuser, alléguant qu'il méditait Aristote. Du Perron, caustique, aurait répondu : « L'Arioste, voulez-vous dire ? »

3. L'Eure, en latin *Audura*, l'*Ure* en français au xvie siècle (la *Riviere de Dure*, texte de 1588) et par corruption *la Dure*. Nom de la rivière de Chartres. — Pierre de Nolhac (*Poésies choisies de Ronasrd*, note 145, proposait la correction *ton Eure*, dont le nom aurait été mal lu sur les manuscrits).

Mais happe le present d'un cœur plein d'allegresse,
Cependant que le Prince, Amour et la jeunesse
T'en donnent le loisir, sans croire au lendemain.
Le futur est douteux, le present est certain.

Vanité est l'éternité que les poètes promettent par leurs
vers; vanité, la gloire que Ronsard a donnée à autrui, qu'il a
lui-même acquise! Vanité, tout est vanité, sauf le travail du
bon ouvrier, du bel artisan, du bon laboureur au champ des
Muses, de celui-là qui sue et qui peine :

Le labeur assidu force toute courvée [1].

Mais Ronsard se redresse encore quand on lui oppose
G. de Saluste, seigneur du Bartas [2], de qui l'on disait plaisamment qu'en une semaine [3] il en avait fait plus que Ronsard
dans toute sa vie [4] :

Ils ont menty, d'Aurat, ceux qui le veulent dire [5]
Que Ronsard, dont la Muse a contenté les Rois,
Soit moins que le Bartas, et qu'il ait par sa voix

1. VI, 16. — 2. VI, 457.

3. G. de Saluste, sieur du Bartas, était cependant un homme de talent, qui a sa
place entre Ronsard et Agrippa d'Aubigné (voir les *Elogia* de Sainte-Marthe, éd. 1606,
p. 193). Sa première *Semaine* parut en 1578; la deuxième en 1582, ainsi que le
Commentaire. C'est à propos de la réédition de 1584, qui contient cependant un bel
éloge de Ronsard, que ce dernier laissa percer des mots amers. Il a dû être irrité des
éloges excessifs que ses propres amis lui avaient donnés. Flaminio avait déjà déploré
l'ingratitude de la France envers ce poète (fol. 137). On voit qu'une véritable polémique
suivit l'édition de 1584. Pierre Delbene, abbé de Belleville, prieur de Celle-en-Brie,
aumônier de la reine, se fit le parrain de cet ouvrage. Il saluait, dans le sieur du Bartas,
Virgile et Horace à la fois. Frédéric Morel le nommait un Orphée. Le grand Prieur
de France intervint. Ronsard est-il parmi ces envieux qui aspirent à la « dictature
perpetuelle, je ne diray pas tyrannie, sur les amateurs de lettres » que dénonce
G. Saluste? Il se peut. Dans tous les cas, le chant des *Colonies* est une grande
chose. Sur G. de Saluste, voir les vers latins de Melissus dans les *Schediasmata*, 1586.

4. Suivant G. Colletet, Ronsard aurait dit : « Je crains que Bartas aura plus fait
en une sepmaine que je n'ay faict en toute ma vie. » —Le ms. fr. 1662, fol. 26 v°,
lui attribue ce quatrain (VI, 488) :

Bartas voulant desbrouiller l'univers
Et luy donner une meilleure forme,
Luy mesme a faict un grand chaos de vers
Qui plus que l'autre est confus et difforme !

5. VI, 457. — Ces vers ont paru en 1617 pour la première fois.

Rendu ce temoignage ennemy de sa lyre.
Ils ont menti, d'Aurat : si bas je ne respire,
Je sais trop qui je suis...

Je n'ayme point ces vers qui rampent sur la terre [1],
Ny ces vers empoulez, dont le rude tonnerre
S'envole entre les airs : les uns font mal au cœur
Des liseurs desgoutez, les autres leur font peur :
Ny trop haut, ny trop bas, c'est le souverain style,
Tel fut celuy d'Homere et celuy de Virgile.

Ronsard avait vu trop de choses, et tant d'amis disparaître
autour de lui : Christophe de Thou, en 1582 [2] ; le vieux Jean
Morel, en 1583 [3] ; Guy Faur de Pibrac, le 27 mai 1584 ; Marc-
Antoine de Muret, la gloire française de Rome, le 4 juin 1585 ;
Paul de Foix, la même année [4]. Ronsard avait rédigé bien
des épitaphes, figuré souvent aux côtés des humanistes,
hellénisants et latinisants, les Dorat, les Goulu, les Passerat,
les Baïf, tous les savants conviés à ces pompes funèbres, qui
s'inclinent devant les défunts, tirent leur bonnet, étalent leur
érudition. Il semble se détourner aujourd'hui de ses amis
eux-mêmes. Vanité des vanités !

Quand il quitta Paris pour son pays [5], ce n'était pas le
calme que Ronsard y devait trouver, mais encore les alarmes
et la guerre civile. Ceux de la religion ont pris le château
d'Angers [6] ; leurs compagnies passent la Loire, alertent tout
l'Anjou et le Vendômois. Heureusement, M. de Joyeuse est
là, résolu et prudent, qui remet la place en la main du
roi, disperse les fuyards, comme un autre Achille [7]. Mais

---

1. VI, 458. — 2. Voir son *Tumulus* (Bibl. Nat., Réserve m Y^c 925), où Ronsard
n'a rien donné d'ailleurs.

3. Rien de Ronsard non plus dans son *Tumulus* (Bibl. Nat., Réserve m Y^c 925).

4. J.-A. de Thou, dans son *Histoire universelle*, à la fin de chaque année, insère
d'intéressantes nécrologies sur ces personnages. Voir aussi les éloges de Sainte-
Marthe (*Pœmata et elogia*, 1606) et les *Pœmatia* (1586) de Dorat.

5. Été de 1585. — 6. Le 7 novembre 1585, Henri III donnera l'ordre de le faire
démolir (Célestin Port, *Dictionnaire hist. de Maine-et-Loire*, 1874, p. 50).

7. L'*Eclogue* de Cl. Binet sur la mort de Ronsard est dédiée à Anne de Joyeuse.

Pierre de Ronsard, qui ignorait le désordre de cette armée, pouvait bien croire que toutes les forces de ceux de la religion allaient fondre sur le Vendômois. Dans tous les cas, il prit chaudement l'affaire. Et comme il n'avait aucune envie de tomber entre les mains des réformés, tout malade qu'il était, il adopte sur l'heure la résolution de changer de logis et de se faire transporter à Paris[1]. Et le voilà, une fois de plus, errant avec ses douleurs, pendant trois semaines ou un mois, le corps tout rompu, « travaillé » par les chemins, pour retrouver le principal de Boncourt[2] :

> Galland, ma seconde ame, Atrebatique race,
> Encor que noz ayeux ayent emmuré la place
> De nos villes bien loin, la tienne pres d'Arras,
> La mienne pres Vandosme, où le Loir de ses bras
> Arrouse doucement nos collines vineuses
> Et nos champs fromentiers de vagues limoneuses,
> Et la Lise les tiens, qui baignent ton Artois,
> S'enfuit au sein du Rhin, la borne des Gaulois :
> Pour estre separé de villes et d'espaces,
> Cela n'empesche point que les trois belles Graces,
> L'honneur, et la vertu, n'ourdissent le lien
> Qui serre de si pres mon cœur avec le tien.
> Heureux qui peut trouver pour passer l'avanture
> De ce monde, ung amy de gentille nature
> Comme tu es, Galland, en qui les cieux ont mis
> Tout le parfaict requis aux plus parfaicts amis.
> Ja mon soir s'embrunit, et desja ma journée
> Fuit vers son Occident à demy retournée.
> La Parque ne me veult ny me peut secourir :
> Encore ta carriere est bien longue à courir,
> Ta vie est en sa course, et d'une forte haleine,
> Et d'un pied vigoureux tu fais jaillir l'areine
> Sous tes pas, aussi fort que quelque bon guerrier
> Le sablon Ælean, pour le pris du laurier...

Le dernier séjour de Pierre de Ronsard chez Galland dura du mois de février 1585 au 13 juin de la même année[3].

---

1. C'est du moins ce qu'a dit Davy du Perron dans l'Oraison funèbre de Ronsard. (*Op. cit.*, p. 665). Binet ne parle pas de ce retour à Paris.
2. VI, 45.
3. Paul Laumonier, *Ronsard et sa province*, p. XL.

C'est l'année où, le jour de carême-prenant, on voit le roi Henri, lancé dans les rues de Paris, avec sa suite de cent chevaux, arracher les masques des badauds et les jeter dans la boue : mais l'autre espèce de mascarade, peu plaisante, apparaît : La Ligue à cheval[1] ! Ronsard y prend-il garde? Il avait dû garder le lit au collège, tourmenté qu'il était par « ses gouttes ordinaires ». Dans la maison de Galland, il avait composé l'Hymne de Mercure, dédié à Claude Binet, du Beauvaisis, son jeune disciple, qui s'occupait en ce temps-là de ses affaires et de ses procès[2] :

> Encore il me restoit entre tant de malheurs
> Que la vieillesse apporte, entre tant de douleurs
> Dont la goute m'assault pieds, jambes et joincture,
> De chanter, ja vieillard, les mestiers de Mercure :
> Je les diray pourtant, encor que mon poil blanc
> Esteigne autour du cœur la chaleur de mon sang.

Il y faisait une allusion à ces « corbeaux de court »

> qui masquez d'impudence
> Pillent les biens d'autruy...

Mais surtout Pierre de Ronsard demandait à Mercure le sommeil[3] :

> Donne moy que je puisse à mon aise dormir
> Les longues nuicts d'hyver, et pouvoir affermir
> Mes jambes et mes bras debiles par la goutte.
> Enten moy de ton ciel et ma priere escoute,
> Et pour recompenser celuy qui t'a chanté,
> Donne luy bon esprit, richesses et santé.

Ce fut son dernier grand poème. Et le retour à Croixval fut son dernier grand voyage. Alors Pierre de Ronsard se fit faire « un coche » pour voyager seul et plus commodément. Et l'ami Galland l'accompagna.

Croixval est bien plaisant, proche de la forêt que gar-

1. Pierre de l'Estoile, II, 182-183.
2. VI, 30. — 3. VI, 36.

dèrent ses pères[1]. Mais au mois de juillet, Pierre de Ronsard
se fait porter à son prieuré de Saint-Cosme; il y demeure
huit ou dix jours, puis rentre à Croixval. Il est comme ces
malades qui, ne sachant plus quel remède appliquer à leur
mal, s'en prennent à leur chambre et à leur lit, s'imaginent
qu'un changement de lieu changera leur douleur[2]. Le
20 septembre 1585, Ronsard mandait Jean Mirault, notaire
royal à Saint-Paterne, et, en présence de témoins, de Louis
de Bueil, sieur de Racan, de Jacques Boyer, sieur de Saint-
Sulpice, et de Jean de Loré, sieur de Prez, il faisait abandon
de ses trois prieurés de Saint-Gilles, de Croixval et de Saint-
Guingalois à Galland[3]. C'est toujours à lui qu'il pense. Avec
lui il n'a plus cette pudeur devant le mal qui l'inclinait à la
mélancolie et à la solitude, qui faisait que les visites de Paris
l'ennuyaient tant et l'affligeaient. Car il déplaisait à Pierre
de Ronsard que ses amis le vissent dans l'état où il était,
qu'ils fussent témoins de ses douleurs. Mais ce n'est pas la
même chose avec Galland. Le 22 octobre, Ronsard lui écrivait qu'il était devenu fort maigre et bien faible, depuis
quinze jours, qu'il craignait que les feuilles d'automne ne
le vissent tomber avec elles. Que la volonté de Dieu soit
faite! Il souhaitait même que ce fût plus tôt que plus tard.
Car, parmi tant de douleurs nerveuses, il ne pouvait plus se
soutenir; il n'était plus qu'*iners terræ pondus* (ce sont ses
propres mots). Et Ronsard priait Galland de venir le
retrouver, estimant que sa chère présence lui serait seulement un remède[4].

Ces jours sont remplis pour Ronsard d'inquiétudes et de
souffrances. Car le 23 octobre 1585, le château d'Angers
avait été rendu à composition par les huguenots. C'est un

1. Sur ce prieuré, cf. Pierre Dufay, dans la *Revue de la Renaissance*, janvier 1909,
et Clément, *Monographie de Ternay*. Ronsard y séjourne de juillet au 27 octobre.

2. Du Perron, Oraison funèbre, *op. cit.*, p. 665.

3. L. Froger, *Ronsard ecclésiastique*, p. 51 ; abbé Charles, *Saint-Guingalois de
Château-du-Loir*.

4. VII, 135. — Cette lettre a été entre es mains de Cl. Binet et de G. Colletet.

échec pour le prince de Condé. Et le duc de Joyeuse rentre à Paris en triomphateur, disant que tous les catholiques, par son moyen et bonne conduite, avaient nettoyé le pays angevin de toutes les troupes. Mais les paysans d'alentour pouvaient être inquiets. Il semble bien que c'est à ce moment que Ronsard écrivit pour ses paysans, les pères de famille, sur le chant : *Te Rogamus, audi nos*[1], l'hymne à saint Blaise, peut-être à l'occasion de la fête du patron de Montrouveau :

> Ce jourd'huy que nous faisons
> A ton autel oraisons
> Et processions sacrées
> Pour nous, nos bleds, et nos prées,
> Chantant ton hymne à genous,
> Je te prie, escoute nous !
>
> Garde nos petits troupeaux
> Laines entieres et peaux,
> De la ronce dentelée,
> De tac et de clavelée,
> De morfonture et de tous :
> Je te prie, escoute nous...
>
> Garde nos petits vergers,
> Et nos jardins potagers,
> Nos maisons et nos familles,
> Enfans, et femmes, et filles,
> Et leur donne bons espous :
> Je te prie, escoute nous...

Et Ronsard écrit aussi le début d'une hymne chrétienne, qui demeura inachevée, à saint Roch, le saint guérisseur[2] :

> Sus serrons nous les mains, sus marchons en dansant...

Quelque temps après[3], comme ses souffrances augmen-

---

1. VI, 36 (éd. de 1586-1587). — 2. VI, 4o (éd. de 1586-1587).

3. Pour le récit des derniers mois de Ronsard j'ai utilisé la *Vie* de Claude Binet, et j'ai mis aussi à contribution l'Oraison funèbre du cardinal Davy du Perron, prononcée au collège de Boncourt au milieu d'une grande affluence. (*OEuvres complètes*, éd. H. Vaganay, VII ; éd. P. Blanchemain, VIII.) C'est un morceau d'une fausse éloquence, comme faux était l'homme qui le prononça, mais plein d'admiration pour Ronsard ; il est très représentatif de l'emphase, du mauvais goût de ce temps. Plusieurs anecdotes des *Perroniana* (Genève, 1669, articles DESPORTES et RONSARD) sont intéressantes et donnent la véritable pensée de Du Perron. L'Oraison funèbre de Pierre Perreau précise certains traits.

taient et que ses forces diminuaient, ne pouvant dormir par
les grandes douleurs d'estomac qu'il ressentait, Pierre de
Ronsard envoie chercher, avec un notaire, le curé de Ternay
pour déposer le secret de sa volonté. Il entend la messe avec
grande dévotion et, s'étant fait habiller, il reçoit la commu-
nion chrétienne, se repent de sa vie passée, en espérant
une meilleure. Puis il se fait dévêtir et remettre au lit,
disant : « Me voilà au lit, attendant la mort, terme et passage
commun d'une meilleure vie : quand il plaira à Dieu de
m'appeler, je suis tout prêt de partir. » Toutefois Ronsard
renvoya le notaire, disant qu'il n'y avait encore rien de
pressé, qu'il se sentait mieux après avoir mis toute sa confiance en Dieu.

Le sieur Galland arrive le 30 octobre à Montoire, dans le
bénéfice de Saint-Gilles, où Pierre de Ronsard venait de se
retirer. Saint-Gilles, au faubourg de Montoire, entre le Loir et
le coteau, est l'antique prieuré que nous retrouvons comme
l'a vu Ronsard, chapelle, vergers, jardins, avec sa venelle
défiante qui y conduit. C'est dans la chapelle basse, aux
murs couverts de fresques violentes, dessinées d'ocre rouge,
comme byzantines, que Ronsard a prié ; et il a communié
dans la nef de l'église dont les ruines sont aujourd'hui des
écuries et des hangars. Mais le jardin de Saint-Gilles, qui
descend jusqu'au Loir, ses roses qui l'ont enivré, les fruits
savoureux du dernier automne de Ronsard, nous touchent
davantage.

Quand Ronsard vit entrer Galland dans sa chambre,
ému de pitié sur lui-même, il pleura ; et Galland ne put
parler [1] :

1. VI, 6. — Ces vers, et la plupart de ceux que nous allons citer, ont été recueillis
dans *Les derniers vers de Pierre de Ronsard*, à Paris, chez Buon (Bibl. Mazarine 10 849)
et à Lyon, par Jean Pillehote, 1586 (Bibl. Nat., Rés. Yᵉ 4759). Cette plaquette fut
distribuée aux assistants, le jour du service funèbre au collège de Boncourt
(24 février 1586) par les soins de Claude Binet. — Voir aussi *Georgii Critonii
Laudatio funebris...* Lutetiæ, A. D'Auvel, 1586 (Bibl. Nat., m. Yᵉ 925). Ce recueil est
adressé à Galland.

Je n'ay plus que les os, un schelette je semble,
Descharné, denervé, demusclé, depoulpé,
Que le trait de la mort sans pardon a frappé,
Je n'ose voir mes bras que de peur je ne tremble...

Quel amy me voyant en ce point despouillé
Ne remporte au logis un œil triste et mouillé,
Me consolant au lict et me baisant la face,

En essuyant mes yeux par la mort endormis?
Adieu, chers compaignons, adieu mes chers amis,
Je m'en vay le premier vous preparer la place !

Mais le malade se ressaisit, disant qu'il était bien heureux
de partir de cette vie en laquelle il ne pouvait plus avoir que
peine et tourment ; que s'il y avait quelque chose qui dût lui
faire désirer d'y demeurer, c'était l'affection et l'amitié que
Galland lui portait. Il ne fallait pas s'opposer à la volonté de
Dieu ; si leurs corps étaient éloignés, leurs âmes seraient
perpétuellement ensemble. Puisque tel était le plaisir de
Dieu, il y acquiesçait volontiers ; et cette vie, au surplus,
n'était pour lui qu'une mort continuelle. Car il ne craint pas
la mort, celui qui, jadis, avait écrit ces beaux vers[1] :

C'est une grand' Déesse, et qui merite bien
Mes vers, puisqu'elle fait aux hommes tant de bien.
Quand elle ne feroit que nous oster des peines,
Et hors de tant de maux dont nos vies sont pleines...
Je te salue heureuse et profitable mort
Des extremes douleurs medecin et confort...

Et maintenant, dans ces « méchantes nuits d'hiver » où il
ne peut dormir, où seize heures, pour le moins, « il meurt,
les yeux ouverts[2] » :

Me tournant, me virant de droit et de travers,
Sus l'un, sus l'autre flanc, je tempeste, je crie,
Inquiet je ne puis en un lieu me tenir,
J'appelle en vain le jour, et la mort je supplie,
Mais elle fait la sourde, et ne veut pas venir.

Ainsi Pierre de Ronsard solennisa la Toussaint à Montoire.

1. IV, 365. — 2. VI, 6.

Puis il se fait transporter à Croixval. Et c'est vrai qu'auprès de Galland, sa seconde âme, il semblait avoir retrouvé son âme à lui aussi. Car Ronsard lui parlait, avec douceur et gentillesse, dans cette épigramme en forme d'inscription, imitée de celle que l'empereur Hadrien inventa sur ses derniers jours à Baïa [1] :

> Amelette Ronsardelette,
> Mignonnelette, doucelette,
> Tres chere hostesse de mon corps,
> Tu descens là bas foiblelette,
> Pasle, maigrelette, seulette,
> Dans le froid Royaume des mors :
> Toutesfois simple, sans remors
> De meurtre, poison, ou rancune,
> Méprisant faveurs et tresors
> Tant enviez par la commune.
> Passant, j'ay dit, suy ta fortune,
> Ne trouble mon repos, je dors.

Et Ronsard dit alors : « Je me suis souvenu d'un ancien Epigramme latin, lequel pour passer temps je desirois rendre plus chrestiennement qu'il n'est [2]... » Ce fut son dernier souvenir donné au paganisme.

Mais Pierre de Ronsard ne peut toujours ni dormir, ni connaître une minute de repos. Ses yeux demeurent ouverts. Son âme est éveillée sous l'aiguillon de la douleur [3],

> Souffrant comme Ixion des peines eternelles.

Alors le malade commence à boire le jus du pavot, qui engourdit ses fonctions naturelles, immobilise ses membres amaigris. Il se regarde mourir ; il observe les os de ses mains et de ses pieds qui font saillie. Et toujours il demeure sans sommeil, malgré tous ces jus de pavot dont il buvait des infusions, dont il mâchait la feuille crue ou la graine, au cours de ces longues nuits d'hiver, dont jadis il avait dit les voluptueux plaisirs [4] :

1. VI, 9. — 2. Cl. Binet, éd. P. Laumonier, p. 31. — 3. VI, 7.
4. VI, 113.

> Heureux, cent fois heureux, animaux qui dormez[1]
> Demy an en voz trous, sous la terre enfermez,
> Sans manger du pavot qui tous les sens assomme :
>
> J'en ay mangé, j'ay beu de son just oublieux
> En salade, cuit, cru, et toutesfois le somme
> Ne vient par sa froideur s'asseoir dessus mes yeux.

Ainsi Ronsard continuait à faire des stances et des sonnets pour Galland, les yeux toujours ouverts. Il composait une épitaphe pour graver sur son tombeau[2] :

> Ronsard repose icy, qui hardy dés enfance
> Détourna d'Helicon les Muses en la France,
> Suivant le son du luth et les traits d'Apollon :
> Mais peu valut sa Muse encontre l'eguillon
> De la mort, qui cruelle en ce tombeau l'enserre :
> Son ame soit à Dieu, son corps soit à la terre.

Tranquille d'apparence, Ronsard semblait ravi par ses belles conceptions ; et toujours il récitait, au fort de son mal, des vers. Ainsi, il passe une quinzaine de jours à Croix-val. Mais il veut revoir son prieuré de Saint-Cosme, près de Tours. Le voilà qui se fait habiller, tout perclus et estropié qu'il est. On le porte, comme une souche, dans son coche qu'il a commandé. Car c'est à Saint-Cosme, son prieuré, qu'il veut mourir, dans la belle Touraine des bocages et des prés. Par un temps affreux, sous la pluie d'hiver, le moribond entend se mettre en route, sans même attendre que le mauvais temps soit passé. Il reste trois jours tout habillé. Mais il n'a pas la patience d'attendre davantage. Le quatrième jour, il commande son coche pour deux heures avant le jour. Et le voilà par les champs, sous la pluie, faisant six relais pour venir à bout de quatre à cinq lieues de chemin ! Ainsi il arrive à Saint-Cosme, un dimanche, sur les cinq heures du soir.

Là, il repose un peu, « récite » une fois de plus sa vie, laissant voir son repentir et qu'il renonce à « toutes blan-

---

1. VI, 7. — 2. VI, 9.

Cl. Pierre Dufay

Buste de Ronsard
(Musée de Blois)

dices de ce monde ». Il offre sa souffrance à son Dieu,
déclare qu'il n'a de haine contre personne, demandant à
chacun son pardon. Il prie, reçoit encore les derniers sacrements, fait écrire par un de ses religieux ses deux derniers
sonnets spirituels, tandis que ses extrémités commencent à
se refroidir [1] :

> Quoy mon ame, dors tu engourdie en ta masse ?
> La trompette a sonné, serre bagage, et va
> Le chemin deserté que Jesuchrist trouva,
> Quand tout mouillé de sang racheta notre race...

Et son dernier sonnet finit par ces beaux mots de Jésus et
d'Esprit [2] :

> Heureux qui ne fut onc, plus heureux qui retourne
> En rien comme il estoit, plus heureux qui sejourne
> D'homme fait nouvel ange auprès de Jesuchrist,
>
> Laissant pourrir çà bas sa despouille de boüe
> Dont le sort, la fortune, et le destin se joüe,
> Franc des liens du corps pour n'estre qu'un esprit.

Comme on l'incite à manger, Ronsard réplique [3] :

> Toute la viande qui entre
> Dans le goufre ingrat de ce ventre,
> Incontinent sans fruict resort,
> Mais la belle science exquise
> Que par l'oüye j'ay apprise
> M'accompagne jusqu'à la mort.

On pleure autour de lui. Son visage est tout en eau ; ses
linceuls sont mouillés et trempés des sueurs du travail de
l'agonie. Les plus honnêtes familles de Tours sont venues
l'assister. Cette amitié l'attendrit. Mais Ronsard demande
qu'on le laisse seul. Car sa parole demeure toujours ferme,
comme si un Dieu se servait de sa bouche pour rendre des
oracles. Maintenant, plus que le sommeil, il implore la
mort. Le sous-prieur de Saint-Cosme lui a amené ses reli-

---

1. VI, 8. — 2. VI,-8.
3. VI, 49 (*Les Œuv es*, X, 1597).

gieux ; il lui rappelle qu'il est temps encore de penser à ses affaires temporelles, comme au salut de sa conscience. Alors Ronsard s'aigrit, lui demande s'il ignorait comment il voulait mourir : il voulait mourir comme étaient morts ses pères, c'est-à-dire dans la foi catholique. Pour la dernière fois, entre hommes et religieux, c'est l'aveu, ou le souvenir, de ces charmes des sens, non réprimés et châtiés, comme il aurait dû le faire. Que ces religieux aient sa foi, sans vivre comme il avait vécu !

Son visage est tout mouillé : alors Ronsard répète la parole du sage, qui était tout aussi bien un mot des anciens : *Vanité des vanités*. Il reçoit l'extrême-onction, répond aux paroles dernières, se tourne vers la paroi pour reposer.

Il dort environ une heure ; mais quand il sort de son assoupissement, il s'aperçoit que sa parole commence à se troubler. Alors il appelle sa garde et lui recommande de le pousser quand il commencerait « à resver ». Car sa dernière inquiétude était qu'une parole indigne de lui sortît de sa bouche. Ronsard incline la tête sur le chevet de son lit pour reposer.

Ses mains, qu'il avait jointes vers le ciel, firent connaître, en retombant, que l'âme du poète, le grand souffle qui agita son œuvre, venait de passer, le 27 du mois de décembre, l'an 1585[1].

---

1. Pierre de Ronsard était âgé de soixante et un ans. — La nouvelle de sa mort arriva à Paris le lendemain. Et Pierre de l'Estoile écrivit dans ses *Mémoires-journaux*, II, 221 : « Le vingt-huitième jour de décembre mourust Messire Pierre de Ronsard, le premier et le dernier de nos poëtes françois, en son prieuré de Saint-Cosme-lès-Tours, en l'an de son aage soixante-deus. Il avoit flori avec grand renom et grande réputation d'excellent poëte, par dessus tous ses prédécesseurs et contemporains, soubz les roys Henri II, François II, Charles IX et Henri III, qui l'avoient aimé et honoré, hormis le dernier, qui ne lui fist jamais grande démonstration de faveur, ni aucun avancement. »

Le *Tombeau* a été publié à la suite du *Discours de la Vie de Pierre de Ronsard, gentilhomme Vandomois, prince des Poëtes François, avec une Eclogue representée en ses obsèques, par Claude Binet, plus les vers composez par ledict Ronsard peu avant sa mort : ensemble son Tombeau recueilli de plusieurs excellens personnages*, Paris, Gabriel Buon, au Clos-Bruneau, à l'image de S. Claude, 1586 (Bibl. Nat., Rés. m. Y^c 925, réédition abrégée au t. X des *Œuvres*, 1587, p. 171-237. Bibl. Nat., Rés. p. Y^e 172). Binet a recueilli tous les témoignages des amis de Ronsard, présents et lointains : ou

Ainsi mourut chrétiennement le grand Pan de la Renaissance.

y remarque l'absence de Philippe Desportes (l'élégie de R. Garnier, adressée à l'abbé de Tiron, le désigne cependant comme le successeur de Ronsard pour chanter la gloire d'Henri III). Ont collaboré à ce recueil : Cl. Binet, promoteur du *Tombeau* ; Jean Dorat ; Nicolas Goulu ; Germain Vaillant de Guélis, abbé de Pimpont ; Pontus de Tyard ; J.-Antoine de Baïf ; Jean Passerat ; Jacques-Auguste de Thou ; Jean Leclerc, parlementaire ; Paul Melissus ; Robert Garnier ; Amadis Jamyn ; Jeanne de Faulquier, baronne de Seignelay ; Jean Galland ; Etienne Pasquier ; Antoine Loisel ; Pierre Pithou ; Papire Masson ; Antoine Hotman ; Nicolas Rapin ; Nicolas Rapin le fils ; Jean Héroard ; Robert Estienne ; Thomas Sibilet ; R. Cailler, poitevin ; G. Durant ; Ferrante Grigioni ; Louis Dorléans. — (2e série) Daniel Augent ; G. Critton ; Ch. Ménard ; Volusian ; Matt. Zampini ; P. Giaco ; Cos. Ruggieri ; C. P. C. ; P. Delbene ; A. T. A. F. ; A. de Tournebu ; Jean Jacquier, parisien ; Nic. Valla ; P. Bourgeois ; Frédéric Morel ; Ch. de la Guesle ; G. I. ; Jacques le Gras ; Louis Martel de Rouen ; Antoine La Bletonière de Cluny ; C. de Thouart ; J. Lenglez ; Ch. Du Lis ; Ant. Mornac ; V. Ph. de Villiers ; F. Gaultier Angevin ; C. de Loppé. — Sous le titre : *Les Funebres Regretz sur la mort de Pierre de Ronsard gentilhomme Vandomois*, Paris, Guillaume Linocier, au Mont Sainct Hilaire, au Vase d'or, in-8 de 71 p., se rencontre à la Bibl. Nat. (Inventaire Ye 22892) un complément surtout provincial au grand Tombeau. Les auteurs sont Jean Dorat, Jean des Caurres de Moreuil, professeur au collège d'Amiens, Falise, médecin de Tours ; Frédéric Morel ; Paschal Robin, sieur du Faux, gentilhomme angevin ; F. Gaultier, angevin ; Nicolas Micaël ; André de Rossant, jurisconsulte et poète lyonnais ; J. Ogier, sieur de Chareing, poitevin ; F. D. C. ; Sébastien Rouillard de Melun ; C. D. C. ; François de Bosermont, gentilhomme tourangeau ; Ph. Barjot, prévôt de Mâcon ; P. Tamisier, de Mâcon ; Amat de Rymon, procureur du roi à Mâcon ; Jean Clouet, angevin ; I. T. ; I. D. ; Jérome Cavellat, parisien ; Gab. Jacques, lyonnais ; Michel Pagan ; J. Passerat ; Georges l'Apostre de Touffreville. — On peut joindre à ce témoignage celui de l'Ecossais Georges Critton, *Laudatio funebris in exequis Petri Ronsardi apud Becordianos...*, Lutetiæ, A. d'Auvel, 1586, qui nous donne l'intéressante oraison funèbre en latin de Pierre Perreau de Moulins (Bibl. Nat., Rés. m. Yc 925), et du Chartrain, Jacques Velliard, *Laudatio funebris...* Parisiis, 1586 (Bibl. Nat., Ln27 17840). Une lettre, bien intéressante, de Nicolas Rapin à Scévole de Sainte-Marthe donne un vivant récit de la cérémonie du 24 février 1586, en mémoire de Ronsard, à Boncourt. Devant une notable assemblée, il y eut des harangues le matin en présence des gens du Parlement et de la ville, dans la chapelle, une musique excellente (le *requiem* de Jacques Mauduit) ; un dîner somptueux servi aux dépens de M. Galland. A l'oraison funèbre que prononça l'après-midi M. du Perron, on remarquait le premier président, beaucoup de conseillers, M. de Joyeuse, mesdames de Retz et de Villeroy. Hélène ne paraît pas avoir assisté au service de Ronsard. (Bibl. de l'Institut, ms. 290, publiée par P. de Nolhac, *Ronsard et l'Humanisme*, p. 240-241 ; le même manuscrit, fol. 39, contient une lettre intéressante de Claude Binet demandant à Sainte-Marthe sa collaboration au tombeau de Ronsard.) On représenta l'*Eclogue* de Claude Binet, dédiée à Anne de Joyeuse ; Thoinet désigne Antoine de Baïf ; Claudin, Claude Binet, et Philin, Jean Galland (?). Galland, à Boncourt, entretint le culte de Ronsard. Chaque année il faisait célébrer son anniversaire dans la chapelle où il avait placé sa statue de marbre. Il y avait, ce jour-là, des disputes littéraires dont les tenants étaient les meilleurs élèves de son collège (A. de Thou, *Histoire universelle*).

Le buste que nous reproduisons, d'après un plâtre conservé aux musées de Blois et de Tours, faisait partie du monument élevé à Ronsard au prieuré de Saint-Cosme ; il me paraît avoir été fait d'après le masque funèbre. Une aquarelle de la collection Gaignères, conservée à Oxford, reproduit tout le monument (P. Dufay, *Étude iconographique. Le portrait, le buste* et l'*épitaphe de Ronsard au musée de Blois*. Paris, 1907 ; Ch. de Grandmaison, *Buste de Ronsard d'après celui qui ornait son tombeau à Saint-Cosme près Tours*, 1895.) L'épitaphe de Ronsard est conservée aujourd'hui au musée de Blois. Elle avait été posée, vingt ans après la mort du poète, par Joachim de la Chétardie, conseiller au Parlement, son successeur comme prieur de Saint-Cosme.

INDEX

A

Académie de Baïf, 347.

Académie du Palais, 348, 349, 358.

Académie platonicienne de Florence, 347, 350.

Achille, surnom de Henri III, 330, 332.

Adonis de Cour, 420.

Adonis de la « belle Chambrée », 373.

Adour, 215.

Adrien, 374, 375, 479.

agathe, 301.

Agénor, 400.—*Voir* Angennes(Ch.d').

Agrippa d'Aubigné, 63, 73, 164, 256, 264, 329, 333, 351, 360, 372, 378, 471.

Alava, 275.

Albe (duc d'), 216.

Alègre (marquis de Tourzel d'), 283, 284, 362.

Alençon, 4.

Alençon (François duc d'), 387. — *Voir* François.

Alençon (monseigneur d'), 119. — *Voir* Henri III.

Alexandra, 46, *voir* Cassandre.

Alexandre, 355.

Alexandre le Grand, nom donné à Henri III, 355.

Allemagne, 119, 127, 139, 148, 151, 174, 189, 458.

Allemands, 160, 358.

Almanque Papillon, 291.

Alsinois (comte d'), 61. — *Voir* Denisot (Nicolas).

Amadis de Gaule, 88, 267.

Amat de Rymon, 483.

Amboise, 146, 147, 174.

Amboise (François d'), 287.

Amboise (les troubles d'), 145.

Amérique, 111.

Amiens, 483.

Amymone, 98.

Amyot (Jacques), 206, 328, 330.

Anacréon, 55, 56, 70, 73, 78, 82, 88, 91, 126, 348, 424, 432.

Anacréontiques, 457.

Anaxagore, 353.

Androgyne, 331.

Anet, 120.

Angennes (Charles d'), 400.

Angers, 254, 367, 437, 472, 475.

Anglais, 117, 124, 160, 164, 172, 174, 208.

Angleterre, 25, 131, 139, 148, 164, 169, 180, 218, 219, 220, 224, 458.

Angoulême, 4.

Angoulême (Mme d'), 209.

Anjou, 89, 90, 96, 101, 102, 213, 472.

Anjou (bon vin d'), 96.

— (duc d'), 209. — *Voir* Henri III.

Anne, sœur de Marie, 90. — *Voir aussi* Aquaviva.

Annebault (Jean d'), 225.

Annon, 91. — *Voir* Anne.

Anthologie, 52, 70.

Antinoüs (les), 374.

Antoinette, sœur de Marie, 90.

Anvers, 364, 441, 457.

Anville (d'), 174.

Apollonius de Rhodes, 235.

Apostre (de Touffreville), 483.

Aquaviva (Anne de), 104, 226, 227, 243, 244, 285. — *Voir* Callirée.

Aratus, 87.

Arcadet, 429.

Archimède, 377.

TABLE DES PLANCHES

TABLE DES CHAPITRES

V

VI

Imprimerie de J. Dumoulin, à Paris.